GUIDE COMPLET DU BRICOLEUR
LA MENUISERIE

Traduit de l'américain
par Jean Storme

Note de l'Éditeur: Avant d'entreprendre les travaux de bricolage et de rénovation expliqués dans le présent ouvrage, il est très important que vous preniez soin de vous informer auprès de votre ville ou de votre municipalité de la réglementation concernant ce genre de travaux, des lois du code régional et des restrictions s'appliquant à votre localité. Il est aussi prudent que vous respectiez toutes les mesures de sécurité prescrites dans ce livre et que vous fassiez appel aux conseils et à la compétence d'un professionnel en cas de doute ou de difficulté.

Données de catalogage avant publication (Canada)

Vedette principale au titre:

La menuiserie

(Guide complet du bricoleur)
Traduction de: The complete guide to home carpentry

1. Menuiserie - Manuels d'amateurs. 2. Habitations - Réfection - Manuels d'amateur. I. Storme, Jean. II. Black & Decker Corporation (Towson, Mar.) III. Collection.

TH5607.C6514 2001   94'.6   C2001-940390-9

Éditeur exécutif: Bryan Trandem
Directeur artistique: Tim Himsel
Coordonnatrice de l'édition: Michelle Skudlarek
Directeur de l'édition: Jerri Farris

Rédacteur en chef: Daniel London
Rédacteurs: Paul Currie, Paul Gorton, Phil Schmidt
Réviseur: Jennifer Caliandro
Directeur artistique en chef: Kevin Walton
Concepteurs Mac: Jon Simpson, Kari Johnston
Illustrateur: Rich Stromwall
Photographe technique en chef: Keith Thompson
Photographe technique adjoint: Sean Doyle
Directrice du projet: Julie Caruso
Recherchiste photo: Angela Hartwell
Responsable des services de studio: Marcia Chambers
Coordonnatrice des services de studio: Carol Osterhus
Responsable de l'équipe des photographes: Chuck Nields
Photographes: Andrea Rugg, Tate Carlson
Menuisiers de l'atelier: Christopher Kennedy,
Dan Widerski, David Johnson
Directrice du service de production: Kim Gerber
Coordonnatrice de la production: Stasia Dorn

L'ouvrage original a été créé par l'équipe de Creative Publishing international, Inc., en collaboration avec Black & Decker. Black & Decker est une marque déposée de The Black & Decker Corporation utilisée sous licence.

L'Éditeur bénéficie du soutien de la Société de développement des entreprises culturelles du Québec pour son programme d'édition.

Nous reconnaissons l'aide financière du gouvernement du Canada par l'entremise du Programme d'aide au développement de l'industrie de l'édition (PADIÉ) pour nos activités d'édition.

L'ouvrage original américain a été publié
par Creative Publishing international, Inc.
sous le titre *The Complete Guide to Home Carpentry*

Dépôt légal: 2e trimestre 2001

Bibliothèque nationale du Québec

ISBN 2-7619-1601-8

DISTRIBUTEURS EXCLUSIFS:

- Pour le Canada et les États-Unis:
MESSAGERIES ADP*
955, rue Amherst,
Montréal, Québec, H2L 3K4
Tél.: (514) 523-1182
Télécopieur: (514) 939-0406
* Filiale de Sogides ltée

- Pour la Belgique et le Luxembourg:
PRESSES DE BELGIQUE S.A.
Boulevard de l'Europe 117, B-1301 Wavre
Tél.: (010) 42-03-20
Télécopieur: (010) 41-20-24

- Pour la Suisse:
DIFFUSION: HAVAS SERVICES SUISSE
Case postale 69 - 1701 Fribourg - Suisse
Tél.: (41-26) 460-80-60
Télécopieur: (41-26) 460-80-68
Internet: www.havas.ch
Email: office@havas.ch
DISTRIBUTION: OLF SA
Z.I. 3, Corminbœuf, Case postale 1061,
CH-1701 FRIBOURG
Commandes: Tél.: (41-26) 467-53-33
Télécopieur: (41-26) 467-54-66

- Pour la France et les autres pays:
HAVAS SERVICES
Immeuble Paryseine, 3, Allée de la Seine
94854 Ivry Cedex
Tél.: 01 49 59 11 89/91
Télécopieur: 01 49 59 11 96
Commandes: Tél.: 02 38 32 71 00
Télécopieur: 02 38 32 71 28

Pour en savoir davantage sur nos publications,
visitez notre site: **www.edhomme.com**
Autres sites à visiter: www.edjour.com • www.edtypo.com
www.edvlb.com • www.edhexagone.com

Crédits photos:

Andersen Windows Inc.
www.andersenwindows.com

Armstrong Ceilings
www.ceilings.com

Delta Machinery
www.deltawoodworking.com

Kraftmaid Cabinetry, Inc.
www.kraftmaid.com

Western Red Cedar Lumber Association
www.wrcla.com

Table des matières

Introduction

Matériels

Outils et utilisation

Menuiserie de base

Projets avancés

Étagères, armoires et dessus de comptoirs

ELEVATION
SOUTH

Introduction

Commencez toujours par dessiner au crayon votre projet de menuiserie. Rajoutez des détails au dessin à mesure que votre idée se précise, vous pourrez ainsi prévoir les outils et les matériaux nécessaires, de même que l'effet de votre projet sur vos lieux de séjour.

Planification d'un projet de menuiserie

Un projet de menuiserie peut être une source de délassement et de satisfaction, mais il exige plus que le tour de main nécessaire pour scier du bois et enfoncer des clous. En fait, le produit portera moins la marque de votre dextérité que celle de votre attention aux détails, aux matériaux, aux coûts et aux codes du bâtiment locaux. En résolvant ces questions au stade de la planification, vous disposerez de tout le temps nécessaire lorsque vous commencerez les travaux. Commencez toujours vos projets en vous posant les questions qui suivent. Une fois que vous y aurez répondu, vous aurez confiance en votre capacité de mener le projet à terme.

Dois-je obtenir un permis? Si le projet modifie tant soit peu l'état de la maison la plupart des autorités exigent un permis d'exécution des travaux. Vous devrez probablement obtenir un permis dans tous les cas où vous faites plus que remplacer un châssis de fenêtre pourri. Il faut un permis pour remplacer ou ajouter une poutre, des pieux, des solives ou des chevrons ; pour ajouter des éléments de construction ; pour transformer un sous-sol ou des combles ; pour une multitude d'autres travaux. Documentez-vous auprès des autorités et, si elles exigent un permis, vous devrez, avant d'entamer le travail, soumettre à l'approbation d'un inspecteur le croquis détaillé du projet et une liste des matériaux de construction qu'il comprend.

Quel effet le projet aura-t-il sur les lieux de séjour? La construction d'un mur ou l'installation d'une fenêtre peuvent modifier considérablement votre espace vital. Avant de commencer les travaux, assurez-vous d'avoir considéré tous les avantages et les inconvénients du projet.

Quels sont les matériaux qui conviennent le mieux à mon projet? Choisissez des matériaux qui sont en harmonie avec vos lieux de séjour, afin de conserver à chaque pièce son cachet particulier. Achetez toujours des produits de qualité qui satisfont aux codes locaux du bâtiment.

De quels outils ai-je besoin? Chaque projet de menuiserie envisagé dans ce manuel comprend une liste des outils nécessaires, dont des outils à commande mécanique. Certains de ces outils sont essentiels, la foreuse à commande mécanique et la scie circulaire, par exemple. D'autres, comme la scie à onglets ou la toupie, simplifient le travail, mais ne sont pas indispensables. On peut utiliser une scie circulaire au lieu d'une toupie pour faire les rainures des étagères et on peut faire des coupes à onglets en se servant d'une scie à dosseret et d'une boîte à onglets. Utiliser les bons outils pour accomplir des tâches particulières prend normalement plus de temps, mais en échange on éprouve la satisfaction du travail bien fait que procure l'utilisation des outils manuels appropriés.

Conseils pour planifier un travail

Délimitez le travail en le circonscrivant sur le plancher à l'aide de ruban-cache de 2 po. Vous pourrez ainsi visualiser le résultat que vous obtiendrez et parfois faire ressortir des aspects qui n'apparaissaient pas sur le dessin à l'échelle.

Examinez les endroits situés immédiatement au-dessus et en dessous du lieu des travaux, avant de découper un mur ; vous pourrez ainsi déterminer où se trouvent les conduites d'eau, les gaines de ventilation et les conduites de gaz. Dans la plupart des cas, les tuyaux, les conduites de service et les gaines traversent les planchers verticalement. Les plans de la maison devraient vous permettre de situer les conduites de service.

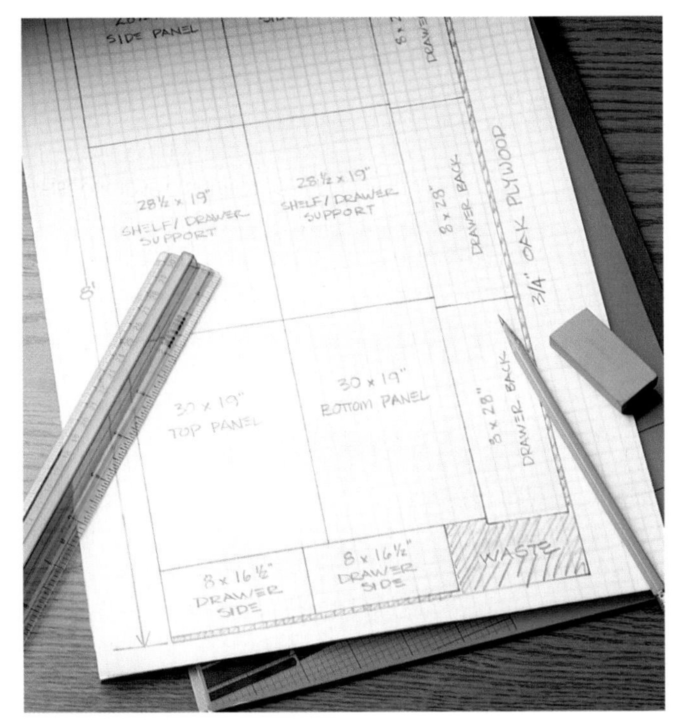

Dessinez des diagrammes de coupe qui vous aideront à utiliser efficacement les matériaux. Tracez à l'échelle, sur du papier millimétré, les lignes de coupe des matériaux en feuille que vous utiliserez pour chaque partie de votre projet. Ce faisant, n'oubliez pas que le trait de scie enlève 1/8 po de matière.

Dressez la liste des matériaux en vous basant sur vos dessins et vos diagrammes de coupe. Photocopiez cette liste et utilisez-la pour organiser votre travail et estimer les coûts.

Sécurité

Lorsque vous effectuez des travaux de menuiserie, votre sécurité dépend en grande partie des précautions que vous prenez. Les outils à commande mécanique vendus sur le marché offrent de nombreuses caractéristiques de sécurité : protecteurs de lames, verrous empêchant la mise en marche accidentelle, double isolation réduisant le risque de choc électrique en cas de court-circuit, etc. Il ne tient qu'à vous de profiter de ces mesures de sécurité. Par exemple, ne faites jamais fonctionner une scie sans son protecteur de lame, car vous risquez d'être blessé par les débris volants de toutes parts et d'être coupé par la lame.

Prenez toutes les précautions recommandées dans le manuel du propriétaire et protégez-vous au moyen de lunettes de sécurité, de bouchons d'oreille et d'un masque respiratoire qui filtrera la poussière et les débris.

Gardez les lieux propres. Un lieu de travail en désordre augmente le risque d'accident. Nettoyez vos outils, rangez-les à la fin de chaque période de travail et balayez la poussière et les débris.

Certains produits émettent des fumées ou des particules dangereuses. Gardez-les à l'écart des sources de chaleur et hors de portée des enfants ; ne les utilisez que dans des endroits bien ventilés.

La sécurité doit être une préoccupation de tous les instants. Prenez le temps de regarnir votre trousse de premiers soins et d'examiner régulièrement votre lieu de travail, vos outils et votre équipement de sécurité. Évitez les risques d'accidents en remplaçant ou en réparant les pièces anciennes ou usées avant qu'elles ne se brisent.

Lisez le manuel du propriétaire avant d'utiliser un outil à commande mécanique. Vos outils peuvent différer sensiblement de ceux qui sont décrits dans ce guide ; et vous avez donc intérêt à vous familiariser avec les caractéristiques et les possibilités de vos propres outils. Protégez-vous toujours les yeux et les oreilles lorsque vous utilisez un outil à commande mécanique. Portez un masque respiratoire si les travaux peuvent produire de la poussière.

Certains murs peuvent contenir de l'amiante. De nombreuses maisons ont été construites ou rénovées entre 1930 et 1950 avec les isolants de l'époque qui contenaient de l'amiante. Consultez un professionnel sur l'enlèvement de polluants dangereux comme l'amiante et, si vous rencontrez des matériaux en amiante ou qui en contiennent, n'essayez pas de les enlever vous-même. Même si vous êtes sûr qu'il n'y a pas d'amiante, portez un masque antipoussière et le reste de l'équipement de sécurité lorsque vous effectuez des travaux de démolition.

Constituez votre trousse de premiers soins. On peut se couper gravement avec un outil manuel ou un outil à commande mécanique, et la blessure peut requérir une attention immédiate et réfléchie. Préparez-vous à de telles situations en gardant à portée de la main une trousse de premiers soins bien garnie. Inscrivez-y les numéros de téléphone d'urgence ou inscrivez-les près du téléphone le plus proche, afin de pouvoir les trouver en cas d'urgence.

Garnissez votre trousse des différents articles suivants (photo de droite) : bandages, aiguilles, pince à épiler, onguent antiseptique, cotons-tiges, boules d'ouate, gouttes ophtalmiques, manuel de premiers soins, compresses froides, bandages élastiques, sparadrap et gaze stérile.

En cas de plaie punctiforme, de coupure, de brûlure et d'autres blessures graves, il faut d'abord prodiguer les premiers soins – nettoyer et appliquer un bandage sur les coupures, par exemple –, puis il faut consulter un médecin au plus vite.

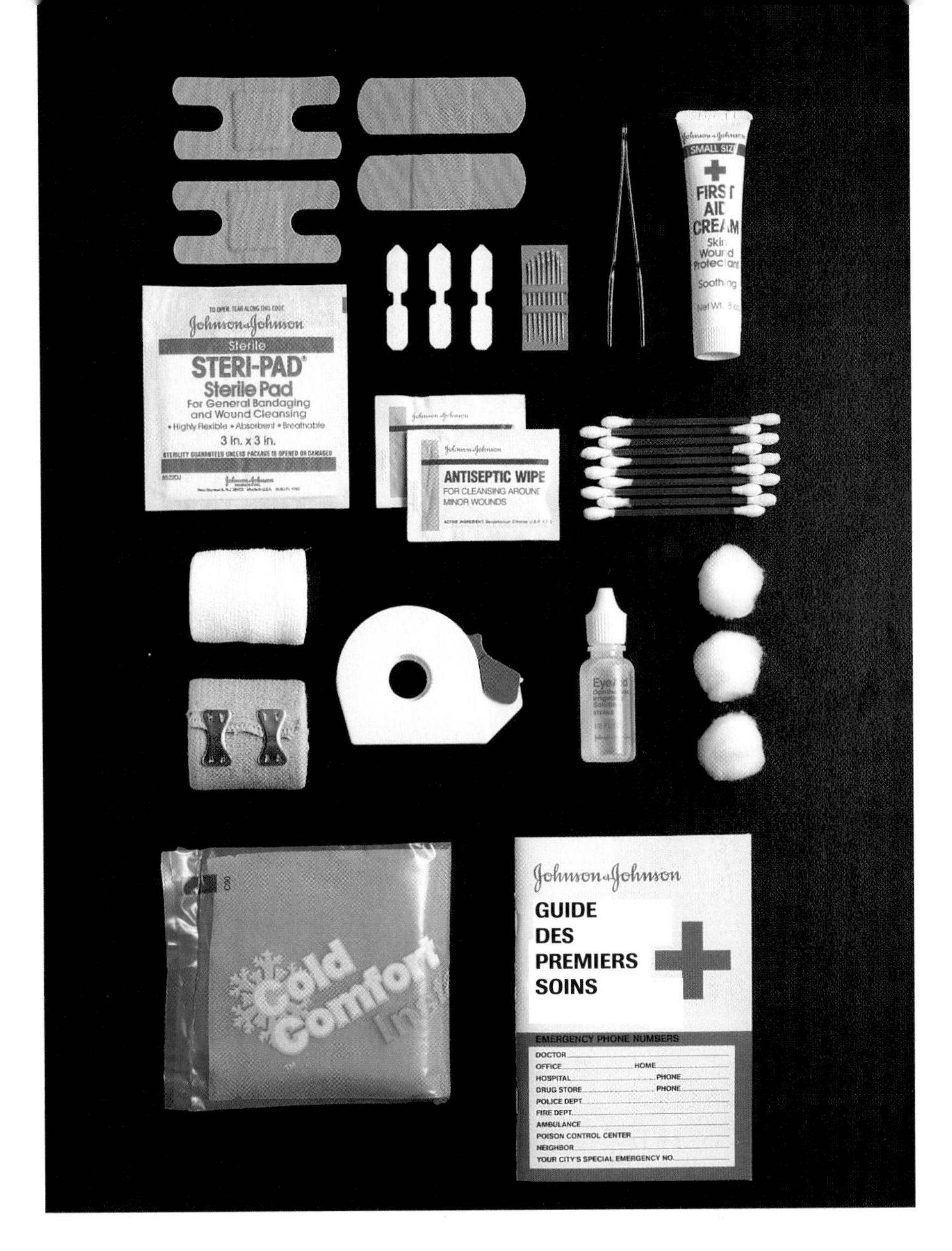

Gardez vos outils aiguisés et propres. Les accidents sont plus fréquents lorsque les outils sont émoussés et remplis de poussière et de saleté.

Utilisez un réceptacle à disjoncteur différentiel, l'adaptateur ou la rallonge correspondante pour réduire le risque de choc électrique lorsque vous utilisez des outils à commande mécanique à l'extérieur ou dans un endroit humide.

Le vérificateur de circuit à néon vous permet de vérifier si le courant est coupé avant d'enlever les platines, d'exposer les fils ou de forer ou couper dans un mur qui contient du câblage.

L'atelier d'un menuisier doit être bien éclairé, suffisamment grand pour contenir les outils, la quincaillerie et le matériel habituels, et bien ordonné pour que tout soit à portée de la main. L'établi permet d'accomplir différentes tâches. Pour utiliser une scie circulaire ou tout autre équipement à commande mécanique encombrant, vous devez prévoir l'espace nécessaire pour manipuler du bois d'œuvre ou des produits en feuille, volumineux.

L'atelier de base

Que vous installiez votre atelier dans une pièce du sous-sol, dans un abri ou dans le garage, il doit vous permettre de travailler confortablement et vous offrir l'espace nécessaire au rangement de vos outils et de votre matériel. Il doit comprendre un établi suffisamment grand et de hauteur confortable, un éclairage suffisant et bien dirigé et une aire de plancher permettant d'utiliser une scie circulaire à table et d'autres outils à commande mécanique. Si vous comptez stocker des pots de peintures et de solvants, assurez-vous que la pièce est bien ventilée et qu'elle est équipée d'un détecteur de fumée et d'un extincteur.

Votre atelier doit être équipé des circuits électriques appropriés à l'éclairage et à l'utilisation de plusieurs outils, sans risque de surcharge. Calculez la capacité du circuit de votre atelier (voir page suivante) et appelez un électricien si vous devez l'augmenter.

Vous pouvez pendre vos outils au mur de plusieurs façons, mais le moyen le plus pratique de le faire est de les suspendre aux crochets à outils d'un panneau perforé (voir page suivante). Les panneaux perforés vous permettent de déplacer les crochets selon vos besoins.

Les étagères profondes et robustes offrent un espace de rangement idéal pour les boîtes à outils, les récipients et les outils à commande mécanique. On trouve, dans les maisonneries, des prêts-à-monter, mais vous pouvez également construire votre propre étagère à tablettes réglables en hauteur (pages 228 à 231).

Si vous aménagez votre atelier dans la maison, vous voudrez probablement diminuer la transmission du bruit ; pour ce faire, vous devez revêtir les parois intérieures d'une couche supplémentaire de carreaux creux et installer un bas de porte qui réfléchira le bruit et empêchera la poussière de passer.

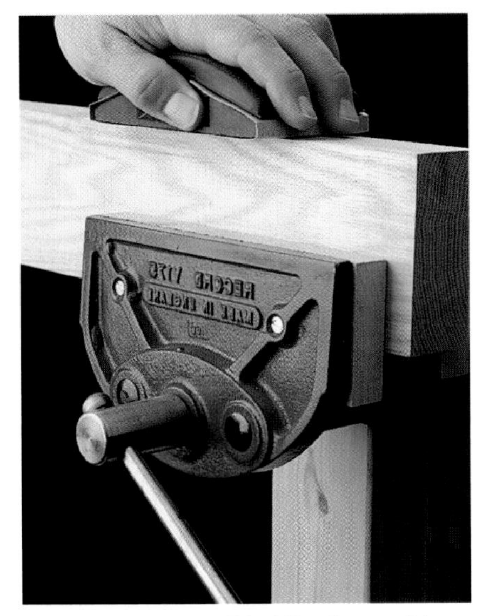

Installez un étau d'établi robuste, à base pivotante, au bout de l'établi (pages 94 à 97) pour immobiliser les pièces que vous devez couper, ou pour servir de serre-joint lorsque vous collez ou assemblez des pièces. Choisissez un étau facile à régler et dont les mâchoires s'écartent d'au moins 4 po.

Servez-vous d'un aspirateur pour déchets solides et humides lorsque vous voulez nettoyer rapidement l'atelier. De nombreux outils à commande mécanique sont munis d'accessoires qui vous permettent de brancher le tuyau de l'aspirateur directement sur l'outil et d'aspirer ainsi dans le réservoir la plus grande partie des déchets. Achetez un aspirateur puissant et durable.

Attachez un panneau perforé au mur de maçonnerie en commençant par clouer sur le mur un cadre fait de longueurs de 1 po x 2 po, de manière à créer un espace permettant d'introduire les crochets à outils. Utilisez des clous de maçonnerie pour attacher le cadre et fixez ensuite le panneau perforé au cadre, à l'aide de vis de 1 po et de rondelles.

Comment évaluer la capacité d'alimentation électrique de votre atelier

Pour savoir si le circuit électrique de votre atelier peut supporter en toute sécurité la charge de vos outils à commande mécanique et du reste de votre équipement, commencez par déterminer sa capacité sécuritaire, c'est-à-dire la charge ou la puissance maximale qu'il peut supporter sans surchauffer. Trouvez le circuit sur votre panneau de service et vérifiez son intensité nominale (en haut, à droite). Multipliez ce chiffre par 120 (volts) et soustrayez 20 % du produit obtenu ; cela vous donne la capacité sécuritaire. Trouvez ensuite la puissance de chaque outil ou accessoire que vous allez brancher sur le circuit. Les outils et les accessoires portent tous une étiquette renseignant sur leur intensité et leur tension nominales (en bas, à droite). Calculez les puissances respectives en multipliant chaque fois l'intensité par la tension. Additionnez toutes les puissances des outils et accessoires que vous risquez d'utiliser simultanément pour voir si le total ne dépasse pas la capacité sécuritaire du circuit. Le tableau montre la puissance de certains outils et accessoires courants. Si la capacité sécuritaire du circuit ne lui permet pas de supporter la charge, vous devrez installer un circuit supplémentaire. Demandez à un électricien d'inspecter votre panneau de service. Vous pourrez probablement ajouter un circuit au panneau de service et des réceptacles supplémentaires dans l'atelier.

Puissances nominales types

Accessoires	Ampères	Watts
Scie circulaire	10 à 12	1200 à 1440
Perceuse	2 à 4	240 à 480
Ventilateur (portatif)	2	240
Plinthe chauffante (portative)	7 à 12	840 à 1440
Toupie	2 à 5	240 à 600
Ponceuse	2 à 5	240 à 600
Scie circulaire à table	7 à 10	840 à 1200
Aspirateur d'atelier	6 à 11	720 à 1320

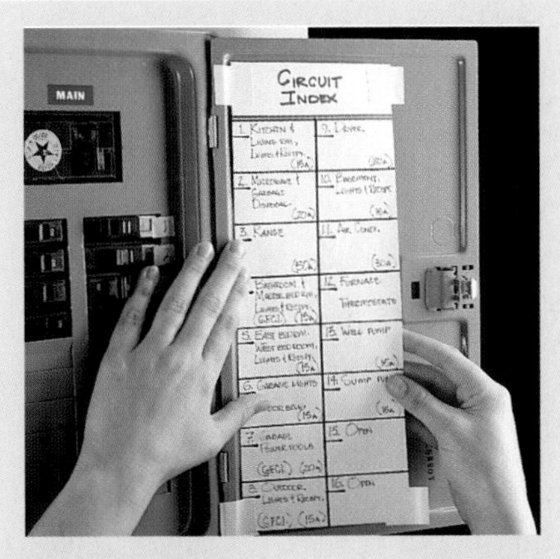

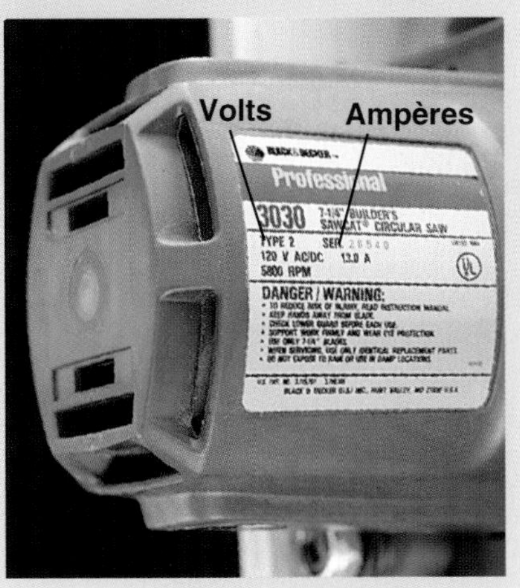

Construction
Adhesive
CARPENTER'S
WOOD GLUE
GRIP-RITE
FASTENERS
NAILS
NAILS
NET WT.
5 LB.
PACKAGED IN U.S.A.
SCREWS

Matériels

Inspectez visuellement le bois d'œuvre avant de l'utiliser. Le bois d'œuvre entreposé peut se déformer sous l'effet des changements de température et de l'humidité.

Bois d'œuvre

Le bois scié destiné à des structures comme les murs, les planchers et les plafonds provient habituellement d'essences de bois mou, résistant, et il est classé en fonction de sa qualité, de sa teneur en humidité et de ses dimensions.

Qualité : les caractéristiques telles que les nœuds, les fentes et la fibre influencent la résistance du bois d'œuvre et déterminent sa qualité (voir le tableau à la page suivante).

Teneur en humidité : le bois d'œuvre se caractérise également par sa teneur en humidité. On lui attribue le signe S-DRY («surface dry», sec en surface) lorsque sa teneur en humidité est inférieure ou égale à 19 %. Le bois d'œuvre S-DRY est le moins sujet au gauchissement ou au rétrécissement et constitue un bon choix pour les ossatures murales. S-GRN («surface green», vert en surface) s'applique au bois d'œuvre dont la teneur en humidité est supérieure à 19 %.

Bois d'œuvre d'extérieur : Le bois de séquoia ou de cèdre scié résiste naturellement à la pourriture et à l'infestation par les insectes, et convient bien aux applications à l'extérieur. Le bois parfait ou duramen est la partie la plus durable d'un tronc d'arbre, et vous devez donc exiger cette qualité pour les pièces qui seront en contact avec le sol.

Bois d'œuvre traité : le bois d'œuvre injecté de produits chimiques sous pression résiste à la pourriture et coûte généralement moins cher que le duramen résistant à la pourriture, tels que le duramen de séquoia et de cèdre. Pour les structures extérieures, comme les terrasses, utilisez du bois d'œuvre traité pour les poteaux et les solives, et du bois plus attrayant comme le séquoia ou le cèdre pour les planchers et les balustrades.

Bois d'œuvre de dimensions courantes : le bois d'œuvre se vend en dimensions nominales, telles que 2 po x 4 po. Les dimensions réelles (voir le tableau de la page 17) sont plus petites. Lors des mesures et des évaluations, basez-vous sur les dimensions réelles.

L'ossature en acier : l'autre solution

Il n'est pas indispensable de construire les ossatures murales en bois d'œuvre. Les poteaux et profilés métalliques constituent une excellente solution de rechange pour les nouvelles constructions. Les murs à ossature métallique s'installent plus rapidement que ceux à ossature en bois – les pièces s'attachent par sertissage et vissage des brides – et les profilés sont découpés à l'avance pour le passage des conduites de plomberie et du câblage. Les ossatures en acier sont plus légères que celles en bois, d'un prix comparable, elles résistent au feu et sont recyclables. Si vous envisagez d'utiliser une nouvelle ossature murale en acier dans une maison à ossature en bois, consultez un professionnel au sujet des précautions à prendre en ce qui concerne l'installation électrique, la plomberie et les parties portantes. On trouve les divers éléments des ossatures en acier dans la plupart des maisonneries.

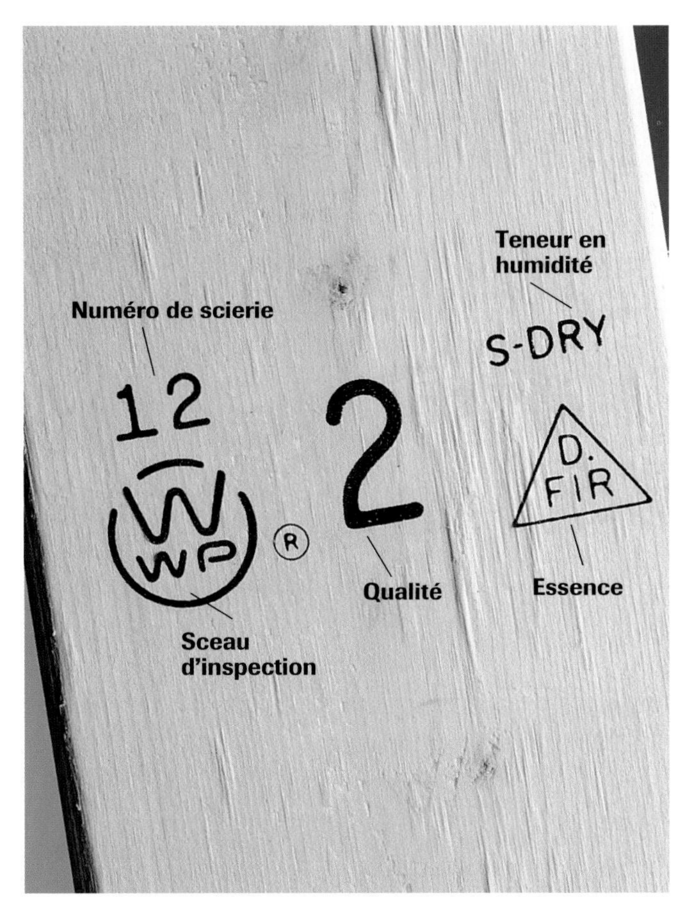

Les estampilles de qualité fournissent des renseignements utiles sur chaque pièce de bois d'œuvre. Le plus grand chiffre indique habituellement la qualité du bois, et on indique également sa teneur en humidité, son essence et sa scierie d'origine.

Tableau de classification de bois d'œuvre

Qualité	Description, utilisation
Net	Sans nœuds ni défauts
SEL STR (Select Structural 1, 2, ou 3, c.-à-d. charpente de choix 1, 2, ou 3)	Bonne apparence, résistance et rigidité. Les chiffres 1, 2 ou 3 indiquent la taille des nœuds.
CONST (construction) ou STAND (standard)	Les deux qualités utilisées dans la construction des ossatures générales. Bonne résistance et solidité.
STUD (poteau)	Désignation spéciale utilisée pour les poteaux, y compris ceux des murs portants.
UTIL (utilitaire)	Choix économique pour les cales et les entretoises.

La plupart du temps, le bois d'œuvre est encore humide lorsqu'il est mis sur le marché et il est donc difficile de prévoir son comportement au séchage. Un rapide coup d'œil sur chaque planche, dans les maisonneries ou les cours à bois, vous permettra toutefois d'écarter les planches défectueuses. Le bois d'œuvre incurvé, voilé ou tordu ne doit pas être utilisé dans toute sa longueur. Utilisez les parties en bon état comme cales ou courts morceaux d'ossature. Si une planche est légèrement gauchie, il est probable qu'elle se redressera lors du clouage. Les gerces, les flaches et les nœuds sont des défauts d'apparence qui altèrent rarement la résistance de la planche, exception faite toutefois pour le nœud qui manque. Lorsque c'est le cas, il faut enlever la partie endommagée. Il en va de même pour les parties fendues, car les fentes ont tendance à s'agrandir avec le séchage.

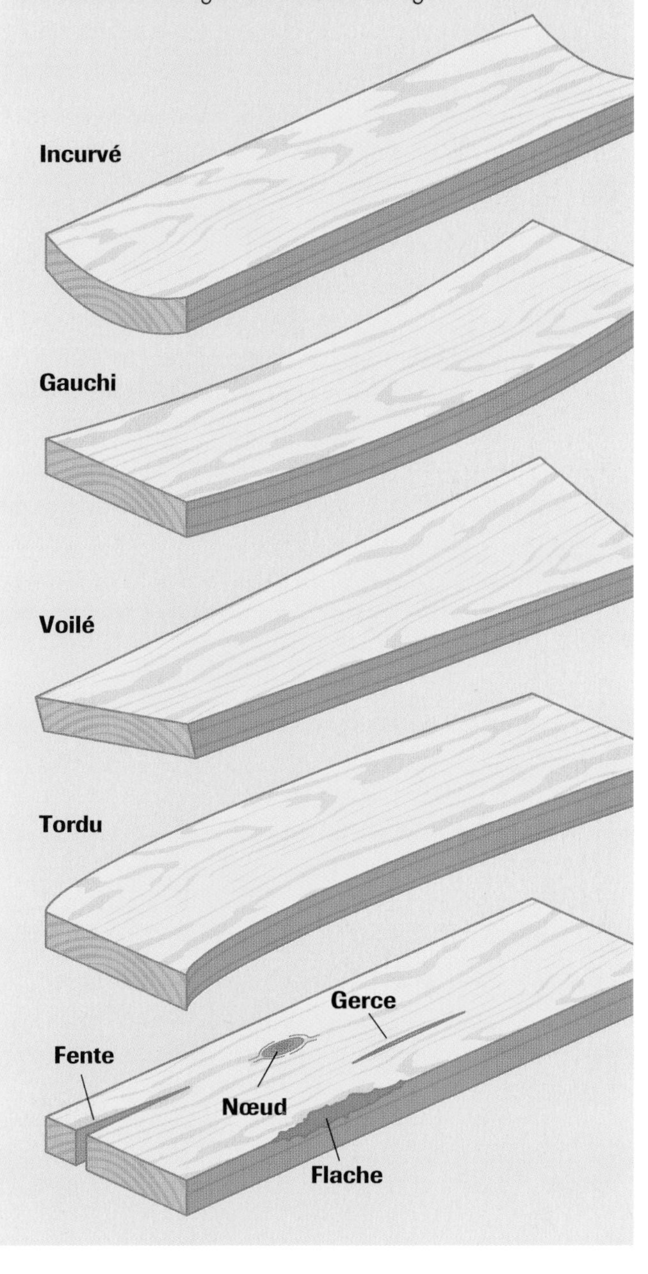

Comment sélectionner les bons matériaux pour un projet

Le choix du bois qui sera utilisé pour réaliser un projet influe sur la durabilité et l'apparence du produit fini. Certaines essences gauchissent plus facilement que d'autres et certaines résistent mieux à la pourriture ou retiennent mieux la peinture que les autres. En harmonisant les styles et les essences, vous créerez une impression d'uniformité dans votre intérieur.

Les dimensions du bois d'œuvre telles que 2 po x 4 po sont des *dimensions nominales* qui ne correspondent pas aux dimensions réelles, ces dernières étant légèrement inférieures. On scie le bois aux dimensions nominales, mais on rabote ensuite les planches pour améliorer le fini de la surface, ce qui donne les dimensions réelles que l'on trouve dans le commerce. Le tableau de la page suivante donne les dimensions nominales et les dimensions réelles du bois d'œuvre.

Bois tendres	Description	Utilisations
Cèdre	Facile à scier, absorbe bien la peinture. Duramen résistant à la pourriture.	Planchers, bardeaux de fente, bardeaux, poteaux et autres surfaces sujettes à la pourriture.
Sapin, pin de Corse	Bois raide, dur. Accroche bien les clous. Certaines sortes sont difficiles à scier.	Éléments d'ossature, planchers et sous-planchers.
Pin	Bois tendre, léger, ayant tendance à se contracter. Accroche bien les clous. Certaines sortes résistent à la pourriture.	Panneaux, moulures, parements et planchers extérieurs.
Séquoia	Bois tendre, léger, qui absorbe bien la peinture. Facile à scier. Duramen résistant à la pourriture et aux dommages causés par les insectes.	Applications à l'extérieur, telles que les planchers, les poteaux et les clôtures.
Bois traité	Bois résistant à la pourriture après avoir subi un traitement chimique. Teinte verte. Porter l'équipement et les vêtements de protection nécessaires pour éviter l'irritation de la peau, des poumons et des yeux.	En contact avec le sol et pour les autres applications à l'extérieur où la résistance à la pourriture est importante.

Bois dur	Description	Utilisations
Bouleau	Bois dur et résistant, facile à scier et absorbant bien la peinture.	Armoires peintes, moulures et contreplaqué.
Érable	Bois dur, lourd et résistant, difficile à scier avec des outils manuels.	Planchers, meubles et revêtements de comptoirs.
Peuplier	Bois tendre, léger, facile à scier avec des outils manuels ou à commande mécanique.	Armoires peintes, moulures, panneaux bouvetés et âmes de contreplaqué.
Chêne	Bois dur, lourd et résistant, difficile à scier avec des outils manuels.	Meubles, planchers, portes, moulures.
Noyer	Bois dur, lourd et résistant, facile à scier.	Boiseries fines, panneaux et chambranles de cheminées.

Type	Description	Dimensions nominales courantes	Dimensions réelles
Bois d'œuvre de dimensions courantes	Bois utilisé dans les ossatures des murs, des plafonds, des planchers et des chevrons, la finition structurale, les planchers et escaliers extérieurs et les clôtures.	1 po × 4 po 1 po × 6 po 1 po × 8 po 2 po × 2 po 2 po × 4 po 2 po × 6 po 2 po × 8 po	¾ po × 3½ po ¾ po × 5½ po ¾ po × 7¼ po 1½ po × 1½ po 1½ po × 3½ po 1½ po × 5½ po 1½ po × 7¼ po
Bandes de clouage	Bois utilisé dans les ossatures des murs, des plafonds, des planchers et des chevrons, la finition structurale, les planchers et escaliers extérieurs et les clôtures.	1 po × 2 po 1 po × 3 po	¾ po × 1½ po ¾ po × 2½ po
Panneaux bouvetés	Panneaux utilisés dans les lambris d'appui et les panneaux de murs et de plafonds.	5⁄16 po × 4 po 1 po × 4 po 1 po × 6 po 1 po × 8 po	Variable en fonction du procédé de sciage et de l'application.
Planches de finition	Utilisées dans le garnissage et dans la fabrication d'étagères, d'armoires et d'autres articles où la finition est importante.	1 po × 4 po 1 po × 6 po 1 po × 8 po 1 po × 10 po 1 po × 12 po	¾ po × 3½ po ¾ po × 5½ po ¾ po × 7¼ po ¾ po × 9¼ po ¾ po × 11¼ po
Lamellé-collé	Poutre constituée de couches de bois laminé formant un bloc, utilisée comme poutre ou solive.	4 po × 10 po 4 po × 12 po 6 po × 10 po 6 po × 12 po	3½ po × 9 po 3½ po × 12 po 5½ po × 9 po 5½ po × 12 po
Micro-lam®	Poutre composée de couches minces collées ensemble, utilisée comme poutre ou solive.	4 po × 12 po	3½ po × 11⅞ po

Contreplaqué de finition

Contreplaqué de revêtement

Panneau OSB

Stratifié (collé à du panneau de particules)

Panneau de grandes particules

Panneau de particules

Contreplaqué et revêtements en feuilles

Des nombreux types de revêtements en feuilles, le contreplaqué est incontestablement le plus répandu. Il est constitué de minces couches de bois (les *plis*) et se prête à de très nombreuses applications. Il peut avoir une épaisseur de $^{3}/_{16}$ po à $^{3}/_{4}$ po et une qualité variant de A et D, selon la qualité de bois utilisé pour les couches extérieures. Il est fabriqué soit pour usage intérieur, soit pour usage extérieur. La classification des sortes de contreplaqué est basée sur les essences utilisées pour le placage de parement et le placage de contreparement. Les essences du groupe 1 sont les plus dures et les plus résistantes, et elles sont suivies des essences du groupe 2.

Le contreplaqué de finition est classé soit A-C, ce qui signifie que le placage de parement est de la qualité finition et que le placage de contreparement est de qualité utilitaire, soit A-A, ce qui signifie que les deux placages extérieurs sont de la qualité finition.

Le contreplaqué de revêtement est classé C-D, car les surfaces de ses deux placages extérieurs sont brutes ; il se caractérise par l'imperméabilité des couches d'adhésif entre les plis. On utilise le contreplaqué classé EXPOSURE 1 (EXPOSITION 1) dans les endroits relativement humides et le contreplaqué classé EXTERIOR (EXTÉRIEUR) s'il est exposé en permanence aux intempéries.

Le contreplaqué de revêtement porte également l'indication de son épaisseur et un indice précisant la portée à ne pas dépasser entre les chevrons des toitures et entre les solives des sous-planchers. L'indice est constitué de deux chiffres,

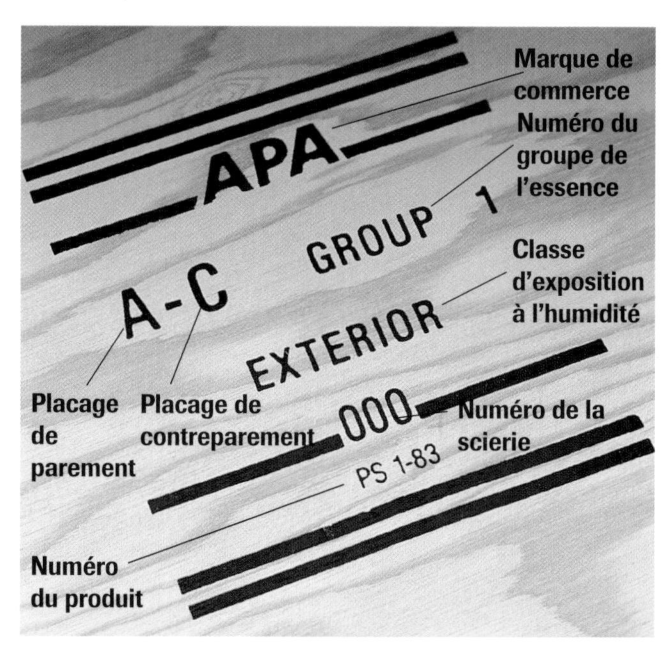

L'estampillage du contreplaqué de finition indique la qualité des placages de parement et de contreparement, le numéro du groupe de l'essence et la catégorie d'exposition à l'humidité. Les numéros du produit et de la scierie n'intéressent que le fabricant.

séparés par une barre oblique. Le contreplaqué porte parfois la marque «sized for spacing» (dimensions d'espacement), ce qui signifie que la feuille est de dimensions légèrement inférieures à 4 pi x 8 pi, pour permettre aux feuilles de se dilater après leur installation.

Les stratifiés forment des surfaces durables pour les dessus de comptoirs et les meubles. Ils sont parfois collés à du panneau de particules s'ils servent à fabriquer des étagères, des armoires ou des revêtements de comptoirs.

Les panneaux OSB, les panneaux de particules et les panneaux de grandes particules sont fabriqués avec des copeaux ou des essences bon marché, et on s'en sert pour fabriquer des étagères et des sous-couches de planchers.

Les panneaux isolants en mousse plastique sont légers et servent à isoler les murs des sous-sols.

Les plaques de plâtre résistant à l'humidité sont utilisées derrière les carreaux muraux en céramique et dans les endroits très humides.

Les plaques de plâtre, appelées également cloisons sèches, Sheetrock, Gyproc, ou placoplâtre, existent en panneaux de 4 pi de large et de 2, 4, 8, 10 ou 12 pi de long et de $^{3}/_{8}$, $^{1}/_{2}$, et $^{5}/_{8}$ po d'épaisseur.

Les panneaux perforés et les panneaux durs sont fabriqués de fibres de bois et de résines liantes assemblées sous pression élevée ; on les utilise pour ranger les outils au-dessus d'un établi et comme supports d'étagères.

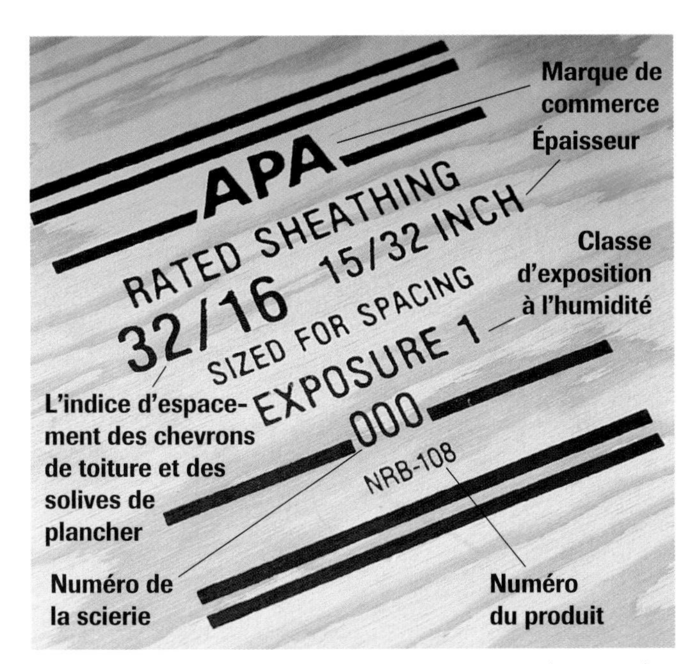

L'estampillage du contreplaqué de revêtement indique, en plus des renseignements utiles au fabricant, l'épaisseur, l'indice d'espacement des chevrons de toiture et des solives de plancher, ainsi que l'indice d'exposition à l'humidité.

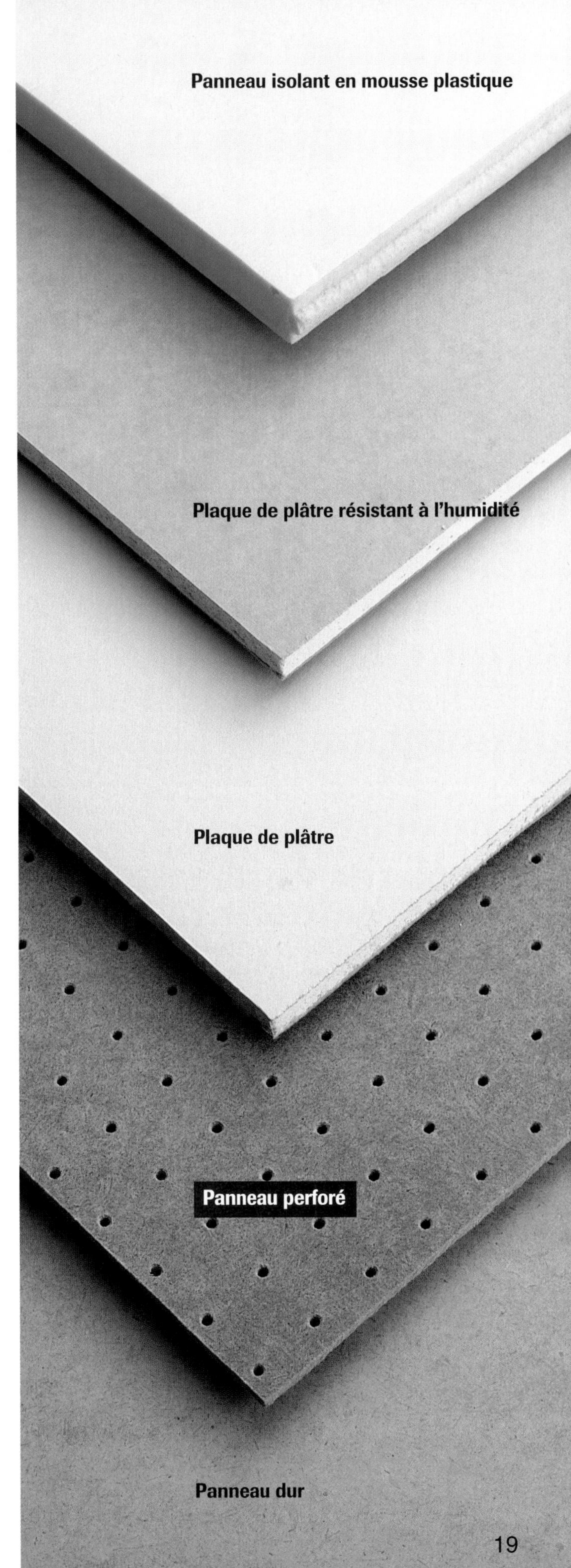

Les moulures de garnissage donnent une apparence de finition aux travaux de menuiserie. Les matériaux de finition comprennent également les encadrements de portes et de fenêtres, les plinthes et d'autres types de garnitures.

Moulures de garnissage

Le moulures de garnissage vous permettent d'ajouter une touche personnelle aux travaux de menuiserie que vous effectuez. Vous pouvez de plus les utiliser pour dissimuler des défauts de menuiserie tels que les petits espaces laissés dans les coins des pièces par des plaques de plâtre imparfaitement coupées.

Il est important de mesurer et de couper très précisément les moulures, de manière qu'une fois installées, elles soient bien ajustées. Il est recommandé de pratiquer des avant-trous, surtout lorsqu'on utilise des bois durs comme le chêne. Les avant-trous facilitent le clouage, réduisent le risque de fissures lors de l'installation et permettent d'enfoncer correctement les clous.

Il faut peindre ou teindre la plupart des moulures avant de les poser. On trouve dans le commerce des gorges et des lambris d'appui revêtus en usine d'une couche de peinture blanche. Il faut s'assurer que la peinture ou la teinture ne gêneront pas l'installation (voir « Installation de lambris bouvetés », page 162). Le pin et le peuplier se prêtent bien à la peinture, s'ils font partie de vos choix. Pour les moulures teintes, utilisez un bois dur ayant bel aspect, comme le chêne.

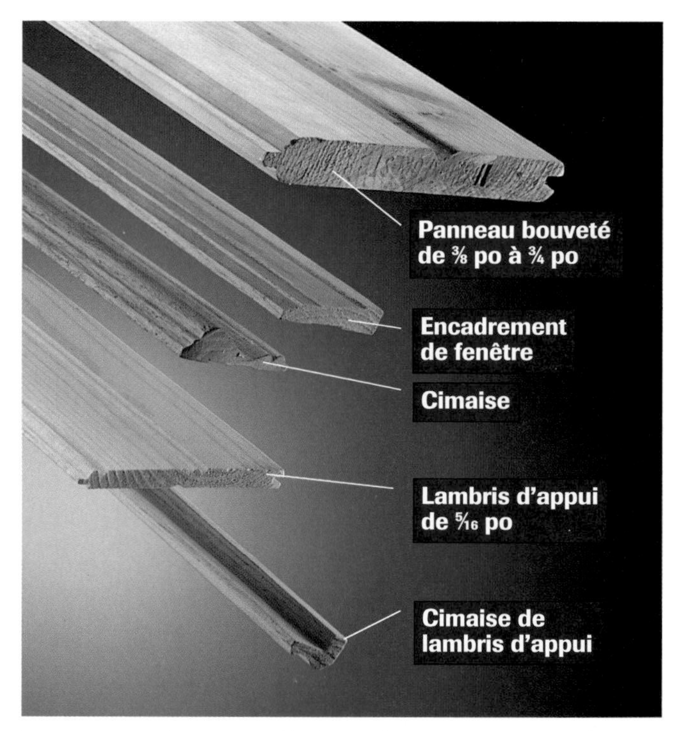

Utilisez autant que possible les mêmes essences pour les moulures de garnissage des murs, des portes, des fenêtres et des parties encastrées. Ainsi, la pièce dégagera une impression d'harmonie.

Les moulures de garnissage sont à la fois fonctionnelles et décoratives. Elles peuvent servir à dissimuler les interstices à la base ou autour de la menuiserie installée, à cacher les bords des panneaux de contreplaqué, ou simplement à améliorer l'aspect visuel du travail. On trouve des dizaines de types de moulures dans le commerce, mais les moulures suivantes sont les plus répandues :

Les moulures de garnissage synthétiques coûtent moins cher que les moulures en bois dur et il en existe une grande variété. Elles sont fabriquées en bois composite (A) ou en mousse rigide (B) recouverte d'une couche de mélamine.

Les moulures de plinthes (C) servent à décorer le bas des murs, le long du plancher. Choisissez des moulures qui s'accordent avec les autres plinthes de la maison, afin que votre travail s'harmonise avec le milieu.

Les baguettes en bois dur (D) servent de cadre dans les travaux de menuiserie et lorsqu'on veut dissimuler les bords non finis des tablettes en contreplaqué. Vous trouverez un vaste choix de baguettes en érable, en chêne et en peuplier dans les dimensions 1 po x 2 po, 1 po x 3 po et 1 po x 4 po.

Les moulures couronnées (E, F) permettent de recouvrir les espaces existant entre le haut du mur et le plafond. Elles ajoutent également une note décorative, dans certains cas.

Les gorges (G) sont des moulures simples, discrètes qui dissimulent les espaces.

Les moulures ornementales comprennent des baguettes et fuseaux (H) et des moulures en relief (I, J) qui personnalisent le travail.

Les moulures de bords de porte (K) appelées aussi cimaises ne sont vendues que dans les magasins spécialisés. On les utilise avec le contreplaqué de finition pour créer des portes de style, à panneaux, et des devants de tiroirs.

Les moulures de tablettes (L) appelées aussi cimaises de base, donnent une note décorative aux tablettes en contreplaqué ou peuvent servir à élargir la moulure d'une plinthe.

Le quart de rond (M) permet de couvrir les espaces qui entourent le haut, le bas et les cotés d'un mur. Facile à plier, il peut masquer efficacement les irrégularités des murs ou des planchers.

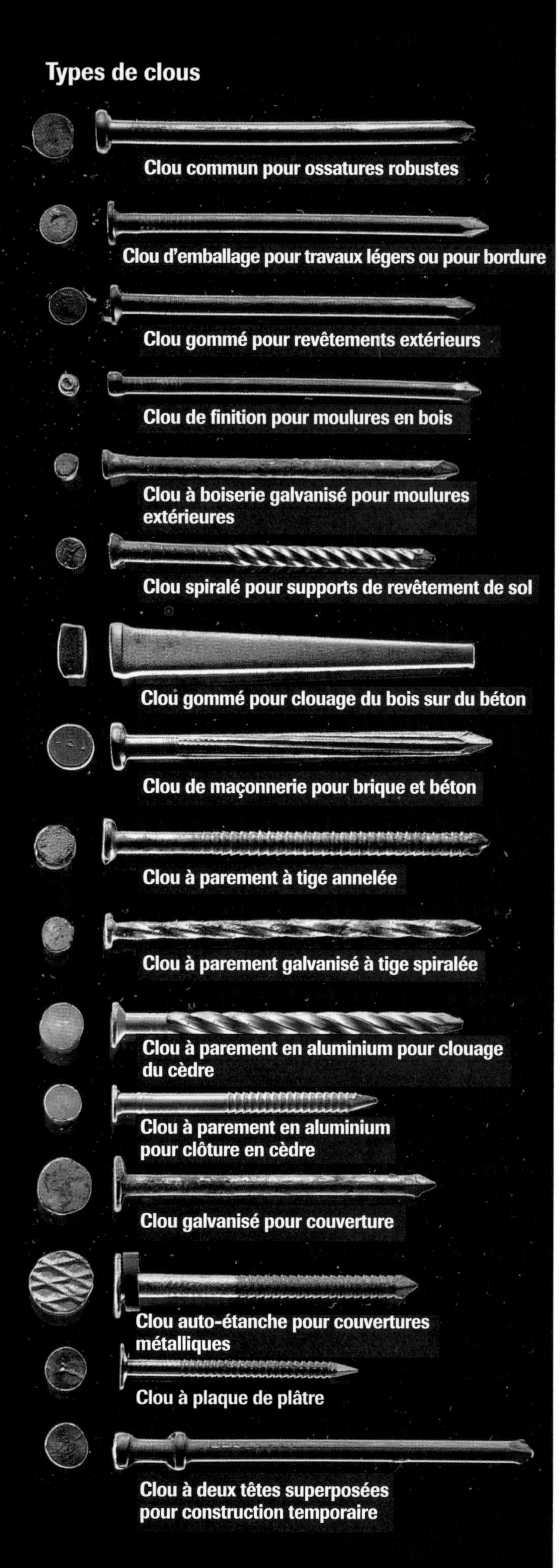

Clous

Il existe sur le marché une telle variété de clous de toutes dimensions qu'on peut choisir celui qui convient précisément à chaque travail. On classe les clous suivant leur utilisation principale : clous à boiserie, à planchers ou à couverture ; ou en fonction de leurs caractéristiques physiques : clou galvanisé, clou gommé ou clou spiralé. Certains clous peuvent être galvanisés ou non. Utilisez les clous galvanisés pour les travaux extérieurs et les clous non galvanisés pour les travaux intérieurs. La longueur des clous s'exprime en pouces ou en chiffres, de 4 à 60, suivis de la lettre « d », qui signifie « penny » (voir « Dimensions des clous », page suivante).

Parmi les clous de menuiserie les plus courants, on trouve :

Les clous communs et les clous d'emballage utilisés dans les travaux généraux d'ossature. Les clous d'emballage ont un diamètre légèrement inférieur et risquent moins de fendre le bois. Ils ont été conçus pour l'assemblage des boîtes et des caisses, mais on peut les utiliser dans toutes les applications où il faut clouer du bois mince, sec, près d'une bordure. La plupart des clous communs et des clous d'emballage sont revêtus d'une couche de gomme ou de vinyle qui améliore l'ancrage.

Les clous de finition et de boiserie ont une petite tête, et on les enfonce sous la surface de la pièce à l'aide d'un chasse-clou. On utilise les clous de finition pour fixer les moulures et autres garnitures aux murs. Les clous de boiserie permettent de clouer les boiseries des portes et des fenêtres. Leur tête, légèrement plus grosse que celle des clous de finition, assure un meilleur ancrage.

Les clous à tête perdue ont une tige mince, et on les appelle aussi clous de finition. On les utilise surtout en ébénisterie où l'on tient à ce que les trous soient les plus petits possible.

Les clous de planchers ont souvent une tige spiralée pour améliorer l'ancrage et empêcher les panneaux de plancher de se séparer ou de craquer. On utilise parfois les clous à tige spiralée dans d'autres applications telles que l'installation de panneaux bouvetés au plafond.

Les clous galvanisés sont protégés contre la rouille par une couche de zinc. On les utilise dans les travaux extérieurs.

Les clous à plaques de plâtre répondaient auparavant à la norme régissant la fixation des plaques de plâtre, mais les vis à tête cruciforme les ont détrônés, car on les enfonce facilement à l'aide d'une visseuse et elles assurent un meilleur ancrage (page 24).

Dimensions des clous

L'échelle «penny weight» (poids exprimé en pennies, ou poids-pennies) que les fabricants utilisent pour classer les clous suivant leurs dimensions a été créée il y a plusieurs siècles, pour indiquer le coût en pennies de 100 clous d'une certaine dimension. La gamme de clous offerte aujourd'hui est beaucoup plus étendue (ainsi que la gamme de prix), mais on utilise toujours cette échelle. Chaque poids-pennies correspond à une longueur donnée (voir le tableau ci-dessous), même si les longueurs diffèrent légèrement d'un type de clou à l'autre. Par exemple, les clous d'emballage d'un poids-pennies donné sont en gros, 1/8 po plus courts que les clous communs de la même catégorie.

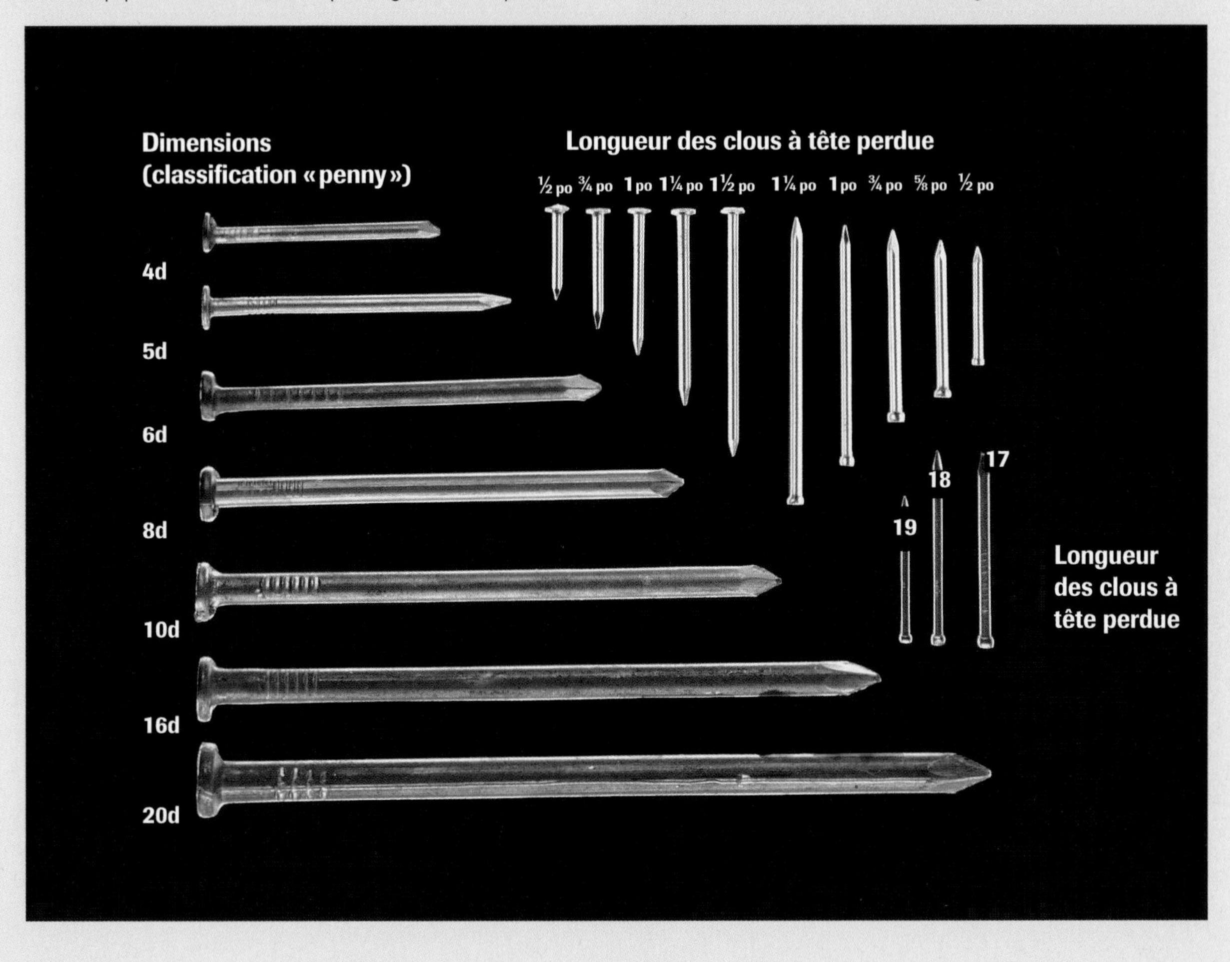

Comment évaluer la quantité requise de clous de chaque sorte

Évaluez le nombre de clous dont vous aurez besoin pour effectuer un travail et, à l'aide du tableau, déterminez le nombre approximatif de livres de clous que vous devez acheter.

Note : les dimensions et les quantités non mentionnées sont moins utilisées, même si on les trouve chez certains fabricants.

	Poids-pennies	2d	3d	4d	5d	6d	7d	8d	10d	12d	16d	20d
	Longueur (po)	1	1¼	1½	1⅝	2	2⅛	2½	3	3¼	3½	4
Nombre de clous par lb	Clous communs	870	543	294	254	167		101	66	61	47	29
	Clous d'emballage	635	473	406	236	210	145	94	88	71	39	
	Clous gommés			527	387	293	223	153	111	81	64	52
	Clous de finition	1350	880	630	535	288		196	124	113	93	39
	Clous de maçonnerie			155	138	100	78	64	48	43	34	

Vis et autres produits de quincaillerie

Vis tire-fond

Vis de plancher galvanisée

Vis d'ancrage hélicoïdale

Vis à bois à tête plate

Vis à tête bombée pour métal en feuille

Vis à bois à tête ronde

Vis à tête hexagonale pour métal en feuille

Vis à plaques de plâtre

Vis à bois à tête cruciforme

Vis autotaraudeuse

La visseuse et les nombreux types d'embouts pour foreuses ont contribué à populariser l'utilisation des vis, en menuiserie. Vu les centaines de vis différentes et la variété de fixations que l'on trouve dans le commerce, on peut dire qu'il existe une vis particulière pour chaque travail. Mais pour effectuer la plupart des travaux de menuiserie, vous n'aurez besoin que de vis à usage général. Actuellement, on préfère encore utiliser des clous pour les travaux d'ossature, mais les vis ont remplacé les clous lorsqu'il s'agit de fixer des plaques de plâtre, d'installer des cales entre des poteaux et d'attacher des revêtements et des planchers. On se sert aussi de vis pour fixer des pièces aux éléments en plâtre, en brique ou en béton qui nécessitent un ancrage (haut de la page suivante).

On classe les vis suivant la longueur, le type d'empreinte, la forme de la tête et le calibre. Le diamètre du corps de la vis indique son calibre. Plus ce chiffre est grand, plus grosse est la vis. Les grosses vis assurent un meilleur ancrage ; les petites vis risquent moins de fendre le bois. Il existe différents types d'empreintes, mais les plus courantes sont l'empreinte Philips, la fente et l'empreinte carrée. Les tournevis à pointe carrée gagnent en popularité, car ils entraînent fermement la vis, mais les vis à tête cruciforme demeurent les plus utilisées.

Vis à plaques de plâtre et vis à planchers

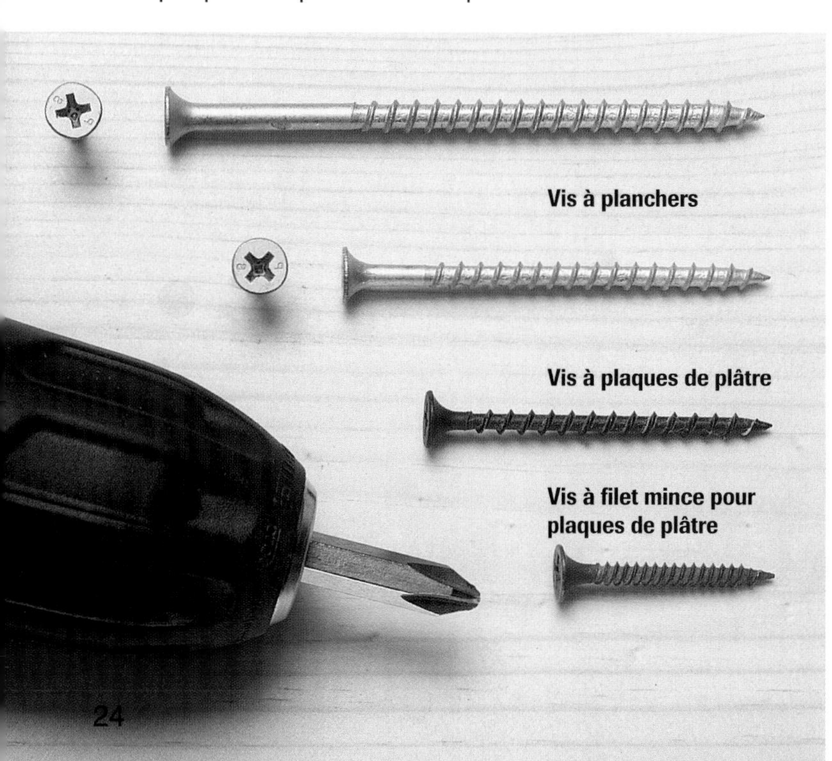

Utilisez des vis à plaques de plâtre pour un usage général et une fixation aisée. On les reconnaît facilement par leur tête évasée, car elles sont conçues pour déformer la surface de la plaque de plâtre sans déchirer la couche de papier. On les utilise néanmoins dans de nombreux autres travaux parce qu'il est facile de les enfoncer au moyen d'une perceuse ou d'une visseuse, qu'elles ne nécessitent aucun avant-trou et qu'elles ressortent rarement lorsque le bois sèche. Grâce à leur tête évasée, elles s'enfoncent à ras de la surface dans les bois tendres. Les vis à plancher sont des vis à plaques de plâtre résistant à la corrosion, fabriquées spécialement pour être utilisées à l'extérieur.

Utilisation d'ancrages de maçonnerie et d'ancrages muraux

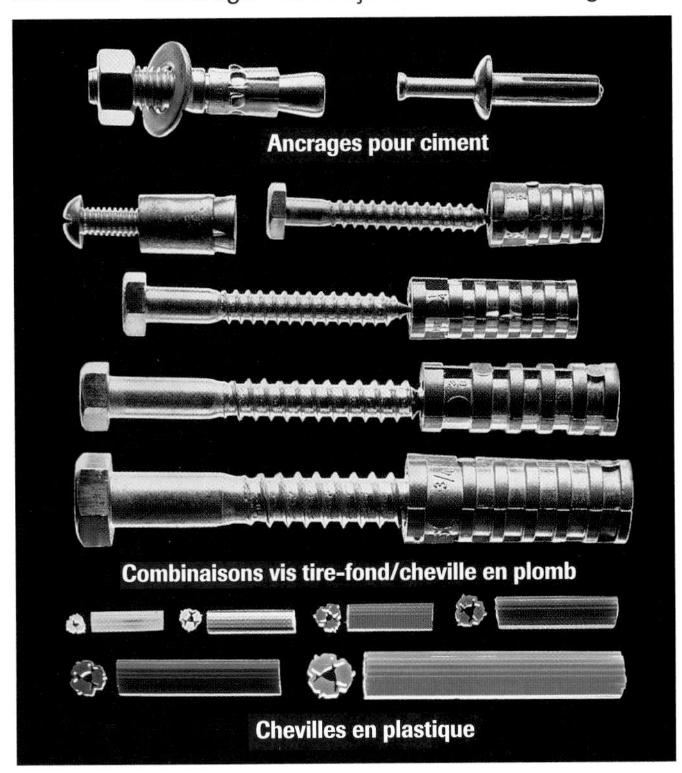

Utilisez des ancrages muraux pour attacher la quincaillerie ou le bois au plâtre, au béton ou à la brique. Choisissez un ancrage de longueur égale à l'épaisseur de la paroi murale. Utilisez des ancrages en plastique dans les murs creux.

Pour installer un ancrage mural, forez un avant-trou d'un diamètre égal à celui de l'ancrage en plastique. Introduisez l'ancrage dans le trou et enfoncez-le jusqu'au ras de la surface du mur. Introduisez la vis et serrez-la ; la dilatation de l'ancrage produira un serrage ferme.

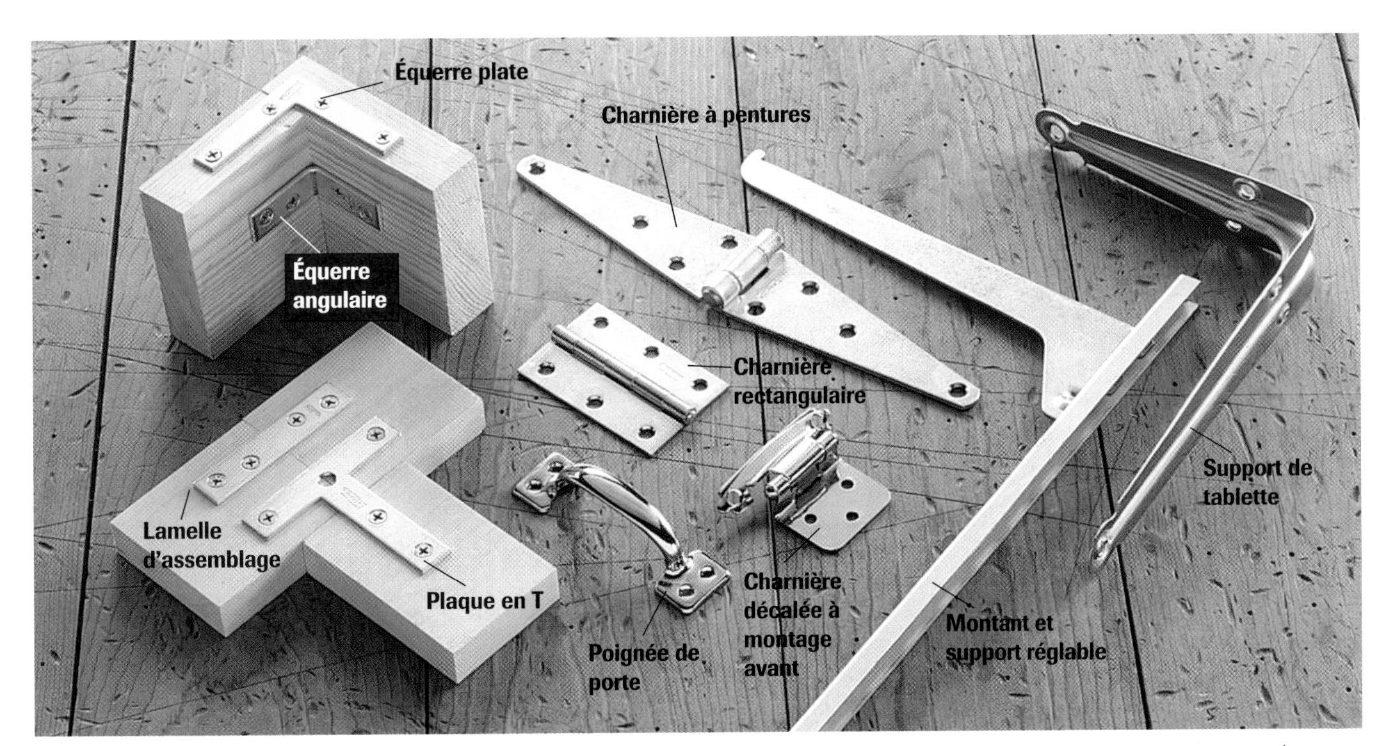

On utilise une quincaillerie spéciale dans différentes applications de menuiserie. Les renforts et les plaques assurent la solidité des assemblages en bois. Installez-les pour renforcer ou réparer un joint défectueux. Utilisez des charnières pour fixer les portes d'armoires, les battants et les couvercles. Construisez des étagères au moyen de supports, vous gagnerez du temps et vous créerez des unités solides et bien pensées.

Les adhésifs de menuiserie comprennent (dans le sens des aiguilles d'une montre, en commençant par le coin supérieur droit) : la pâte adhésive transparente, qui sert à sceller les espaces dans les endroits humides ; l'adhésif de construction à l'épreuve des intempéries, utilisé pour assembler les pièces en bois à l'extérieur ; l'adhésif d'usage général, pour attacher les panneaux et assembler solidement les pièces en bois ; les bâtons de colle et le pistolet électrique à colle chaude, pour coller les petits motifs décoratifs sur les meubles encastrés ; les colles à bois et la colle à usages multiples, qui conviennent à l'exécution de nombreux travaux de menuiserie.

Colles et adhésifs

Utilisés à bon escient, les colles et les adhésifs peuvent devenir plus solides que les matériaux qu'ils assemblent. Utilisez de la colle chaude dans les travaux légers de menuiserie, de la colle de charpentier pour les joints en bois et un adhésif de menuiserie pour installer provisoirement les panneaux minces et le bois d'œuvre. L'adhésif pour panneaux, plus dilué, s'applique à l'aide d'un tube ou d'une brosse et permet d'installer des panneaux, des lambris d'appui et d'autres matériaux bouvetés. La pâte s'applique le plus souvent à l'aide d'un pistolet de calfeutrage, mais elle existe parfois en tubes souples et sert dans les travaux moins importants. Les adhésifs en pâte sont conçus pour remplir complètement les joints, remplir les espaces entre les pièces, et dissimuler les imperfections. Ils sont faits de différents constituants, et leur durabilité et leur maniabilité varient considérablement d'un produit à l'autre. Les pâtes à la silicone sont plus résistantes, mais on ne peut pas les peindre, et elles sont difficiles à lisser. Les pâtes au latex durent moins longtemps que celles à la silicone, mais elles sont beaucoup plus faciles à utiliser, surtout lorsqu'il s'agit de dissimuler des interstices. Les pâtes sont souvent classées de 1 à 4 selon leur degré d'adhérence à la maçonnerie, au verre, aux carreaux, aux métaux, au bois, à la fibre de verre et aux plastiques. Lisez attentivement les étiquettes afin de choisir la pâte qui convient au travail que vous voulez effectuer.

Conseils pour l'utilisation des adhésifs et des colles

Renforcez les planchers intérieurs et extérieurs et réduisez les craquements au moyen d'un adhésif pour solives et planchers. Choisissez un adhésif à l'épreuve des intempéries pour les applications extérieures.

Placez du papier ciré entre le serre-joint et la pièce collée, pour empêcher la colle qui déborde des joints d'adhérer au serre-joint.

Comment recoller un placage détaché

1 Utilisez un couteau à calfeutrer pour soulever délicatement le bord du placage détaché. Grattez soigneusement l'ancienne colle.

2 À l'aide d'un coton-tige ou d'une baguette, appliquez sur la surface une fine couche de colle jaune de menuisier. Pressez le placage en place et essuyez l'excédent de la colle avec un linge humide.

3 Recouvrez la surface collée d'un morceau de papier ciré ou de caoutchouc et serrez-la contre le bois à l'aide d'un serre-joint. Laissez sécher la colle jusqu'au lendemain.

SANDVIK

Outils et utilisation

Il existe deux types principaux de ceintures à outils : le type tablier et le sac de côté (montré ici). Les sacs de côté ne sont pas dans le chemin lorsque vous vous penchez, et les outils qui s'y trouvent sont plus facile à atteindre. Par contre, vous passerez plus facilement entre des poteaux si vous portez un tablier.

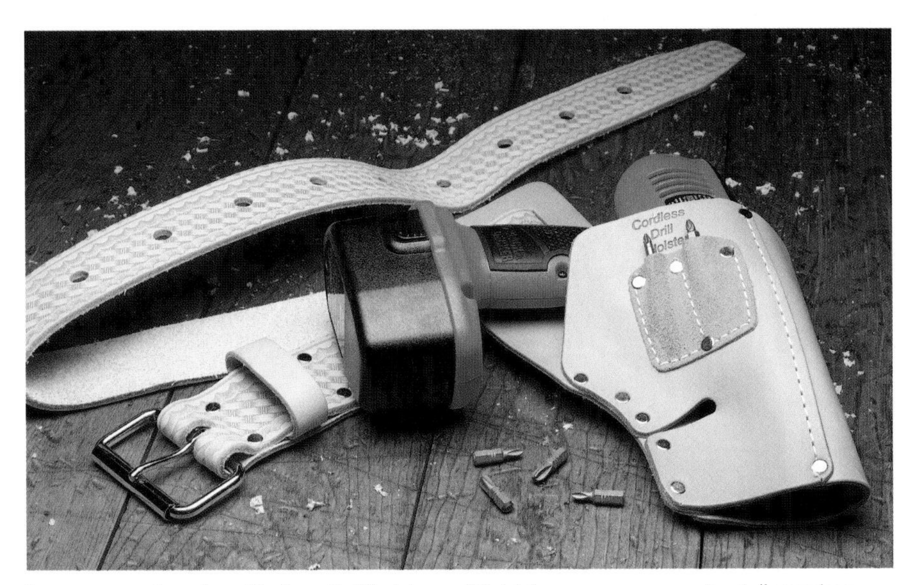

Les accessoires à outils facultatifs tels que l'étui à foreuse vous permettent d'organiser votre charge d'outils. Vous pouvez les porter séparément ou avec les autres sacs.

Porter ses propres outils

Vous effectuerez plus facilement les travaux de menuiserie si vos outils sont rangés dans une ceinture à outils, car vous passerez moins de temps à chercher l'outil dont vous avez besoin.

Les ceintures à outils comportent habituellement des fentes pour les tournevis, les râpes, un crayon de menuisier et un couteau universel ; au minimum une boucle de suspension pour un marteau ; une ou deux poches profondes pour recevoir des clous et des vis. Les ceintures à outils sont souvent munies également d'une fente et d'un crochet où on peut suspendre respectivement un mètre à ruban et un petit niveau.

Pensez aux outils que vous utilisez le plus fréquemment et choisissez une ceinture à outils munie des fentes, des poches et des boucles qui correspondent à votre charge habituelle d'outils. Plus les tâches à effectuer sont variées, plus votre ceinture à outils sera garnie. Si vous ne faites que des travaux d'ossature, un tablier de clouage en toile, muni d'une boucle où suspendre un marteau devrait suffire.

Si vous portez un grand nombre d'outils attachés à votre ceinture, vous devriez portez des bretelles qui soulageront vos hanches. Plusieurs fabricants offrent des bretelles conçues pour qu'on puisse y attacher une ceinture à outils.

Lorsque vos travaux nécessitent des outils qui ne s'attachent pas à une ceinture à outils, songez à utiliser un seau à outils muni d'une jupe (voir page suivante).

Si vous devez porter une perceuse, achetez un étui séparé muni d'alvéoles pour recevoir les embouts les plus fréquemment utilisés.

Utilisez un seau à outils pour mettre les outils encombrants dont vous vous servez moins, et utilisez une ceinture à outils pour avoir les outils plus petits à portée de la main. Le seau à outils est un moyen commode de transporter les outils spéciaux qui n'entrent pas dans les rangements de votre ceinture, comme le long niveau ou le pistolet à calfeutrer. Il permet également à plusieurs personnes de partager les outils qu'il contient.

Outils à levier

Les outils à levier constituent une partie essentielle de l'outillage du menuisier qui commence souvent ses travaux en enlevant des matériaux existants. Si l'on dispose des outils appropriés, on peut généralement enlever les clous sans endommager le bois, ce qui permet de le réutiliser.

Il existe de nombreux types de barres-leviers. Choisissez des barres-leviers de qualité, en acier forgé à haute teneur en carbone, d'une seule pièce. Les outils forgés sont plus solides que les outils soudés.

La plupart des barres-leviers ont une extrémité fendue qui permet d'arracher les clous et une autre extrémité taillée en biseau que l'on peut utiliser comme levier. Vous pouvez amplifier l'effet de levier en plaçant un morceau de bois à un pouce ou deux du matériau que vous essayez de détacher avec la barre.

La barre plate est fabriquée en acier aplati, légèrement flexible. C'est un outil pratique pour effectuer toutes sortes de travaux de démolition ou qui nécessitent un levier. Ses deux extrémités peuvent servir à arracher des clous.

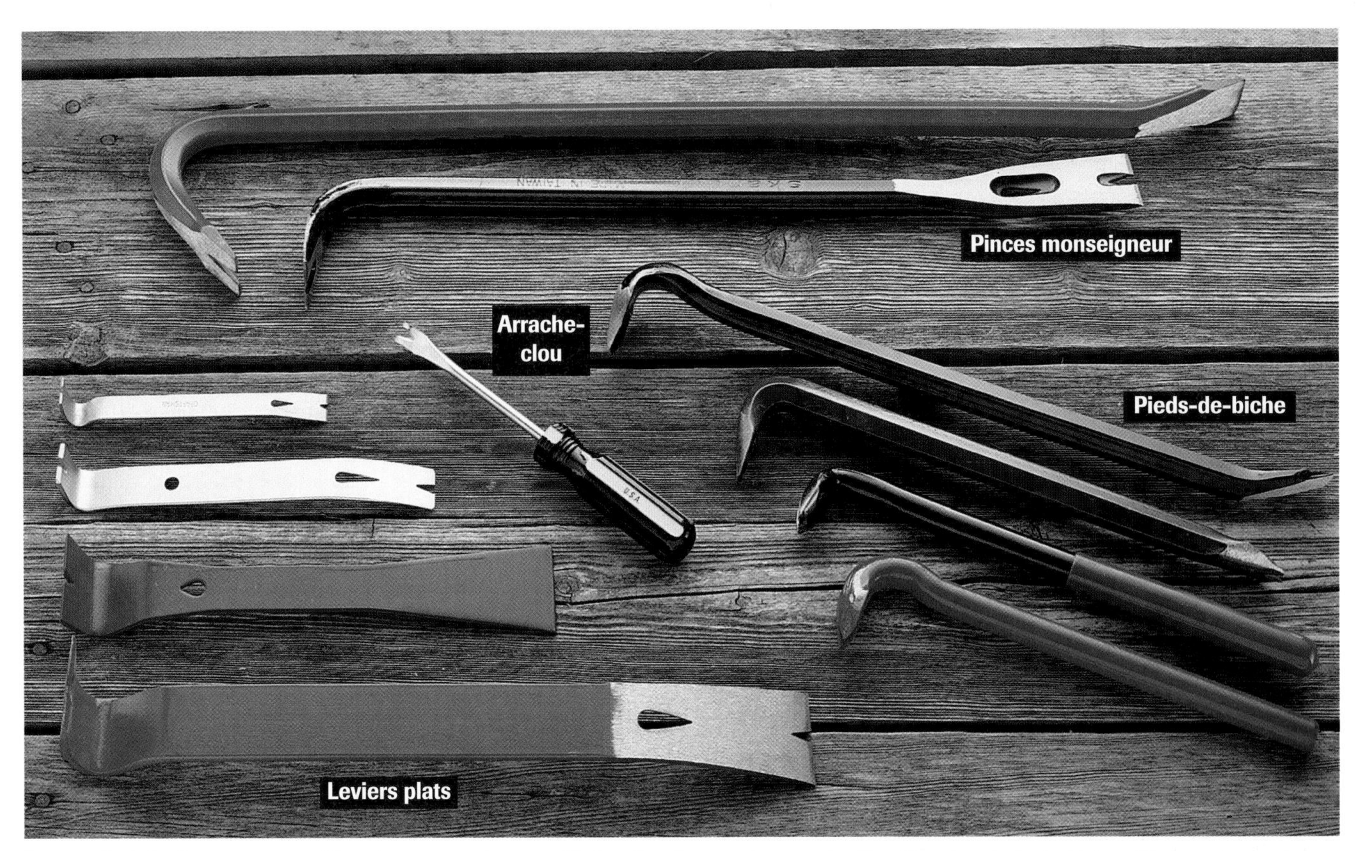

Les outils à levier comprennent les pinces monseigneur, utilisées dans les gros travaux de démolition, les pieds-de-biche, utilisés pour arracher les clous, et l'arrache-clou. Les leviers plats sont fabriqués en acier aplati, et leur taille varie suivant qu'ils sont destinés à des travaux légers ou lourds.

La pince monseigneur est un outil de démolition rigide utilisé dans les travaux lourds nécessitant un levier. Insérez un morceau de bois sous la barre pour protéger les surfaces.

Le pied-de-biche est muni d'une fente affûtée permettant d'arracher les clous récalcitrants. À l'aide d'un marteau, enfoncez l'extrémité de l'outil dans le bois, sous la tête du clou, et arrachez ensuite le clou en utilisant l'outil comme un levier.

Mètres à ruban

La précision du mesurage est un des aspects importants de tout travail de menuiserie. Achetez un mètre à ruban d'usage général, de 25 pi, ayant une lame de ¾ po de large. La plupart des mètres à ruban sont rétractables. Assurez-vous que votre mètre à ruban est muni d'un mécanisme de verrouillage qui permet de le bloquer à la longueur voulue. Il doit également être muni d'une agrafe de ceinture.

Les mètres à ruban larges ont habituellement une *saillie* plus longue (la saillie étant la longueur maximale du ruban que l'on peut sortir de la gaine avant qu'il ne ploie sous l'effet de son propre poids). Une longue saillie est très utile lorsqu'il faut prendre des mesures sans un aide pour soutenir l'extrémité du ruban. Déroulez un mètre à ruban dans le magasin jusqu'à ce qu'il ploie ; sa saillie devrait atteindre 7 pi minimum.

Les mètres à ruban portent habituellement une graduation au $\frac{1}{16}$ po le long de l'arête supérieure et une graduation au $\frac{1}{32}$ po le long des six premiers pouces de l'arête inférieure. Choisissez un mètre à ruban « facile à lire », qui porte l'indication chiffrée des fractions de pouce plutôt que des longueurs indiquées par de simples traits, plus difficiles à lire. La plupart des mètres à ruban sont marqués tous les 16 po pour faciliter le repérage des poteaux. Le mètre à ruban de qualité est également muni d'un crochet à deux ou trois rivets permettant de contrôler le jeu de l'instrument et de s'assurer que les mesures prises sont aussi précises que possible.

Achetez un mètre à ruban de 25 pi, rétractable, pour les travaux généraux de menuiserie. Si vous entreprenez des travaux importants sur un plancher extérieur, un patio ou un mur de retenue, envisagez l'achat d'un mètre de 50 pi du type à bobine.

« Enterrez un pouce. » Le crochet fixé au bout du mètre à ruban présente toujours un peu de jeu, et il ne faut pas l'utiliser lorsqu'on doit prélever des mesures extrêmement précises. Dans ce cas, commencez votre lecture au trait de 1 po (autrement dit, enterrez le premier pouce) et n'oubliez pas de soustraire 1 po de la longueur obtenue.

Si c'est possible, n'utilisez qu'un seul mètre à ruban lorsque vous exécutez un travail. Si vous devez utiliser deux mètres à ruban, vérifiez s'ils indiquent bien la même longueur, car ce n'est pas toujours le cas, et une petite différence dans la fixation des crochets peut entraîner une différence de 1/16 po ou plus entre les deux mètres à ruban, même s'ils sont de marque et de modèle identiques.

Simplifiez-vous la tâche qui consiste à effectuer des coupes horizontales rectilignes dans les plaques de plâtre. Verrouillez le mètre à ruban à la largeur désirée et, la gaine du mètre reposant sur le bord, placez un couteau universel contre le crochet, sous le mètre à ruban. Tenez le mètre d'une main et le couteau et le crochet de l'autre en glissant la lame le long de la plaque de plâtre.

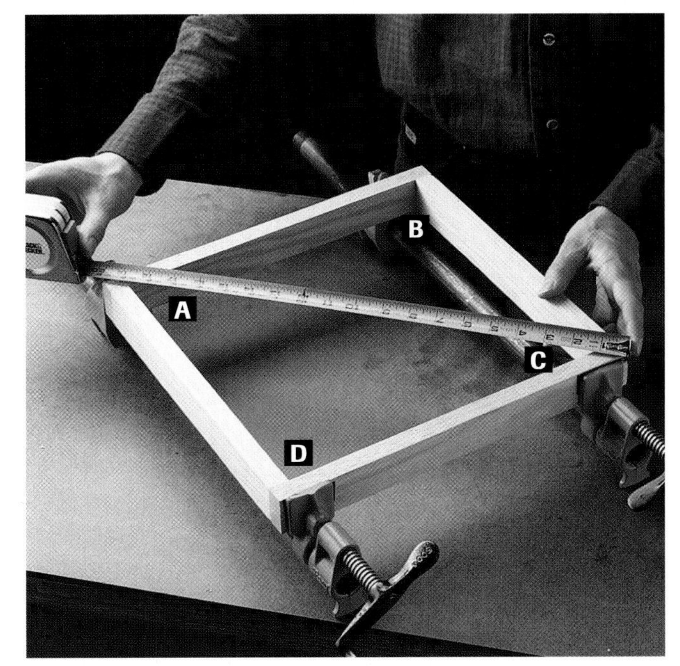

Vérifiez si les cadres, les boîtes, les armoires, les tiroirs et autres objets que vous fabriquez sont d'équerre lorsque leur ajustement est important. Tenez un mètre à ruban suivant les diagonales de l'objet (A-C, B-D). Si l'objet fabriqué est d'équerre, elles doivent avoir la même longueur.

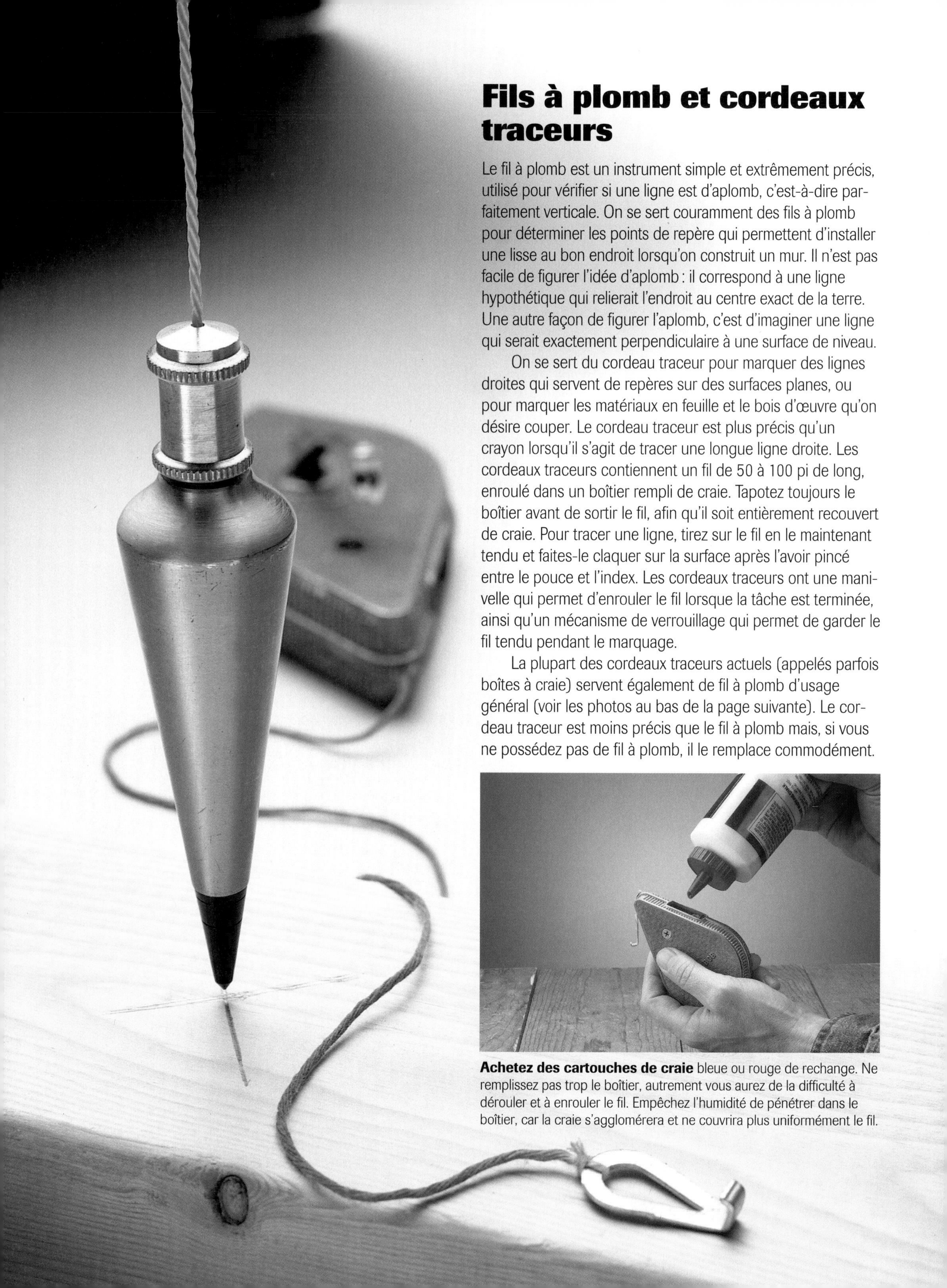

Fils à plomb et cordeaux traceurs

Le fil à plomb est un instrument simple et extrêmement précis, utilisé pour vérifier si une ligne est d'aplomb, c'est-à-dire parfaitement verticale. On se sert couramment des fils à plomb pour déterminer les points de repère qui permettent d'installer une lisse au bon endroit lorsqu'on construit un mur. Il n'est pas facile de figurer l'idée d'aplomb : il correspond à une ligne hypothétique qui relierait l'endroit au centre exact de la terre. Une autre façon de figurer l'aplomb, c'est d'imaginer une ligne qui serait exactement perpendiculaire à une surface de niveau.

On se sert du cordeau traceur pour marquer des lignes droites qui servent de repères sur des surfaces planes, ou pour marquer les matériaux en feuille et le bois d'œuvre qu'on désire couper. Le cordeau traceur est plus précis qu'un crayon lorsqu'il s'agit de tracer une longue ligne droite. Les cordeaux traceurs contiennent un fil de 50 à 100 pi de long, enroulé dans un boîtier rempli de craie. Tapotez toujours le boîtier avant de sortir le fil, afin qu'il soit entièrement recouvert de craie. Pour tracer une ligne, tirez sur le fil en le maintenant tendu et faites-le claquer sur la surface après l'avoir pincé entre le pouce et l'index. Les cordeaux traceurs ont une manivelle qui permet d'enrouler le fil lorsque la tâche est terminée, ainsi qu'un mécanisme de verrouillage qui permet de garder le fil tendu pendant le marquage.

La plupart des cordeaux traceurs actuels (appelés parfois boîtes à craie) servent également de fil à plomb d'usage général (voir les photos au bas de la page suivante). Le cordeau traceur est moins précis que le fil à plomb mais, si vous ne possédez pas de fil à plomb, il le remplace commodément.

Achetez des cartouches de craie bleue ou rouge de rechange. Ne remplissez pas trop le boîtier, autrement vous aurez de la difficulté à dérouler et à enrouler le fil. Empêchez l'humidité de pénétrer dans le boîtier, car la craie s'agglomérera et ne couvrira plus uniformément le fil.

Pour faire une trace nette, accrochez le fil au bord de la surface de travail ou pendez-le à un clou. À l'autre extrémité, tenez le fil contre la surface, puis écartez le fil de la surface en le pinçant entre le pouce et l'index. Lâchez-le brusquement pour qu'il laisse une ligne de craie droite, nette, sur la surface. Si la ligne est plus longue que 12 pi, immobilisez le fil au centre et tracez la ligne en pinçant le fil alternativement, au milieu de chaque demi-longueur. Si la ligne tracée n'est pas nette, il se peut que le boîtier ne contienne plus assez de craie ou que celle-ci soit humide. En tapotant plusieurs fois un marteau contre le boîtier, avant de dérouler le fil, vous vous assurerez que celui-ci est entièrement couvert de craie. Si ce n'est pas le cas, c'est que de l'humidité a pénétré dans le boîtier. Séchez alors le fil en le déroulant complètement, à la fin de la journée et en le laissant jusqu'au lendemain près d'une source de chaleur.

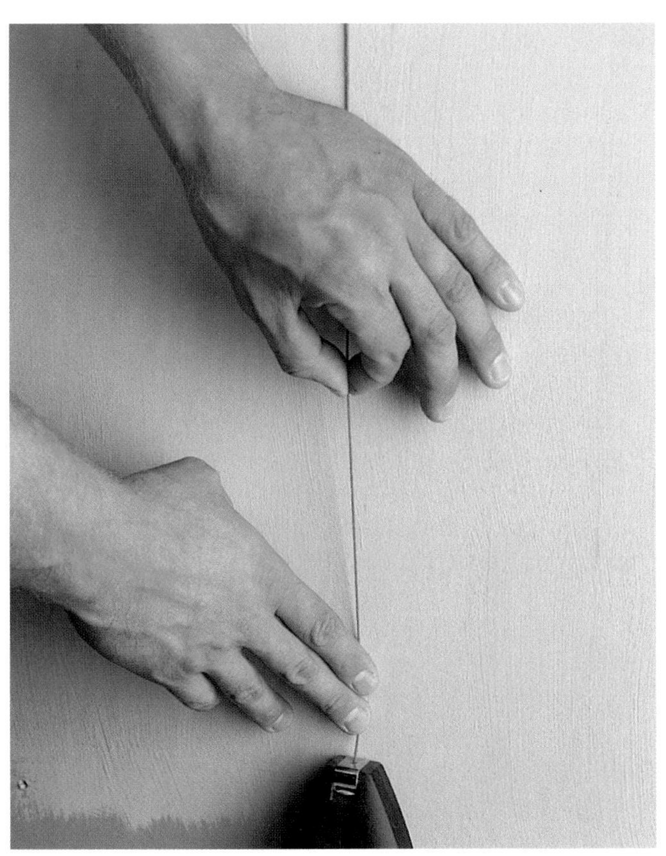

Pour faire une trace sur une courte distance, coincez le fil avec le bord de votre paume, puis pincez le fil entre le pouce et l'index de la même main, écartez-le de la surface et lâchez-le pour qu'il trace la ligne. Lorsque vous tracez les lignes de repère marquant la position des poteaux, assurez-vous de le faire au centre de leur emplacement pour savoir où planter ensuite les vis et les clous.

Pour placer une lisse, laissez pendre le fil à plomb du bord de la sablière supérieure jusqu'à ce qu'il touche presque le plancher. Une fois qu'il est immobile, marquez le plancher à l'endroit de la pointe du fil à plomb. Répétez l'opération à l'autre extrémité de la surface murale pour déterminer la position exacte de la lisse.

Vous devez posséder au moins deux niveaux, un niveau à bulle de 2 pi, pour vérifier les poteaux, les solives et autres surfaces de construction, et un niveau torpille de 8 ou 9 po – qui se place facilement dans une ceinture à outils – pour la vérification des étagères et autres pièces de petite dimension. Le niveau à bulle de 4 pi est très utile lorsqu'on effectue des travaux d'ossature. Pensez également à acheter l'étui protecteur qui vous permettra de transporter le niveau.

Niveaux

Les niveaux sont indispensables dans la plupart des travaux de menuiserie. Ils vous aident à construire des murs parfaitement verticaux (d'aplomb), des étagères, des revêtements de comptoirs, des marches d'escalier de niveau et des toitures dont la pente est uniforme.

Prenez soin de vos niveaux. Ne les jetez pas dans une boîte ou un seau à outils. Contrairement à certains outils, le niveau est un instrument précis et fragile. Avant de l'acheter, vérifiez-le sur une surface de niveau pour vous assurer que les tubes à bulle ont la précision voulue (voir page suivante).

La plupart des niveaux sont munis d'un ou de plusieurs tubes à bulle – scellés et contenant chacun une bulle dans un liquide – indiquant l'orientation du niveau à tout moment. En basculant le niveau, on fait bouger la bulle dans le tube. On appelle parfois ce niveau un *niveau à alcool,* car on utilise de l'alcool comme liquide dans les tubes. Il existe également des niveaux électroniques qui présentent un affichage numérique plutôt que le mouvement d'une bulle.

La plupart des niveaux à bulle sont munis de trois indicateurs : un pour le niveau (orientation horizontale), un pour l'aplomb (orientation verticale) et un pour les angles de 45°. Certains niveaux sont munis de paires d'indicateurs de courbures opposées, facilitant la lecture.

Les niveaux à bulle de première qualité sont munis de boîtiers qui contiennent les tubes à bulle et s'installent par pression ou se vissent en place, et qui se remplacent en cas de dommages ; des parois de verre épais protègent chaque tube ou ensemble de tubes, et les extrémités des niveaux sont recouvertes de caoutchouc, ce qui assure une meilleure protection.

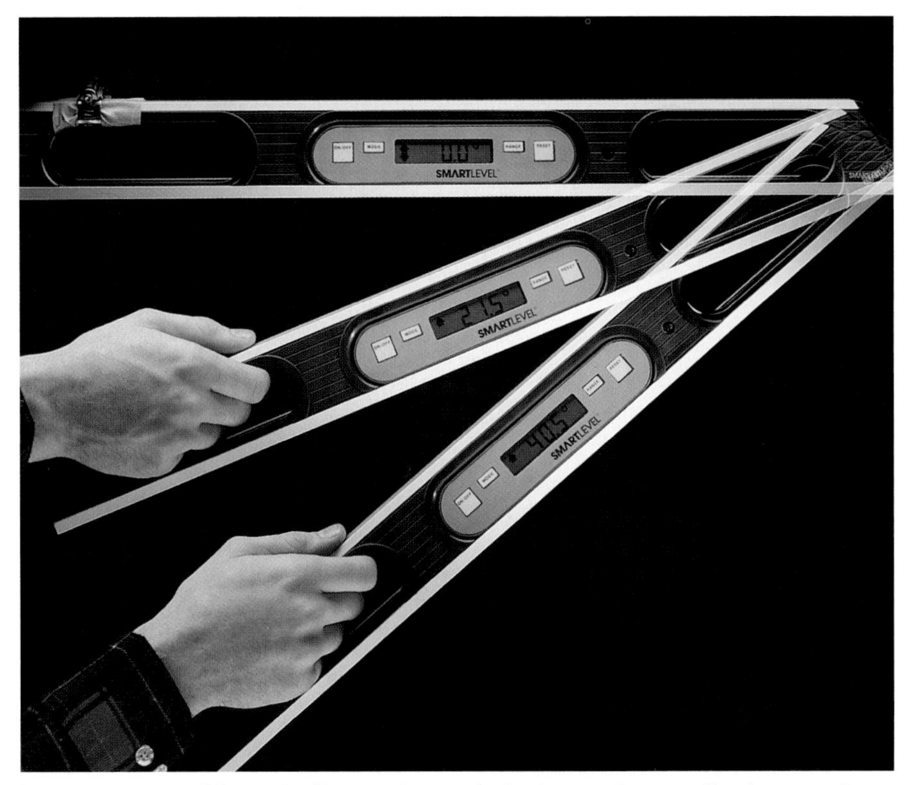

Les niveaux numériques à piles représentent le dernier progrès en matière de conception des niveaux. Les niveaux numériques donnent une lecture très précise, et on ne doit donc pas juger de la position d'une bulle dans un tube. Les niveaux numériques mesurent également les angles et offrent une lecture des rapports élévation/distance, qui sont très utiles lorsqu'on construit des escaliers, par exemple. Les éléments électroniques sont contenus dans un module qui peut être utilisé seul, comme un niveau torpille, ou installé dans des cadres de différentes longueurs.

Construisez un gabarit à niveau pour vérifier si le bois d'œuvre est gauchi ou incurvé. Sciez une règle, au moyen d'une scie circulaire à table, et fixez un court bloc de 2 po x 4 po à chaque extrémité. La règle doit être un peu plus courte que le morceau de bois d'œuvre que vous voulez vérifier. Attachez – au moyen de ruban adhésif ou d'un serre-joint – un niveau du côté de la règle opposé aux deux blocs de 2 po x 4 po. Placez les deux blocs contre le bois d'œuvre et vérifiez si le niveau est d'aplomb. Si le travail l'exige, vous pouvez installer à l'endroit où le morceau de bois d'œuvre est incurvé, une pièce courte, appelée support *boiteux*, qui forcera le morceau à se redresser avant que vous ne le clouiez en place.

Vérifiez la précision de votre niveau. Posez un côté du niveau le long d'une surface plate, uniforme (photo supérieure), marquez l'endroit et examinez attentivement l'indicateur à bulle. Faites pivoter le niveau de 180° (photo inférieure) et examinez de nouveau l'indicateur. Ensuite, retournez le niveau et examinez l'indicateur. Dans chacune de ces positions, la bulle doit se trouver au même endroit. Sinon, utilisez les vis de réglage pour corriger la situation, ou achetez un autre niveau.

Équerres

Les équerres ont différentes formes et différentes dimensions, mais elles servent toutes à un usage général : vous aider à marquer les bois d'œuvre et les matériaux en feuille avant de les scier.

Il existe des différences marquées entre les divers types d'équerres. Certaines servent à effectuer des coupes rectilignes sur les matériaux en feuille, d'autres conviennent particulièrement aux coupes transversales rapides des 2 po x 4 po ou au marquage des angles sur les chevrons. Si vous utilisez l'outil approprié, vous travaillerez plus vite et effectuerez des coupes plus précises.

Familiarisez-vous avec les différents types d'équerres et sachez comment les utiliser, de manière à pouvoir choisir celle qui convient au travail que vous effectuez.

L'équerre en T pour plaques de plâtre simplifie la tâche de celui qui doit tracer des lignes droites sur les plaques de plâtre qu'il veut couper. La barre du T s'accroche au bord de la plaque de plâtre tandis que la patte de l'équerre sert de règle. L'équerre en T est également utile si vous devez tracer des lignes de coupe sur du contreplaqué ou d'autres matériaux en feuille. Certaines équerres sont munie d'un T réglable qui permet de tracer des lignes suivant certains angles.

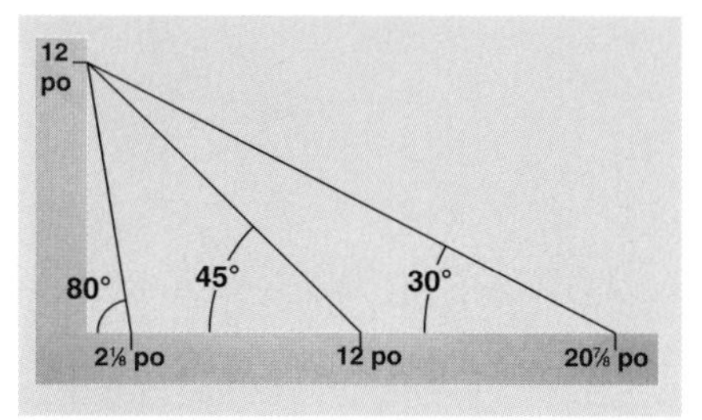

L'équerre de charpentier sert couramment à marquer les angles droits sur les matériaux en feuille et autres grandes surfaces, mais elle peut également servir à marquer d'autres angles si l'on se sert des graduations marquées le long des deux branches de l'équerre. Les graduations sont détaillées, et les équerres sont fournies avec des tableaux qui vous permettent de mesurer certains angles.

Angles courants des équerres de charpentier

Angle	Branche courte	Branche longue
30°	12 po	20⅞ po
45°	12 po	12 po
60°	12 po	6 15/16 po
70°	12 po	4⅜ po
75°	12 po	3 7/32 po
80°	12 po	2⅛ po

Le tableau ci-dessus montre les longueurs qu'il faut utiliser sur les branches de l'équerre de charpentier pour construire les angles courants. Si vous désirez tracer une ligne suivant un angle de 30°, marquez la surface à 12 po de l'origine de la branche courte et à 20⅞ po de l'origine de la branche longue ; tracez ensuite une droite entre les deux points obtenus.

Comment utiliser une équerre combinée

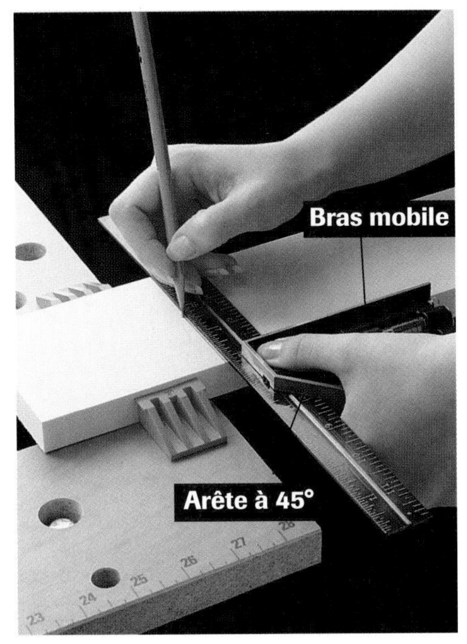

Pour marquer une planche à couper transversalement, tenez l'équerre contre le bord de la pièce et utilisez le bord de la règle de l'équerre pour guider votre crayon. Utilisez l'arête à 45° du bras mobile pour marquer les coupes en onglet sur les planches.

Pour tracer une ligne parallèle au bord de la planche, verrouillez la règle à la mesure désirée et glissez l'outil le long de la pièce en tenant la pointe du crayon contre le bord de la règle. Cette méthode est utile lorsqu'on veut tracer des lignes sur les encadrements des fenêtres ou des portes (pages 152 à 155).

Pour vérifier si une pièce est d'équerre, placez la règle contre l'extrémité de la pièce et le bras mobile le long de l'autre côté de la pièce. Si l'extrémité de la pièce est d'équerre, aucun jour n'apparaîtra entre la règle et la pièce.

Comment utiliser une équerre à chevrons

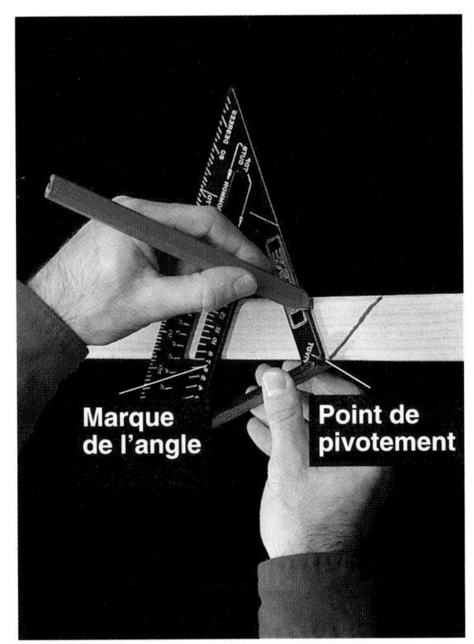

Pour marquer les coupes en angle, placez le point de pivotement de l'équerre à chevrons contre le bord de la pièce et faites pivoter l'outil jusqu'à ce que la marque de l'angle désiré coïncide avec le même bord de la pièce. Tracez une ligne indiquant l'angle sur la pièce. Pour marquer les angles dans l'autre sens, retournez l'outil.

Pour marquer les coupes transversales, placez le bord relevé d'une équerre à chevrons le long d'un bord de la planche et utilisez la branche perpendiculaire de l'équerre pour guider votre crayon. Si la planche est large, vous devrez replacer l'équerre le long de l'autre bord de la planche pour continuer la ligne.

Pour guider une scie circulaire lorsque vous effectuez des coupes transversales, commencez par aligner la lame de la scie avec la ligne de coupe. Sciez en tenant le bord relevé de l'équerre contre le bord avant de la pièce et la branche perpendiculaire de l'équerre le long de la semelle de la scie.

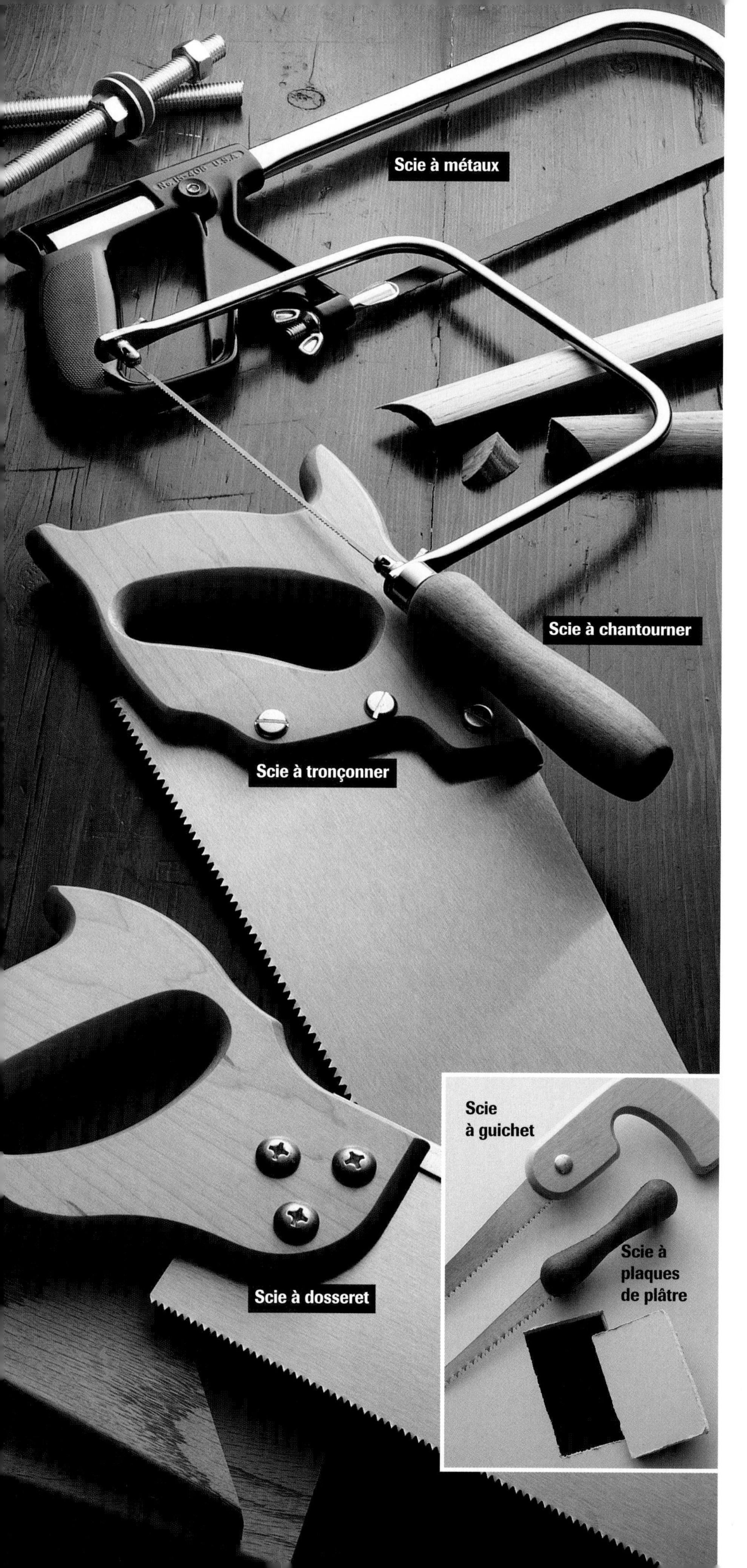

Scies manuelles

À chaque scie portative à commande mécanique actuelle correspond la scie manuelle qui servait autrefois à réaliser le même type de coupe. Vous utiliserez probablement une scie circulaire, une scie sauteuse ou une scie à onglets pour pratiquer la plupart de vos coupes, mais il peut arriver qu'en utilisant une scie manuelle, vous effectuiez le travail plus facilement, plus commodément et que vous obteniez de meilleurs résultats. Les scies manuelles offrent également au bricoleur une solution économique comparativement aux outils à commande mécanique qui coûtent cher.

Lorsque vous considérez l'achat d'une scie, choisissez celle qui est conçue pour effectuer le genre de coupe que vous projetez de faire. Les différences de conception de la poignée et le nombre, la forme et l'avoyage des dents font de chaque scie, la scie la plus appropriée à telle application particulière.

Pour effectuer des coupes générales, utilisez une scie à tronçonner dont la lame compte de 8 à 10 dents par pouce. Les lames des scies à tronçonner ont des dents pointues, conçues pour couper à travers le bois à l'aller et pour approfondir le trait de scie au retour, tout en enlevant la sciure qui s'y trouve.

N'utilisez une scie manuelle que pour l'usage auquel elle est destinée. L'utilisation à mauvais escient d'une scie manuelle ne peut qu'endommager l'outil, émousser la lame ou vous causer des blessures.

Lorsque les lames de scie commencent à s'émousser, portez-les chez un affûteur professionnel. La finition du travail justifiera ce coût supplémentaire.

Pour effectuer une découpe à la main, il faut utiliser une scie munie d'une lame étroite et effilée utilisable dans les espaces clos. Utilisez une scie à guichet pour découper le contreplaqué, les panneaux et les autres matériaux minces, et utilisez une scie à plaques de plâtre pour effectuer les découpes d'accessoires dans les plaques de plâtre. Consultez la page 47 qui contient des conseils sur l'utilisation de ces scies.

Choisir la bonne scie manuelle

La scie à tronçonner est pratique lorsqu'il ne faut effectuer qu'une coupe ou scier dans un espace clos où n'entrent pas les outils à commande mécanique. À la fin de la coupe, sciez lentement et supportez de votre main libre le morceau rejeté, afin d'éviter les éclats.

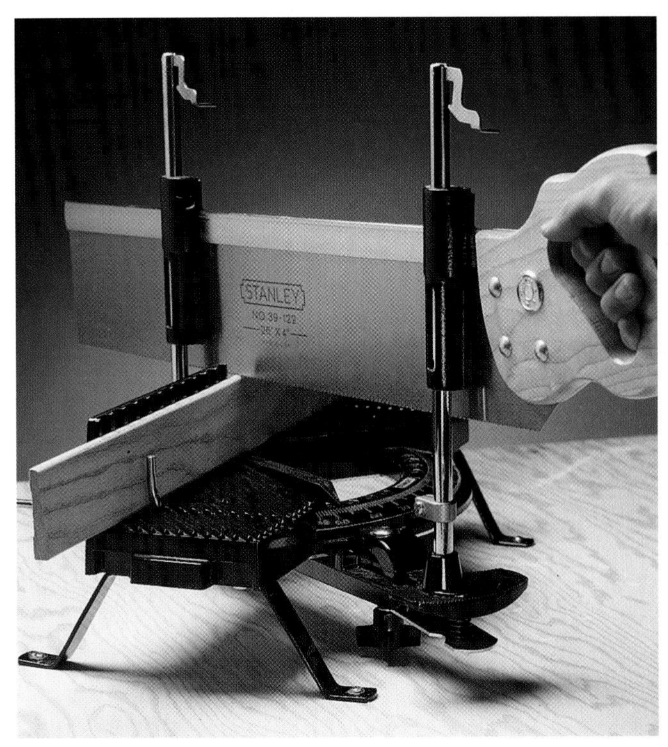

La scie à dosseret et la boîte à onglets permettent de scier précisément en angle les moulures et autres garnitures. Fixez la pièce à la boîte à onglets ou tenez-la, et assurez-vous que la boîte à onglets est bien attachée à la surface de travail.

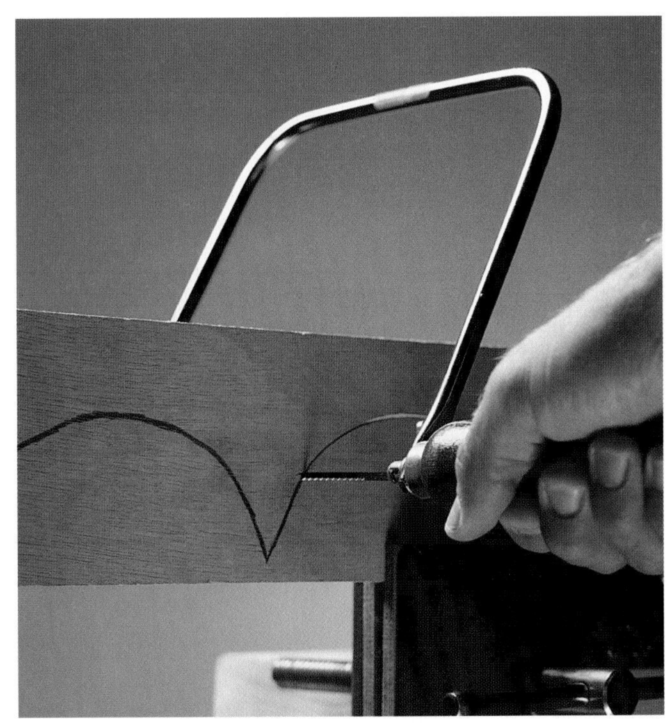

La scie à chantourner est munie d'une lame mince et flexible conçue pour scier suivant des courbes. Elle est également indispensable si l'on veut obtenir le fini des joints de moulures. La lame de la scie à chantourner casse facilement lorsqu'on l'utilise intensément. Il faut donc acheter des lames de rechange.

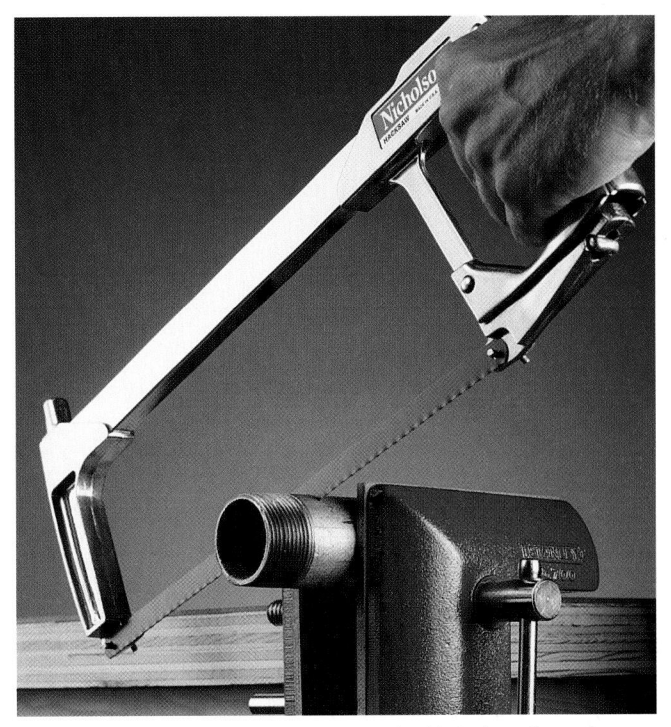

La scie à métaux est munie d'une lame flexible à dents fines, conçue pour couper les métaux. Les menuisiers s'en servent pour couper les tuyaux de plomberie ou se débarrasser des attaches métalliques récalcitrantes. Pour éviter de casser la lame, tendez-la fortement dans le cadre avant de commencer à scier.

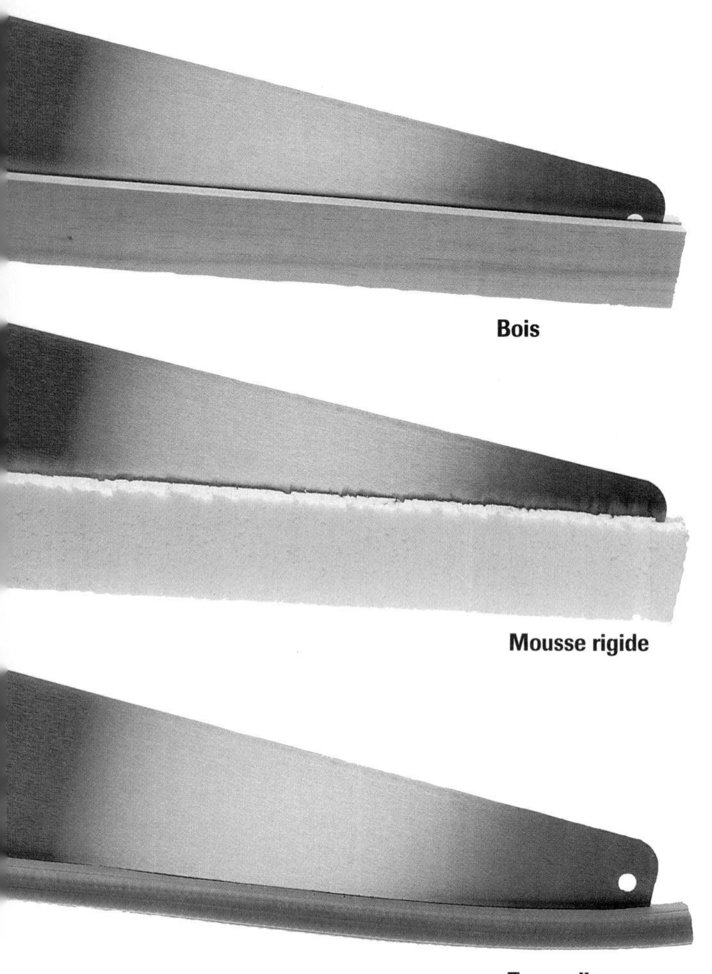

Protégez les dents des scies manuelles et évitez les accidents en recouvrant les dents d'une gaine protectrice quand vous n'utilisez pas la scie. Vous pouvez confectionner une gaine à l'aide d'une lamelle de bois, de mousse rigide, ou d'un vieux morceau de tuyau d'arrosage. Faites une entaille longitudinale d'un côté de la gaine et plantez-y les dents de la scie.

Adoptez une bonne posture pour scier. Prenez toujours le temps de vous installer confortablement avant de scier et assurez-vous que votre main, votre coude et votre épaule sont dans le même plan vertical que la lame de la scie. Servez-vous de votre pouce pour guider la scie au début. Sciez à un rythme uniforme, en appliquant une légère pression à l'aller et en relâchant la pression au retour.

Entamez une coupe manuelle par une course de retour pour établir la ligne de coupe et procédez ensuite par longs coups, en douceur, en maintenant la lame à 45°. N'oubliez pas que le trait de scie enlève le bois sur une largeur allant de $\frac{1}{16}$ po à $\frac{1}{8}$ po. Commencez la coupe juste à l'extérieur de la ligne de coupe tracée, afin de ne pas enlever trop de matière. Au début de la coupe, guidez la scie avec le côté de votre pouce.

Examinez fréquemment les scies manuelles pour vérifier leur affûtage. Les dents des lames de scies émoussées montrent des traces d'usure et sont visiblement arrondies (photo supérieure). Les dents de scies affûtées sont pointues et présentent des bords nets. Confiez l'affûtage de vos scies émoussées à un professionnel. Vous en trouverez sous la rubrique «Scies, affûtage» des pages jaunes.

Conseils sur l'utilisation des scies manuelles

Gardez la coupe des scies manuelles d'équerre par rapport à la face et aux côtés de la pièce. Vous vous faciliterez la tâche en construisant un guide à l'aide de déchets de bois et de contreplaqué de ¾ po. Vérifiez, à l'aide d'une équerre combinée, que tous les éléments du guide sont d'équerre avant d'assembler celui-ci. Assemblez les pièces à l'aide de colle de menuisier et de vis pour plaques de plâtre de 1¼ po ; vérifiez une dernière fois que le guide assemblé est bien d'équerre.

Choisir un style de coupe

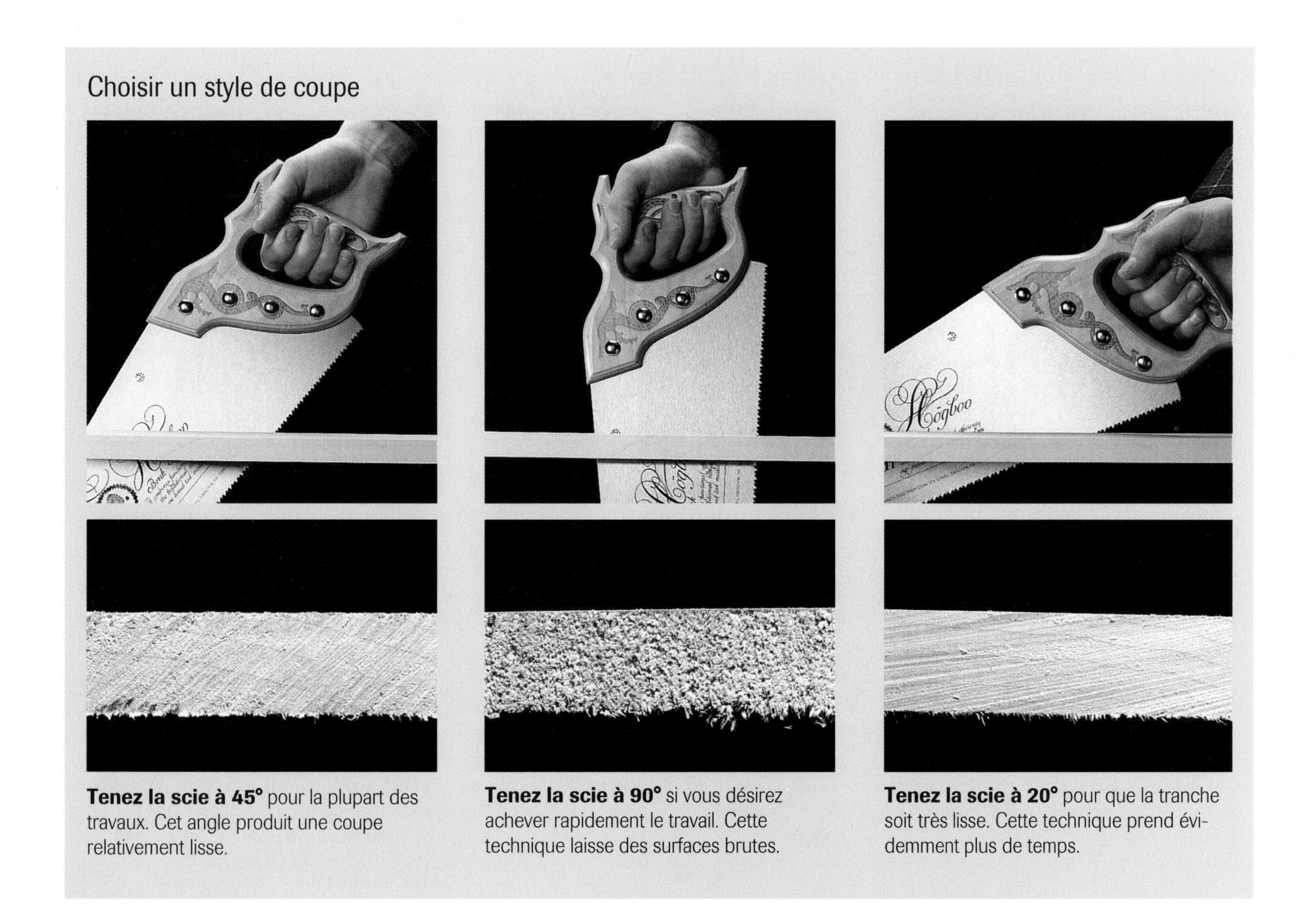

Tenez la scie à 45° pour la plupart des travaux. Cet angle produit une coupe relativement lisse.

Tenez la scie à 90° si vous désirez achever rapidement le travail. Cette technique laisse des surfaces brutes.

Tenez la scie à 20° pour que la tranche soit très lisse. Cette technique prend évidemment plus de temps.

Conseils concernant l'utilisation d'une boîte à onglets

Assujettissez solidement la boîte à onglets en bois à l'établi avant de scier une pièce. Utilisez une cale, si nécessaire, pour que la pièce ne bouge pas pendant la coupe.

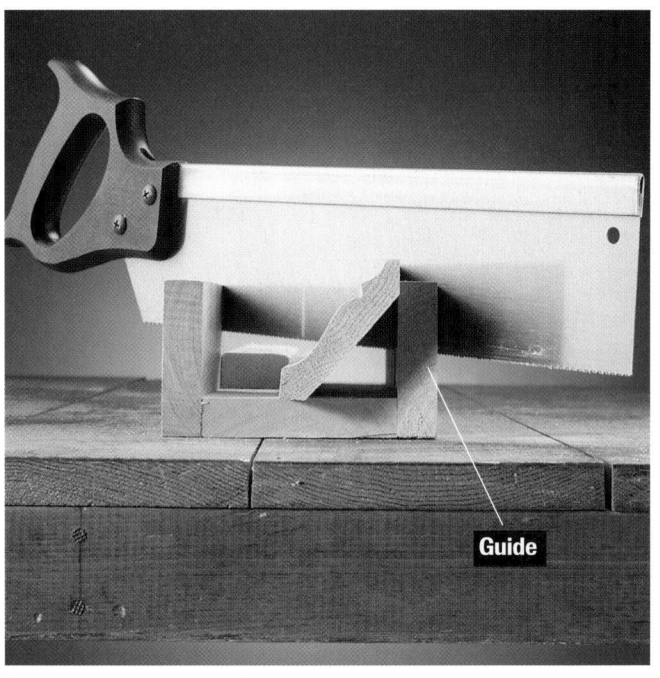

Imaginez que la base de la boîte à onglets est le plafond et que son guide est le mur lorsque vous installez une gorge dans la boîte. Ainsi, vous n'oublierez pas de placer la gorge à l'envers dans la boîte à onglets, et inclinée à 45°.

Conseils concernant l'utilisation d'une boîte à onglets pivotante

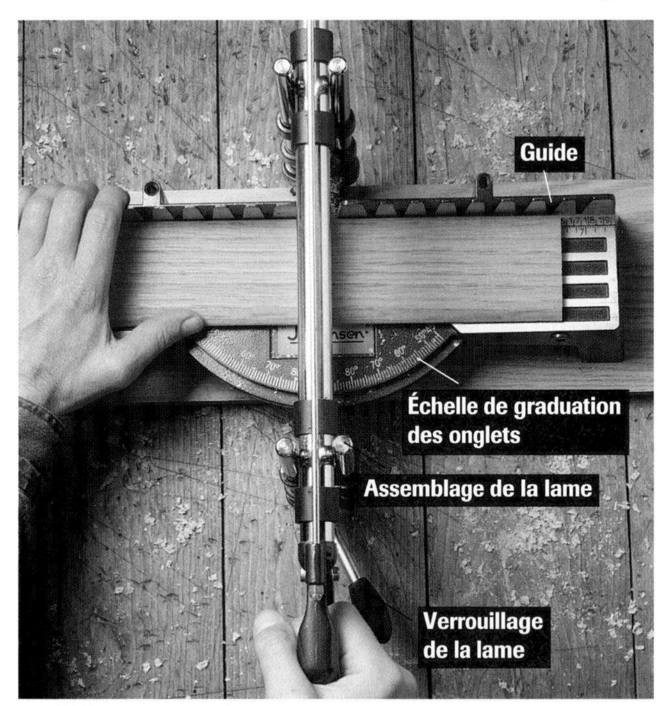

Utilisez une boîte à onglets pivotante si vous devez scier suivant un angle de 0° à 45° dans un sens ou dans l'autre. Faites pivoter l'assemblage de la lame jusqu'à l'angle exact de coupe en vous servant de l'échelle de graduation des onglets et actionnez le verrou qui maintient la direction de la lame pendant la coupe. Vérifiez que la pièce à scier est contre le guide avant de commencer à scier.

Placez les gorges contre le guide, comme vous le feriez dans une boîte à onglets, c'est-à-dire à l'envers et inclinées à 45°. La scie à dosseret est fixée dans un assemblage rigide qui monte et qui descend, de sorte que vous pouvez insérer ou retirer une pièce à votre gré. Fixez une planche de bois dur ou de panneau de particules sur la base : elle servira de support aux pièces larges et protégera la boîte à onglets.

Comment faire un joint à contre-profil

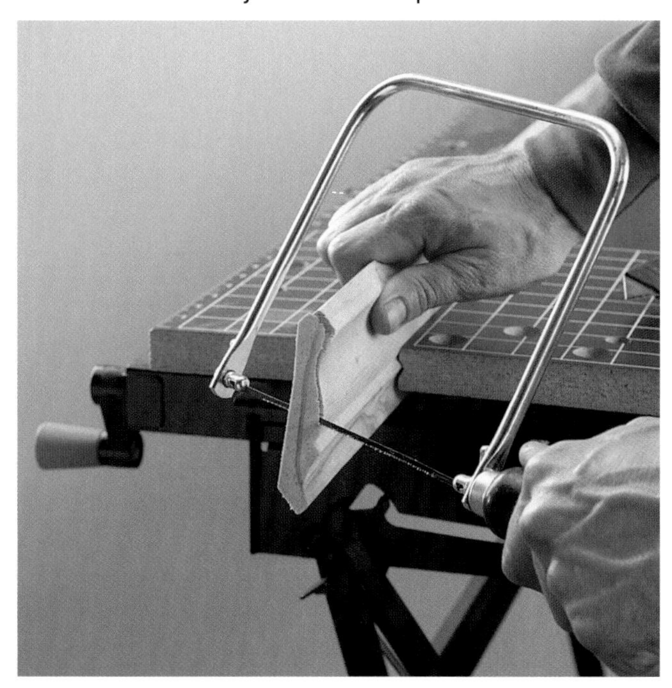

1 Les joints à contre-profil forment des coins intérieurs impeccables lorsqu'on installe des plinthes ou des moulures de plafond. Installez la première moulure avec des extrémités coupées d'équerre. Coupez la deuxième pièce en biseau, à 45°, et sciez ensuite ce bord avec une scie à chantourner de manière qu'il épouse parfaitement le contour de la première pièce.

2 Essayez de joindre les pièces pour vérifier si elles s'assemblent parfaitement. Apportez les petits ajustements nécessaires à l'aide de papier de verre.

Conseils pour le découpage des matériaux en feuille

Utilisez une scie à guichet pour découper le contreplaqué et les autres matériaux en vue d'installer des prises de courant ou des accessoires. Tracez les lignes de coupe au crayon ; puis forez des trous dans les coins de la figure, pour pouvoir introduire la scie, et sciez le matériau en suivant les lignes de coupe.

Utilisez une scie à plaques de plâtre pour découper de petites ouvertures dans les plaques de plâtre. Tracez les lignes de coupe, puis enfoncez la pointe de la scie à travers la plaque de plâtre et sciez en suivant la ligne de coupe.

Scies sauteuses

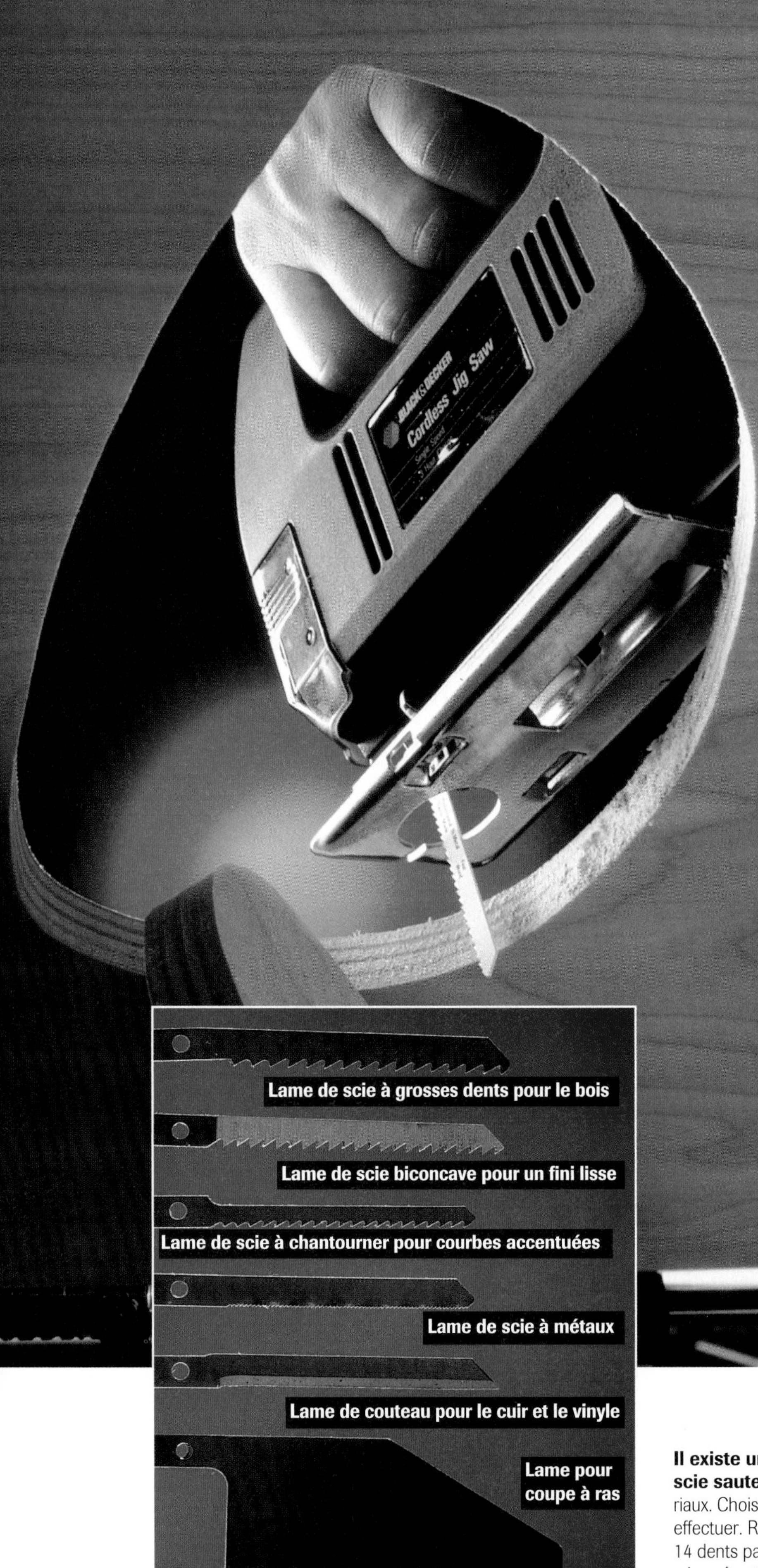

La scie sauteuse est un excellent outil portatif à commande mécanique lorsqu'on doit découper les matériaux suivant des courbes. La capacité de coupe d'une scie sauteuse dépend de sa puissance et de la course de la lame. Choisissez une scie conçue pour couper les bois tendres de 2 po d'épaisseur et les bois durs de ¾ po d'épaisseur. De nombreuses scies sauteuses ont une base pivotante qui peut être verrouillée si l'on veut couper en biais.

La scie sauteuse à vitesse variable constitue le meilleur choix, car on peut adapter la vitesse de la scie au type de lame utilisé pour obtenir les meilleurs résultats. En général, aux lames à grosses dents correspondent des vitesses de lame élevées et aux lames à petites dents correspondent des vitesses de lames plus basses.

À cause du mouvement vertical alternatif de la lame, les scies sauteuses vibrent plus que les autres. Cependant, les scies sauteuses de première qualité sont munies d'une base en acier épais qui réduit les vibrations et permet de mieux contrôler la scie en l'appuyant contre la pièce.

Les scies sauteuses coupent lors de la course montante de la lame et risquent donc de faire éclater le bois de la face supérieure de la pièce. Donc, si vous devez protéger une face de la pièce que vous sciez, placez la pièce, la face à protéger en bas.

Il existe une grande variété de modèles de lames pour scie sauteuse qui permettent de scier toutes sortes de matériaux. Choisissez la lame qui convient au travail que vous devez effectuer. Réglez la scie à basse vitesse si la lame utilisée a 14 dents par pouce ou davantage. Les lames à dents plus grosses nécessitent une vitesse de scie plus élevée.

Les lames des scies sauteuses sont flexibles et risquent de casser si elles sont soumises à des contraintes excessives. Déplacez lentement la scie lors des coupes en biais ou lorsque vous traversez des matériaux durs comme les nœuds du bois.

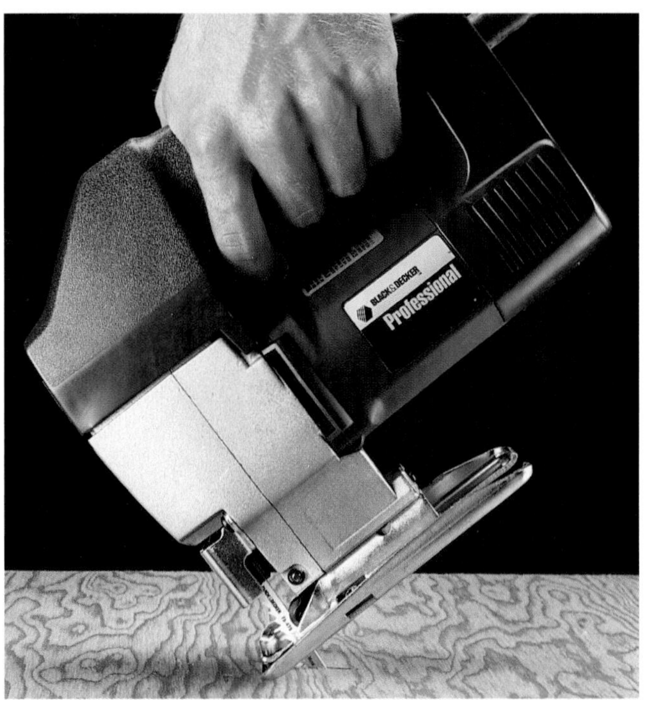

Sciez en plongée en inclinant la scie pour que le bord avant de sa base appuie fermement sur la pièce. Mettez la scie en marche et ramenez lentement la base à l'horizontale en laissant la scie traverser progressivement la pièce.

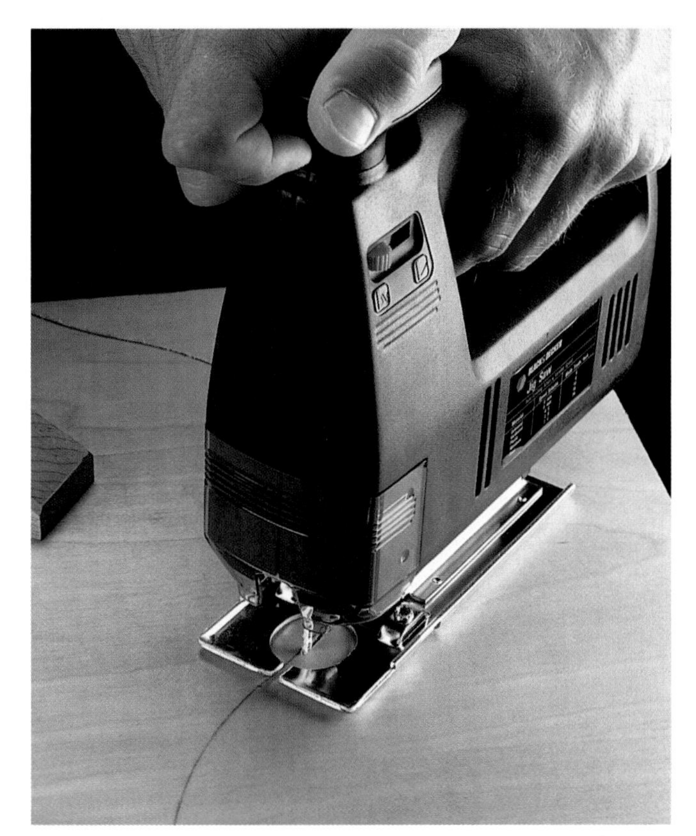

Utilisez une lame étroite pour suivre des tracés courbes. Déplacez lentement la scie pour éviter de plier la lame. Certaines scies sont munies d'un bouton à chantourner qui permet de tourner la lame sans devoir tourner la scie.

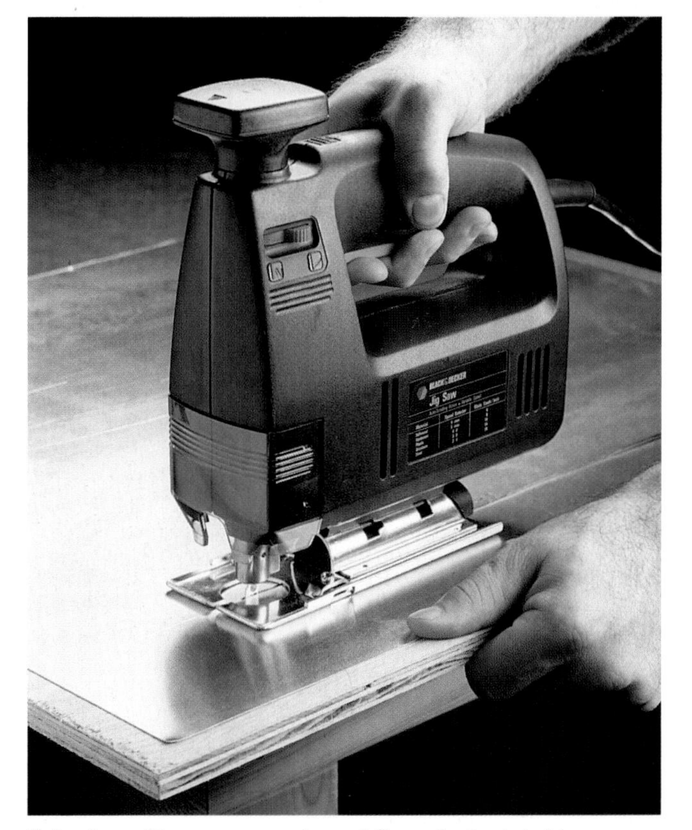

Sciez les métaux avec une lame à fines dents et choisissez une basse vitesse de lame. Soutenez les feuilles métalliques au moyen d'une mince planche de contreplaqué pour éliminer les vibrations. Polissez les bavures laissées par la lame en utilisant du papier de verre ou une lime.

Scies circulaires

La scie circulaire portative est devenue l'outil de coupe le plus utilisé par les bricoleurs. Si vous disposez des lames appropriées, elle vous permettra de scier les matériaux les plus divers : le bois, les métaux, le plâtre, le béton et les autres matériaux de maçonnerie. Sa base réglable permet d'adopter la profondeur de coupe adaptée à la pièce, et elle peut pivoter d'un côté ou de l'autre pour effectuer des coupes en biais.

Les plupart des menuisiers professionnels utilisent une scie circulaire à lame de 7¼ po. Les modèles à lame de 7¼ po et de 6½ po sont les plus répandus pour les travaux à domicile. Une lame plus petite signifie une scie plus petite, plus légère et habituellement – ne l'oubliez pas – moins puissante, ce qui limite ses possibilités lorsqu'il s'agit d'effectuer des coupes en biais ou de scier des matériaux plus épais que 2 po.

Les scies circulaires sans cordon ont des lames de 5⅜ po, c'est-à-dire assez grandes pour traverser les matériaux en feuilles et scier d'équerre le bois de 2 po d'épaisseur. Elles sont utiles dans les endroits où un cordon électrique gênerait les mouvements. Mais la plupart d'entre elles ne sont pas assez puissantes pour servir d'outils de coupe principaux dans l'exécution de gros travaux.

Les scies circulaires coupent vers le haut, ce qui risque de faire éclater la face supérieure de la pièce. Pour protéger la face finie de la pièce, il faut donc marquer les mesures à l'arrière de celle-ci et placer sa face finie en bas lors de la coupe.

Tirez le maximum de votre scie en inspectant régulièrement la lame et en la changeant si nécessaire (pages 52 et 53). Vous obtiendrez également de meilleurs résultats si vous utilisez une règle (page 57) qui guide la scie et permet de scier précisément les pièces longues.

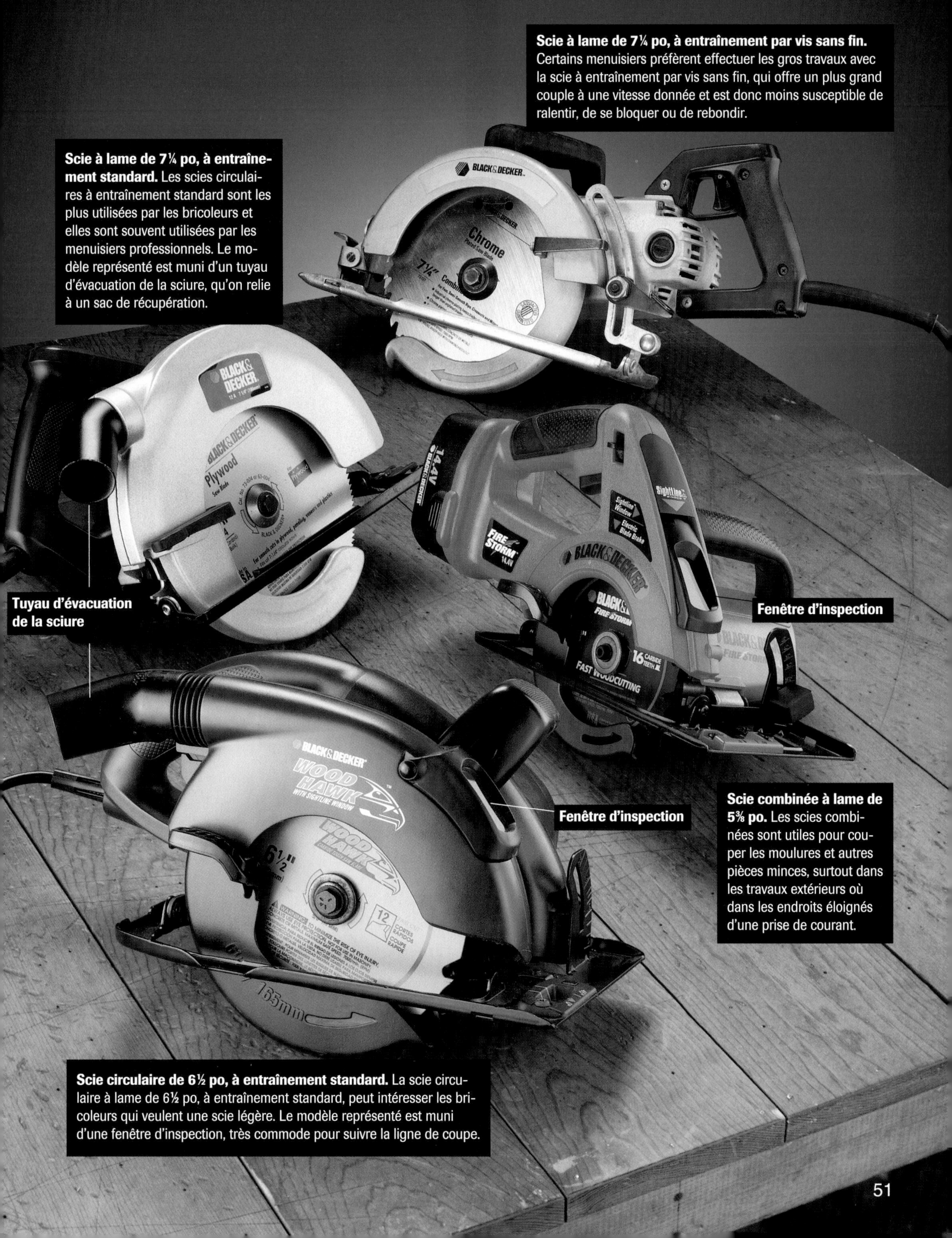

Scie à lame de 7¼ po, à entraînement par vis sans fin. Certains menuisiers préfèrent effectuer les gros travaux avec la scie à entraînement par vis sans fin, qui offre un plus grand couple à une vitesse donnée et est donc moins susceptible de ralentir, de se bloquer ou de rebondir.

Scie à lame de 7¼ po, à entraînement standard. Les scies circulaires à entraînement standard sont les plus utilisées par les bricoleurs et elles sont souvent utilisées par les menuisiers professionnels. Le modèle représenté est muni d'un tuyau d'évacuation de la sciure, qu'on relie à un sac de récupération.

Scie combinée à lame de 5⅜ po. Les scies combinées sont utiles pour couper les moulures et autres pièces minces, surtout dans les travaux extérieurs où dans les endroits éloignés d'une prise de courant.

Scie circulaire de 6½ po, à entraînement standard. La scie circulaire à lame de 6½ po, à entraînement standard, peut intéresser les bricoleurs qui veulent une scie légère. Le modèle représenté est muni d'une fenêtre d'inspection, très commode pour suivre la ligne de coupe.

Sélection et entretien des lames de scies circulaires

Pour tirer le maximum de votre scie circulaire, vous devez disposer d'un assortiment de lames, qui doit comprendre au moins une lame combinée à pointes au carbure et une lame à panneaux pour couper le contreplaqué. Vous achèterez les autres lames suivant les travaux que vous aurez à effectuer :

- La lame à panneaux, qui a de petites dents, est conçue pour couper le contreplaqué et les autres panneaux de placage sans faire d'éclats.
- La lame biconcave à planer a une surface effilée qui réduit le frottement, ce qui donne des coupes finies indispensables dans les travaux d'ébénisterie.
- La lame combinée à pointes au carbure, d'usage général, permet d'effectuer rapidement des coupes semi-finies dans n'importe quelle direction.
- La lame de maçonnerie est utilisée pour entailler ou couper la maçonnerie.
- La lame à métaux est utilisée pour couper les tuyaux métalliques, les poteaux métalliques, le métal en feuilles et les attaches en métal. Les lames de maçonnerie et les lames à métaux s'usent rapidement si on les utilise intensivement.

Pour conserver une lame de scie en bon état, n'utilisez-la que pour scier les matériaux pour lesquels elle est conçue, nettoyez-la lorsqu'elle est souillée et évitez de scier des clous ou autres attaches. Les clous et les vis peuvent casser une lame, causer des rebonds ou projeter des éclats. Nettoyez la lame avec du kérosène ou de la laine d'acier, séchez-la et enduisez-la d'une légère couche d'huile de machine pour la protéger contre la rouille.

Une lame émoussée sollicite excessivement le moteur de la scie. Remplacez les lames de scie émoussées ou faites-les affûter par un professionnel. N'utilisez jamais de lames fissurées ou ébréchées.

Comment régler la profondeur de coupe de la lame de scie

1 Dans la plupart des cas, la lame d'une scie circulaire ne bouge pas lorsque vous réglez sa profondeur de coupe, c'est la plaque de base de la scie qui pivote, exposant plus ou moins la lame. Débranchez la scie, déverrouillez le bouton de réglage de la profondeur de coupe et glissez-le vers le haut ou vers le bas pour régler la profondeur de coupe.

2 Tirez le levier du protège-lame vers le haut pour exposer la lame et placez la lame le long de la pièce pour vérifier son réglage. Elle ne doit pas dépasser de plus d'une profondeur de dent le bas de la pièce. Resserrez le bouton pour verrouiller la lame. NOTE : sur certaines scies, la plaque de base se soulève ou s'abaisse au lieu de pivoter. Lorsque le bouton est desserré, c'est la plaque de base entière qui se soulève ou s'abaisse.

Comment changer une lame

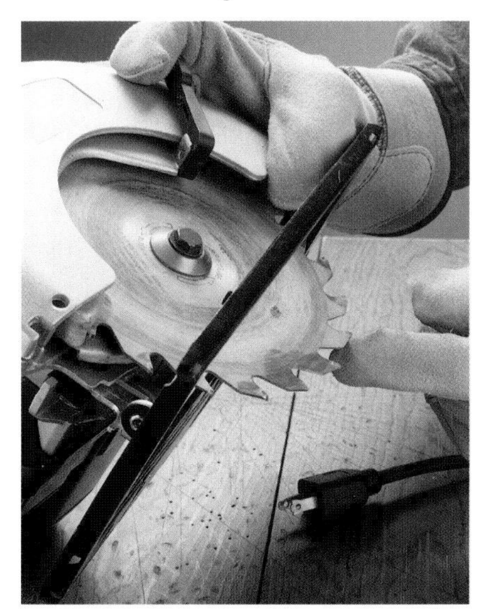

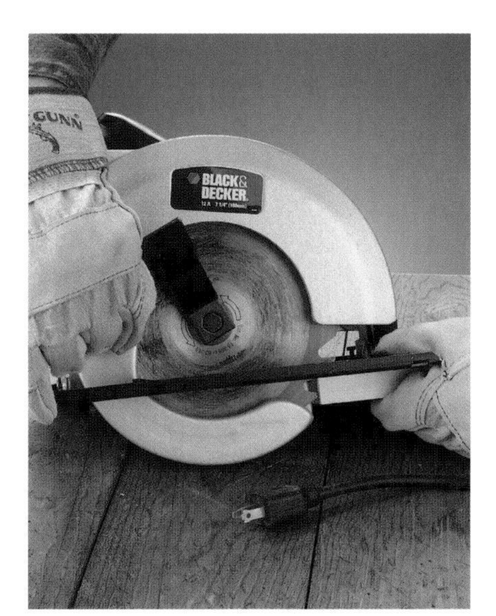

1 Débranchez la scie et inspectez la lame, en portant des gants pour vous protéger les mains. Remplacez la lame si elle est usée, fissurée ou ébréchée. Retirez-la pour la nettoyer si elle est couverte de résine ou de goudron.

2 Pour desserrer la lame, commencez par enfoncer le bouton de blocage de l'axe ou manœuvrez le levier qui verrouille la lame en position, puis desserrez le boulon à l'aide d'une clé et retirez le boulon et la rondelle. NOTE : si vous possédez un ancien modèle sans verrouillage de l'axe, insérez un bloc de bois entre la lame et la plaque de base pour empêcher la lame de tourner pendant que vous desserrez le boulon.

3 Installez une nouvelle lame ou, si l'ancienne lame est souillée mais encore en bon état, nettoyez-la et réinstallez-la. Lorsque vous fixez la lame, fiez-vous aux marques directionnelles indiquées sur le flanc de la lame. Placez la rondelle et le boulon, et serrez celui-ci à l'aide d'une clé, fermement, mais sans exagération.

Comment effectuer des coupes transversales

1 Fixez la pièce en place à l'aide de serre-joints et placez la plaque de base de manière que la lame se trouve à environ 1 po du bord de la pièce. Alignez le repère sur la ligne de coupe. NOTE : la scie enlèvera un peu de matière de part et d'autre de la lame. Si la coupe doit être précise, faites la première coupe dans la partie rejetée. Vous effectuerez ensuite, si nécessaire, une deuxième coupe, plus précise, pour enlever plus de matière.

2 Tenez la scie à deux mains, appuyez sur la gâchette et guidez la lame qui pénètre dans la pièce, en suivant la ligne de coupe grâce au repère et en appuyant uniformément sur la scie tout en la poussant vers l'avant. Les repères diffèrent d'une scie à l'autre. Avant d'entamer des travaux avec une scie empruntée, familiarisez-vous avec celle-ci en effectuant quelques coupes à blanc.

Comment effectuer des coupes en plongée

1 Assujettissez la pièce à des tréteaux, au moyen de serre-joints. Installez une longueur de 2 po x 4 po le long de la pièce, qui vous servira de guide. Soulevez le protège-lame et placez la scie de manière que le bord avant de son pied – et non la lame – touche la pièce.

2 Tenez la scie à deux mains pendant la coupe. Mettez la scie en marche et abaissez lentement la lame pour qu'elle pénètre dans la pièce, tout en maintenant la plaque de base contre le guide (2 po x 4 po).

Comment faire des coupes de refente

Attachez une règle-guide achetée dans le commerce à la plaque de base de votre scie circulaire. Pour obtenir une meilleure stabilité, fixez une bande de bois dur de 8 po à la base de la règle-guide, au moyen de vis à tête cylindrique bombée. Pour que les coupes soient encore plus précises, construisez votre propre règle-guide (page 57).

Pour couper des morceaux de bois d'œuvre plus épais que la profondeur de coupe maximale de votre scie circulaire, réglez la profondeur de coupe à un peu plus de la moitié de l'épaisseur du morceau à couper, sciez-le d'un côté, puis retournez-le et sciez-le de l'autre côté, en faisant coïncider les deux coupes. Veillez à ce que les coupes soient bien droites.

Conseils pour effectuer des coupes de refente

Fixez une règle-guide à la pièce, au moyen de serre-joints, si vous devez effectuer de longues coupes, droites. Pressez la plaque de base contre la règle-guide et faites avancer doucement la scie à travers la pièce à scier.

Enfoncez un intercalaire en bois dans le trait de scie pour empêcher la scie de se bloquer. Lors de coupes plus longues, arrêtez la scie et placez l'intercalaire à 12 po environ derrière la plaque de base.

Comment effectuer des coupes en biais

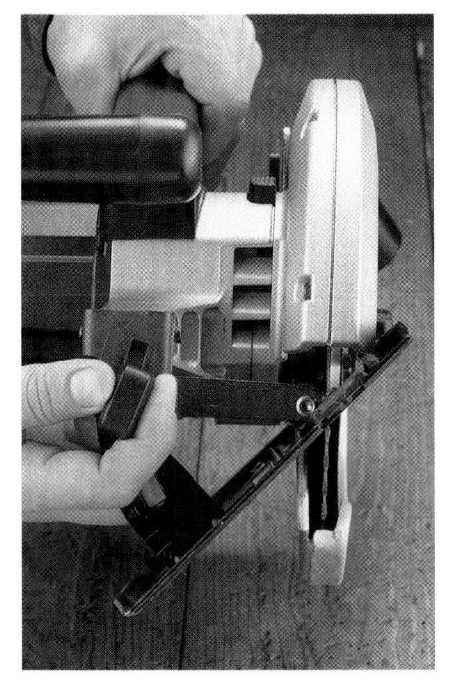

1 Desserrez le bouton de réglage du biseau, glissez-le au réglage voulu et resserrez le bouton. NOTE : certains modèles sont munis d'une vis de blocage pour les angles courants collé : 90° (aucun biseau) et 45°.

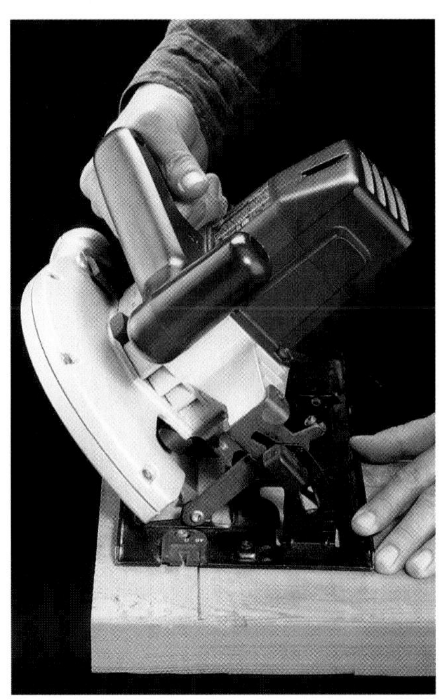

2 Placez la plaque de base de votre scie sur la pièce. En coupant, examinez la lame pour vérifier qu'elle reste bien alignée avec la ligne de coupe, du côté rejeté de la pièce.

Conseil : prenez la mesure des angles existants à l'aide d'une fausse-équerre. Transposez la ligne de coupe sur votre pièce et réglez l'angle de la scie circulaire pour qu'elle suive la ligne.

Comment faire des rainures

1 Pour faire des rainures à l'aide d'une scie circulaire, réglez la profondeur de coupe à ⅓ de la profondeur de la rainure désirée et tracez sur la pièce les bords de la rainure. Immobilisez la pièce avec un serre-joint et coupez les bords de la rainure en vous servant d'une règle-guide. Faites plusieurs coupes parallèles, à l'intérieur des bords, tous les ¼ po.

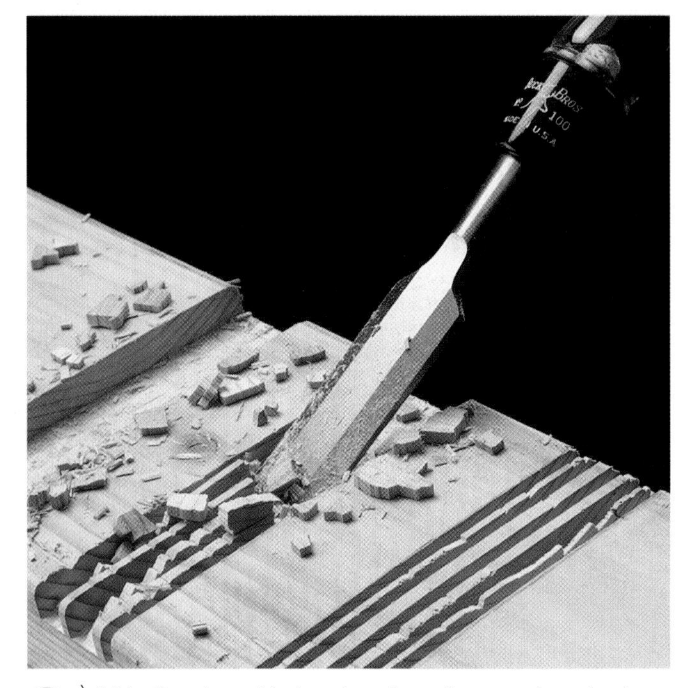

2 À l'aide d'un ciseau à bois, enlevez la matière entre les traits de scie des coupes parallèles. Pour éviter de trop entamer la pièce, appliquez une pression de la main ou frappez avec un maillet sur le ciseau que vous tiendrez biseau vers le haut. Vous trouverez d'autres renseignements sur les ciseaux à la page 85.

Construire une règle-guide

Effectuer des coupes rectilignes et précises de refente ou dans de longues feuilles de contreplaqué ou de panneaux présente certaines difficultés. Même le meilleur menuisier ne parvient pas toujours à suivre la ligne de coupe, surtout sur une grande longueur. La règle-guide ou le gabarit permet de résoudre ce problème. Du moment que vous maintenez la plaque de base contre la cale de la règle-guide pendant la coupe, vous êtes certain que la coupe sera rectiligne.

La cale de la règle-guide offre un appui sûr à la plaque de base de la scie circulaire pendant que celle-ci progresse à travers le matériau. Pour que la coupe soit précise, il faut que la cale soit parfaitement rectiligne.

La règle-guide permet de réaliser plus facilement des coupes de refente ou d'autres coupes d'équerre dans les pièces d'une certaine longueur. La règle-guide est construite d'équerre, si bien que toutes les coupes pour lesquelles on s'en sert sont également d'équerre.

Le matériel dont vous avez besoin

Outils: serre-joints, crayon, scie circulaire.

Matériaux: base de ¼ po en contreplaqué de finition (10 po x 96 po), cale de ¾ po en contreplaqué (2 po x 96 po), colle de menuisier.

Comment construire une règle-guide

1 Appliquez de la colle de menuisier sur la surface inférieure de la cale de ¾ po en contreplaqué et collez ensuite la cale sur la base de ¼ po en contreplaqué, à 2 po du bord. Serrez les deux pièces l'une contre l'autre au moyen de serre-joints.

2 Placez la scie circulaire avec la plaque de base contre la cale de ¾ po en contreplaqué. En une passe de scie, coupez la partie excédentaire de la base de contreplaqué pour créer un bord d'équerre.

3 Pour utiliser la règle-guide, placez-la sur la pièce à scier, de manière que son bord d'équerre coïncide avec la ligne de coupe tracée sur la pièce. Fixez la règle-guide à l'aide de serre-joints.

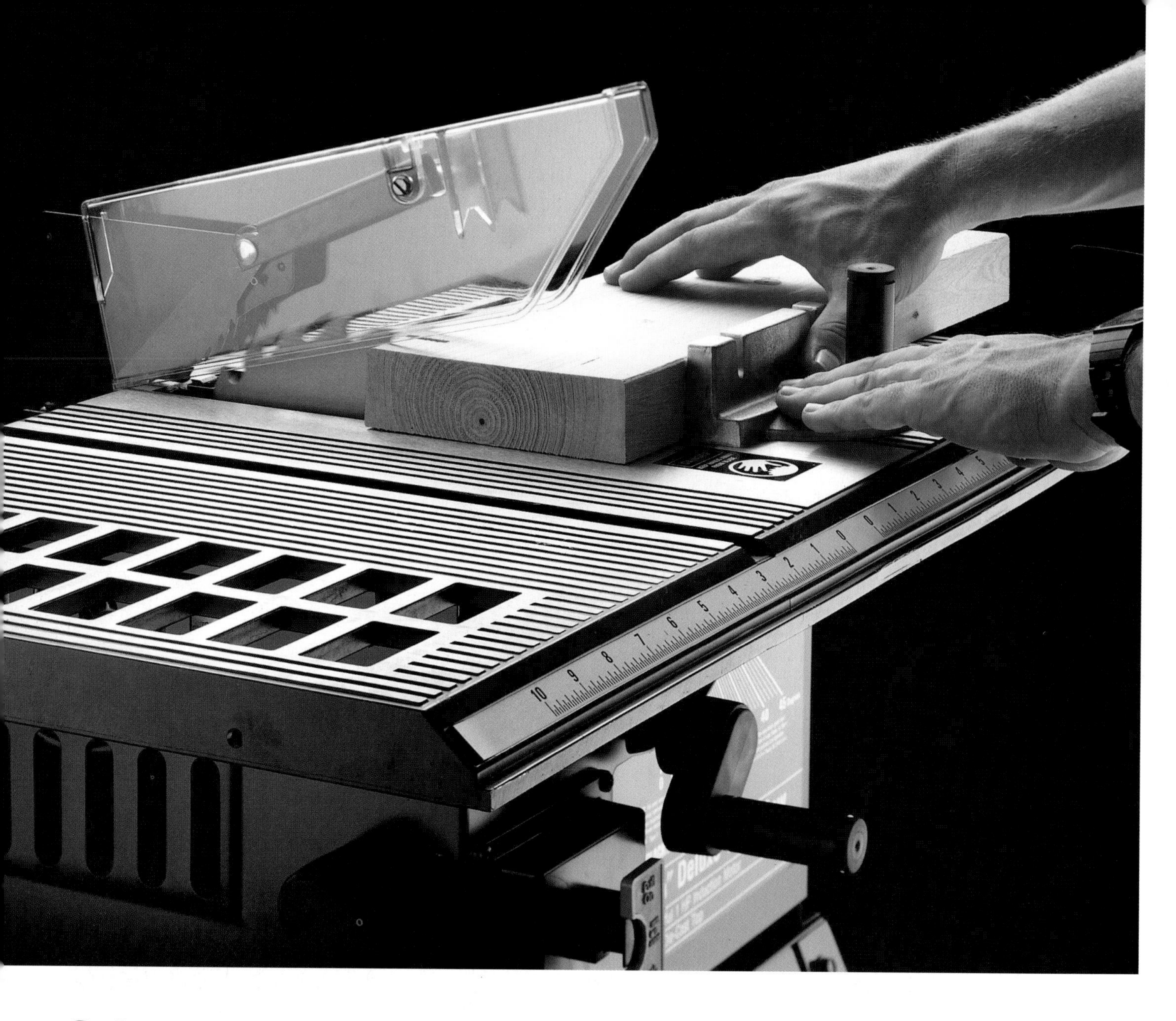

Scies circulaires à table

La scie circulaire à table est un des outils les plus utiles à tout bricoleur qui entreprend des travaux de menuiserie d'une certaine importance. Elle permet d'effectuer les coupes en onglets, de refente, transversales et en biseau. Elle permet aussi de faire les rainures, les joints à queue d'aronde, les joints à feuillure et les joints à tenon qui font partie d'une multitude de travaux de menuiserie.

Lorsque vous utilisez une scie circulaire à table, il existe plusieurs accessoires faits à la main qui vous permettent d'améliorer les résultats obtenus et de réduire au minimum les risques de blessures. Les poussoirs et les poussoirs chevauchants (page 60) servent à pousser plus facilement les pièces en bois vers la lame tout en gardant les mains à une distance sûre. Les planches à languettes (page 61) permettent de maintenir les pièces à plat et dans la trajectoire rectiligne pendant la coupe.

Si vous souhaitez utiliser une scie circulaire à table dans votre atelier, mais ne possédez pas les ressources financières ou l'espace nécessaire à l'acquisition d'un modèle normal, considérez l'achat d'une scie circulaire à table portative. Ces scies sont plus petites, mais elles offrent la plupart des possibilités des modèles plus importants.

Pour les travaux de menuiserie générale, utilisez une lame combinée. Si vous comptez effectuer de nombreuses coupes de refente ou transversales et qu'elles doivent être précises, installez une lame qui est conçue exclusivement pour ce genre de travail.

NOTE: il faut prendre des précautions particulières lorsqu'on utilise une scie circulaire à table, car la lame est nue. N'oubliez pas que vos mains et vos doigts sont vulnérables, même si vous avez installé une protection. Lisez les instructions spéciales du manuel du propriétaire concernant l'utilisation de votre scie et portez toujours l'équipement de protection oculaire et auditive lorsque vous utilisez votre scie circulaire à table.

Conseils pour l'utilisation de la scie circulaire à table

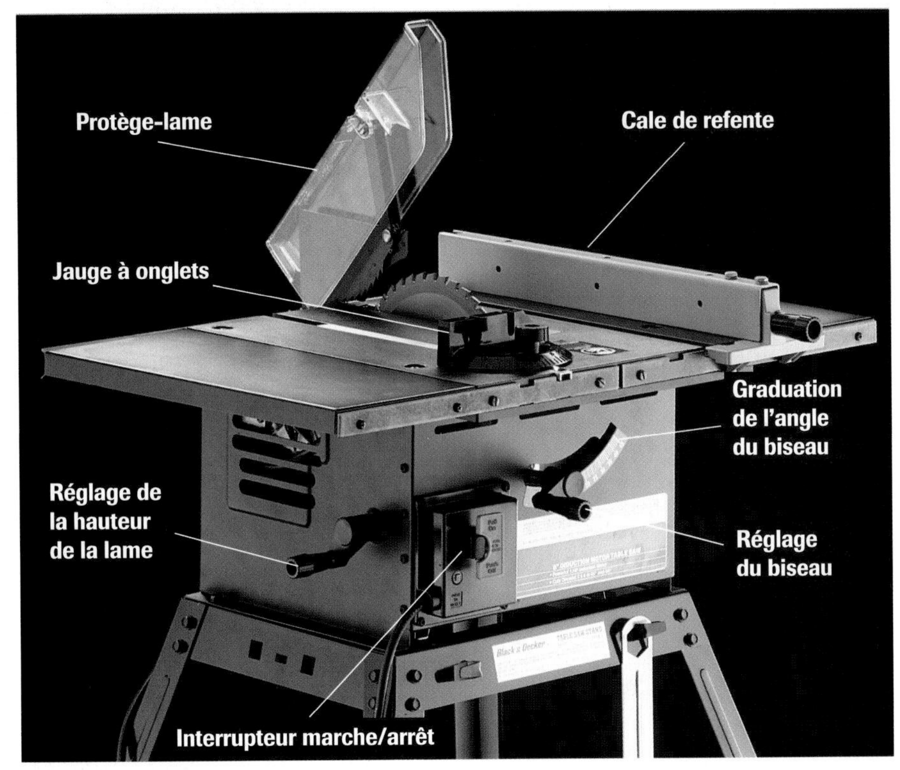

Sachez à quoi servent les parties et les accessoires de la scie circulaire à table avant de l'utiliser. La scie représentée comprend les parties suivantes: le protège-lame; la cale de refente, pour aligner la ligne de coupe de la pièce sur la lame; le réglage de la hauteur de la lame et la graduation de l'angle du biseau; l'interrupteur marche/arrêt; le réglage du biseau et la jauge à onglets qui permet de régler l'angle des onglets.

Utilisez un support à rouleaux pour maintenir les longues pièces de bois à la bonne hauteur pendant que vous les coupez avec la scie circulaire à table. Le support à rouleaux vous permet de faire glisser la pièce vers la lame sans risquer qu'elle ne tombe par terre.

Comment régler une scie circulaire à table

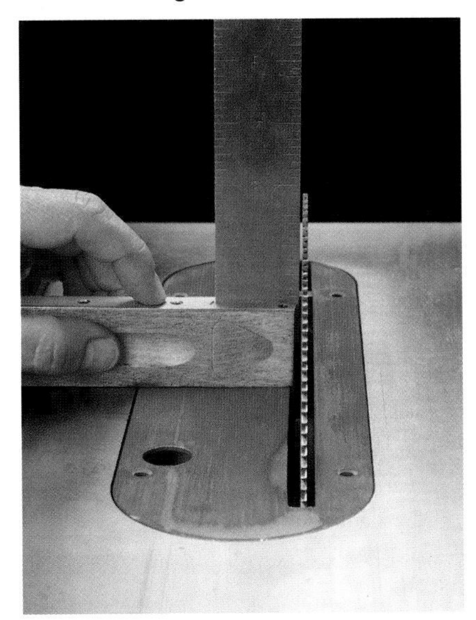

Vérifiez l'alignement vertical de la lame en réglant le biseau à 0° et en pressant une équerre de menuisier contre la lame. La branche verticale de l'équerre doit s'appliquer parfaitement contre la lame; sinon, réglez la lame conformément aux instructions que vous trouverez dans le manuel de l'utilisateur.

Vérifiez l'alignement horizontal de la lame en mesurant aux deux extrémités la distance entre la lame et la cale de refente. Si ces distances ne sont pas égales, la lame n'est pas parallèle à la cale, et la scie risque de se bloquer ou de rebondir. Réglez la scie en suivant les instructions du manuel de l'utilisateur.

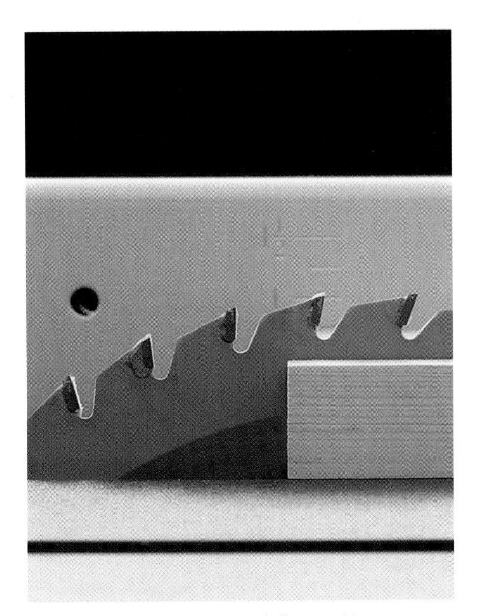

Réglez la lame pour qu'elle ne dépasse pas la face supérieure de la pièce de plus de ½ po; vous réduirez les sollicitations du moteur et obtiendrez de meilleurs résultats de coupe.

Comment changer la lame d'une scie circulaire à table

1 Débranchez la scie à table. Enlevez le protège-lame et la plaque amovible de la table et tournez le bouton de réglage en hauteur de la lame dans le sens des aiguilles d'une montre jusqu'à ce que la lame ait atteint sa hauteur maximale.

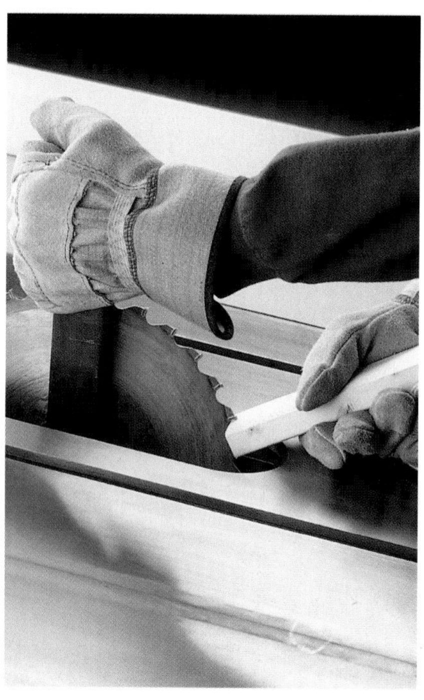

2 Mettez des gants et immobilisez la lame avec un morceau de bois. Desserrez l'écrou de l'axe en le faisant tourner dans le sens des aiguilles d'une montre et enlevez-le. (La plupart des scies sont fournies avec la clé appropriée.)

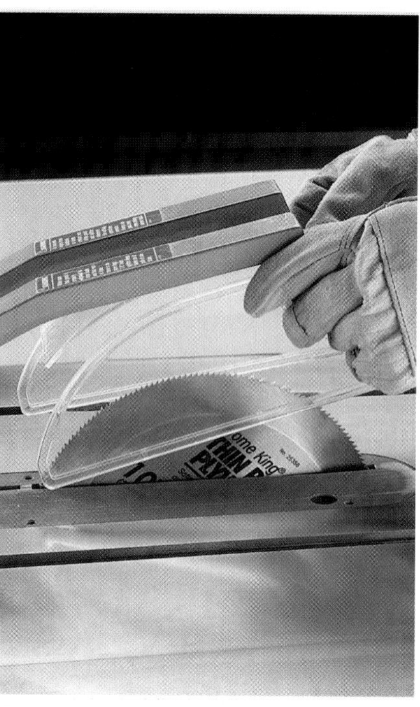

3 Enlevez soigneusement l'ancienne lame et installez la nouvelle, la courbure des dents orientée vers l'avant de la scie. Ne serrez pas exagérément l'écrou. Replacez la plaque amovible de la table et le protège-lame.

Utilisation de poussoirs et de poussoirs chevauchants

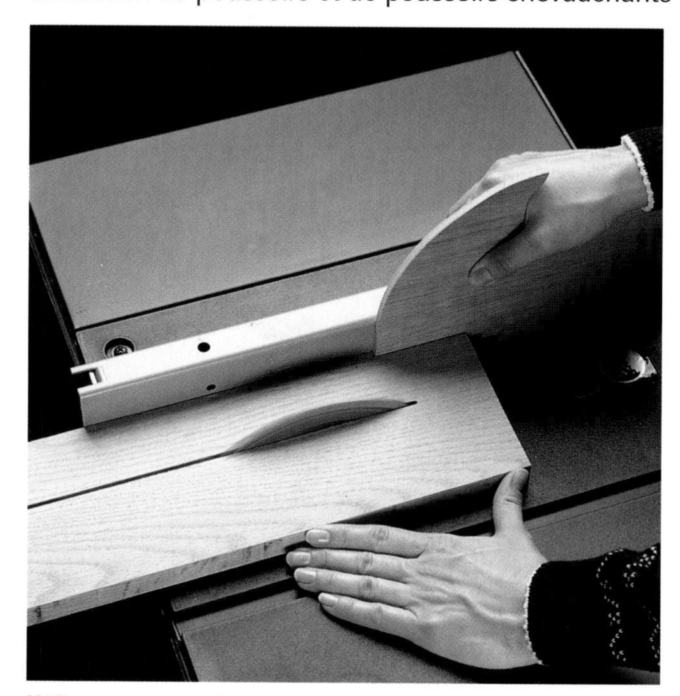

Utilisez un poussoir pour pouvoir guider la pièce sans avoir à approcher vos doigts de la lame. Le poussoir représenté comporte des encoches correspondant aux différentes épaisseurs de bois à scier.

Utilisez un poussoir chevauchant pour obtenir une sécurité accrue lorsque vous sciez des planches. Le poussoir chevauchant est un poussoir qui chevauche la cale de refente. Vous pouvez fabriquer des poussoirs et des poussoirs chevauchants avec des morceaux de contreplaqué ou en acheter dans les magasins ou les maisonneries.

Comment fabriquer une planche à languettes

1 Les planches à languettes servent à guider précisément et en toute sécurité la pièce qui avance vers la lame de la scie à table. Choisissez un morceau de planche droite de 1 po x 4 po, sans nœuds ni fissures; tracez une ligne d'arrêt à 8 po de l'extrémité du morceau. Tracez une série de lignes parallèles, espacées de ¼ po, de l'extrémité du morceau à la ligne d'arrêt.

2 Tracez, à l'extrémité du morceau, une ligne suivant un angle de 20° et immobilisez le morceau en laissant la partie comprenant cette ligne dépasser en porte-à-faux de la surface de travail. À l'aide d'une scie sauteuse, coupez l'extrémité du morceau suivant la ligne tracée.

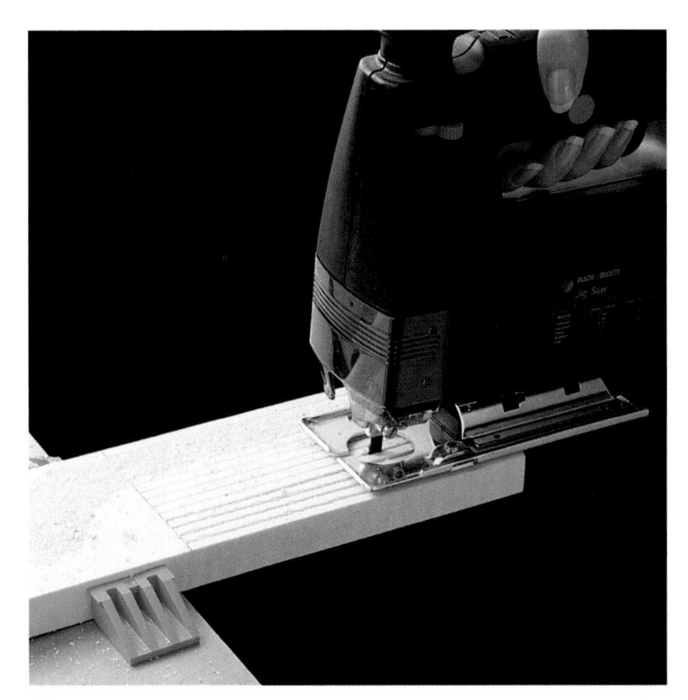

3 Pratiquez une série de coupes parallèles allant de l'extrémité du morceau à la ligne d'arrêt, en suivant soigneusement les lignes de coupe. Laissez chaque fois la lame s'arrêter complètement avant de la retirer.

Conseil: pour utiliser des planches à languettes, placez la pièce à 4 po de la lame. Fixez les planches à languettes pour qu'elles appuient légèrement sur la pièce et la poussent contre la cale de refente et la table. Les languettes doivent s'incurver légèrement lorsque la pièce avance vers la lame.

Scies à onglets à commande mécanique

Les scies à onglets à commande mécanique sont des outils portatifs, utilisés pour couper en angle les moulures, le bois d'ossature et d'autres pièces étroites en bois.

L'assemblage de la lame peut pivoter de 45° dans les deux directions pour réaliser des coupes droites, en angle et en biseau. Mais la profondeur de coupe de la scie diminue considérablement lorsqu'on tourne l'assemblage de 45°.

Si vous envisagez l'achat ou la location d'une scie à onglets à commande mécanique pour exécuter un projet particulier, comme la construction d'un plancher extérieur, ne pensez pas que toutes les scies peuvent couper des planches épaisses suivant un angle de 45°. Demandez au vendeur quelle est la capacité maximale de chaque scie à 45° et assurez-vous de choisir une scie capable de faire des coupes nettes dans le bois que vous utilisez le plus fréquemment.

L'assemblage de la lame de la scie à onglets composée (voir l'illustration supérieure de la page suivante) possède un deuxième pivot qui permet de réaliser à la fois un biseau et une coupe en angle. Cette possibilité s'avère utile lorsqu'on doit scier des gorges, par exemple. Vous trouverez des informations supplémentaires sur les coupes composées des scies à onglets à la page 69.

Le principal désavantage de la scie à onglets à commande mécanique est sa capacité limitée de scier des morceaux de bois très larges. La scie à onglets composée, à chariot coulissant, (représentée au bas de la page suivante) élimine cet inconvénient. L'assemblage de la lame est monté sur un chariot coulissant, procurant à la scie une capacité de coupe beaucoup plus grande que celle de la scie à onglets standard ou composée. Vous trouverez à la page 67 des conseils pour couper des planches très larges sans avoir à utiliser une scie à onglets composée à chariot coulissant.

Variantes de scies à onglets à commande mécanique

Photo : courtoisie de Delta Machinery

La scie à onglets composée est conçue pour pratiquer simultanément des biseaux et des onglets. Grâce aux graduations respectives des biseaux et onglets, vous pouvez régler rapidement et précisément les angles. Avant de scier la pièce, assurez-vous qu'elle s'appuie bien contre la cale-guide, autrement l'angle de coupe sera inexact. Les bras d'extension permettent d'immobiliser en toute sécurité les longues pièces. Certains modèles sont également munis de serre-joints qui servent à fixer les pièces à la table de la scie. Avant d'entamer une coupe, retirez toujours les déchets ou copeaux de bois qui peuvent obstruer la plaque fendue et n'oubliez pas de vider régulièrement le sac à poussière.

En plus de posséder tous les éléments de la scie à onglets composée ordinaire, la scie à onglets composée à chariot coulissant est équipée, comme son nom l'indique, d'un chariot coulissant supportant l'assemblage de la lame, ce qui rend possible la coupe de pièces beaucoup plus larges.

Les types de lames et leurs applications

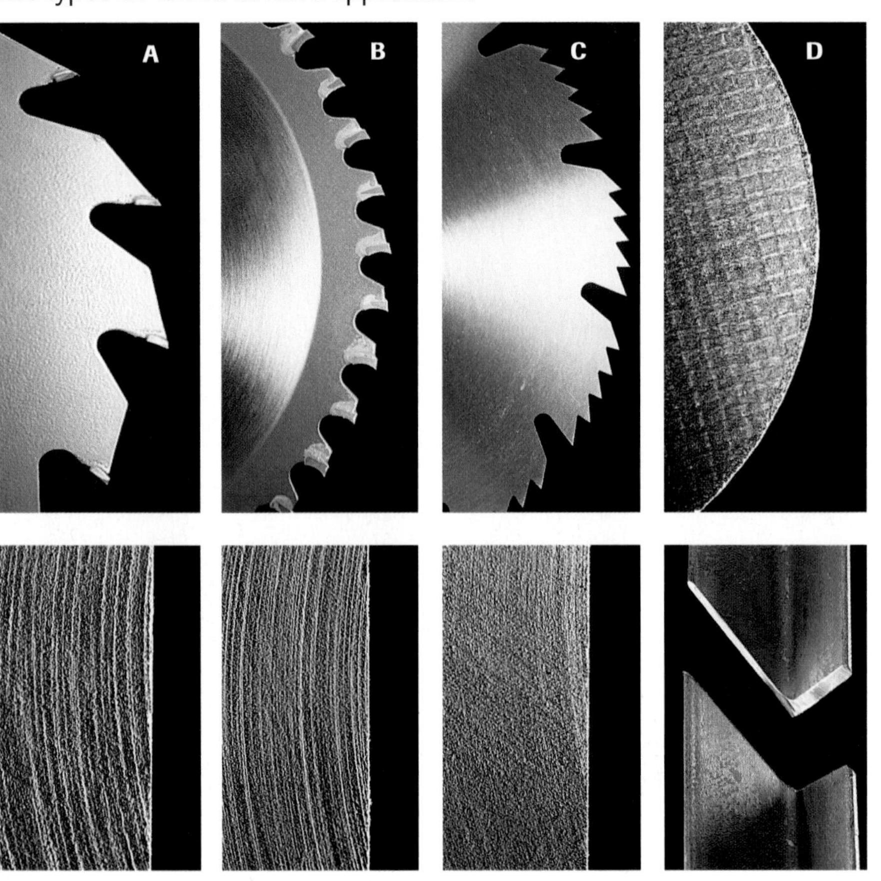

La qualité de la coupe produite par une scie à onglets à commande mécanique dépend de la lame utilisée et de la vitesse à laquelle la lame progresse à travers la pièce. Si vous voulez obtenir les meilleurs résultats, laissez le moteur atteindre sa vitesse maximale avant de commencer à scier la pièce, puis abaissez lentement l'assemblage de la lame.

La lame à 16 dents à pointes au carbure (A) coupe rapidement et convient à la coupe grossière du bois d'œuvre d'ossature.

La lame à 60 dents à pointes au carbure (B) effectue des coupes finies dans les bois tendres et les bois durs. C'est une bonne lame d'usage général, utilisée dans la plupart des travaux de menuiserie.

La lame de précision pour la coupe transversale et la coupe à onglets (C) permet d'effectuer des coupes finies, sans éclats. C'est la lame idéale pour les travaux de finition.

La lame à friction abrasive (D) sert à pratiquer des coupes rapides dans l'acier mince, les métaux galvanisés et les tuyaux en fer.

Comment changer la lame d'une scie à onglets à commande mécanique

1 Débranchez la scie et inspectez la lame pour découvrir les éventuelles dents émoussées ou endommagées.

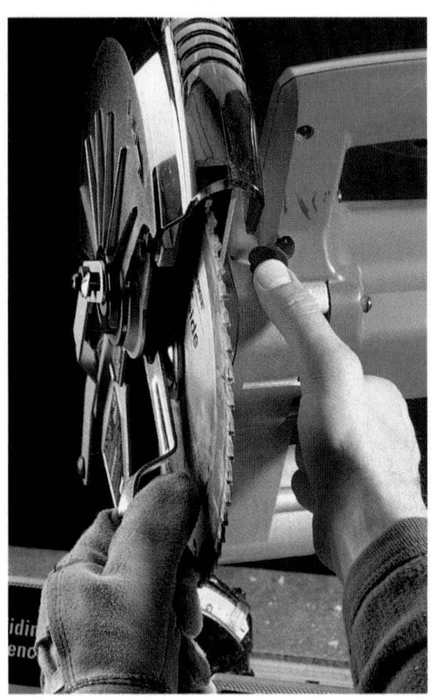

2 Si la lame est émoussée ou n'est pas du type qui convient au matériau que vous voulez scier, enfoncez le bouton de verrouillage de l'axe et faites tourner l'écrou de fixation de la lame dans le sens des aiguilles d'une montre pour l'enlever.

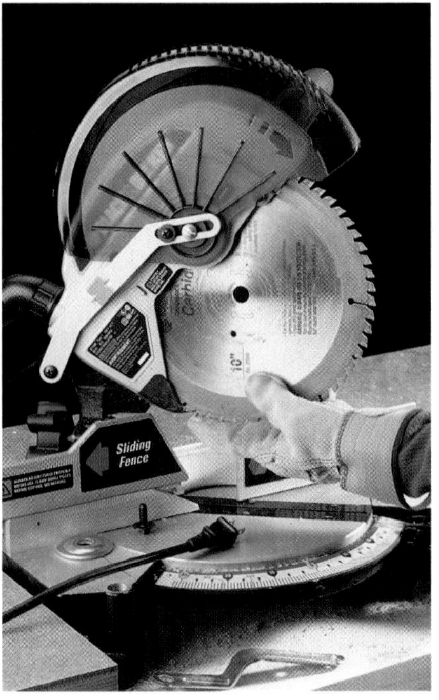

3 Lorsqu'elle est libérée de son écrou de fixation, enlevez soigneusement la lame et installez la nouvelle lame. Serrez l'écrou fermement, mais sans exagération.

Conseils d'installation de la scie à onglets à commande mécanique

Attachez la scie à un établi fixe au moyen de serre-joints. Pour supporter les longues moulures ou autres pièces, fabriquez, à l'aide de morceaux de bois de 1 po d'épaisseur, une paire de blocs ayant la hauteur de la table de la scie. Alignez les blocs sur la cale-guide de la scie et attachez-les à l'établi au moyen de serre-joints.

Placez la cale-guide réglable de manière qu'elle serve d'appui à la pièce et serrez-la en place.

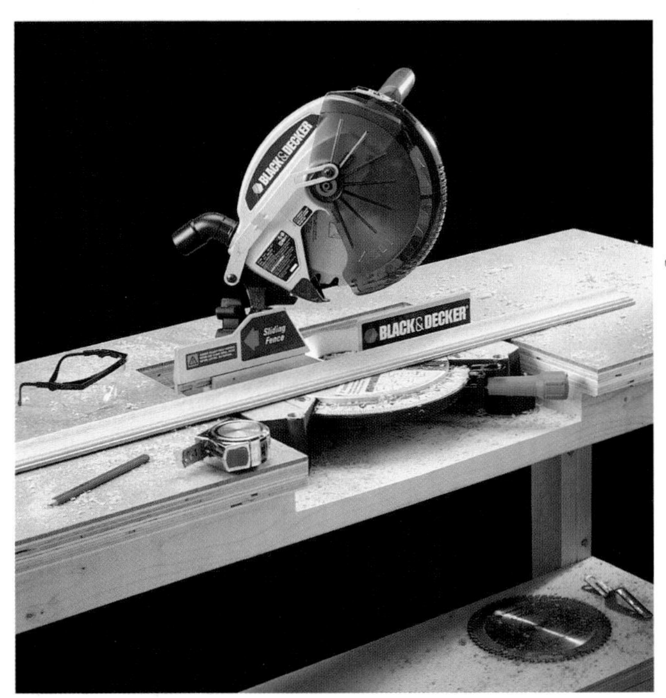

Option : pensez à construire une table de coupe munie d'une encoche de profondeur égale à la hauteur du plateau de la scie. Ainsi, la table supportera les longues pièces et vous ne devrez pas prévoir de bras de support.

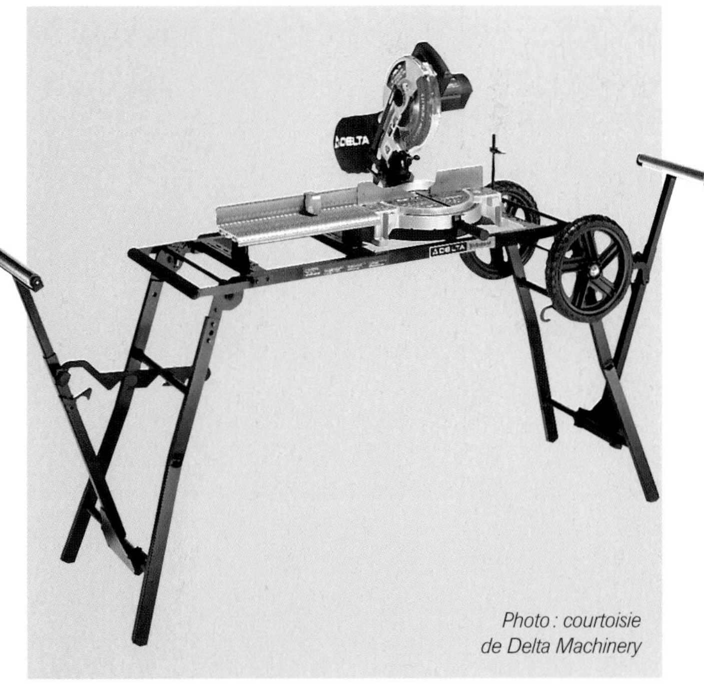

Photo : courtoisie de Delta Machinery

Option : louez ou achetez une table portative de scie à onglets à commande mécanique conçue pour la coupe de longues pièces. Ou fixez votre scie à onglets sur un établi portatif et utilisez un support à rouleaux (page 59) pour supporter les pièces.

Conseils sur l'utilisation de la scie à onglets à commande mécanique

Pour éviter d'enlever trop de matière, commencez par effectuer une coupe à environ ¼ po de la ligne de coupe, du côté rejeté de la pièce, puis «grignotez» la pièce en pratiquant une ou plusieurs autres coupes jusqu'à ce que vous ayez atteint la ligne de coupe. Après chaque coupe, attendez l'arrêt de la lame avant de la relever.

Coupez les matériaux étroits, tels que les tuyaux de PVC, les gorges et les morceaux de 2 po x 4 po à l'aide d'une scie à onglets à commande mécanique. Vérifiez si la scie est bien attachée à la table et immobilisez la pièce pendant la coupe. Une scie à onglets standard à commande mécanique munie d'une lame de 10 po peut effectuer des coupes de 5¼ po de long lorsque la lame se trouve à 90°.

Pour couper une série de pièces à la même longueur, fixez une butée à la table de support, à la distance voulue de la lame. Après avoir coupé la première pièce, placez chacune des autres pièces contre la butée et le long de la cale-guide pour les couper toutes à la même longueur.

Verrouillez l'assemblage de la scie en position abaissée pour l'entreposage ou le transport, ou lorsque vous prévoyez ne pas l'utiliser pendant un certain temps.

Comment couper des planches larges

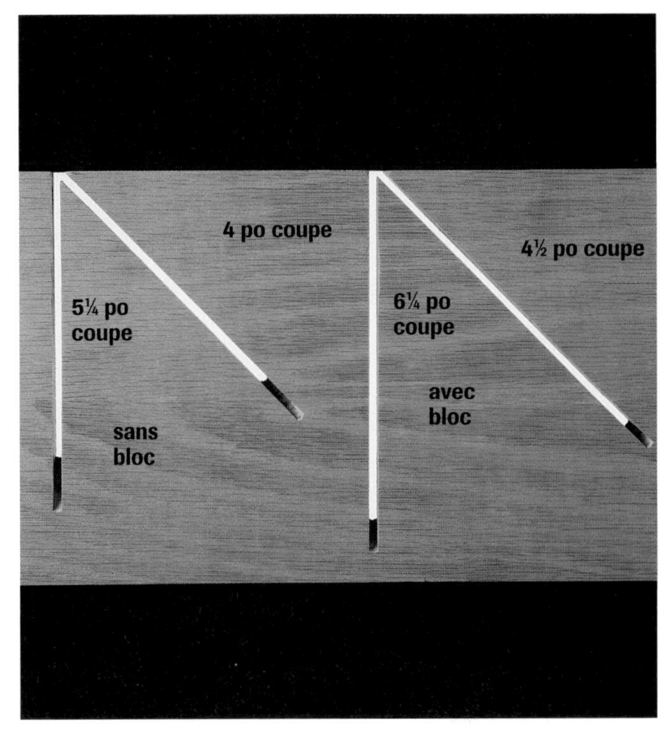

Pour couper des planches larges, relevez la pièce en la plaçant sur un morceau de bois de 2 po x 6 po, afin qu'une plus grande partie de la lame entre en contact avec le bois. La coupe maximale réalisable en utilisant un bloc est de 6¼ po, si la lame est placée à 90°, et de 4½ po, si la lame est placée à 45°.

Comment couper des planches très larges

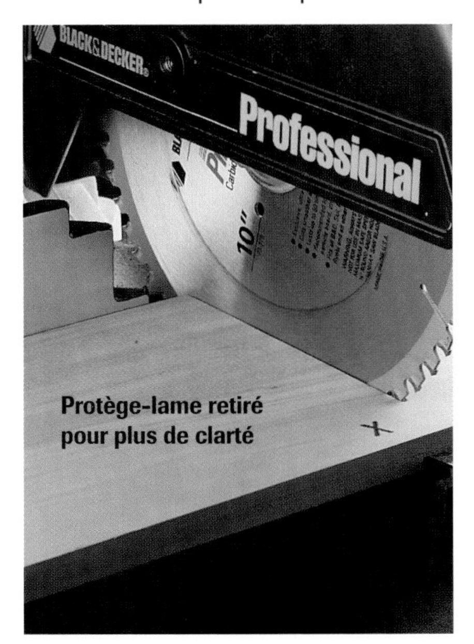

1 Effectuez une coupe en abaissant complètement la lame. Relâchez la gâchette et attendez l'arrêt complet de la lame, puis relevez-la.

2 Retournez la pièce et alignez soigneusement la première coupe sur la lame. Effectuez une nouvelle coupe en abaissant complètement la lame.

Photo : courtoisie de Delta Machinery

3 La scie à onglets composée à chariot coulissant simplifie la coupe des planches très larges. Desserrez le verrou du chariot et écartez celui-ci de la pièce, puis faites pivoter la scie, abaissez la lame et poussez le chariot vers la pièce pour la couper.

Comment couper les moulures d'encadrements

1 Tracez les lignes de coupe sur chaque moulure ou autre pièce que vous voulez couper. Sur les encadrements de fenêtres et de portes, tracez une ligne sur la face avant de la pièce, qui servira de référence pour diriger la coupe. N'oubliez pas que seul le début de la ligne doit servir à aligner la lame de la scie. La ligne tracée à main levée sur la face de la moulure ne doit servir que de référence pour la direction de coupe à suivre.

2 Placez la pièce de l'encadrement de fenêtre ou de porte à plat sur la table de la scie et réglez la lame sur la ligne de coupe. Si vos utilisez une scie composée, placez le réglage du biseau sur 0°. Immobilisez l'encadrement de la main, à une distance de sécurité de la table.

Comment couper les plinthes

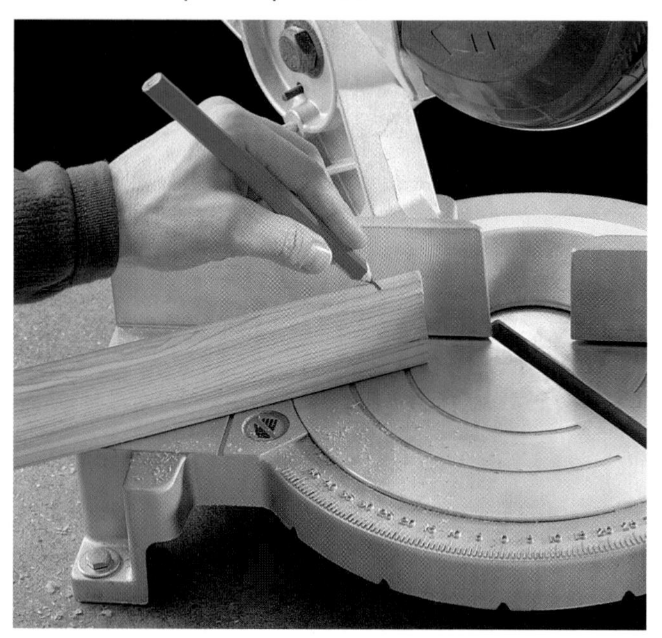

Tracez une ligne de coupe le long du bord supérieur de la plinthe pour indiquer le point de départ et la direction de chaque coupe. Pour couper les plinthes et les moulures dans le sens de la longueur, appuyez-les contre la cale-guide de la scie.

Comment préparer des joints en biseau

Assemblez les moulures formant de grandes longueurs au moyen de joints en onglets de 45°. Ce type de joint ne risque pas de s'ouvrir ni de se fissurer si le bois se contracte.

Comment couper les gorges en biseau au moyen d'une scie à onglets composée

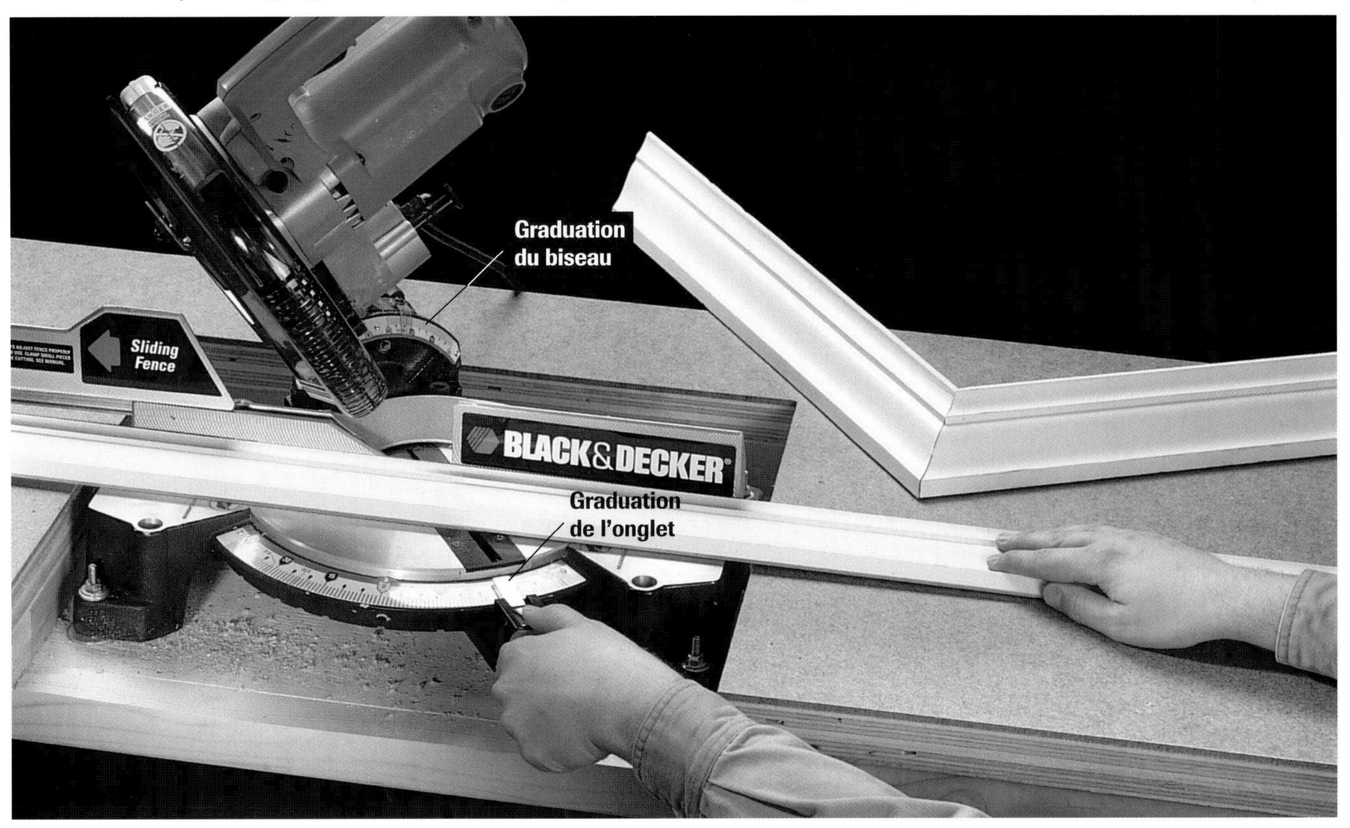

Placez la moulure à plat sur la table de la scie et réglez les angles de l'onglet et du biseau. Pour les gorges, les réglages standard sont de 33° (onglet) et de 31,62° (biseau). Sur la plupart des graduations des scies, la marque de ces réglages est accentuée pour faciliter leur repérage. Si les murs ne sont pas perpendiculaires, vous devrez procéder par tâtonnements pour trouver les bons réglages.

Comment couper les gorges en onglet au moyen d'une scie à onglets standard

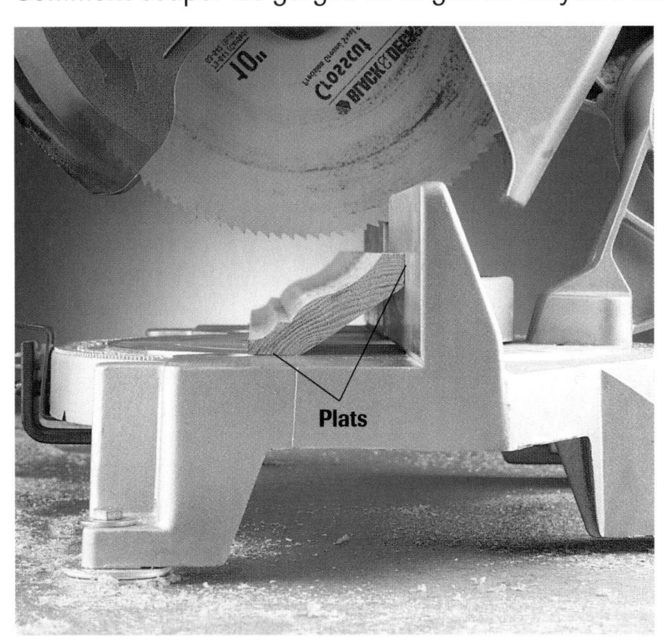

1 Pour couper les gorges au moyen d'une scie à onglets ordinaire, il faut les incliner. Placez la gorge à l'envers, de manière que les plats, derrière la moulure, s'appuient respectivement sur la table de la scie et sur sa cale-guide.

2 Réglez la lame de la scie à 45° et coupez la moulure. Pour couper la moulure du mur adjacent, faites pivoter la scie à onglets pour qu'elle soit dans la position symétrique, à 45°, et coupez la deuxième moulure, qui formera avec la première un coin parfait.

Toupies

Découpez des formes décoratives, faites des rainures et taillez les laminés à l'aide d'une toupie. La toupie est un outil à commande mécanique, tournant à grande vitesse, qui accomplit une série de tâches de coupage et de formage grâce à une fraise. Il existe deux types de toupies : la toupie en plongée et la toupie standard.

La toupie standard convient aux travaux d'ébavurage et elle est plus facile à utiliser lorsqu'elle est montée sur une table à toupie (page 73).

La toupie en plongée possède une base montée sur ressorts qui permet de placer la fraise au-dessus de la pièce et de «plonger» la fraise dans la pièce à un endroit précis. Les toupies en plongée sont parfaitement indiquées pour faire des mortaises et des rainures.

Les toupies tournent à des vitesses atteignant 30 000 tr/min et ont une puissance allant de ½ à 3 chevaux-vapeur.

Pour effectuer des travaux généraux, choisissez une toupie de 1½ cheval-vapeur au moins. Vérifiez également si l'interrupteur marche/arrêt est facile d'accès et si la toupie est munie d'un pare-copeaux en plastique transparent et d'un dispositif incorporé d'éclairage de la pièce.

Les fraises des toupies tournent dans le sens des aiguilles d'une montre, ce qui entraîne l'outil vers la gauche. Vous obtiendrez de meilleurs résultats si vous attaquez la pièce de gauche à droite, de manière que l'arête tranchante de la fraise pénètre dans le bois.

On taille habituellement les bords décoratifs à l'aide d'une fraise munie d'un doigt pilote qui suit le contour de la pièce pour guider la coupe.

Fraises de toupies courantes

La fraise à arrondi permet de façonner des bords finis simples pour les meubles et les moulures.

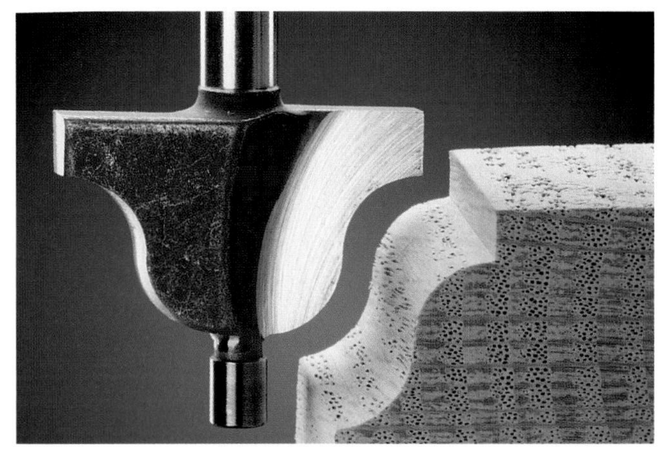

La fraise à talon taille des formes décoratives classiques dans le bois. On l'utilise souvent pour créer une moulure ou pour donner une forme particulière aux bords des pièces de mobilier.

La fraise à feuillure taille des bords en escalier, ce qui est souvent utile lorsqu'on veut joindre des pièces en bois ou constituer des encadrements de tableaux.

La fraise à tailler les laminés sert à finir le contour des installations en plastique laminé. Le doigt pilote à roulement à billes empêche la fraise de griffer la surface de la pièce.

La fraise droite découpe une rainure carrée à fond plat. On l'utilise pour les joints de menuiserie ou les travaux à main levée.

La fraise à queue d'aronde taille les rainures cunéiformes pour l'emboîtement de pièces de meubles et d'armoires.

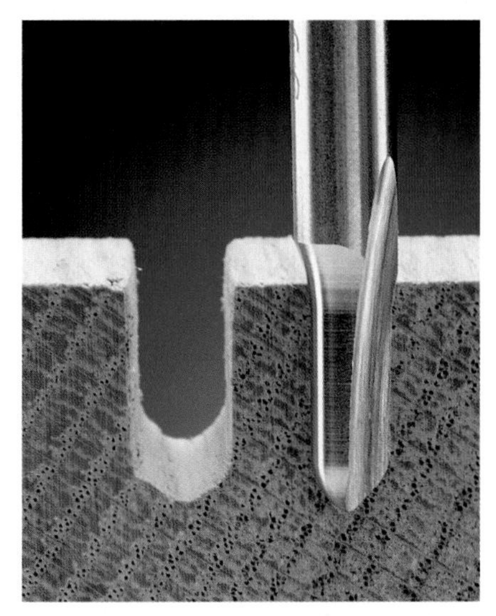

La fraise à rainures arrondies taille des rainures à fond arrondi qu'on utilise dans un but décoratif ou dans le lettrage.

Comment installer une toupie en plongée

1 Débranchez la toupie et enfoncez la fraise choisie dans le collet, jusqu'à ce qu'elle touche le fond de la cavité. Ramenez-la ensuite d'environ ⅛ po de manière qu'en se dilatant, elle n'endommage pas le collet.

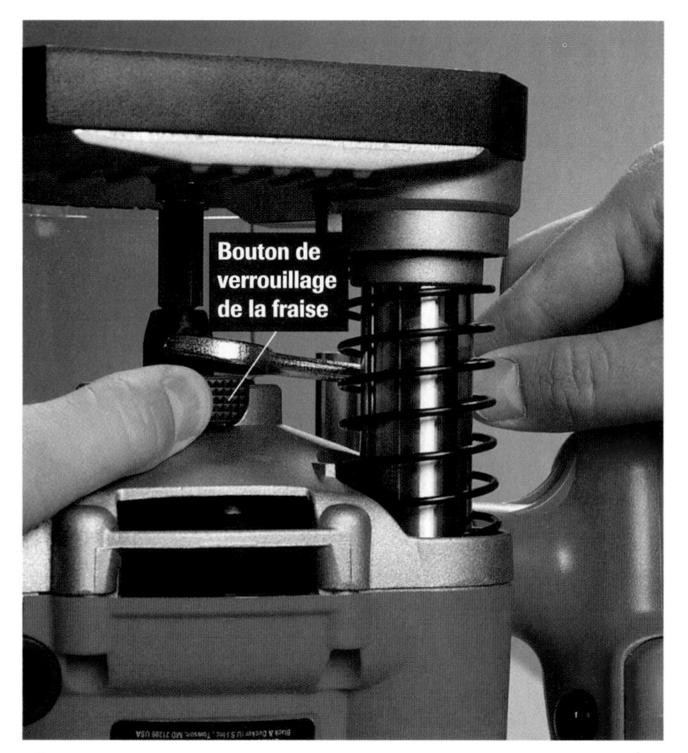

2 Enfoncez le bouton de verrouillage de la fraise et serrez le collet au moyen d'une clé. Si la toupie ne possède pas de verrouillage de la fraise, utilisez une deuxième clé pour immobiliser la fraise pendant que vous serrez le collet.

3 Abaissez la toupie jusqu'à ce que la fraise touche la pièce. Verrouillez le levier de plongée. Lorsque la barre de contrôle repose sur la base de la toupie, glissez l'indicateur de profondeur jusqu'au « 0 » de la graduation de profondeur de la fraise. Relevez la barre de contrôle jusqu'à ce que l'indicateur soit aligné sur la profondeur désirée et verrouillez la barre de contrôle en resserrant le levier de plongée.

4 À l'aide d'un morceau de bois, testez la profondeur de plongée avant d'entamer la pièce. Mesurez la profondeur de coupe désirée sur le morceau de bois et marquez la zone enlevée par la toupie. Réglez la profondeur de plongée en conséquence.

Conseils sur l'utilisation d'une toupie

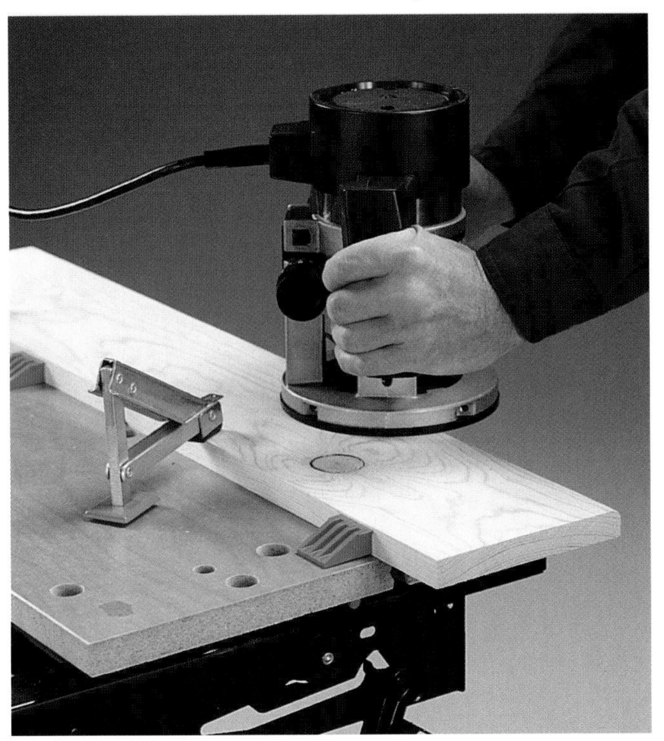

Pour découper une bordure décorative, placez la fraise de la toupie à environ 1 po du bord de la pièce. Mettez le moteur en marche et poussez la fraise dans le matériau en appliquant une pression uniforme. Les fraises de bordure sont munies d'un doigt pilote et ne nécessitent pas de cale-guide pour effectuer une coupe de profondeur uniforme.

Pour effectuer plus facilement les coupes rectilignes, tracez une ligne de coupe sur la pièce et attachez une cale-guide. Appuyez fermement la base de la toupie contre la cale-guide en effectuant la coupe.

Pour garder la base de la toupie horizontale lorsque vous découpez une bordure décorative, attachez, sur la surface de l'établi, un morceau de bois de la même épaisseur que la pièce.

Utilisez une table à toupie pour exercer un meilleur contrôle sur la pièce et pour diminuer le temps d'installation. Vous pouvez en construire une vous-même ou en acheter une fabriquée en usine, comme celle qui est représentée.

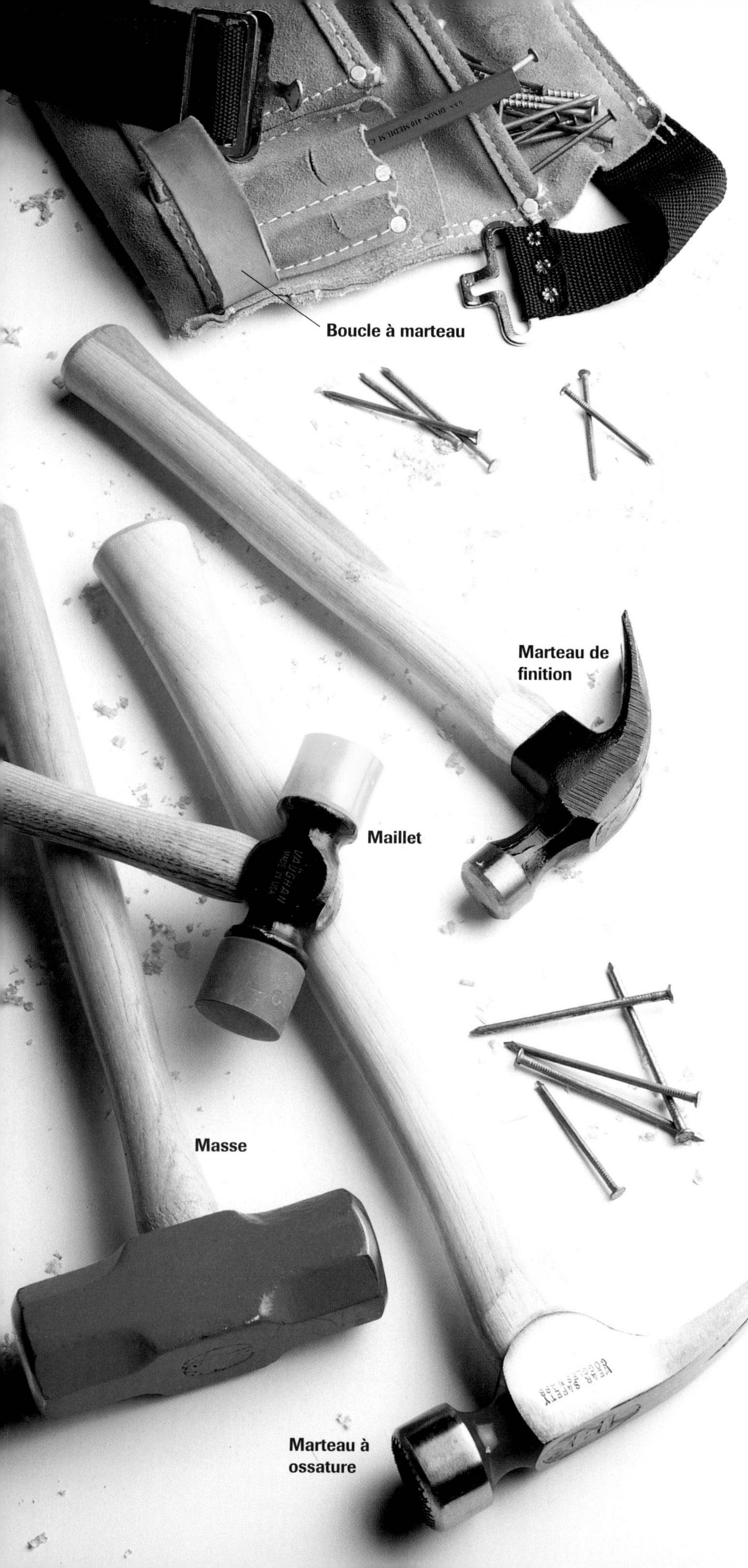

Marteaux

Pour qu'un marteau convienne à l'exécution d'une tâche donnée, il faut qu'on l'ait bien en main et qu'il soit maniable, mais il faut aussi qu'il soit suffisamment lourd pour remplir sa fonction. Lorsque vous effectuez des travaux de menuiserie générale, choisissez un marteau bien fini, ayant une tête en acier à haute teneur en carbone et un manche de bonne qualité en noyer, en fibre de verre ou en acier massif. Les manches en acier, moins chers, sont souvent creux et transmettent moins efficacement la force à la tête du marteau.

Pour les travaux de clouage légers, le marteau de finition de 16 onces, à panne courbe, constitue un bon choix. Il est conçu pour enfoncer les clous et les arracher.

Le maillet est muni d'une tête en plastique ou en caoutchouc ne laissant pas d'empreinte et est particulièrement approprié lorsqu'on doit frapper sur des ciseaux sans les abîmer. Ils sont également utiles pour effectuer de légers ajustements de pièces sans abîmer la surface du bois.

La masse est utile pour démolir d'anciennes constructions ou ajuster la position d'éléments d'ossatures.

Les marteaux à ossature à panne droite – dont la tête pèse habituellement 20 onces ou plus (voir à la page suivante) – sont utilisés dans les tâches lourdes, ou lorsqu'on effectue des travaux d'ossatures murales. Leur poids plus élevé permet d'enfoncer les gros clous en frappant moins souvent. La plupart des marteaux à ossature sont trop lourds pour être utilisés dans la menuiserie de finition, où la finesse est essentielle.

Les marteaux à ossature ont des tailles et des longueurs différentes, et on fabrique leur manche dans différents matériaux : la fibre de verre, l'acier massif, l'acier creux et le bois. Leur longueur varie normalement entre 14 et 18 po. La plupart des marteaux à ossature ont une tête qui pèse au moins 20 onces, mais il existe des modèles plus légers. Certaines pannes ont une surface gaufrée qui améliore le contact du marteau sur le clou et rend le clouage plus efficace et plus précis. Les marteaux à ossature ont des pannes droites qui servent à soulever les planches.

Utilisez une masse pour démolir les ossatures murales et pour enfoncer de gros clous ou des piquets. Les masses pèsent entre 2 et 20 livres et ont entre 10 et 36 po de long.

Le maillet à tête en caoutchouc ou en plastique permet de frapper sur la tête des ciseaux à bois. La panne molle du maillet ne risque pas d'endommager les outils délicats de menuiserie.

Acheter un marteau

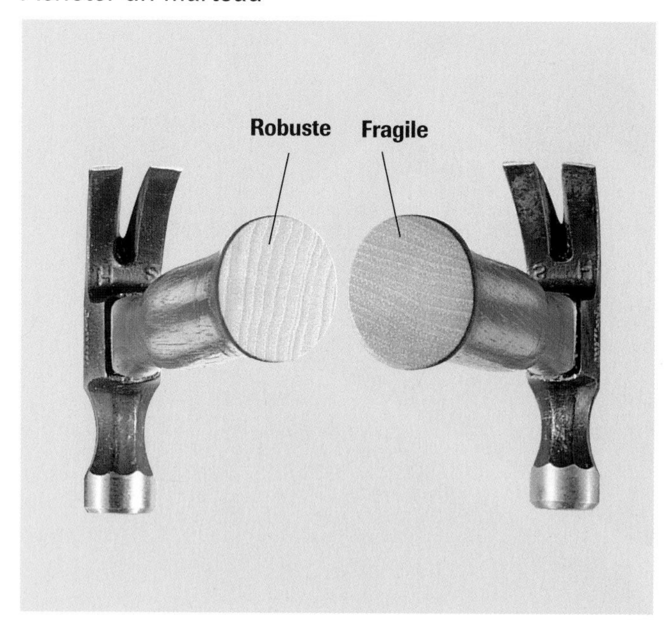

Les bouts des manches des outils les plus robustes ont les fibres du bois parallèles au manche (à gauche). Ceux dont les fibres sont dans un plan perpendiculaire au manche (à droite) sont plus fragiles et risquent plus facilement de se casser. Vérifiez le sens du grain en examinant le bout du manche avant d'acheter un nouvel outil ou un nouveau manche. Remplacez les manches d'outils fissurés ou desserrés. Les manches en bois absorbent mieux les chocs que ceux en fibre de verre ou en acier.

Un nouveau marteau peut avoir une surface très lisse qui tend à glisser sur la tête des clous. Rendez cette surface plus rugueuse au moyen de papier de verre, cela augmentera le frottement entre le marteau et la tête du clou. Pour le clouage de finition, vous avez peut-être intérêt à conserver un marteau à tête lisse. NOTE : vous pouvez, au moyen de papier de verre, éliminer la résine laissée par le bois ou la gomme provenant des clous, qui s'accumulent sur la tête de vos marteaux.

Comment arracher les clous avec un marteau

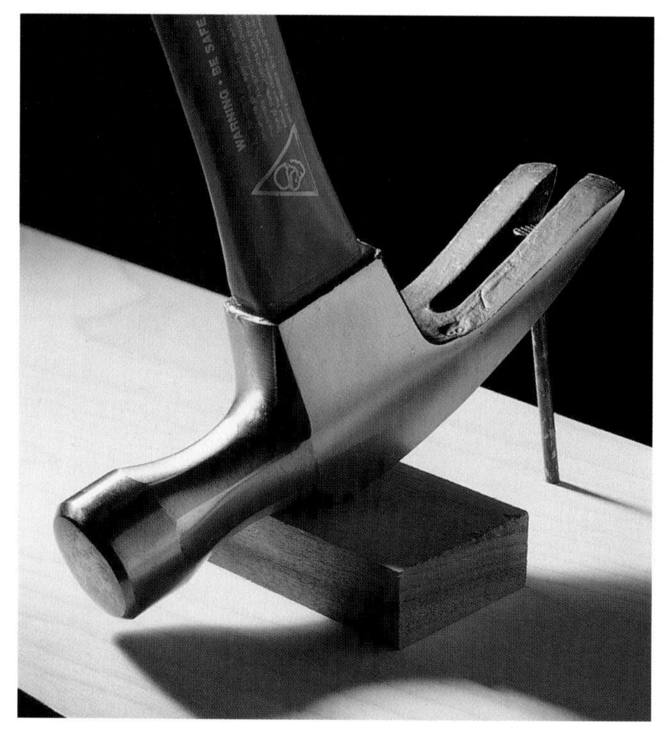

Arrachez les clous récalcitrants en plaçant un bloc de bois en dessous de la tête du marteau pour augmenter l'effet de levier. Pour éviter d'abîmer la pièce, utilisez un bloc assez grand pour que la pression exercée par la tête du marteau se distribue uniformément.

Arrachez les gros clous en coinçant fermement la tige du clou dans la panne du marteau et en utilisant le marteau comme un levier tout en inclinant son manche sur le côté.

Comment enfoncer les clous avec un marteau

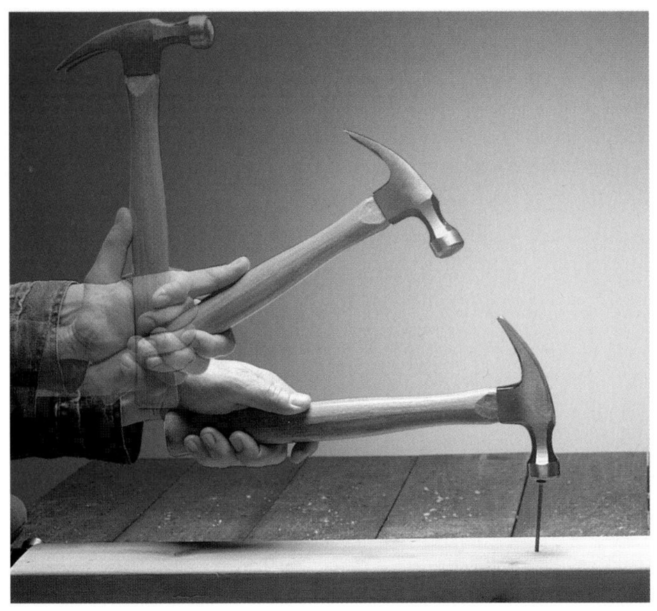

Tenez le marteau souplement : tirez profit de l'inertie du marteau en relâchant votre poignet à la fin du geste, comme si vous lanciez la tête du marteau sur le clou. Frappez le clou à plat sur la tête et répétez le geste jusqu'à ce que le clou soit à ras de la surface de travail.

Pour noyer un clou de finition sous la surface, placez la pointe d'un chasse-clou sur la tête du clou et frappez avec un marteau sur l'autre extrémité du chasse-clou.

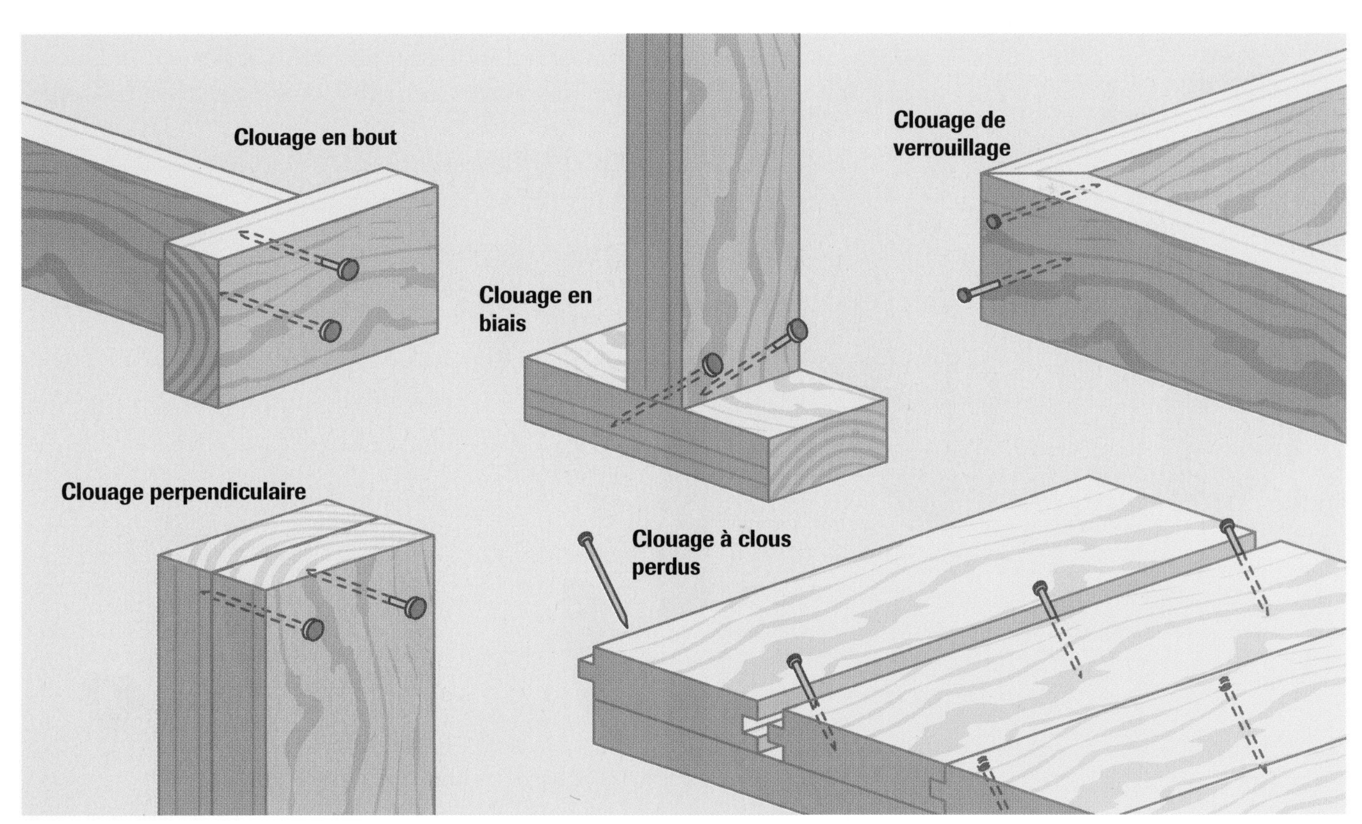

Utilisez la technique de clouage appropriée à la tâche. Le clouage en bout permet d'assembler perpendiculairement des planches lorsque l'assemblage demande une résistance modérée. Le clouage en biais à 45° augmente la résistance de l'assemblage d'éléments perpendiculaires d'ossature. Le clouage perpendiculaire permet d'assembler de robustes linteaux de portes ou de fenêtres. Le clouage à clous perdus des planches bouvetées permet de dissimuler les clous, ce qui élimine le besoin de les noyer et de les couvrir de pâte de bois avant de les peindre ou de les teindre. Le clouage de verrouillage des joints en onglet, lors des travaux de garnissage, empêche la formation d'espaces entre les pièces lorsque le bois sèche.

Tournevis

Tout menuisier devrait posséder plusieurs tournevis à tête cruciforme et à lame. L'embout à vis monté sur une perceuse est devenu l'outil standard pour l'exécution des tâches importantes, mais le tournevis demeure un outil indispensable pour effectuer différents travaux de menuiserie. N'achetez que des tournevis de qualité, à lame en acier dur et dont le manche offre une bonne prise. Pensez également aux tournevis à manche isolé, qui vous protègent contre les chocs électriques, et à pointes oxydées, qui assurent une meilleure prise de la tête de la vis. Pour travailler dans les endroits difficiles d'accès, le tournevis à tête magnétique peut s'avérer utile.

Les tournevis à commande mécanique sans cordon vous permettent d'économiser temps et énergie. Ils remplacent à moindre coût la perceuse sans cordon ou la visseuse lorsque vous ne devez réaliser que de petits travaux. La plupart des modèles fonctionnent grâce à un bloc-batterie et un chargeur, de sorte que vous pouvez garder une batterie en charge en permanence. Les tournevis à commande mécanique sans cordon ont un entraînement universel de $^1/_4$ po et se vendent avec un embout pour vis à fente et un embout Philips n° 2. Vous trouverez également dans le commerce des embouts Torx et des embouts pour vis à pans creux.

NOTE : utilisez toujours le tournevis approprié au travail. Les tournevis doivent s'ajuster fermement dans les empreintes des têtes de vis si vous voulez éviter d'endommager les têtes des vis ou la pièce à travailler.

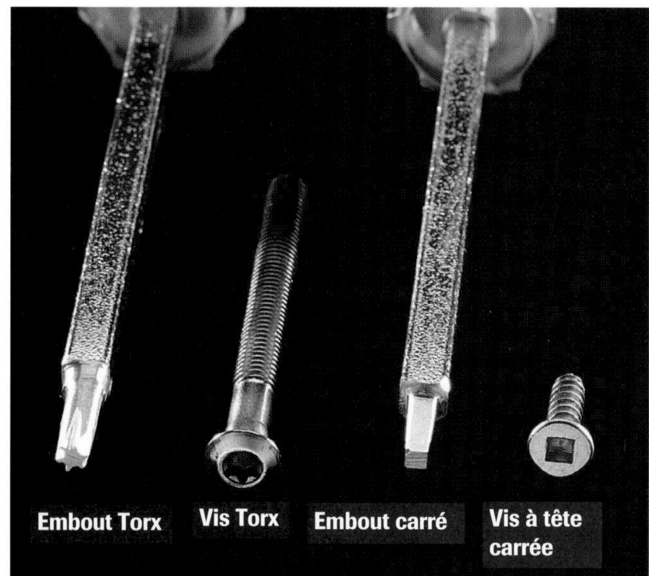

Les autres possibilités d'entraînement comprennent les embouts carrés et les embouts Torx. Les tournevis pour vis à tête carrée sont de plus en plus utilisés parce qu'il est difficile d'abîmer ce type de vis. Les embouts Torx sont utilisés en électronique et dans l'industrie automobile.

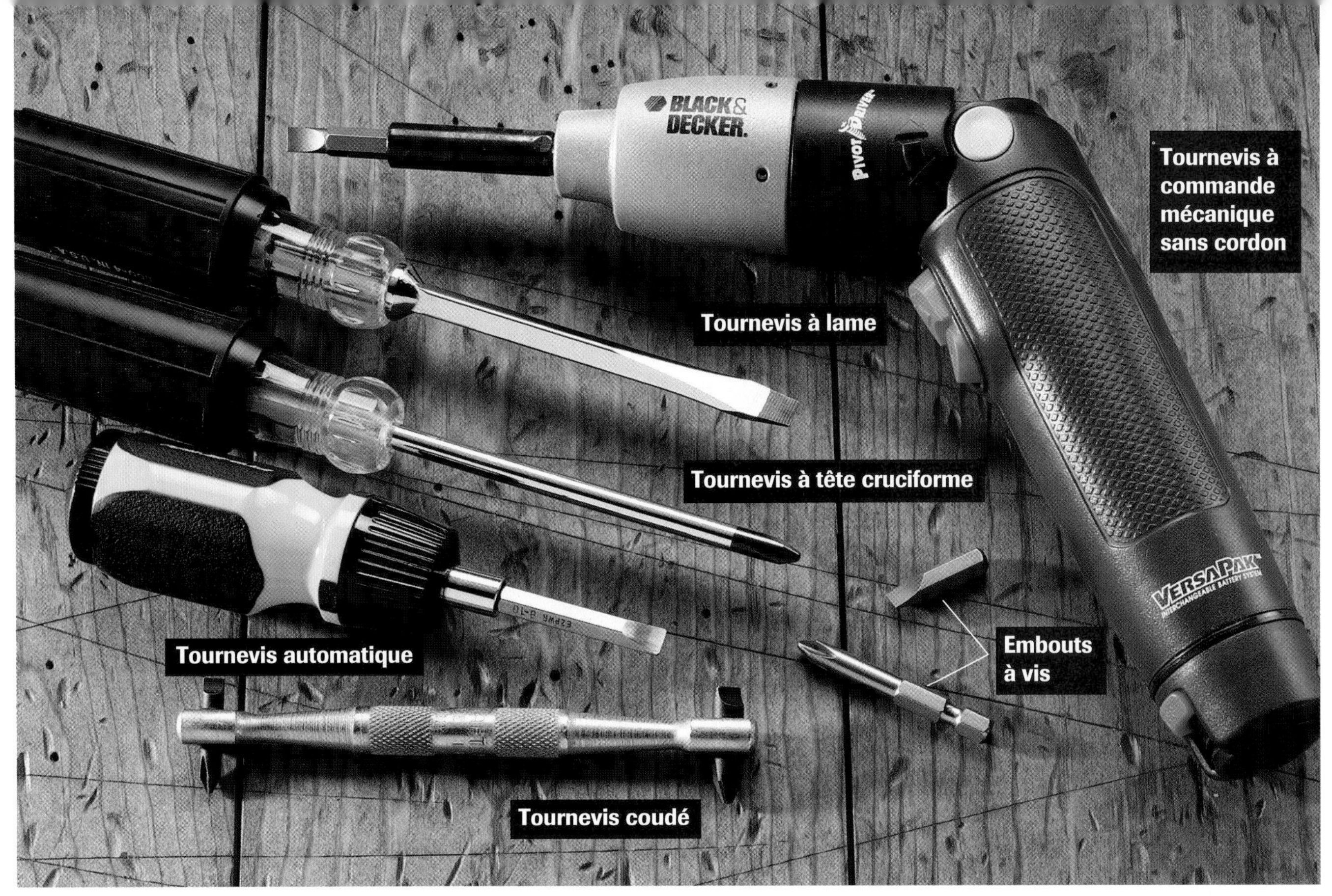

Les tournevis courants comprennent le tournevis à lame avec manche isolé, le tournevis à tête cruciforme avec manche isolé et pointe oxydée pour une meilleure prise, le tournevis automatique avec ses embouts interchangeables, le tournevis coudé permettant de visser dans les endroits difficiles d'accès et le tournevis à commande mécanique sans cordon avec son bloc-batterie et son manche pivotant.

Conseils sur l'utilisation des tournevis

Utilisez un tournevis ou un embout à vis qui s'ajuste parfaitement à l'empreinte de la tête de vis. Une lame trop large ou trop étroite endommagera la vis et l'embout, et rendra difficile l'extraction de la vis.

Remettez en état, au moyen d'une meule d'établi, un tournevis à lame dont la lame est abîmée. Trempez périodiquement la pointe du tournevis dans l'eau froide pour l'empêcher de surchauffer pendant le meulage.

Perceuses et embouts

La perceuse à commande mécanique est l'un des outils les plus répandus et les plus polyvalents. Grâce aux nombreuses améliorations apportées à l'outil initial, la perceuse actuelle remplit bien d'autres fonctions que celle de percer des trous. La plupart des perceuses actuelles sont réversibles et à vitesse variable (VSR, de l'anglais «variable-speed reversing»), ce qui les rend pratiques pour enfoncer des vis, des écrous et des boulons ou pour les enlever, ainsi que pour forer, sabler des objets ou mélanger la peinture. Elles ont souvent un mandrin sans clé qui facilite le changement d'embout ou la conversion instantanée de la perceuse en meule, en ponceuse ou en mélangeur à peinture. Les nouveaux modèles vous permettent de régler l'embrayage pour le perçage ou pour enfoncer des accessoires dans divers matériaux, de sorte que l'outil débraye automatiquement pour ne pas abîmer la tête de vis ou ne pas l'enfoncer trop profondément dans le matériau.

Les perceuses vendues dans le commerce ont les tailles suivantes : 1/4 po, 3/8 po et 1/2 po. La taille de la perceuse correspond au diamètre des embouts et autres accessoires que vous pouvez y fixer. La perceuse de 3/8 po est le modèle le plus utilisé dans les travaux de menuiserie, car on peut la munir d'une gamme étendue d'embouts ou d'accessoires, et elle tourne à plus grande vitesse que les modèles de 1/2 po.

Vous devez connaître les avantages des modèles avec et sans cordon avant de décider celui que vous achèterez. La plupart des perceuses sans cordon tournent moins vite que celles à cordon. Par contre, elles sont plus commodes à utiliser parce qu'on peut s'en servir durant plusieurs heures avant de recharger la batterie et qu'elles éliminent le besoin de recourir à des rallonges. Les perceuses de la meilleure qualité tournent à environ 1 200 tr/min. Les perceuses à cordon sont nettement plus légères, puisqu'elles ne contiennent pas de bloc-batterie, et certaines tournent à plus de 2 000 tr/min. La vitesse plus lente des perceuses sans cordon ne présente aucun inconvénient dans la plupart des travaux, mais à mesure que la batterie s'use, le perçage devient plus difficile et sollicite davantage le moteur. La batterie de rechange élimine cet inconvénient. Si vous possédez les deux types de perceuses, gardez le modèle avec cordon en réserve.

Conseils

Lorsque vous envisagez l'achat d'une perceuse, n'oubliez pas que l'outil le plus puissant n'est pas nécessairement le plus approprié pour le travail que vous avez à exécuter. Ce principe s'applique particulièrement aux perceuses sans cordon, car aux tensions nominales plus élevées, correspondent des batteries plus lourdes. Le modèle puissant de perceuse sans cordon est utile pour le perçage difficile, car sa plus grande puissance permet de percer des trous plus rapidement et plus facilement dans du bois épais ou dans de la maçonnerie. Pour enfoncer des vis et pour les travaux légers de perçage, la perceuse sans cordon, de puissance moyenne, ou une perceuse à cordon conviennent parfaitement. Tenez compte des caractéristiques telles que le mandrin sans clé, l'embrayage réglable, la vitesse variable et la réversibilité qui rendent la tâche plus facile et l'outil plus polyvalent. Essayez plusieurs perceuses, vous pourrez ainsi comparer la sensation qu'elles procurent sous charge.

Les perceuses à cordon sont encore fort répandues, car elles génèrent un couple puissant et fonctionnent à des vitesses pouvant atteindre et dépasser 2 000 tr/min. Si vous cherchez une perceuse rapide, puissante et légère, le modèle à cordon est sans doute celui qui vous conviendra le mieux.

La perceuse à percussion combine le mouvement rotatif de la perceuse et la percussion du marteau. Elle permet de forer beaucoup plus rapidement que la perceuse ordinaire des trous dans la maçonnerie. La perceuse à percussion peut aussi fonctionner uniquement soit dans le mode perçage, soit dans le mode percussion, ce qui la rend utile pour les travaux généraux de perçage et pour le ciselage du bois.

Conseils sur l'utilisation des embouts de perceuse

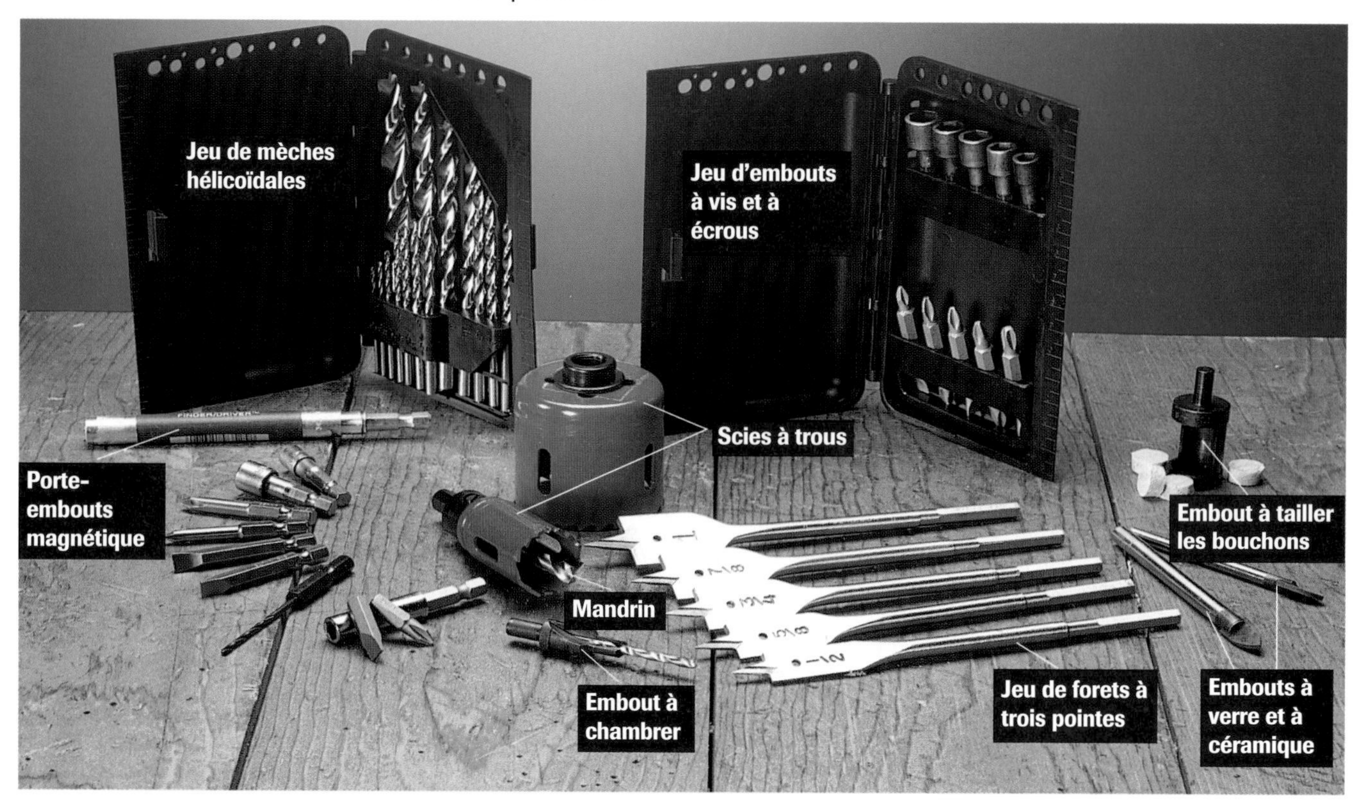

Les embouts de perceuse comprennent : un porte-embouts magnétique, un jeu de mèches hélicoïdales, un jeu d'embouts à vis et à écrous, un embout à tailler les bouchons, des embouts à verre et à céramique, un jeu de forets à trois pointes, des scies à trous et un embout à chambrer. Ces accessoires sont souvent vendus avec la perceuse, mais on peut aussi les acheter séparément.

Utilisez un porte-embouts magnétique lorsque vous devez sans cesse passer du foret au tournevis. Cet outil vous permet de changer rapidement d'embout sans devoir desserrer et resserrer chaque fois le mandrin de la perceuse.

Faites des avant-trous dans le bois dur. Commencez par un foret de petit diamètre et utilisez ensuite le foret du diamètre requis. En agissant ainsi, vous éviterez les inconvénients que vous risquez de rencontrer si vous entamez le bois avec le foret de grand diamètre, c'est-à-dire le blocage du foret et les éclats de bois.

Utilisez un embout à chambrer réglable pour forer, en une opération, l'avant-trou, la fraisure et la chambre. Desserrez la vis de blocage pour adapter l'embout à la forme et à la dimension de la vis.

Forez les trous des boutons de porte et des barillets des serrures au moyen d'une scie à trous (photo supérieure) et d'un foret à trois pointes (mortaise). Pour que la surface de la porte n'éclate pas, arrêtez de forer dès que le mandrin de la scie à trous apparaît de l'autre côté de la porte. Achevez de percer le trou en vous plaçant de ce côté. Utilisez un foret à trois pointes pour percer le trou du pêne, perpendiculaire au chant de la porte.

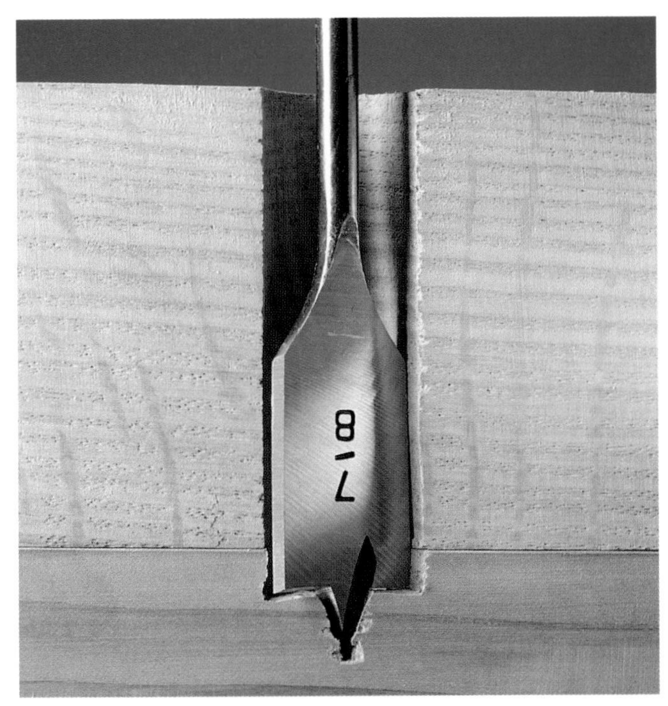

Utilisez une planche d'appui lorsque vous percez des trous dans du bois dur ou du contreplaqué de finition, ou chaque fois que vous voulez éviter d'abîmer la surface du bois. Une planche d'appui, placée sous la pièce, empêche le bois de la surface inférieure d'éclater lorsque le foret la traverse.

Enlevez une vis cassée en forant un avant-trou dans la tête de la vis et en retirant celle-ci avec un embout d'extraction, de dimension appropriée. On peut utiliser les embouts d'extraction avec une perceuse que l'on fait tourner dans le sens contraire à celui des aiguilles d'une montre, ou avec un outil d'extraction manuel.

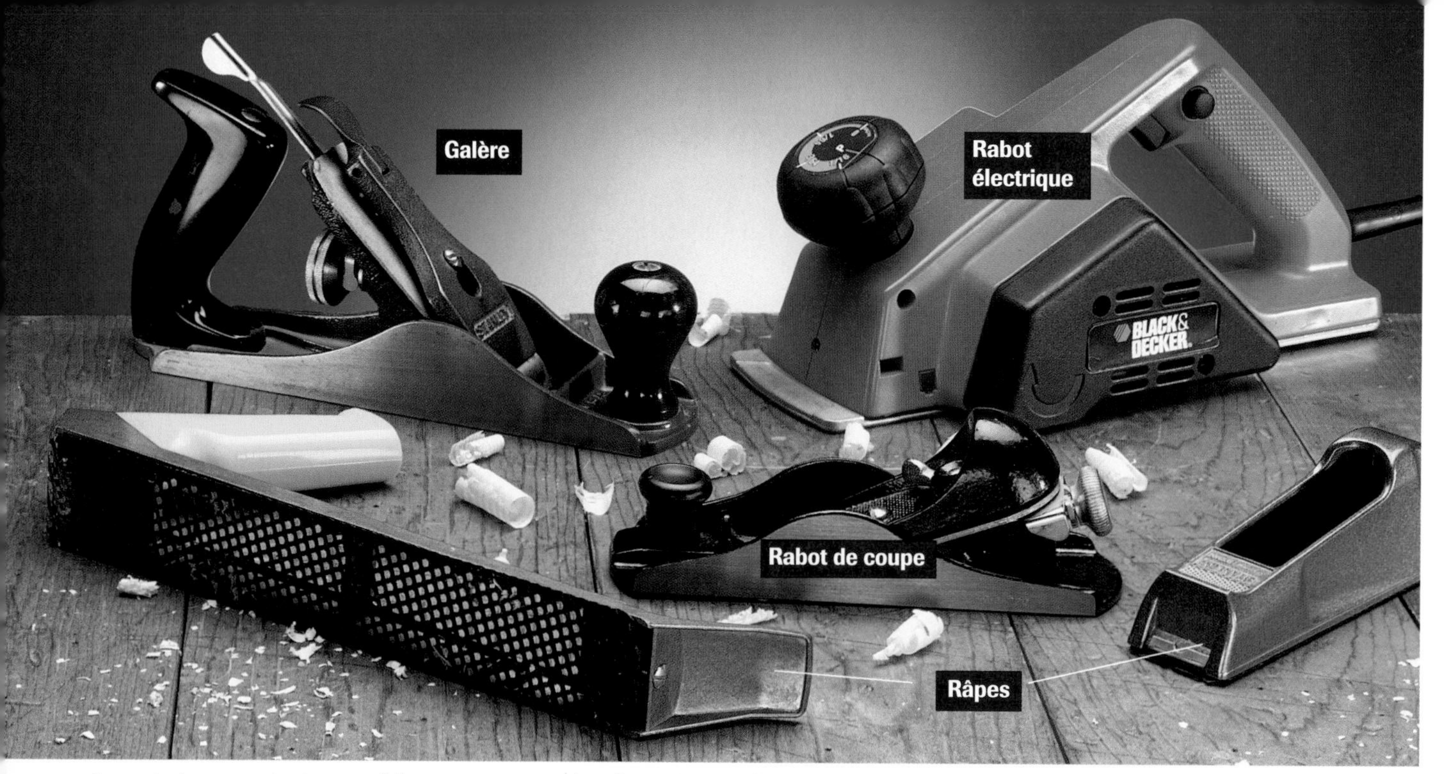

Les rabots courants du menuisier comprennent : la galère, qui sert à raboter le bois d'ossature, les portes et les autres pièces importantes ; le rabot électrique, qui permet d'enlever beaucoup de matière rapidement ; le rabot de coupe, avec lequel on rabote les moulures ou autres pièces étroites ; les râpes à surfacer, qui servent à raboter les surfaces planes ou courbées.

Rabots

Les rabots sont conçus pour enlever juste assez de matière d'une surface de bois là où une scie en enlèverait trop et une ponceuse, trop peu. Le rabot à main comprend une lame de coupe très tranchante, ou fer, installée dans une base en acier ou en bois. Le réglage de la lame se fait par tâtonnements et, une fois qu'on a effectué le réglage, il faut le tester sur un morceau de rejet avant d'utiliser le rabot sur une pièce à raboter.

La lame d'une râpe à surfacer n'est pas réglable, mais il existe des lames interchangeables qui permettent d'obtenir des surfaces brutes ou des surfaces finies. Les râpes à surfacer sont munies d'une série de petits trous poinçonnés dans le métal qui empêchent les copeaux de rester coincés dans la lame.

Si vous envisagez de raboter de nombreuses pièces importantes, pensez à acheter un rabot électrique qui accomplit un travail de qualité comparable à celui du rabot manuel, mais beaucoup plus rapidement.

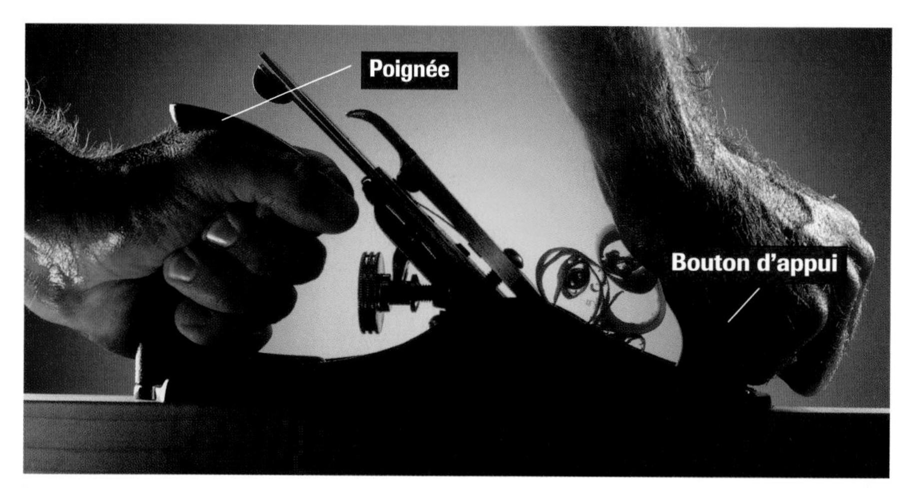

Immobilisez la pièce dans un étau. Poussez le rabot dans le sens de la fibre. Tenez fermement le bouton d'appui et la poignée, et rabotez par longs coups, en douceur. Pour éviter de raboter excessivement le début et la fin de la planche – c'est-à-dire en plongée –, appuyez davantage sur le bouton d'appui au début du coup de rabot et sur la poignée à la fin de celui-ci.

Utilisez un rabot de coupe pour effectuer des travaux courants tels que le rognage des extrémités des planches et le rabotage des bords des panneaux de particules et des planches de contreplaqué ou le rognage des laminés.

Ciseaux

Le ciseau à bois est constitué d'une lame en acier biseautée sur au moins un côté et fixée à un manche en bois ou en plastique. Il coupe sous l'effet d'une légère pression de la main ou si l'on frappe sur l'extrémité du manche avec un maillet. On se sert souvent du ciseau à bois pour découper les logements des charnières et les mortaises des serrures.

Si vous devez entailler profondément le bois, pratiquez plusieurs coupes peu profondes au lieu d'une unique coupe profonde. En forçant le ciseau à enlever une grande quantité de matière, on ne réussit souvent qu'à émousser l'outil et à endommager la pièce.

Affûtez souvent les lames au moyen d'une pierre à aiguiser. Les ciseaux sont ainsi plus faciles et plus sûrs à utiliser et donnent de meilleurs résultats.

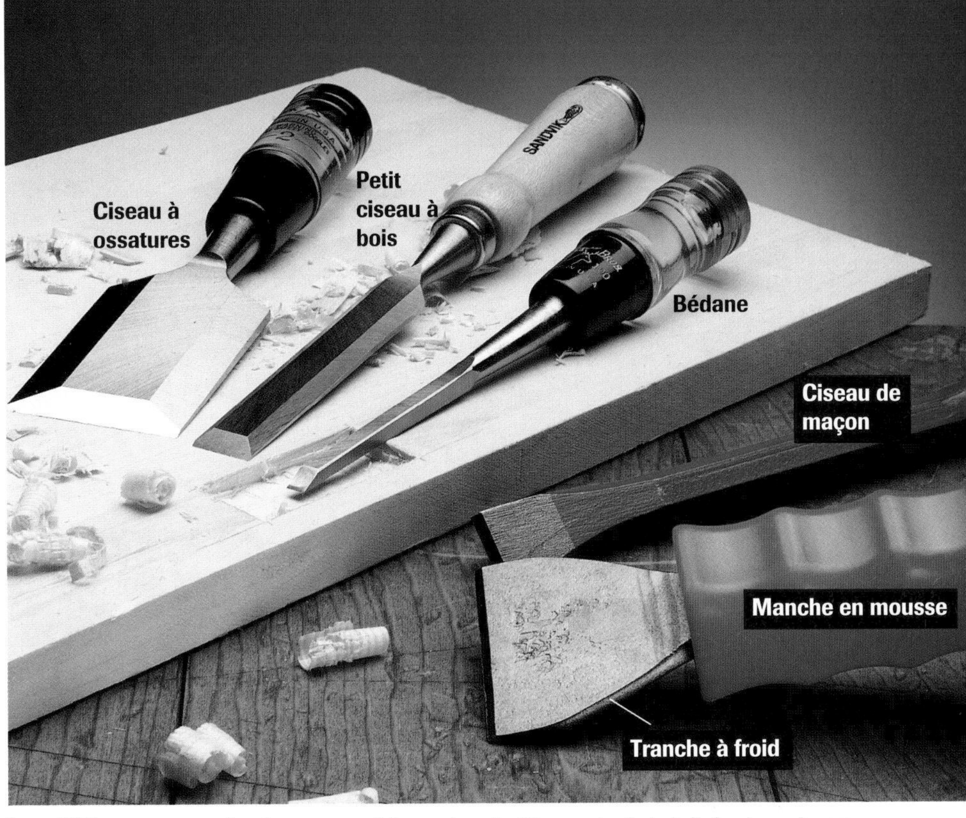

Les différents types de ciseaux sont les suivants (de gauche à droite) : le ciseau à ossatures, utilisé pour le rognage brut du bois ; le petit ciseau à bois, utilisé pour les travaux légers de ciselage ; la bédane, pour découper les logements des charnières et les mortaises des serrures ; le ciseau de maçon pour couper la pierre et la maçonnerie ; la tranche à froid, en acier massif, utilisée pour entailler et couper le métal.

Comment creuser une mortaise

1 Découpez le contour de la mortaise. Tenez le ciseau, biseau tourné vers l'intérieur, et frappez légèrement sur le manche avec un maillet jusqu'à ce que la découpe ait atteint la profondeur voulue.

2 Faites une série de coupes parallèles, espacées de 1/4 po, dans la mortaise, en tenant le ciseau incliné à 45°. Guidez le ciseau en donnant de légers coups de maillet sur le manche.

3 Soulevez les copeaux en tenant le ciseau fortement incliné, biseau vers la surface de travail. Guidez le ciseau en appliquant une légère pression de la main.

Utilisez une ponceuse pour enlever l'épaisseur de matière voulue et créer une surface lisse. La ponceuse orbitale spéciale représentée convient aux applications générales qui requièrent un ponçage intermédiaire ou poussé. Le mouvement orbital combine le mouvement circulaire et le mouvement de va-et-vient latéral. Contrairement aux ponceuses à disque, les ponceuses orbitales spéciales ne laissent aucune trace circulaire et n'exigent pas que l'on suive le sens de la fibre du bois. On trouve dans le commerce les disques de ponçage en paquets, attachés à l'aide d'une fermeture Velcro ou d'un adhésif sensible à la pression. On trouve également des applicateurs spongieux et des accessoires pour le polissage et l'application de cires en pâte.

Ponceuses

Les ponceuses à commande mécanique servent à finir et à adoucir la surface des objets fabriqués en bois et dans d'autres matériaux de construction avant qu'on leur applique une peinture ou une teinture. Elles servent aussi à enlever de fines couches de matière. Les ponceuses vibrantes (page 87, photo supérieure) sont recommandées pour le ponçage léger et intermédiaire, et lorsqu'il faut obtenir des surfaces très lisses. Les ponceuses à courroie (page 87, photo inférieure gauche) conviennent à la plupart des travaux où il faut enlever rapidement et grossièrement de la matière. Dans les endroits exigus ou présentant un contour compliqué, poncez à la main, avec du papier de verre plié ou un bloc de ponçage, ou utilisez des accessoires de ponçage montés sur une perceuse (page 87, photo inférieure droite).

Lorsque vous devez poncer une pièce brute dont la surface doit être polie, commencez par la poncer avec du grossier papier de verre. Passez ensuite à du papier de verre de plus en plus fin jusqu'à ce que la surface présente le fini voulu. Les travaux de ponçage intermédiaire comportent généralement trois étapes : le ponçage grossier, le ponçage intermédiaire et le ponçage fin.

Le ponçage est une opération laborieuse. Prenez le temps qu'il faut pour le réussir du premier coup. Si vous bâclez le travail, cela paraîtra dans le résultat obtenu.

NOTE : les ponceuses produisent des particules qui restent en suspension dans l'atmosphère. Envisagez l'achat d'une ponceuse munie d'un sac à poussière et portez toujours un masque respiratoire et l'équipement de protection oculaire nécessaire.

Les ponceuses de finition sont conçues pour les travaux de ponçage légers ou intermédiaires qui donnent des surfaces finies. Les différents types de ponceuses sont les suivants : la ponceuse 3 en 1 (A), utilisée pour le ponçage de finition, l'enlèvement intermédiaire de matière et le travail de détail ; la ponceuse de finition classique (B), pour poncer les grandes surfaces ; la ponceuse de détails (C), utilisée pour les travaux de détail ; et la ponceuse à main (D), utilisée pour les petits travaux de finition et les coins facilement accessibles. La ponceuse de détails est également parfaite pour les travaux de polissage et de frottage lorsqu'on l'équipe des accessoires appropriés.

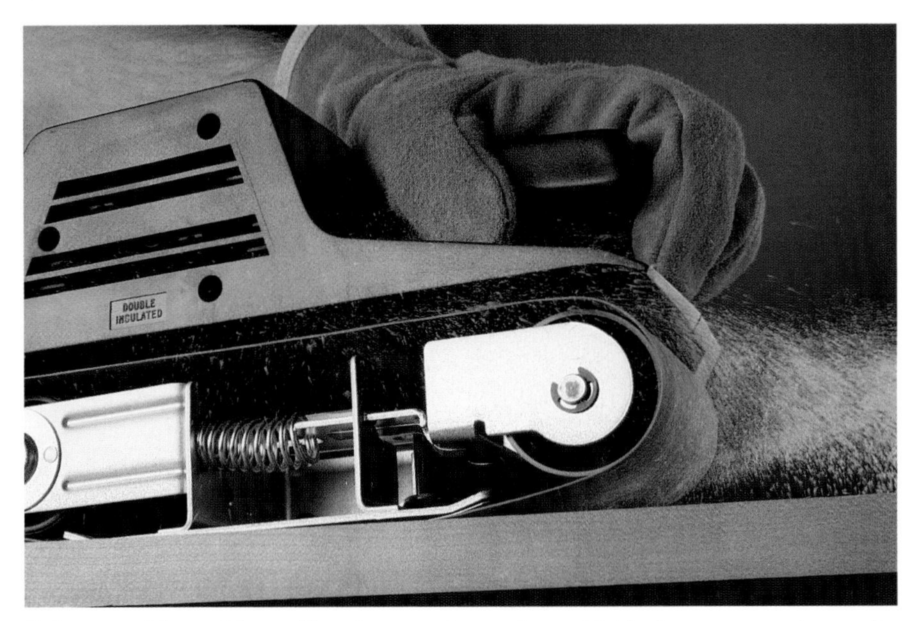

Enlevez rapidement la matière des grandes surfaces à l'aide d'une ponceuse à courroie. Il existe une gamme de courroies jetables allant du n° 36 (très grossier) au n° 100 (fin). On effectue la plupart des travaux en orientant la ponceuse à courroie dans le sens de la fibre. Cependant, il peut être efficace de poncer perpendiculairement à la fibre lorsqu'on veut enlever de la matière d'une surface de bois qui a été dressée grossièrement.

Les accessoires de ponçage pour perceuses comprennent (dans le sens horaire en commençant en haut, à droite) : le disque de ponçage pour ponçage rapide, les cylindres de ponçage et les bavettes de ponçage qui permettent de polir les surfaces compliquées.

Fabriquez votre propre bavette de ponçage pour polir les surfaces compliquées en prenant une tige en bois de 6 po de long et de ³/₈ po de diamètre, et une bandelette de papier de verre entoilé de 1 po de large comme celui qu'on utilise pour les courroies de ponçage. Faites à l'extrémité de la tige une fente de 1 po de profondeur, dans le plan de son axe. Collez la bandelette dans la fente au moyen de colle à chaud. Enroulez la bandelette de papier de verre autour de la tige dans le sens des aiguilles d'une montre. Attachez la bavette de ponçage dans le mandrin d'une perceuse.

Nettoyez le papier de verre à l'aide d'une brosse métallique pour enlever la sciure de bois et les grains qui peuvent rendre le papier de verre moins rugueux et réduire son efficacité.

Pour prolonger la vie d'une courroie de ponçage, nettoyez-la au moyen d'une vieille chaussure de tennis à semelle de caoutchouc. Mettez la ponceuse en marche et pressez pendant quelques secondes la semelle de la chaussure contre la courroie. La sciure de bois emprisonnée entre les grains de la courroie colleront à la semelle en caoutchouc de la chaussure.

Le bloc à poncer est utile pour polir les surfaces planes. Pour polir les surfaces courbes, enroulez du papier de verre autour d'un morceau de vieille carpette pliée ou de 2 po x 4 po.

Lorsque vous devez poncer les bords d'une planche au moyen d'une ponceuse à courroie, immobilisez la planche entre deux morceaux de bois inutilisés, pour empêcher la ponceuse d'osciller et d'arrondir les bords de la planche.

Comment choisir le papier de verre approprié au travail à effectuer

Utilisez du papier de verre grossier n° 60 pour poncer les planchers en bois dur ou les surfaces fortement griffées. Vous enlèverez plus rapidement la matière si vous dirigez la ponceuse perpendiculairement à la fibre du bois.

Utilisez du papier de verre grossier n° 100 pour le polissage initial du bois. Dirigez la ponceuse dans le sens de la fibre pour obtenir une surface plus lisse.

Utilisez le papier de verre fin n° 150 pour donner une touche de finition aux surfaces de bois. Utilisez-le également pour préparer les surfaces à teindre ou pour polir les joints de plaques de plâtre.

Utilisez le papier de verre extra-fin n° 220 pour polir le bois teint avant de le vernir ou pour le polir entre les couches de vernis.

Serre-joint triple

Pince-étau

Serre-joint en C

Serre-joint de coin

Serre-joint à ressort

Serre-joint rapide

Étau de menuisier

Serre-joints

Les étaux et les serre-joints servent à immobiliser les pièces pendant qu'on les coupe ou qu'on les soumet à d'autres opérations, et ils servent aussi à maintenir les pièces collées jointes pendant que la colle sèche.

Votre établi doit être muni d'un robuste étau de menuisier. Pour les applications spéciales, il existe une gamme étendue de serre-joints comprenant les serre-joints en C, les pinces-étaux, les serre-joints de bois, les serre-joints d'âmes et les serre-joints à rochet.

Immobilisez les pièces larges à l'aide de serre-joints à tuyau ou de serres à barre (voir à la page suivante). Les mâchoires des serre-joints à tuyau sont reliées par un tuyau en acier. La distance entre les mâchoires n'est limitée que par la longueur du tuyau.

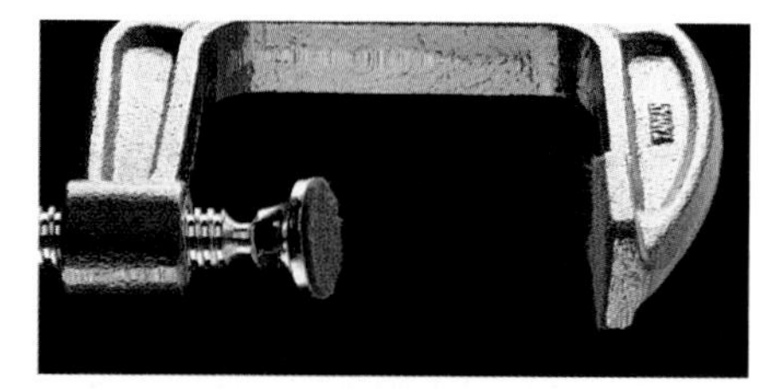

Protégez les surfaces des pièces en matelassant les mâchoires des serre-joints, car les mâchoires en métal peuvent endommager les pièces. Utilisez un pistolet à colle chaude pour attacher des coussinets protecteurs que vous pouvez fabriquer avec du feutre, des couvercles de cartouches de films ou des déchets de bois.

Utilisez les serre-joints de bois pour maintenir ensemble les pièces collées dont les surfaces ne sont pas parallèles pendant que la colle sèche. Les serre-joints de bois sont munis de deux vis de réglage, et leurs mâchoires en bois ne risquent pas d'abîmer les surfaces en bois.

Utilisez les serre-joints en C pour serrer des pièces à une distance de 1 à 6 po du bord. Protégez les pièces au moyen de blocs de bois inutilisés que vous placez entre les mâchoires et la surface de la pièce.

Immobilisez les moulures sur les côtés des étagères, des dessus de table et d'autres surfaces planes au moyen de serre-joints triples, munis de trois vis à serrage à main. Protégez la pièce à l'aide de coussinets de protection.

Utilisez des serre-joints à rochet pour immobiliser rapidement et facilement une pièce. La portée des serre-joints à rochet de grande taille peut atteindre 4 pi, et vous pouvez les serrer d'une main tout en supportant la pièce de l'autre main.

Serrez les pièces larges à l'aide de serre-joints à tuyau ou à barres. Les serre-joints à barres sont vendus avec les barres. Les mâchoires des serre-joints à tuyau peuvent s'adapter à un tuyau de $^1/_2$ po à $^3/_4$ po de diamètre de n'importe quelle longueur.

Fixez la pièce sur un établi portatif. La plupart des modèles possèdent un dessus de table fait de pièces jointives, qu'on peut serrer comme un serre-joint et ils sont polyvalents, grâce à une série d'accessoires tels que les butées.

Outils spéciaux

Lorsqu'un travail de menuiserie exige l'emploi d'un outil que vous ne possédez pas, vous devez décider si ça vaut la peine de l'acheter. Les outils de bonne qualité coûtent parfois cher, et leur achat n'est justifié que si on les utilise assez fréquemment. La location de ce type d'outil constitue souvent la meilleure solution.

Les centres de location offrent à un coût raisonnable tout un assortiment d'outils, y compris ceux représentés sur ces pages. La location vous donne l'occasion d'essayer un outil que vous envisagez d'acheter plus tard et vous donne accès à des outils dont vous n'envisageriez jamais l'achat – le marteau perforateur, par exemple – mais qui peuvent vous faciliter l'exécution d'un projet donné.

Lorsque vous louez un outil, demandez toujours le manuel de l'utilisateur et une démonstration. Ainsi, vous gagnerez du temps et éviterez de mal utiliser l'outil ou de l'utiliser dangereusement.

Les outils se louent plus souvent à l'heure qu'à la journée. Si tel est le cas, vous ferez des économies en préparant le travail avant d'aller chercher l'outil.

La perceuse à percussion combine la percussion et la rotation et vous permet de forer rapidement dans le béton et la maçonnerie. Pour réduire la poussière au minimum et empêcher les embouts de surchauffer, lubrifiez à l'eau l'endroit du forage. Vous pouvez utiliser la perceuse à percussion comme une perceuse simple lorsque vous la placez en mode rotation (page 81).

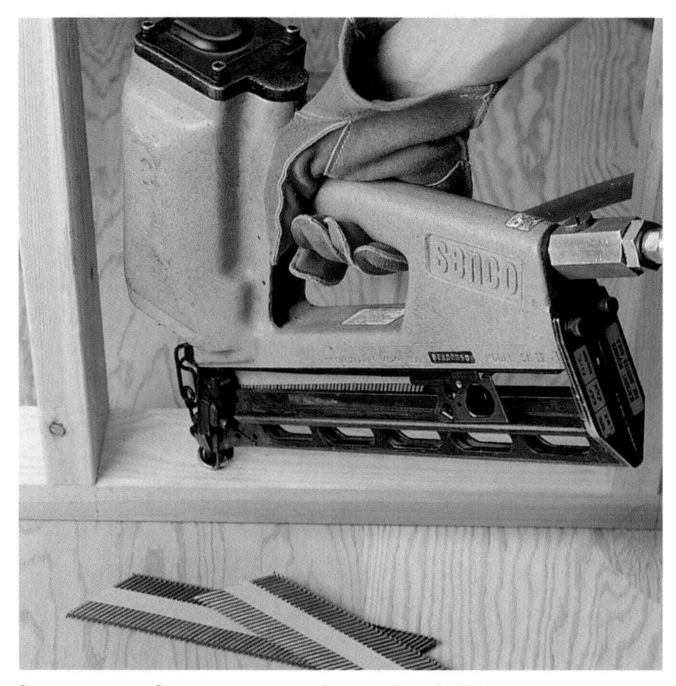

Le marteau cloueur pneumatique utilise de l'air comprimé pour enfoncer des clous ou des agrafes dans le bois, ce qui en fait un outil de menuiserie extrêmement efficace. Il libère une main qui peut tenir la pièce en place pendant que l'autre commande l'outil. Certains modèles sont conçus pour les ossatures, d'autres pour les travaux de finition.

La scie alternative est utile pour pratiquer des ouvertures brutes dans les murs et les planchers, là où il serait difficile d'utiliser une scie circulaire, ou pour couper les objets métalliques tels que les tuyaux de plomberie ou les vis tire-fond de $^1/_2$ po. Les scies alternatives permettent de gagner du temps pendant l'étape de démolition des travaux de menuiserie. La scie alternative sans cordon est très maniable et assez puissante pour effectuer la plupart des petits travaux.

Le marteau cloueur à poudre enfonce rapidement dans le béton les clous spéciaux en acier dur qui traversent les lisses et les poteaux. Le pistolet cloueur à gâchette (représenté) est plus facile à utiliser, mais il existe également un marteau cloueur du type à plongée, qui fonctionne lorsqu'on le frappe avec un marteau. Demandez au centre de location qu'on vous fasse une démonstration de cet outil. NOTE : ces outils sont puissants et bruyants. Portez l'équipement de protection auditive et oculaire approprié chaque fois que vous les utilisez.

La visseuse est utile chaque fois qu'il faut enfoncer une grande quantité de vis, mais elle sert surtout à enfoncer des vis dans les plaques de plâtre sans déchirer le papier qui recouvre celles-ci. L'embrayage très sensible de l'outil le dégage dès que la vis déforme la surface de la plaque de plâtre et vous permet d'installer les plaques de plâtre plus rapidement, plus proprement et plus précisément. Si votre projet comprend l'installation de nombreuses plaques de plâtre, l'achat d'une visseuse peut constituer un bon investissement.

K
A
B
B
C
G
E
D
E
E
H
J
D
E
C
C
G
F
F
D
G
D
I
F
C
F

Construire un établi

L'établi représenté est muni de pattes robustes qui lui permettent de supporter des lourdes charges et d'un dessus double épaisseur pouvant résister au martèlement. Couvrez le dessus de panneau dur que vous pourrez remplacer lorsqu'il commencera à se détériorer. Construisez une tablette sous la surface de travail, où vous pourrez ranger vos outils à commande mécanique. Et, si vous le jugez utile, installez un étau universel sur la surface de travail.

Repères	Pièces	Dimensions et descriptions
A	1	Dessus en panneau dur de 1/8 po, de 24 po x 60 po
B	2	Dessus en contreplaqué de 3/4 po, de 24 po x 60 po
C	4	Traverses en 2 po x 4 po, de 21 po
D	4	Pattes en 2 po x 4 po, de 19 3/4 po
E	4	Pattes en 2 po x 4 po, de 34 1/2 po
F	4	Pattes en 2 po x 4 po, de 7 3/4 po
G	3	Entretoises en 2 po x 4 po, de 54 po
H	1	Entretoise avant (supérieure) en 2 po x 6 po, de 57 po
I	1	Tablette en contreplaqué de 1/2 po, de 14 po x 57 po
J	1	Fond de tablette en contreplaqué de 1/2 po, de 19 1/4 po x 57 po
K	1	Bord en 1 po x 4 po, de 60 po

Le matériel dont vous avez besoin

Outils : scie circulaire ; équerre de menuisier ; forets et embouts comprenant des embouts à vis ; clé à rochet ou clé à molette ; marteau ; chasse-clou.

Matériel : vis à plaques de plâtre (1 1/2, 2 1/2 et 3 po), vis tire-fond (1 1/2 et 3 po), clous de finition 4d.

Liste des pièces de bois d'œuvre : six longueurs de 8 pi de 2 po x 4 po, une longueur de 5 pi de 2 po x 6 po, une feuille de 4 pi x 8 pi de contreplaqué de 3/4 po, une feuille de 4 pi x 8 pi de contreplaqué de 1/2 po, une feuille de 4 pi x 8 pi de panneau dur de 1/8 po.

Comment construire un établi

1 Coupez deux pièces de C, D, E et F pour chaque côté de l'établi. Assemblez-les au moyen de vis à plaques de plâtre de 2 1/2 po.

2 À l'aide de vis à plaques de plâtre de 2 1/2 po, fixez les deux entretoises arrière (G, G) à l'intérieur des pattes arrière des côtés assemblés.

3 Fixez l'entretoise inférieure avant (G) à l'intérieur des pattes avant des côtés assemblés. À l'aide de vis à plaques de plâtre de 2 1/2 po, attachez la tablette inférieure (I) et le fond de l'établi (J) au cadre assemblé.

4 Forez des avant-trous et, au moyen de vis tire-fond de 3 po, fixez l'entretoise supérieure avant en 2 po x 6 po (H) à l'extérieur des pattes.

5 Centrez le panneau inférieur en contreplaqué de 3/4 po (B) de la surface de travail sur le dessus de l'assemblage. Alignez le contreplaqué sur le bord arrière, tracez une ligne de référence pour planter les clous et fixez le panneau en place à l'aide de clous 4d.

6 Alignez le panneau supérieur en contreplaqué (B) sur le panneau inférieur (B) et tracez une ligne de référence 1/2 po au moins plus près du bord afin d'éviter les clous de la première épaisseur. Enfoncez des vis à plaques de plâtre de 3 po à travers les deux épaisseurs de contreplaqué et dans le cadre de l'établi.

7 Au moyen de clous de finition 4d, clouez la surface de travail en panneau dur (A) aux deux couches de contreplaqué (B, B). Chassez les clous sous la surface.

8 Placez l'étau à une extrémité de l'établi. Indiquez les trous de la base de l'étau et forez des avant-trous de 1/4 po dans le dessus de l'établi.

9 Fixez l'étau au moyen de vis tire-fond de 1 1/2 po. À l'aide de vis à plaques de plâtre de 2 1/2 po, attachez le bord (K) à l'arrière de la surface de l'établi.

Tréteaux

Les tréteaux offrent une surface de travail stable qui peut supporter le matériel pendant le traçage et le sciage. Ils peuvent également servir d'échafaudage temporaire lorsque vous installez des plaques de plâtre ou des panneaux au plafond. Pour les utiliser comme échafaudage, placez une paire de planches droites de 2 po x 10 po ou 2 po x 12 po sur deux robustes tréteaux (photo de gauche).

Il vaut mieux utiliser une base large qui peut supporter de lourdes charges. Les petits tréteaux pliables sont utiles dans les endroits où l'espace de rangement est limité.

	Liste dimensionnelle
Pièces	**Dimensions et descriptions**
2	Montants en 2 po x 4 po, de 15½ po
2	Traverses supérieures en 2 po x 4 po, de 48 po
1	Traverse inférieure en 2 po x 4 po, de 48 po
2	Entretoises horizontales en 2 po x 4 po, de 11¼ po
4	Pattes en 2 po x 4 po, de 26 po

Le matériel dont vous avez besoin

Outils : scie circulaire, mètre à ruban, visseuse ou tournevis sans cordon.

Matériel : quatre longueurs de 8 pi de 2 po x 4 po, vis à plaques de plâtre de 2½ po.

Tréteaux faciles à ranger

Repliez les tréteaux en métal et pendez-les au mur de l'atelier quand vous ne les utilisez pas.

Achetez des fixations en fibre de verre ou en métal et coupez les longueurs suivantes en bois scié de 2 po x 4 po : une traverse supérieure de 48 po et quatre pattes de 26 po. Démontez les tréteaux pour les ranger.

Comment construire un tréteau robuste

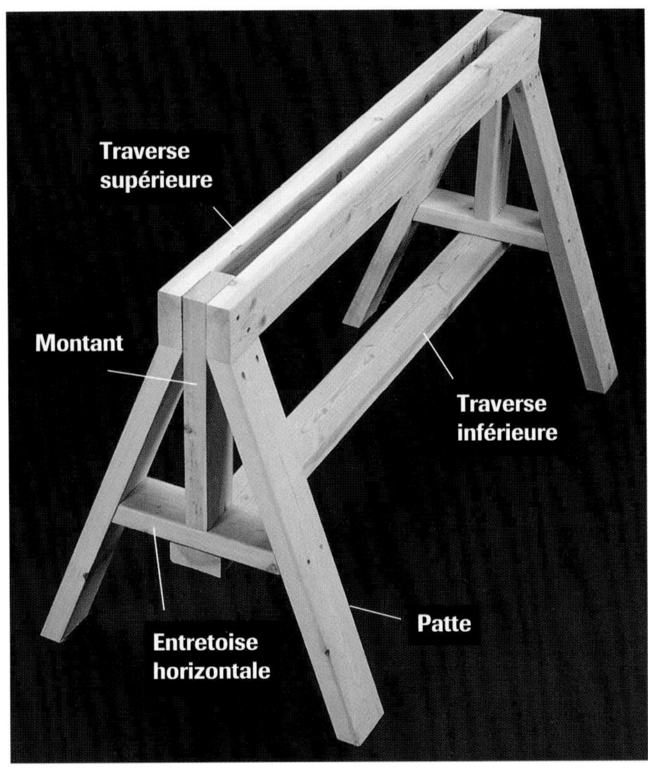

1 À l'aide d'une mètre à ruban et d'une scie circulaire, mesurez et coupez les montants, les traverses supérieures et la traverse inférieure aux longueurs spécifiées dans la liste dimensionnelle (voir page précédente).

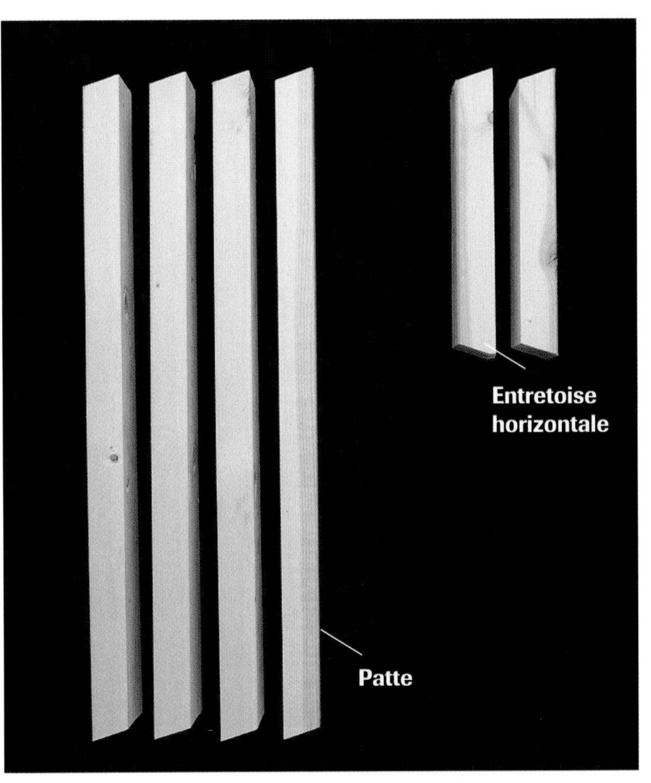

2 Réglez le biseau de la scie circulaire à 17° (les coupes biseautées correspondront aux angles représentés sur l'illustration). Coupez les extrémités des entretoises horizontales pour qu'elles aient des biseaux opposés et les extrémités des pattes, des biseaux parallèles.

3 À l'aide de vis à plaques de plâtre de 2 1/2 po, attachez les traverses supérieures aux montants, comme sur l'illustration.

4 À l'aide de vis à plaques de plâtre de 2 1/2 po, attachez les entretoises horizontales aux montants. Attachez une paire de pattes aux entretoises horizontales et ensuite aux montants, à leur extrémité. Achevez le tréteau en attachant la traverse inférieure aux entretoits.

1
in
ft
2
3
4

Menuiserie
de base

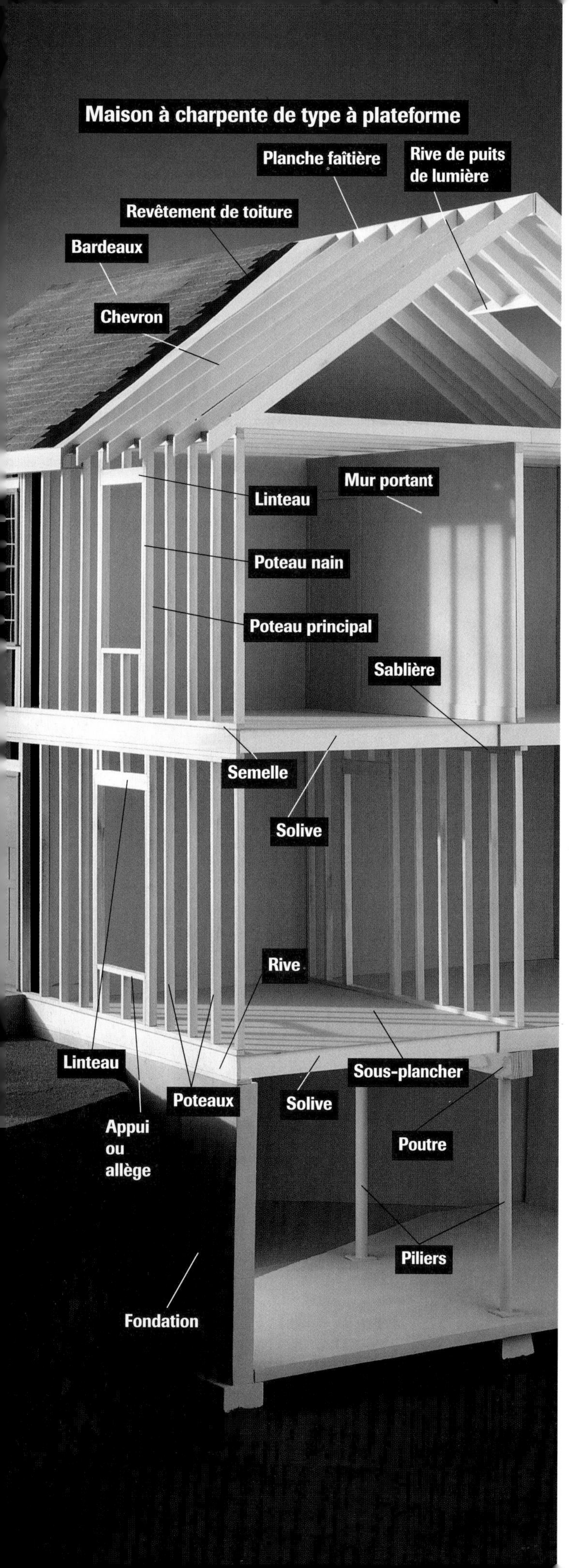

Anatomie d'une maison

Avant de commencer votre projet de menuiserie familiarisez-vous avec quelques éléments fondamentaux de la construction individuelle et de la rénovation. Consacrez le temps nécessaire à apprendre la terminologie utilisée pour les modèles illustrés dans les quelques pages qui suivent. Les connaissances acquises en étudiant cette section vous faciliteront les tâches ultérieures – planification du projet, achat des matériaux – et vous permettront d'élucider les questions concernant la conception intérieure de votre maison.

Si votre projet comprend la modification de murs extérieurs ou de murs portants, vous devez déterminer si la charpente de la maison est à plateforme ou à claire-voie. C'est le type de charpente qui détermine quels supports temporaires vous devez installer pendant les travaux. Si vous éprouvez des difficultés à déterminer le type de charpente de la maison, consultez les plans d'origine si vous les possédez ; sinon, consultez un entrepreneur en construction ou un inspecteur en bâtiments.

Anatomie d'une maison à charpente de type à plateforme

La charpente à plateforme (photos de gauche et ci-dessus) est reconnaissable aux semelles des planchers et aux sablières des plafonds auxquelles sont fixés les poteaux muraux. La plupart des maisons postérieures à 1930 sont construites de cette façon. Si vous n'avez pas accès à des parties non finies, enlevez la surface murale au bas d'un mur : cela vous permettra de déterminer le type de charpente de la maison.

L'installation d'une nouvelle porte ou d'une nouvelle fenêtre dans un mur extérieur nécessite normalement l'installation d'un linteau. Assurez-vous d'installer un linteau qui réponde aux exigences du code du bâtiment local et d'installer les poteaux d'allège aux endroits requis.

Les planchers et les plafonds sont constitués de matériaux en feuille, de solives et de poutres. Les planchers des locaux de séjour doivent être construits au moyen de solives ayant une section d'au moins 2 po x 8 po. Pour modifier les solives de section inférieure, reportez-vous à la page 106.

Les murs sont de deux types : les murs porteurs et les murs de séparation. Il faut installer des supports temporaires avant d'enlever un mur porteur ou d'y pratiquer une ouverture pour installer une porte ou une fenêtre. Par contre, cette mesure n'est pas nécessaire s'il s'agit de murs de séparation, car ils ne supportent aucune structure. Pour pouvoir déterminer à quel type de mur vous avez affaire, reportez-vous à la page 107.

Anatomie d'une maison à charpente de type à claire-voie

La charpente à claire-voie (photos de droite et ci-dessus) se caractérise par ses poteaux muraux ininterrompus qui joignent le toit à la lisse de la fondation, sans les semelles ni les sablières intermédiaires que l'on trouve dans les charpentes à plateforme (page précédente). La charpente à claire-voie était utilisée dans les maisons construites avant 1930 et on l'utilise encore dans certains types de maisons, en particulier dans les maisons à haut toit cathédrale.

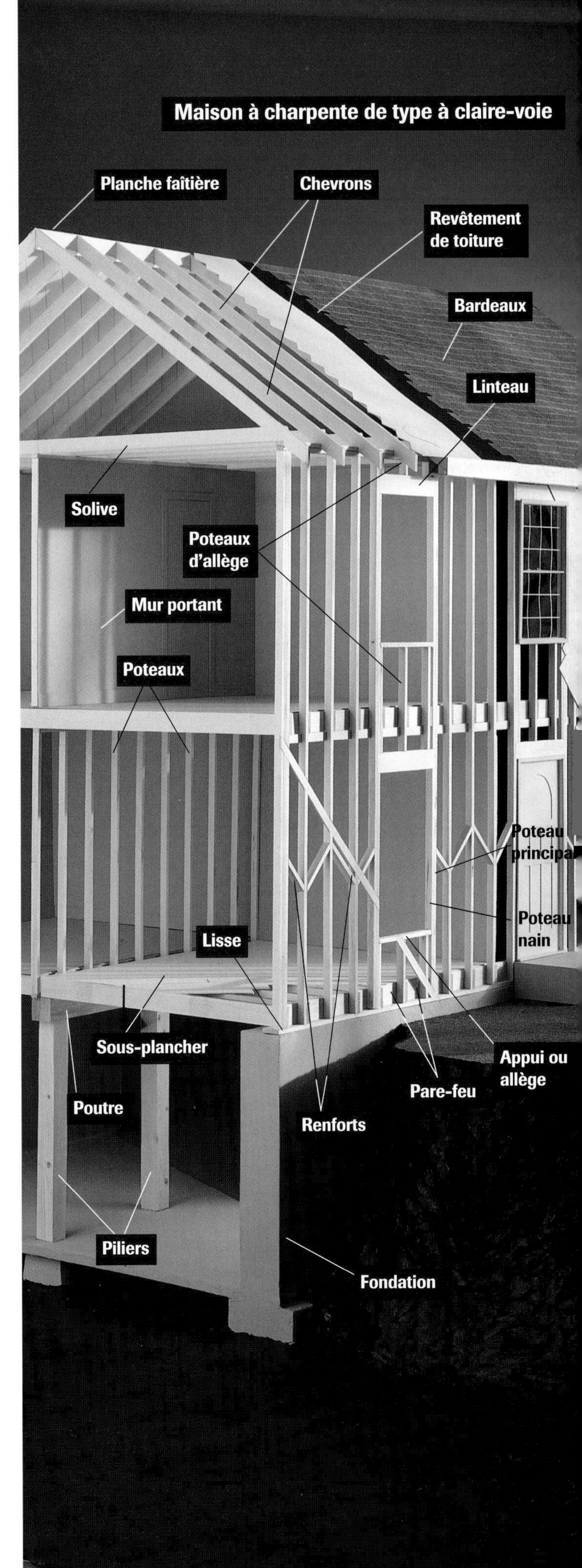

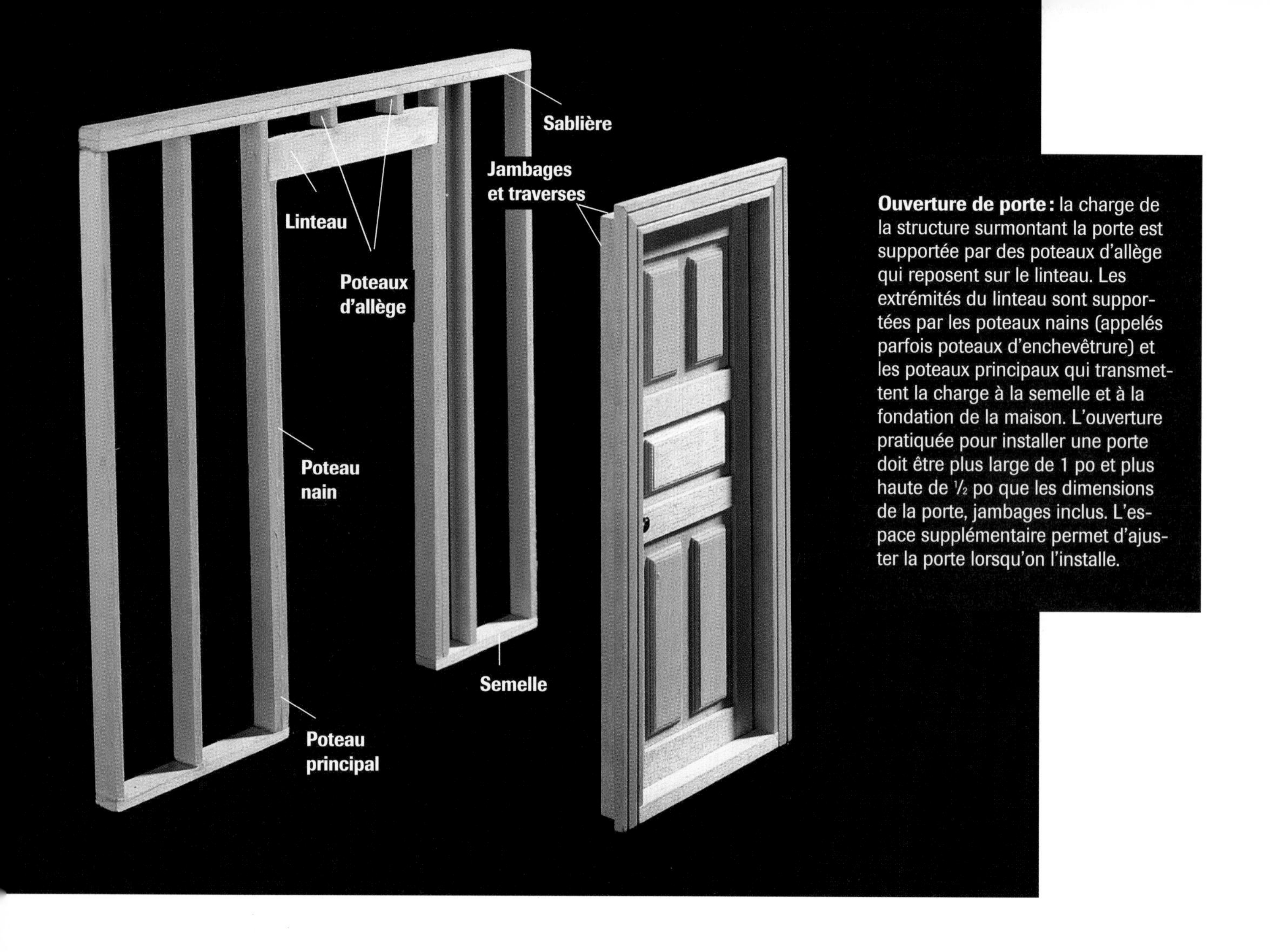

Ouverture de porte: la charge de la structure surmontant la porte est supportée par des poteaux d'allège qui reposent sur le linteau. Les extrémités du linteau sont supportées par les poteaux nains (appelés parfois poteaux d'enchevêtrure) et les poteaux principaux qui transmettent la charge à la semelle et à la fondation de la maison. L'ouverture pratiquée pour installer une porte doit être plus large de 1 po et plus haute de ½ po que les dimensions de la porte, jambages inclus. L'espace supplémentaire permet d'ajuster la porte lorsqu'on l'installe.

Anatomie détaillée

Dans plusieurs projets de transformation tels que l'addition d'une porte ou d'une fenêtre, il faut enlever un ou plusieurs poteaux faisant partie d'un mur portant pour pratiquer l'ouverture nécessaire. Dans ce cas, il faut se rappeler que toute nouvelle ouverture exige l'installation permanente d'une poutre, appelée linteau, qui doit supporter directement la charge que la structure applique sur les poteaux que vous enlevez. Vous pouvez construire le linteau d'une porte ou d'une fenêtre en assemblant en sandwich du contreplaqué de ⅜ po entre deux morceaux de bois d'œuvre de dimensions courantes de 2 po d'épaisseur (voir le tableau ci-contre). Lorsqu'il faut enlever une partie importante d'un mur portant (ou l'enlever complètement), il faut utiliser une poutre laminée en guise de nouveau linteau (page 187).

Si vous devez enlever plusieurs poteaux muraux, fabriquez des poteaux temporaires qui supporteront la charge de la structure pendant que vous installerez le nouveau linteau.

Dimensions de linteau recommandées

Largeur de l'ouverture	Construction recommandée du linteau
Jusqu'à 3 pi	Contreplaqué de ⅜ po entre deux morceaux de 2 po x 4 po
De 3 pi à 5 pi	Contreplaqué de ⅜ po entre deux morceaux de 2 po x 6 po
De 5 pi à 7 pi	Contreplaqué de ⅜ po entre deux morceaux de 2 po x 8 po
De 7 pi à 8 pi	Contreplaqué de ⅜ po entre deux morceaux de 2 po x 10 po

Les dimensions de linteau recommandées ci-dessus conviennent lorsqu'un étage complet et le toit surmontent l'ouverture. Ce tableau ne doit servir qu'à établir des estimations grossières. Pour établir les besoins précis, consultez votre inspecteur municipal de la construction. Pour les portées supérieures à 8 pi, reportez-vous à la page 187.

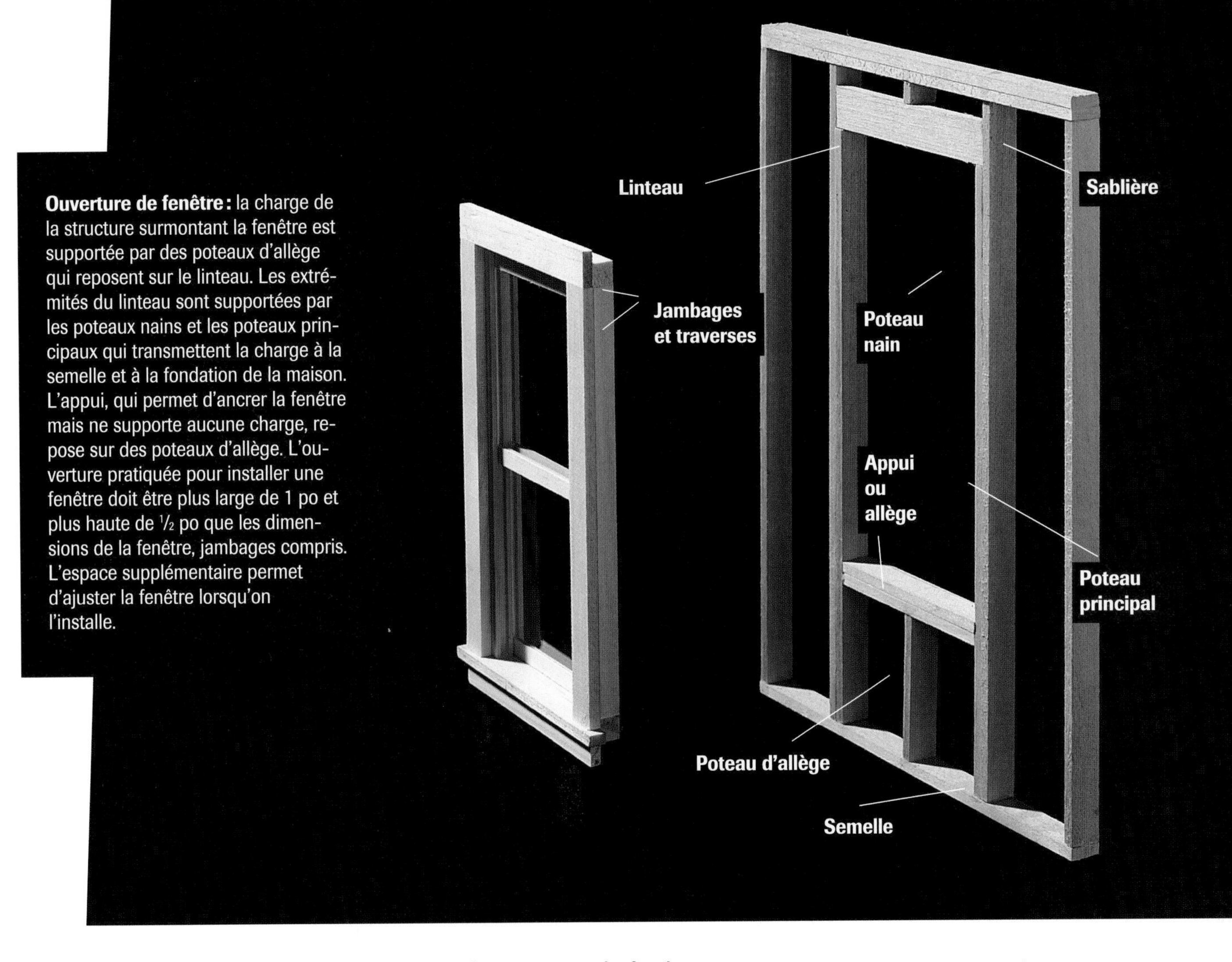

Ouverture de fenêtre : la charge de la structure surmontant la fenêtre est supportée par des poteaux d'allège qui reposent sur le linteau. Les extrémités du linteau sont supportées par les poteaux nains et les poteaux principaux qui transmettent la charge à la semelle et à la fondation de la maison. L'appui, qui permet d'ancrer la fenêtre mais ne supporte aucune charge, repose sur des poteaux d'allège. L'ouverture pratiquée pour installer une fenêtre doit être plus large de 1 po et plus haute de ½ po que les dimensions de la fenêtre, jambages compris. L'espace supplémentaire permet d'ajuster la fenêtre lorsqu'on l'installe.

Charpentes possibles pour les ouvertures de portes et de fenêtres (le bois ajouté est montré en jaune)

Utiliser une ouverture existante n'exige pas de charpente additionnelle. Cette solution est tout indiquée pour les maisons dont les murs extérieurs sont en maçonnerie, c'est-à-dire difficiles à modifier. Commandez une unité plus étroite de 1 po et moins haute de ½ po que l'ouverture.

Agrandir l'ouverture existante simplifie les travaux, surtout en ce qui concerne la charpente. Dans la plupart des cas, un poteau principal et un poteau nain existants peuvent former un côté de la nouvelle ouverture.

Construire une nouvelle charpente est une obligation incontournable si vous installez une porte ou une fenêtre là ou il n'en existait pas ou lorsque vous remplacez une porte ou une fenêtre par une unité beaucoup plus grande.

Anatomie du plancher et du plafond

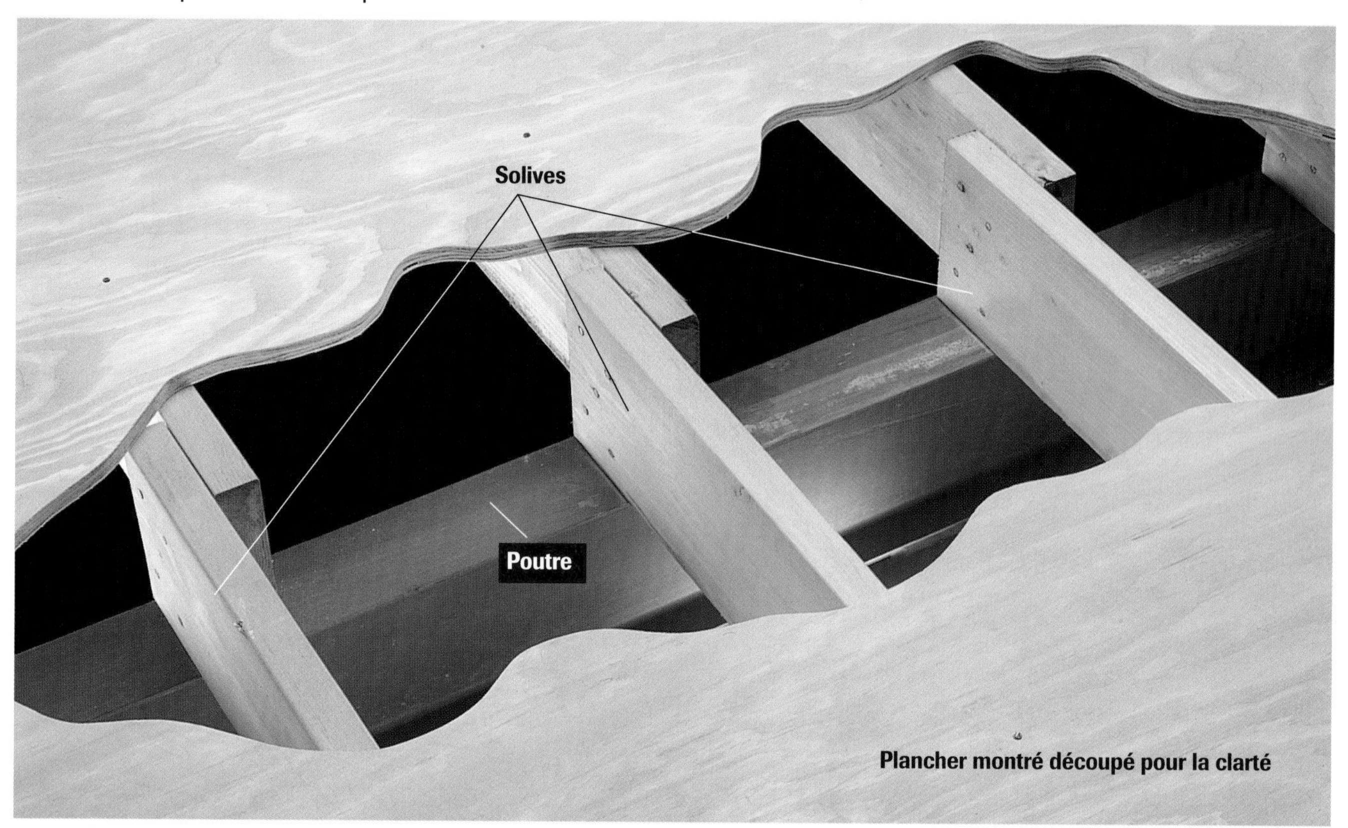

Les solives supportent la charge structurale des planchers et des plafonds. Leurs extrémités reposent sur les poutres, les fondations ou les murs portants. Les pièces utilisées comme lieux de séjour doivent être supportées par des solives de 2 po x 8 po au moins. On peut renforcer les planchers supportés par des solives plus petites au moyen de solives sœurs (voir les photos ci-dessous).

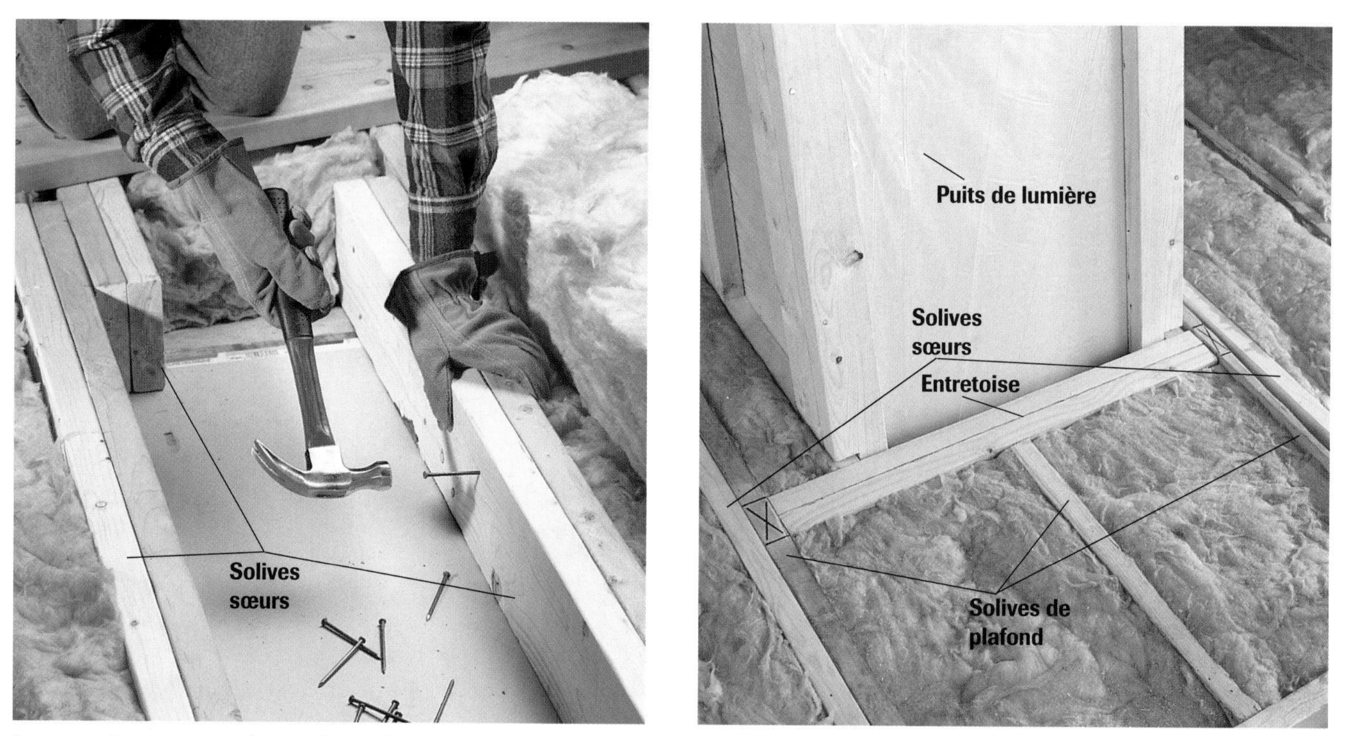

Les planchers supportés par des solives de 2 po x 6 po, comme ceux que l'on trouve parfois dans les greniers, ne peuvent servir de lieux de séjour à moins qu'on ne renforce chacune des solives originales au moyen d'une solive sœur (ci-dessus, photo de gauche). Il est souvent nécessaire de procéder ainsi lorsqu'on transforme un grenier en lieu de séjour. Les solives sœurs peuvent également servir à renforcer une entretoise lorsqu'il faut couper des solives de plafond, comme dans le cas d'une charpente de puits de lumière (ci-dessus, photo de droite).

Anatomie du toit

Les chevrons de 2 po x 4 po ou 2 po x 6 po, espacés de 16 ou 24 po, servent à supporter la plupart des toits des maisons construites avant 1950. En cas de besoin, on peut couper ces chevrons pour construire un puits de lumière. Vérifiez toutefois si la charpente de votre grenier est constituée de chevrons ou de fermes (photo de droite).

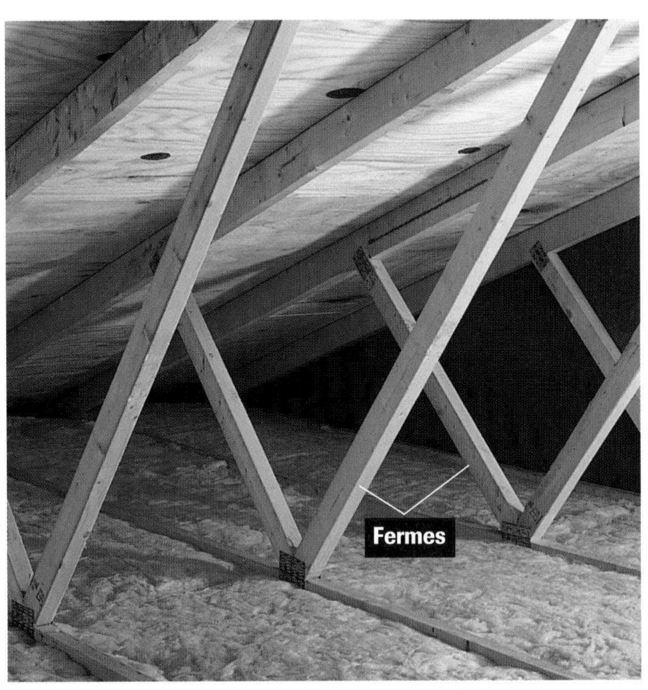

Les fermes sont des assemblages préfabriqués constitués de bois scié, de 2 po d'épaisseur. On les trouve dans la plupart des maisons construites après 1950. Il ne faut jamais modifier ou couper une ferme. Si vous désirez installer un puits de lumière dans une maison dont la charpente du toit est constituée de fermes, achetez une unité qui s'installe dans l'espace qui sépare deux fermes.

Anatomie des murs

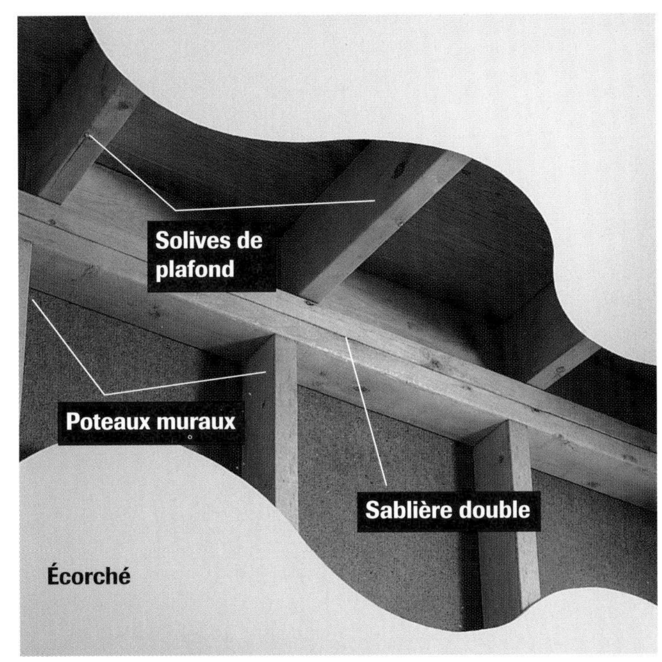

Les murs portants supportent le poids de la structure de votre maison. Dans les maisons à charpente de type à plateforme, les murs portants se distinguent par des sablières doubles, constituées de deux épaisseurs de bois de charpente. Les murs portants comprennent tous les murs extérieurs et les murs intérieurs qui se trouvent dans le même plan vertical que les poutres supports.

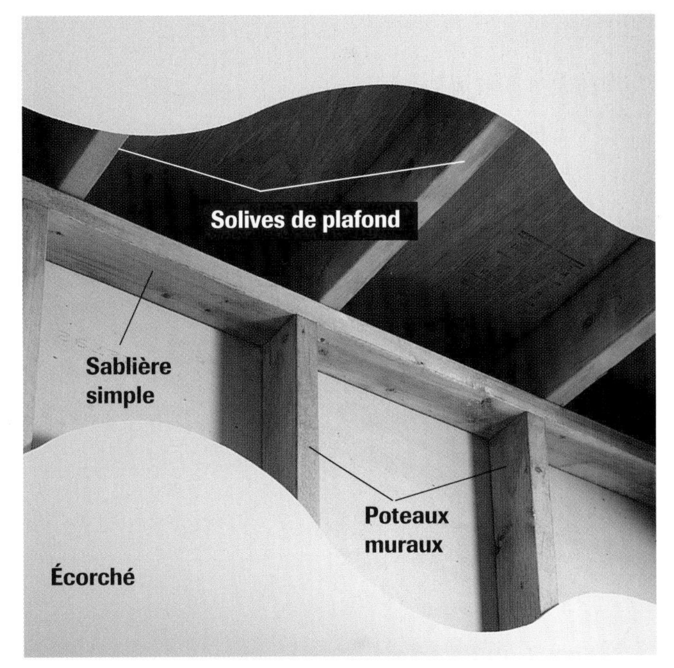

Les cloisons ou murs de séparation sont des murs intérieurs qui ne supportent pas le poids de la structure de la maison. Ils sont surmontés d'une sablière simple, peuvent être perpendiculaires aux solives de plancher et de plafond, mais ils ne sont pas dans le même plan vertical que les poutres supports. Tout mur intérieur perpendiculaire aux solives de plancher et de plafond est un mur de séparation.

Projets de base

Lorsque vous planifiez un projet de menuiserie, vous devez faire un choix parmi des dizaines de conceptions et de constructions possibles.

Si vous ne vous croyez pas suffisamment qualifié, pensez à engager des professionnels. Par exemple, si vous devez enlever un long mur portant, il serait peut-être avantageux d'engager un entrepreneur pour installer la lourde sablière temporaire et d'effectuer tous les autres travaux vous-même. Si votre projet comprend des transformations du système électrique ou de la plomberie, vous envisagerez peut-être aussi de confier ces travaux à des professionnels qualifiés.

Divisez votre projet en étapes ; par exemple : description et planification, demande de permis (le cas échéant), achats, préparation (page suivante), construction et inspection. En procédant par petites étapes, vous travaillerez plus efficacement et vous pourrez diviser des projets importants en une série de tâches quotidiennes, plus aisées.

Si votre projet exige un permis de l'inspecteur local (page 6), ne commencez pas les travaux avant qu'il n'ait approuvé vos plans et émis le permis. Si votre projet requiert des travaux de plomberie ou d'électricité, vous devrez peut-être obtenir d'autres permis. Il sera plus facile de faire vos achats une fois que vous aurez obtenu tous les permis. Dressez la liste détaillée de vos besoins et effectuez tous les achats avant de commencer les travaux.

Pendant les travaux de la phase de préparation, essayez autant que possible de réutiliser les matériaux ou de les recycler. Les portes et les fenêtres, les moulures, la moquette et les attaches en bon état peuvent être utilisés ailleurs ou vendus dans des cours de récupération. Les centres de recyclage acceptent la plupart des métaux bruts. Les plaques de plâtre et les produits isolants valent rarement la peine d'être récupérés.

Préparation de la zone de travail

La plupart des travaux de menuiserie font appel aux mêmes techniques de préparation et se déroulent dans le même ordre. Commencez par inspecter la zone de travail afin de déceler les parties mécaniques dissimulées, de couper le courant et de dévier le câblage électrique, les tuyauteries et autres lignes de service. Si ces tâches vous paraissent compliquées, faites appel à un professionnel.

Vérifiez toutes les prises de courant avant de démolir un mur, un plafond ou un plancher. À l'aide d'une pelle, débarrassez la zone de travail de tous les débris provenant de la démolition. Débarrassez-vous des débris dès qu'ils forment un gros tas, et ce, tout au long des travaux de construction. Si les travaux sont importants, envisagez de louer une benne.

Le matériel dont vous avez besoin

Outils : tournevis divers, balai, récipients à déchets, vérificateur de circuit au néon, détecteur de montant électronique, levier plat, pince multiprise.

Matériel : toiles de protection, ruban-cache, papier de construction, contreplaqué.

Deuxième étage

Premier étage

Mur des travaux

Vue en coupe du soubassement

Avant de couper dans les murs, vérifiez où se trouvent les conduites de plomberie dissimulées, les gaines de ventilation et les tuyaux de gaz. Pour déterminer l'emplacement des tuyaux et des gaines, examinez les endroits situés juste en dessous et au-dessus du mur des travaux. Dans la plupart des cas, les tuyaux, les conduites de service et les gaines traversent les planchers en descendant verticalement à travers les murs. Les plans originaux de votre maison indiquent normalement où se trouvent les conduites de service.

Conseils de préparation

Déconnectez le câblage électrique avant de couper dans les murs. Suivez les câbles jusqu'à ce que vous trouviez une prise située hors de la zone à découper, coupez le courant et déconnectez les fils qui pénètrent dans la zone à découper. Rétablissez le courant et testez le circuit à l'aide d'un vérificateur de circuit avant de commencer à couper dans les murs.

Pelletez les débris et débarrassez-vous-en à travers une fenêtre bien placée, déversez-les dans une brouette. Vous accélérerez ainsi le déroulement des travaux de démolition. Recouvrez de panneaux de contreplaqué les buissons et les fleurs se trouvant à proximité des portes et des fenêtres ouvertes. Couvrez la pelouse avoisinante à l'aide de feuilles de plastique ou de toile, pour faciliter le nettoyage subséquent.

Construction d'un mur de séparation : aperçu étape par étape

Les illustrations vous montrent comment construire un mur de séparation, une des principales tâches de menuiserie qu'il faut pouvoir accomplir. Les murs de séparation divisent les pièces mais ne supportent aucune charge importante de la structure. On les construit en commençant par clouer la sablière au plafond et la semelle au plancher. On installe ensuite, entre les deux, des poteaux, ou montants, tous les 16 à 24 po, selon les spécifications du code du bâtiment local.

Pour connaître la quantité de bois d'œuvre et les panneaux nécessaires à la construction d'un mur, calculez la surface des panneaux et les longueurs des montants, de la sablière et de la semelle, des étrésillons du plafond et de l'encadrement de la porte, s'il y en a une.

Lorsque vous ajoutez un mur dans une pièce de séjour, pendez des feuilles de plastique autour de la zone de travail pour contenir la poussière et les débris.

1 Installez des étrésillons dans le plafond, si nécessaire, et installez ensuite la sablière. Consultez les pages 120 et 121 si vous voulez insonoriser les murs.

2 Installez la semelle. À l'aide d'un fil à plomb, placez la semelle juste en dessous de la sablière. Répétez cette opération aux deux extrémités de la sablière pour vous assurer que la semelle est au bon endroit.

3 Installez les poteaux muraux. Fixez-les à l'aide d'attaches métalliques ou en clouant en biais leurs extrémités.

4 Construisez un encadrement si vous comptez installer une porte montée. Laissez, de chaque côté de la porte, 1/2 po de plus que sa largeur.

5 Percez des trous et faites passer les conduites d'eau ou les fils qui doivent traverser la charpente du mur. Protégez les parties mécaniques contre les dommages occasionnés par les clous et les vis, en les couvrant de plaques métalliques.

6 Installez des plaques de plâtre, qui auront 1/2 po d'épaisseur dans la plupart des applications. Achevez la finition des plaques de plâtre.

7 Installez la porte montée. Les portes montées sont fournies complètes, montants compris.

8 Coupez et installez le chambranle de la porte. Teignez ou peignez les moulures, selon le cas.

Construction d'un mur de séparation

Les techniques utilisées pour construire les murs de séparation sont simples, puisque ces murs ne sont pas des murs portants. Il peut néanmoins s'avérer difficile de localiser les solives cachées par des plafonds et des planchers finis. Si vous n'avez pas accès à des endroits non finis au-dessus et en dessous de la zone de travail, servez-vous d'un détecteur de poteaux pour trouver les solives et déterminer leur direction.

On construit habituellement les murs de séparation intérieurs en bois scié de 2 po x 4 po, mais dans certains cas, il vaut mieux utiliser du bois scié de 2 po x 6 po (photo de gauche). Faites inspecter les travaux par un inspecteur en bâtiments avant d'effectuer la finition des murs (pages 132 à 139). Cet inspecteur pourra vérifier si les modifications apportées à la plomberie et au câblage électrique ont été bien effectuées.

Utilisez du bois de 2 po x 6 po pour construire l'ossature des murs qui doivent contenir des tuyaux de grand diamètre. Aux endroits où vous devez couper la sablière et la semelle pour laisser passer des conduites, joignez les parties de l'ossature à l'aide de bandes de métal. Pour améliorer l'insonorisation, vous pouvez remplir les murs de fibre de verre isolante.

Le matériel dont vous avez besoin

Outils : perceuse et mèche hélicoïdale, cordeau traceur, mètre à ruban, équerre combinée, crayon, équerre de charpentier, échelle, fil à plomb, marteau.

Matériel : bois d'ossature, clous 10d.

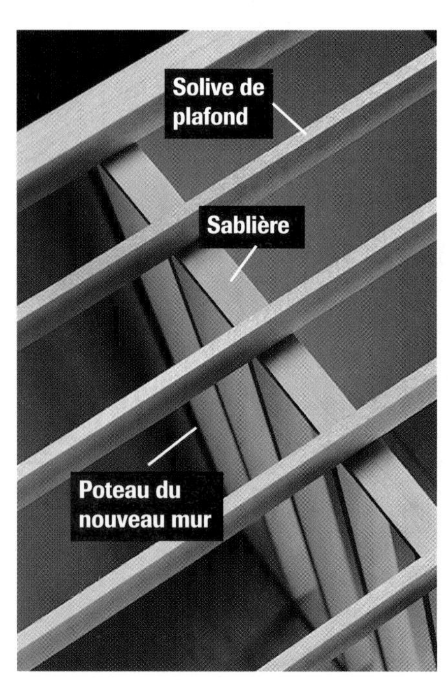

Nouveau mur perpendiculaire aux solives : fixez la sablière et la semelle directement au plafond et au plancher à l'aide de clous 10d.

Nouveau mur parallèle aux solives, mais dans un autre plan vertical : à l'aide de clous 10d, installez des étrésillons de 2 po x 4 po entre les solives, tous les 2 pi. Les faces inférieures des étrésillons et des solives doivent se trouver dans le même plan. Fixez la sablière et la semelle au moyen de clous 10d plantés dans les étrésillons.

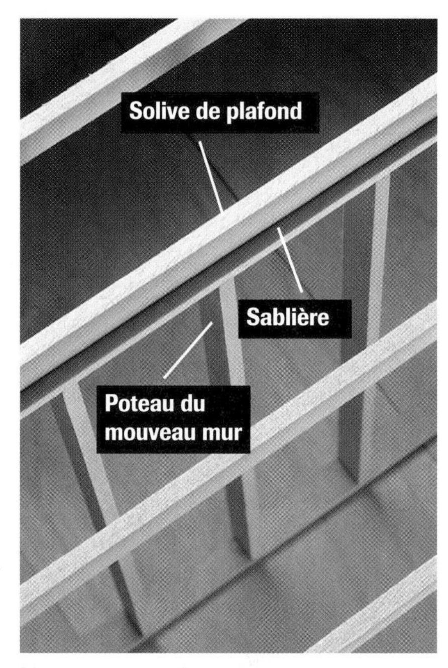

Nouveau mur aligné aux solives : à l'aide de clous 10d, fixez la sablière à la solive de plafond, et la semelle au plancher.

Comment construire un mur de séparation

1 Indiquez l'emplacement du nouveau mur sur le plafond en traçant, à l'aide du cordeau traceur, deux lignes qui délimiteront les bords de la nouvelle sablière. Déterminez l'emplacement de la première solive de plafond – ou étrésillon – en forant dans le plafond entre les lignes ; puis, en mesurant les distances, déterminez l'emplacement des autres solives.

2 Coupez deux morceaux de 2 po x 4 po à la longueur voulue, pour constituer la sablière et la semelle. Placez les morceaux côte à côte et, à l'aide d'une équerre combinée, indiquez l'emplacement des poteaux espacés de 16 po.

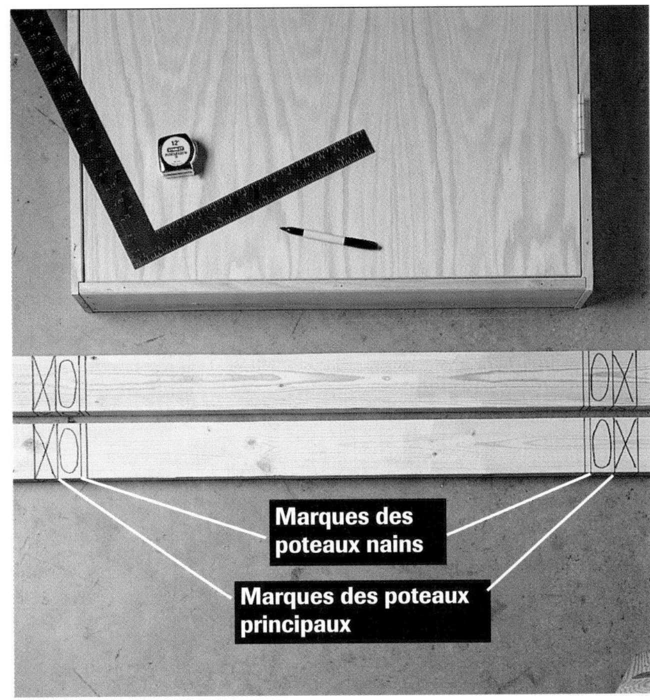

3 Indiquez, sur la sablière et sur la semelle, l'emplacement des poteaux de la porte, au moyen de X pour les poteaux principaux et de O pour les poteaux nains. L'ouverture brute mesurée entre les faces intérieures des poteaux nains doit être de 1 po supérieure à la largeur de la porte, afin de permettre l'ajustement de celle-ci lors de son installation.

4 Placez la sablière contre le plafond, entre les lignes tracées à la craie, et fixez-la, provisoirement, à l'aide de clous 10d, les marques des poteaux sur la surface visible. Au moyen d'une équerre de charpentier, assurez-vous que la sablière est perpendiculaire aux murs adjacents. Fixez ensuite définitivement la sablière au moyen de clous 10d.

Suite à la page suivante

5 Déterminez l'emplacement de la semelle en laissant pendre un fil à plomb du bord de la sablière, près d'un mur adjacent, jusqu'à ce qu'il touche presque le plancher. Lorsqu'il s'est immobilisé, marquez son emplacement sur le plancher. Répétez l'opération à l'autre extrémité de la sablière et marquez au cordeau traceur, la ligne qui joint les deux marques faites sur le plancher et qui établit l'emplacement de la semelle.

6 Enlevez la partie de la semelle correspondant à l'endroit de la porte et placez les morceaux de la semelle le long de la ligne tracée sur le plancher. Sur les planchers de bois, fixez les parties de la semelle au moyen de clous 10d, plantés dans les solives de plancher.

Option : sur les planchers de béton, fixez la semelle à l'aide d'un marteau cloueur à poudre. Cet outil, que vous pouvez louer dans les centres de location d'outils, utilise une petite charge de poudre pour enfoncer un clou de maçonnerie à travers la semelle, dans le béton. Portez des protège-oreilles lorsque vous utilisez un marteau cloueur à poudre.

7 Déterminez la longueur du premier poteau en mesurant, à l'aide d'un mètre à ruban, la distance entre la semelle et la sablière, à l'emplacement du premier poteau. Ajoutez $^1/_8$ po pour assurer un bon serrage et coupez un poteau de cette longueur.

8 Placez le poteau entre la sablière et la semelle, de manière qu'il couvre les marques de poteaux tracées sur ces deux éléments.

9 Fixez le poteau en plantant des clous en biais dans le côté du poteau et la sablière, et ensuite dans le côté du poteau et la semelle. Mesurez, coupez et installez les poteaux restants, l'un après l'autre.

Option : fixez les poteaux à la sablière et à la semelle au moyen d'attaches métalliques et de clous 4d.

10 Installez l'ouverture brute de la porte (pages 116 à 119).

11 Installez des étrésillons de 2 po x 4 po entre les poteaux, à 4 pi du plancher. Terminez les travaux de câblage et d'installation des conduites de service et faites ensuite inspecter votre travail. Installez les plaques de plâtre et les moulures murales (pages 132 à 139).

Encadrement de porte intérieure

Le bois d'œuvre utilisé pour encadrer une porte doit être rectiligne et sec, afin que la porte s'ajuste uniformément dans son ouverture brute et ne risque pas de frotter plus tard. Commencez par acheter la porte et les matériaux nécessaires. Choisissez le type de porte en fonction de considérations pratiques et esthétiques. Les portes montées sont de loin les plus répandues. La plupart d'entre elles ont 32 po de large, mais elles peuvent avoir d'autres dimensions. On utilise souvent des portes à glissière, ou *coulissantes* et des portes pliantes pour les placards. Les portes escamotables, qui glissent dans une enveloppe aménagée dans le mur, sont pratiques dans les couloirs étroits et autres endroits exigus.

Les techniques d'encadrement utilisées pour les différents types de portes se distinguent par des petits changements. L'installation des portes est décrite aux pages 148 et 149. Cette section-ci se limite aux instructions concernant l'encadrement des portes montées, des portes coulissantes ou pliantes, et des portes escamotables (pages 117 à 119). Installez la porte après avoir installé les plaques de plâtre.

Le matériel dont vous avez besoin

Outils : mètre à ruban, équerre de charpentier, marteau, scie manuelle.

Matériel : bois d'œuvre 2 po x 4 po, porte montée, ensemble de montage et portes coulissantes ou pliantes, ou porte escamotable, attaches métalliques, clous 8d ordinaires.

Comment encadrer l'ouverture d'une porte montée

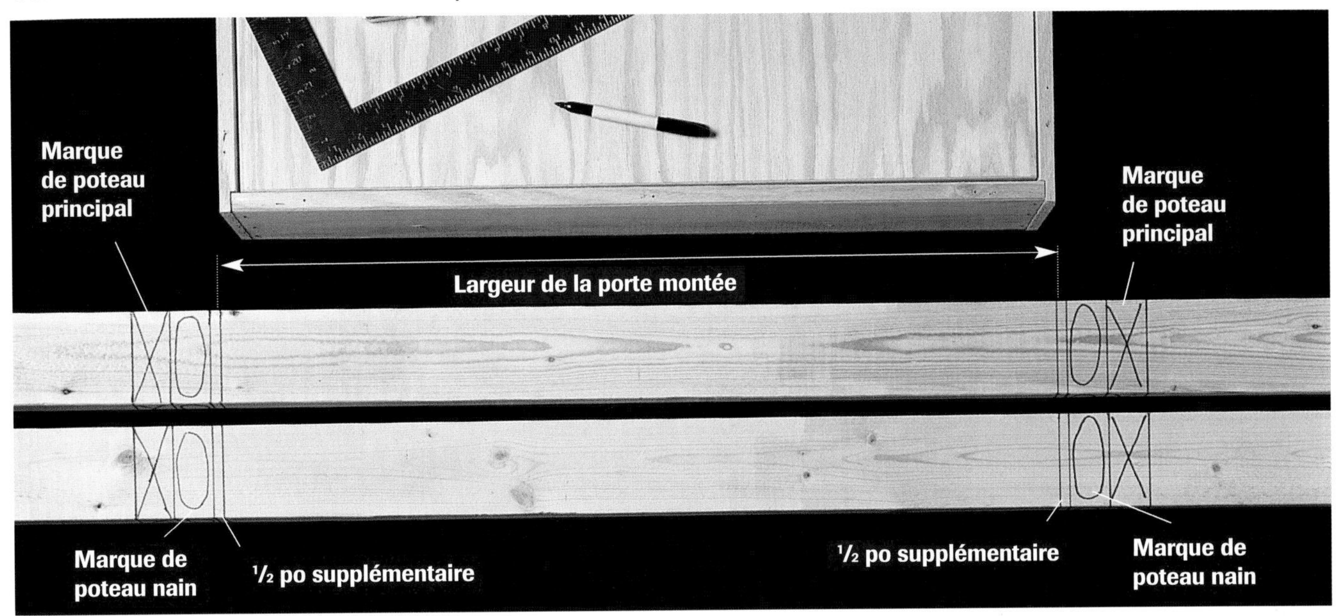

1 Indiquez la largeur de l'ouverture brute sur le linteau et la semelle, en suivant les instructions de la page 113, étape 3. Si cela est déjà fait, passez à l'étape 2.

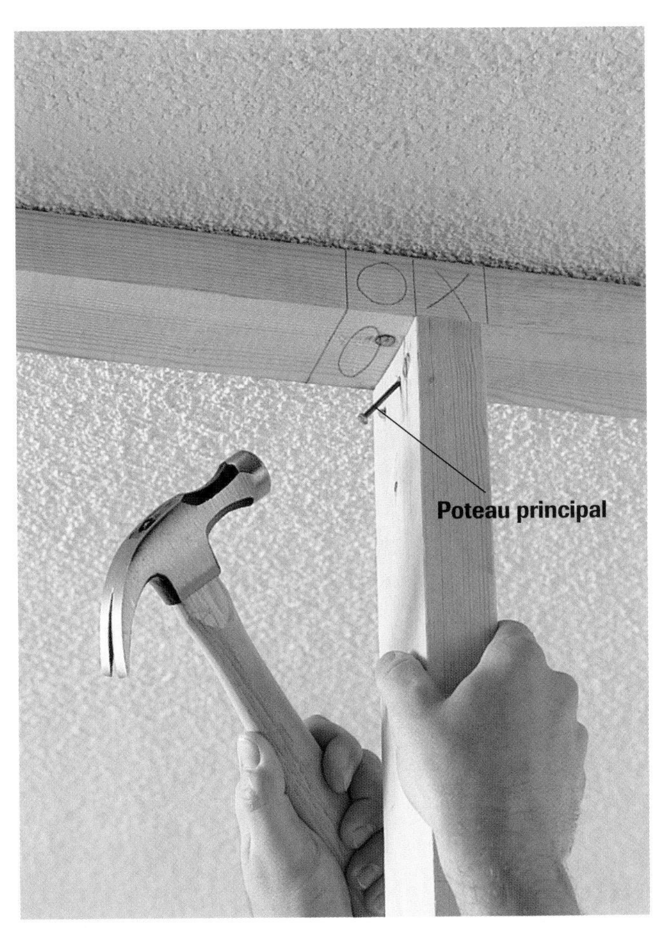

2 Mesurez les poteaux principaux, coupez-les et installez-les aux endroits indiqués (X). Fixez-les en enfonçant des clous en biais, suivant un angle de 45°, à travers le poteau principal et le linteau. Ou fixez les poteaux au moyen d'attaches métalliques.

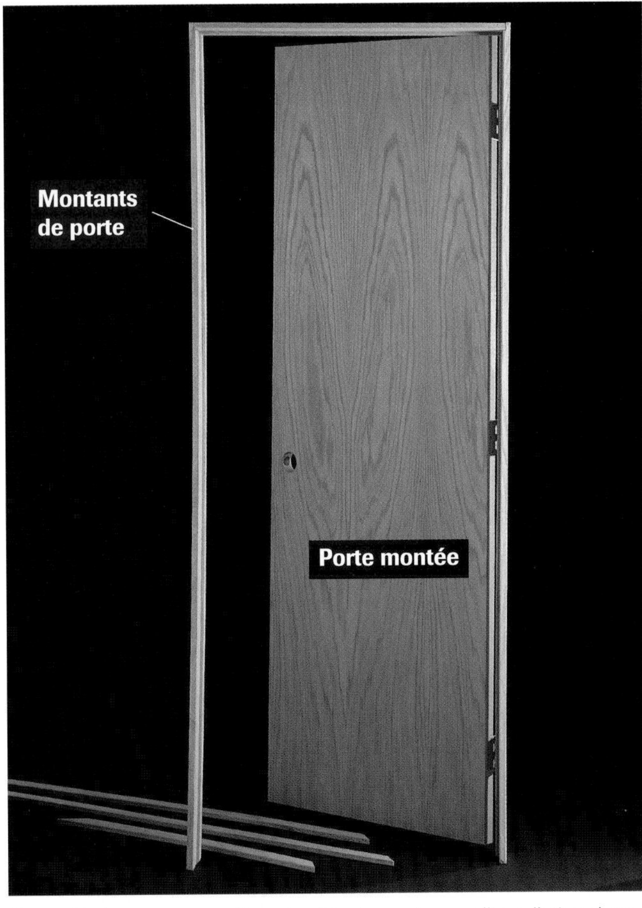

Conseil : les portes montées simplifient grandement l'installation dans les ouvertures standard. Elles sont munies de renforts temporaires qui soutiennent les montants pendant le transport. On enlève ces renforts avant l'installation (pages 148 et 149).

Suite à la page suivante

Comment encadrer l'ouverture d'une porte montée (suite)

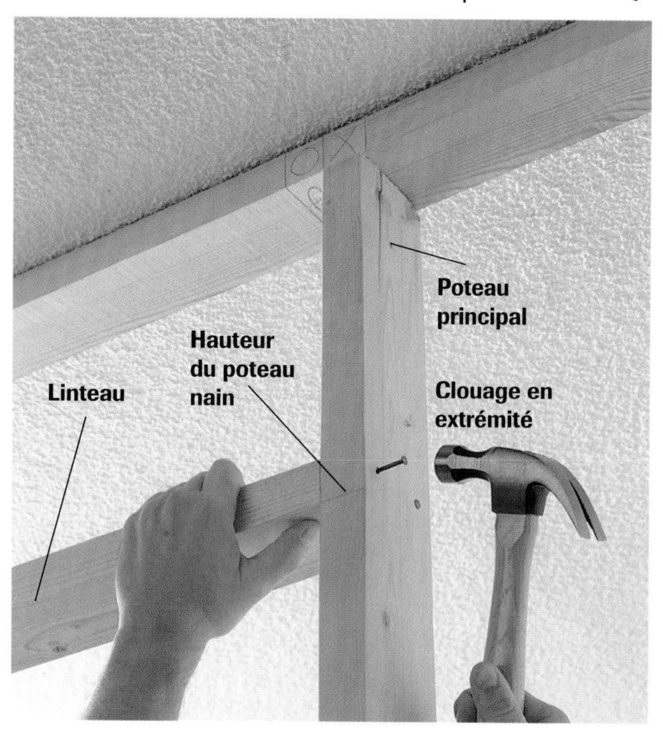

3 Marquez la hauteur du poteau nain sur chaque poteau principal. La hauteur d'un poteau nain de porte standard est de 83 ½ po, c'est-à-dire ½ po de plus que la hauteur de la porte. Clouez le linteau en extrémité, juste au-dessus de la marque du poteau nain.

4 Installez un poteau d'allège au-dessus du linteau, à mi-chemin entre les poteaux principaux. Clouez le poteau d'allège en biais à la sablière, et en extrémité au linteau.

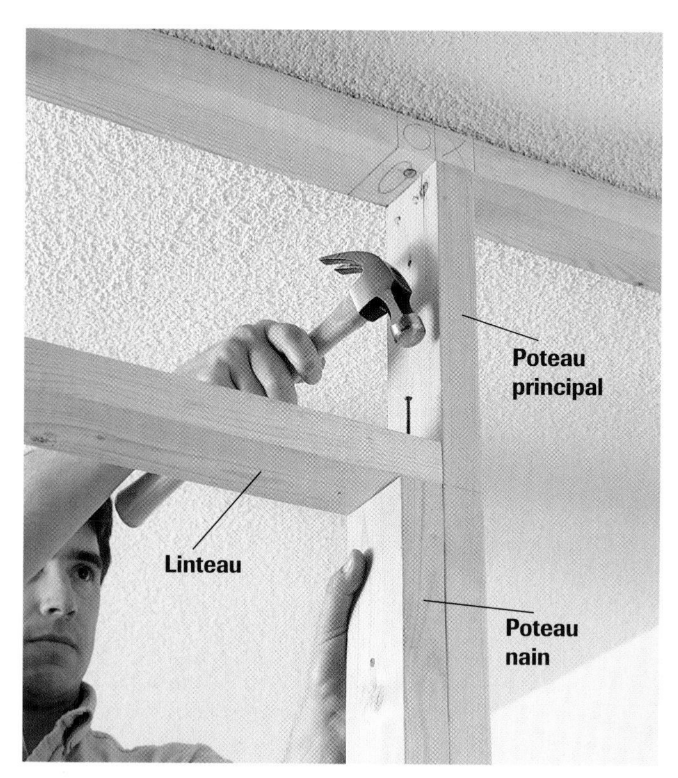

5 Placez chaque poteau nain contre la face intérieure d'un poteau principal et clouez-le en extrémité, à travers le linteau.

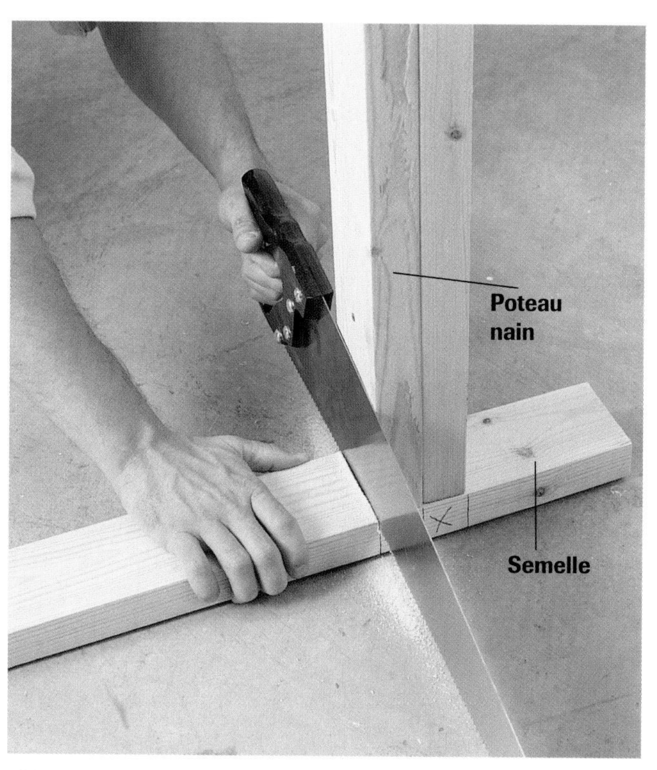

6 Si la semelle est toujours en place, sciez-la le long des faces intérieures des poteaux nains et retirez la partie sciée.

OPTION : encadrement des portes coulissantes et pliantes

Utilisez la même technique de base pour encadrer une porte coulissante, une porte double pliante, une porte escamotable ou une porte montée (page 148). Les différents types de portes exigent des encadrements de largeur différente. Il se peut que l'ouverture doive être 2 ou 3 fois plus large que l'ouverture exigée pour une porte montée standard. Achetez à l'avance les portes et la quincaillerie, lisez les instructions du fabricant du matériel pour connaître les dimensions exactes que doit avoir l'ouverture pour le type de porte que vous avez choisie.

La porte double pliante est conçue en principe pour être installée dans une ouverture finie de 80 po de hauteur. Les portes pliantes en bois ont l'avantage de pouvoir être rabotées si elles doivent entrer dans une ouverture un peu moins haute.

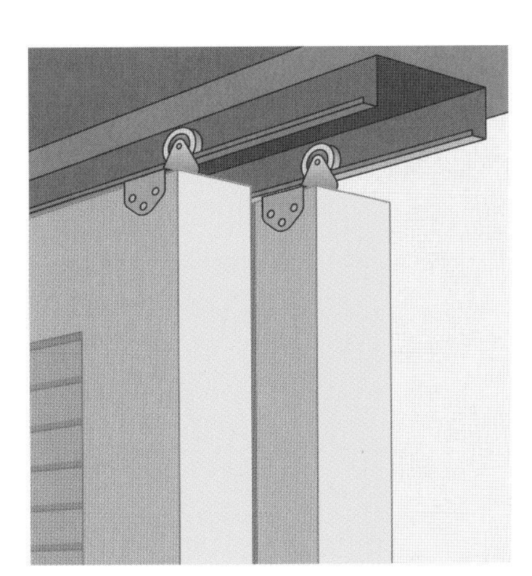

Les ouvertures standard pour les portes coulissantes ont une largeur de 4, 5, 6, ou 8 pi. La largeur finie de l'ouverture doit être inférieure de 1 po à la somme des largeurs des portes, pour que celles-ci chevauchent de 1 po lorsqu'elles sont fermées. Pour les grands placards nécessitant trois portes ou plus, il faut soustraire 1 po de plus par porte supplémentaire. Suivez les instructions d'installation du quincaillier pour que l'ouverture ait la hauteur voulue.

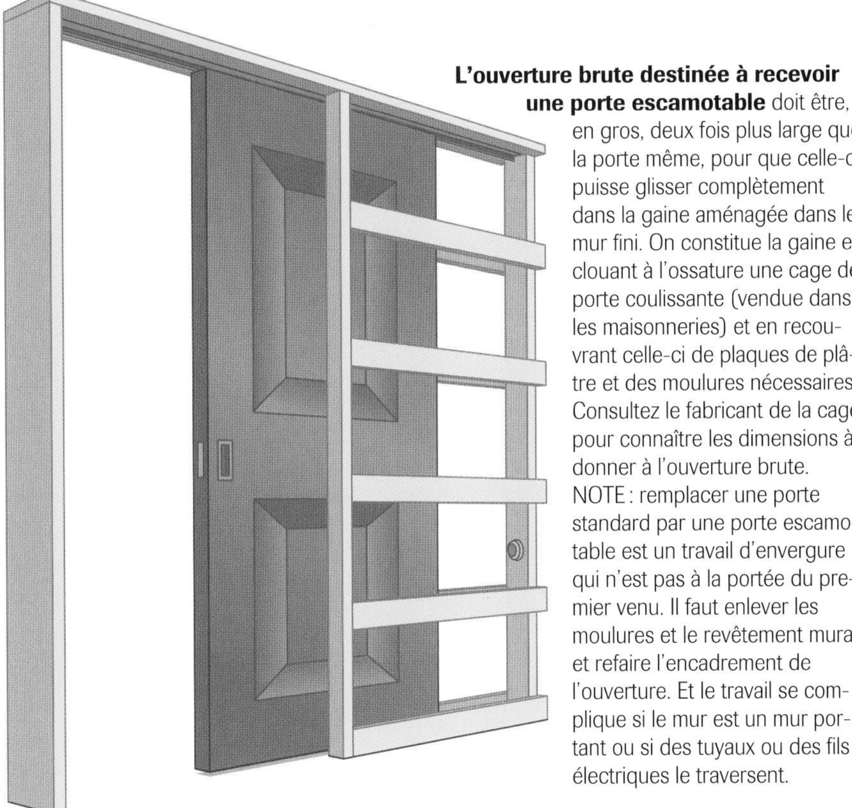

L'ouverture brute destinée à recevoir une porte escamotable doit être, en gros, deux fois plus large que la porte même, pour que celle-ci puisse glisser complètement dans la gaine aménagée dans le mur fini. On constitue la gaine en clouant à l'ossature une cage de porte coulissante (vendue dans les maisonneries) et en recouvrant celle-ci de plaques de plâtre et des moulures nécessaires. Consultez le fabricant de la cage pour connaître les dimensions à donner à l'ouverture brute. NOTE : remplacer une porte standard par une porte escamotable est un travail d'envergure qui n'est pas à la portée du premier venu. Il faut enlever les moulures et le revêtement mural, et refaire l'encadrement de l'ouverture. Et le travail se complique si le mur est un mur portant ou si des tuyaux ou des fils électriques le traversent.

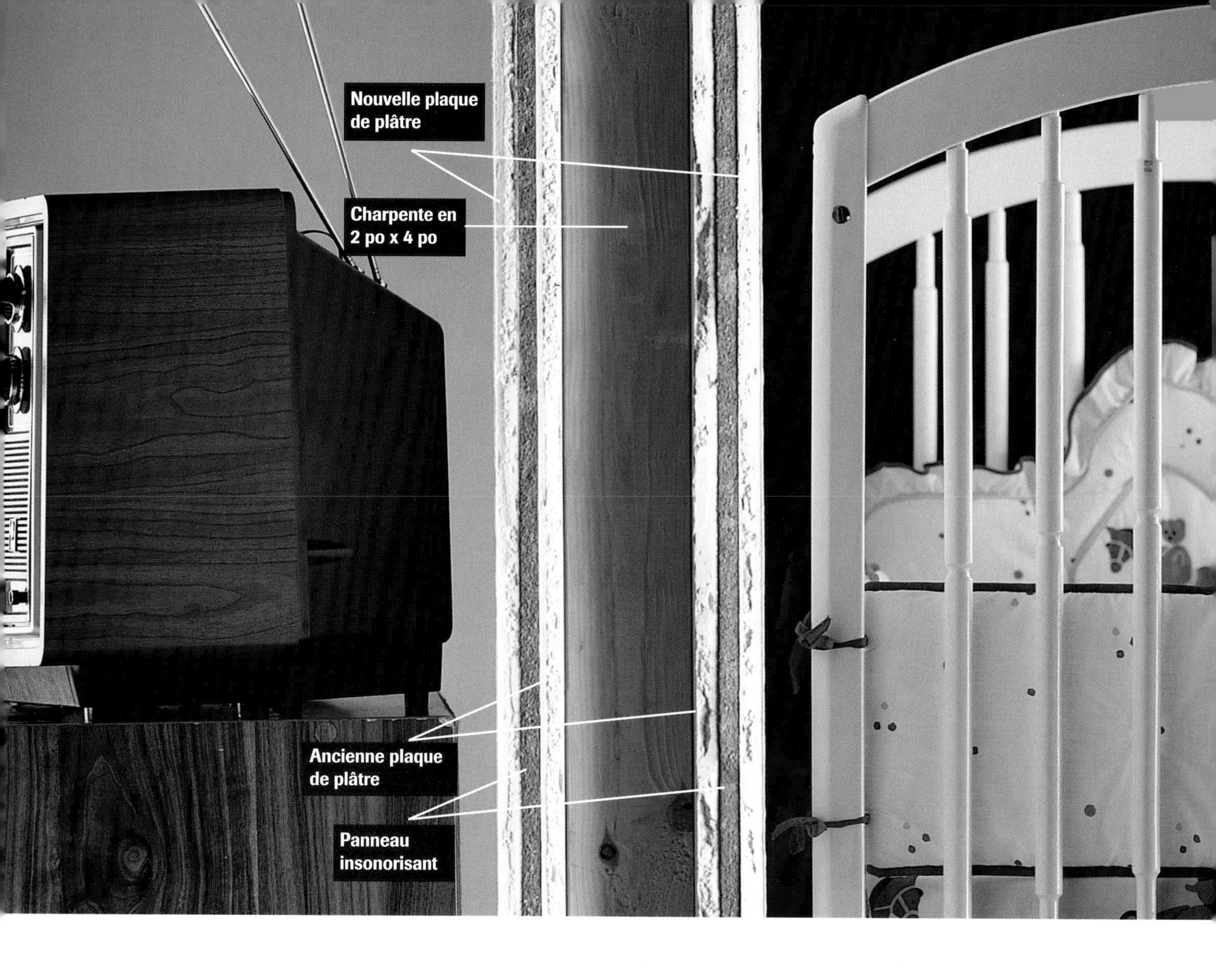

Insonorisation des murs et des plafonds

La période de la construction d'une maison est incontestablement le meilleur moment pour insonoriser les murs et les plafonds, car la charpente est accessible et on peut installer les matériaux insonorisants dans les murs. Vous pouvez néanmoins insonoriser les murs existants à l'aide de panneaux insonorisants ou d'une épaisseur supplémentaire de plaque de plâtre fixée à des profilés résistants, en acier. Chacune de ces méthodes diminuera la transmission du son par les murs.

On caractérise la transmission du son par l'indice de transmission acoustique («STC», de l'anglais Sound Transmission Class). Plus l'indice est élevé, plus l'endroit est insonorisé. Par exemple, si l'indice d'un mur est de 30 à 35 STC, le verbe haut s'entend à travers le mur. À 42 STC, le verbe haut se réduit à un murmure, et à 50 STC, on ne l'entend plus. Les méthodes de construction standard donnent un indice de 32 STC, mais des murs et des plafonds insonorisés peuvent augmenter cet indice jusqu'à 48 STC.

Conseil: lorsque vous construisez de nouveaux murs, réduisez la transmission du son en calfeutrant les joints de plancher et de plafond.

Le matériel dont vous avez besoin

Matériel pour de nouveaux murs: bois d'œuvre de 2 po x 6 po pour les sablières et les semelles, matelas isolant en fibre de verre.

Outils et matériel pour les murs existants: panneaux insonorisants, perceuse, mèches hélicoïdales, profilés résistants en acier, plaques de plâtre de 5/8 po, adhésif de construction, pâte à calfeutrer, pistolet à calfeutrer, vis à plaques de plâtre de 1 1/2 po et de 1 po.

Construction de planchers et de plafonds standard et insonorisés

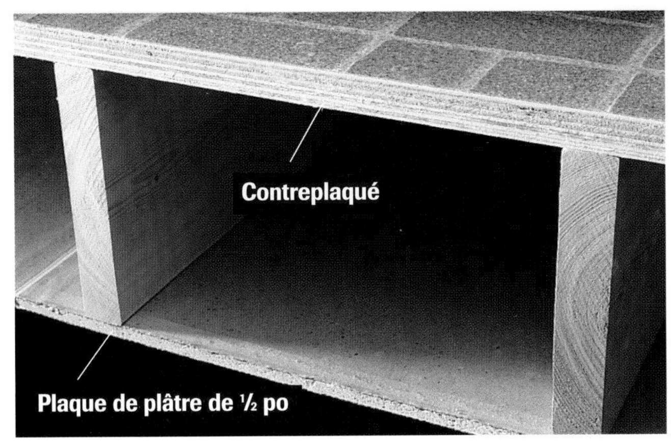

La construction standard, qui comprend un sous-plancher en bois et le plafond inférieur en plaques de plâtre de ½ po, assure un indice de transmission acoustique de 32 STC.

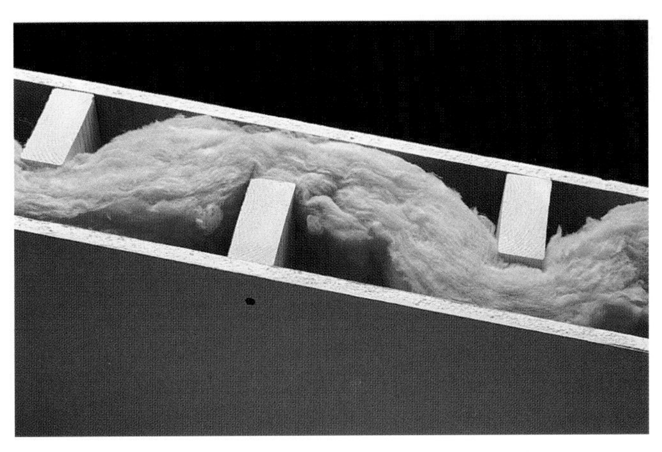

La construction insonorisante comprend un revêtement de plancher, constitué d'une thibaude et d'une moquette, d'isolant en fibre de verre et de profilés résistants en acier vissés en dessous des solives, et un plafond inférieur en plaques de plâtre de ⅝ po. L'indice de transmission acoustique de ce système est de 48 STC.

Comment insonoriser les nouveaux murs

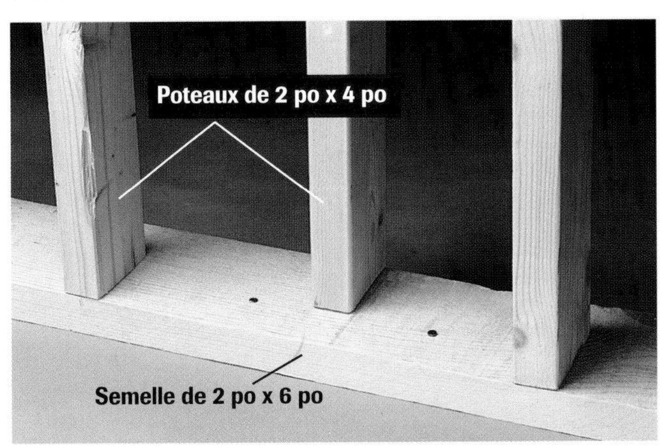

1 Construisez les murs avec des sablières et des semelles en bois d'œuvre de 2 po x 6 po. Placez des poteaux de 2 po x 4 po tous les 12 po, en les alignant alternativement sur chaque bord de la sablière et de la semelle.

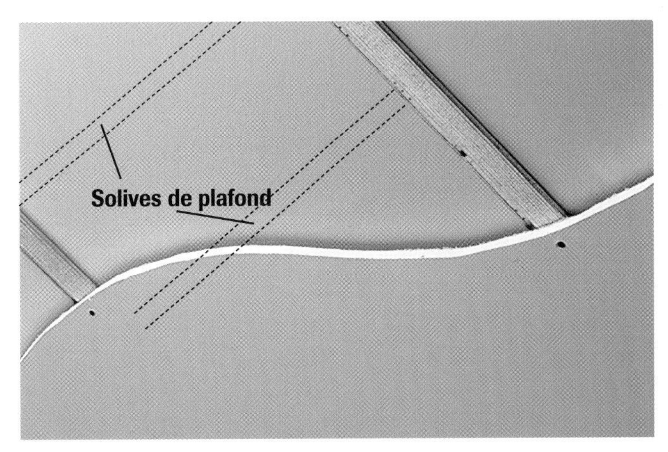

2 Insérez entre les poteaux de 2 po x 4 po de la fibre de verre en matelas de 3½ po, sans revêtement. Un tel mur, recouvert de plaques de plâtre de ½ po, aura un indice de transmission acoustique de 48 STC.

Comment insonoriser les murs et les plafonds existants

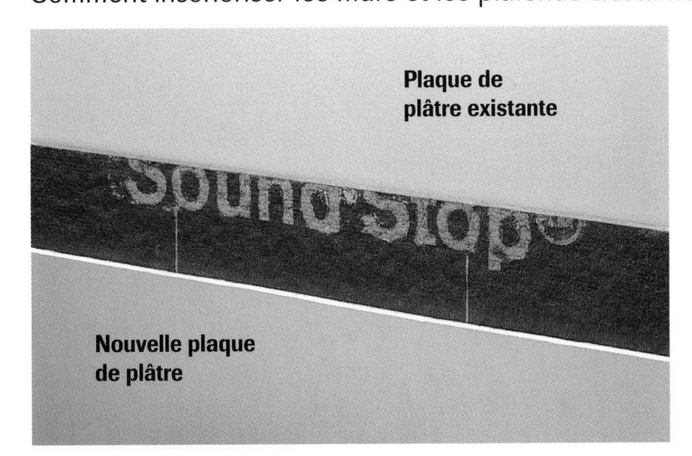

Installez un panneau insonorisant de ½ po sur une épaisseur de plaque de plâtre existante, en utilisant des vis à plaques de plâtre de 1½ po. À l'aide d'adhésif de construction, collez une plaque de plâtre de ½ po sur le panneau insonorisant. Ce système aura un indice de transmission acoustique de 46 STC.

Vissez des profilés résistants, en acier, sur le plafond ou sur le mur, en les espaçant de 24 po entre centres et en les plaçant perpendiculairement à la charpente existante. À l'aide de vis à plaques de plâtre de 1 po, fixez des plaques de plâtre de ⅝ po aux profilés. Ce système aura un indice de transmission acoustique de 44 STC.

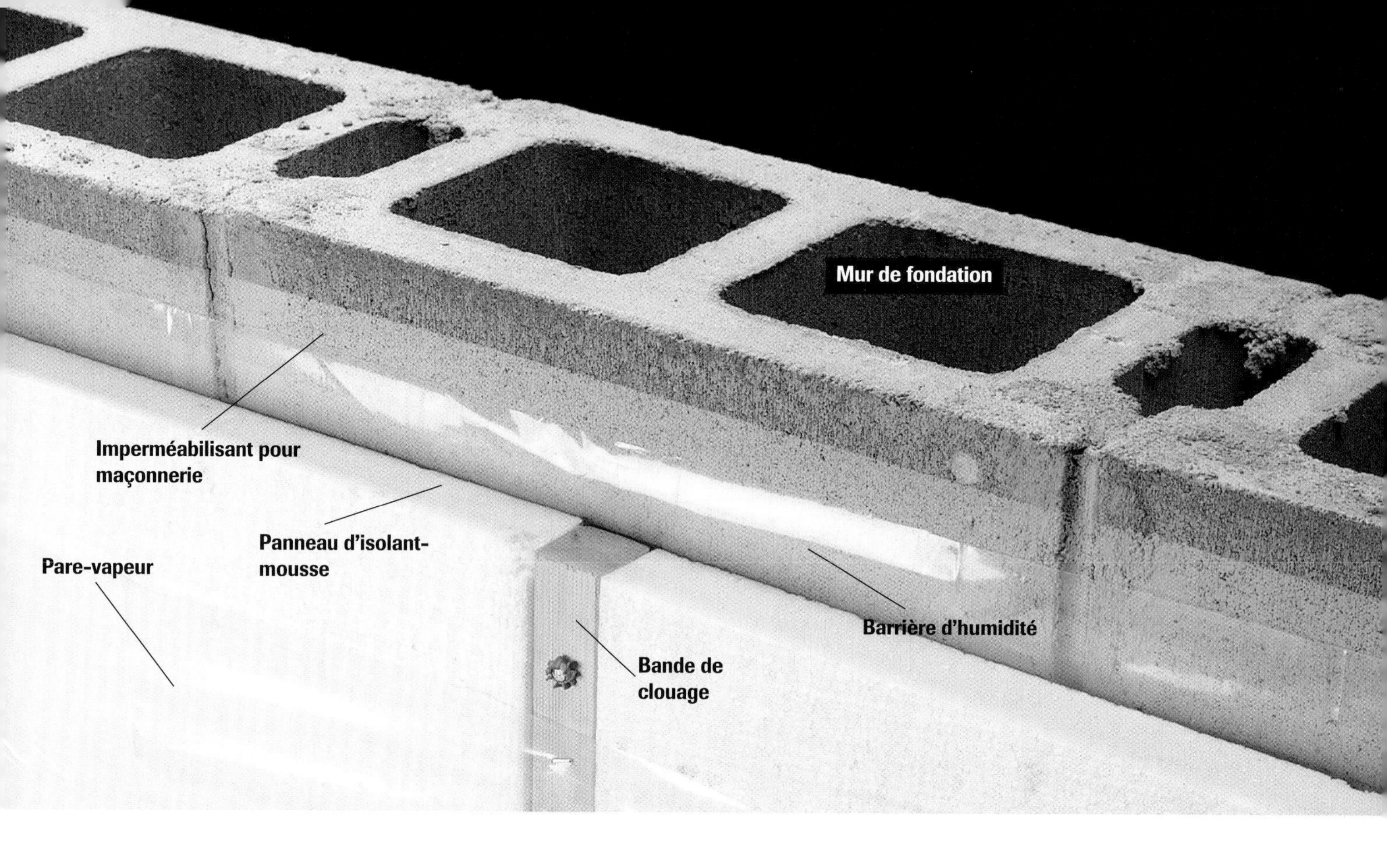

Couvrir les murs de fondation

Il existe deux méthodes courantes de couvrir les murs de fondation. La première et la plus populaire parce qu'elle permet de gagner de l'espace, consiste à fixer des bandes de clouage de 2 po x 2 po au mur de maçonnerie. On crée ainsi, entre les bandes, un espace d'une profondeur de 1½ po qui peut recevoir l'isolant et les conduites de service, et qui peut servir également d'ossature aux plaques de plâtre. L'autre méthode consiste à construire un mur complet à l'aide de poteaux de 2 po x 4 po et de l'installer contre le mur de fondation. On crée ainsi un espace de 3½ po de profondeur pour les conduites et l'isolant, et une surface murale plane et verticale, quel que soit l'état du mur de fondation.

Déterminez la méthode qui convient le mieux à votre cas en examinant les murs de fondation de votre maison. S'ils sont relativement verticaux et plans, installez des bandes de clouage. S'ils sont ondulés ou s'ils ne sont pas verticaux, il vous sera sans doute plus facile d'appliquer la méthode du mur de poteaux. Avant de vous décider, vérifiez auprès des autorités locales si vous ne devez pas prévoir une épaisseur minimale d'isolant et utiliser certaines méthodes d'installation des tuyauteries de service le long des murs de fondation.

Un officiel local vous renseignera également sur la méthode préconisée dans votre région pour protéger les murs de fondation contre l'humidité. On utilise couramment des barrières d'humidité, composée d'un imperméabilisant pour maçonnerie qui s'applique au pinceau, et de feuilles de plastique installées entre le mur de maçonnerie et l'ossature de bois. Le code du bâtiment local vous indiquera également si vous devez installer un pare-vapeur entre l'ossature et les plaques de plâtre.

N'achetez le matériel qu'après avoir décidé de la manière dont vous allez fixer l'ossature de bois aux murs de fondation et au plancher. Les trois méthodes les plus courantes sont décrites aux pages 123 et 124. Si vous devez couvrir une grande surface murale, envisagez la location ou l'achat d'un marteau cloueur à poudre pour effectuer le travail.

Le matériel dont vous avez besoin

Outils : pistolet à calfeutrer, truelle, rouleau à peinture, scie circulaire, perceuse, marteau cloueur à poudre, fil à plomb.

Matériel : isolant à revêtement de papier, pâte à calfeutrer à la silicone, ciment hydraulique, imperméabilisant pour maçonnerie, bois d'œuvre de 2 po x 2 po et de 2 po x 4 po, vis à plaques de plâtre de 2½ po, adhésif de construction, attaches pour béton, panneaux d'isolant-mousse.

Comment sceller et préparer des murs de maçonnerie

Isolez les cavités du pourtour, entre les solives (au-dessus des murs de fondation) au moyen de coussins de fibre de verre à revêtement de papier. Veillez à ce que le papier, qui sert de pare-vapeur, soit du côté de la pièce. Appliquez de la pâte à calfeutrer à la silicone dans les joints, entre la lisse d'assise et les murs de fondation (mortaise).

Remplissez les petites fissures de ciment hydraulique ou de pâte à calfeutrer la maçonnerie et lissez l'excédent avec une truelle. Les autorités vous indiqueront s'il est obligatoire d'installer une barrière d'humidité ou d'appliquer un imperméabilisant de maçonnerie dans votre région. Appliquez l'imperméabilisant en suivant les instructions du fabricant et installez les feuilles de plastique en respectant les exigences du code du bâtiment.

Choix du mode de fixation du bois à la maçonnerie

Les clous de maçonnerie constituent la méthode la plus économique d'attacher le bois aux murs en blocs de béton. Enfoncez les clous dans les joints de mortier pour obtenir le meilleur ancrage et éviter de fendre les blocs. Forer des trous pilotes dans les bandes de clouage si les clous risquent de fendre le bois. Il est difficile d'enfoncer des clous de maçonnerie dans les murs de béton coulé.

Les vis de maçonnerie autotaraudeuses tiennent solidement dans les blocs de béton et dans le béton coulé, mais il faut les enfoncer dans des trous forés au préalable. Après avoir placé les morceaux de bois à l'endroit voulu, utilisez une perceuse à percussion pour forer des trous de même diamètre dans le bois que dans le béton et enfoncez les vis dans l'âme des blocs (page 124).

Suite à la page suivante

Choix du mode de fixation du bois à la maçonnerie (suite)

Les marteaux cloueurs à poudre offrent le moyen le plus rapide et le plus facile de fixer l'ossature de bois aux blocs de béton, au béton coulé et à l'acier. Ils utilisent des capsules individuelles de poudre - appelées *charges* – pour propulser un piston qui enfonce un clou en acier dur – appelé *pointe* – à travers le bois et dans la maçonnerie. Les charges ont une couleur codée en fonction de leur puissance, et il existe des pointes de différentes longueurs. NOTE : enfoncez toujours la pointe dans l'âme des blocs de béton, jamais dans les parties évidées.

Les marteaux cloueurs à gâchette, comme celui qui est représenté ici, sont les plus faciles à utiliser, mais il en existe également qu'on percute avec un marteau. Vous pouvez acheter des marteaux cloueurs dans les maisonneries et les quincailleries ou les louer dans les centres de location (dans ce cas, demandez qu'on vous fasse une démonstration). Portez toujours des protège-oreilles et des lunettes de sécurité lorsque vous utilisez ces outils extrêmement bruyants.

Comment installer des bandes clouage sur des murs de maçonnerie

1 Coupez une sablière de 2 po x 2 po couvrant la longueur du mur. Indiquez, tous les 16 po, l'emplacement des bandes de clouage (de manière que l'axe de chaque bande de clouage coïncide avec une marque). À l'aide de vis à plaques de plâtre de 2 1/2 po, fixez la sablière au bas des solives. La face arrière de la sablière doit se trouver dans le même plan vertical que la face avant des blocs de béton.

Note : si les solives sont parallèles au mur, vous devez installer des supports entre la dernière solive et la lisse d'assise pour pouvoir y fixer les plaques de plâtre du plafond. Fabriquez des supports en T à l'aide de courts morceaux de 2 po x 4 po et de 2 po x 2 po. Installez-les de manière que la face inférieure de chaque morceau de 2 po x 4 po soit dans le même plan horizontal que la face inférieure des solives. Fixez la sablière au mur de fondation, la face supérieure de la sablière se trouvant dans le même plan horizontal que la face supérieure des blocs.

2 Installez tout le long du mur une semelle coupée dans du bois d'œuvre de 2 po x 2 po traité sous pression. Appliquez de l'adhésif de construction à l'arrière et en dessous de la semelle et fixez-la au plancher au moyen d'un marteau cloueur. Utilisez un fil à plomb pour marquer sur la semelle les points qui correspondent à l'axe de chaque bande de clouage.

3 Coupez les bandes de clouage en 2 po x 2 po qui doivent s'insérer entre la semelle et la sablière. Appliquez de l'adhésif de construction à l'arrière de chaque bande de clouage et installez chaque bande en faisant coïncider son axe avec les repères marqués sur la sablière et sur la semelle. Clouez chaque bande sur sa longueur, tous les 16 po.

Option : laissez un espace appelé « chasse » pour l'installation des fils ou des tuyaux de service en installant les bandes de clouage par paires, en alignant verticalement les deux éléments de chaque paire et en les espaçant de 2 po. NOTE : consultez les autorités locales pour vous assurer que l'installation des accessoires de plomberie et d'électricité est réglementaire.

4 Remplissez de panneaux d'isolant-mousse les espaces existant entre les bandes de clouage. Découpez les morceaux de panneau pour qu'ils serrent entre les éléments qui les encadrent. Pratiquez, le cas échéant, les découpes nécessaires au passage des éléments mécaniques et couvrez les chasses de plaques métalliques de protection avant de fixer la surface murale. Ajoutez un pare-vapeur en respectant les exigences du code du bâtiment local.

Dissimuler les murs de fondation derrière un colombage

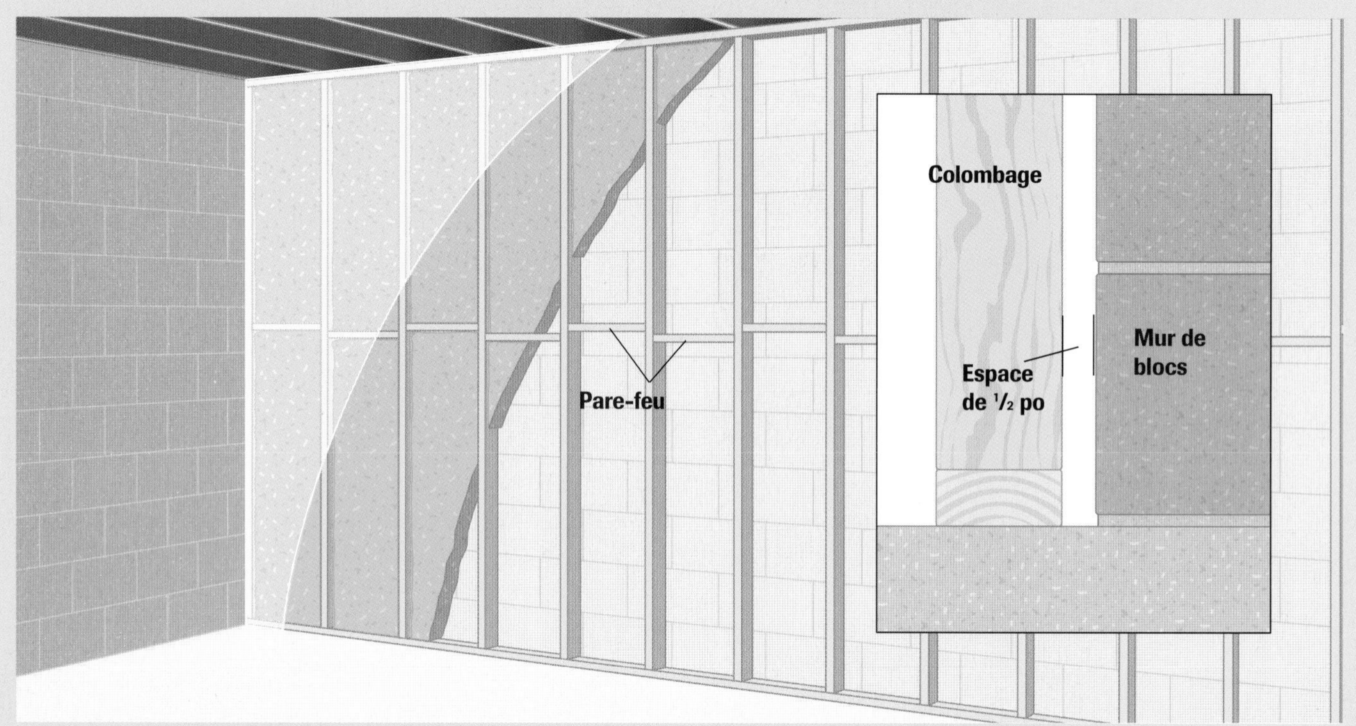

Construisez un mur de séparation standard en bois d'œuvre de 2 po x 4 po, en suivant les instructions données aux pages 110 à 115. Pour les semelles en contact avec le béton, utilisez du bois d'œuvre traité sous pression. Pour éviter les problèmes dus à l'humidité et à l'inégalité de la surface murale, laissez un espace de ½ po entre le colombage et les murs de maçonnerie (voir l'encadré). Installez tous les pare-feu exigés par le code local. Isolez le colombage à l'aide de fibre de verre en matelas et installez un pare-vapeur si le code du bâtiment local l'exige.

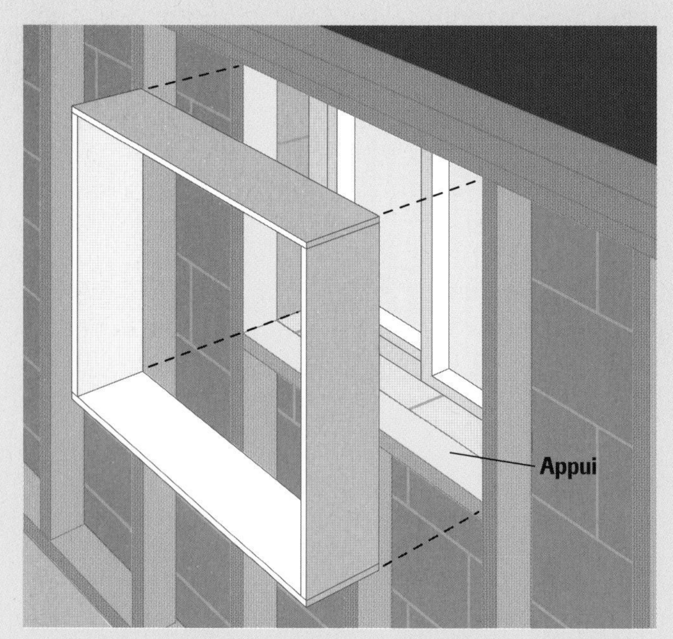

L'encadrement d'une fenêtre doit venir au ras de la maçonnerie. Installez un appui à la base de la fenêtre et ajoutez un linteau si nécessaire. Remplissez de fibre de verre isolante ou d'isolant-mousse rigide l'espace entre l'encadrement et le béton. Installez ensuite les plaques de plâtre de manière qu'elles butent contre l'encadrement.

Construisez un petit colombage pour dissimuler le bas d'un mur de fondation, dans un soubassement par exemple. Installez la planche supérieure au ras de l'arête supérieure du mur de fondation. Achevez le travail en recouvrant le colombage de plaques de plâtre ou d'une autre surface de finition et recouvrez le dessus à l'aide de bois de finition ou de contreplaqué, afin de créer une tablette décorative.

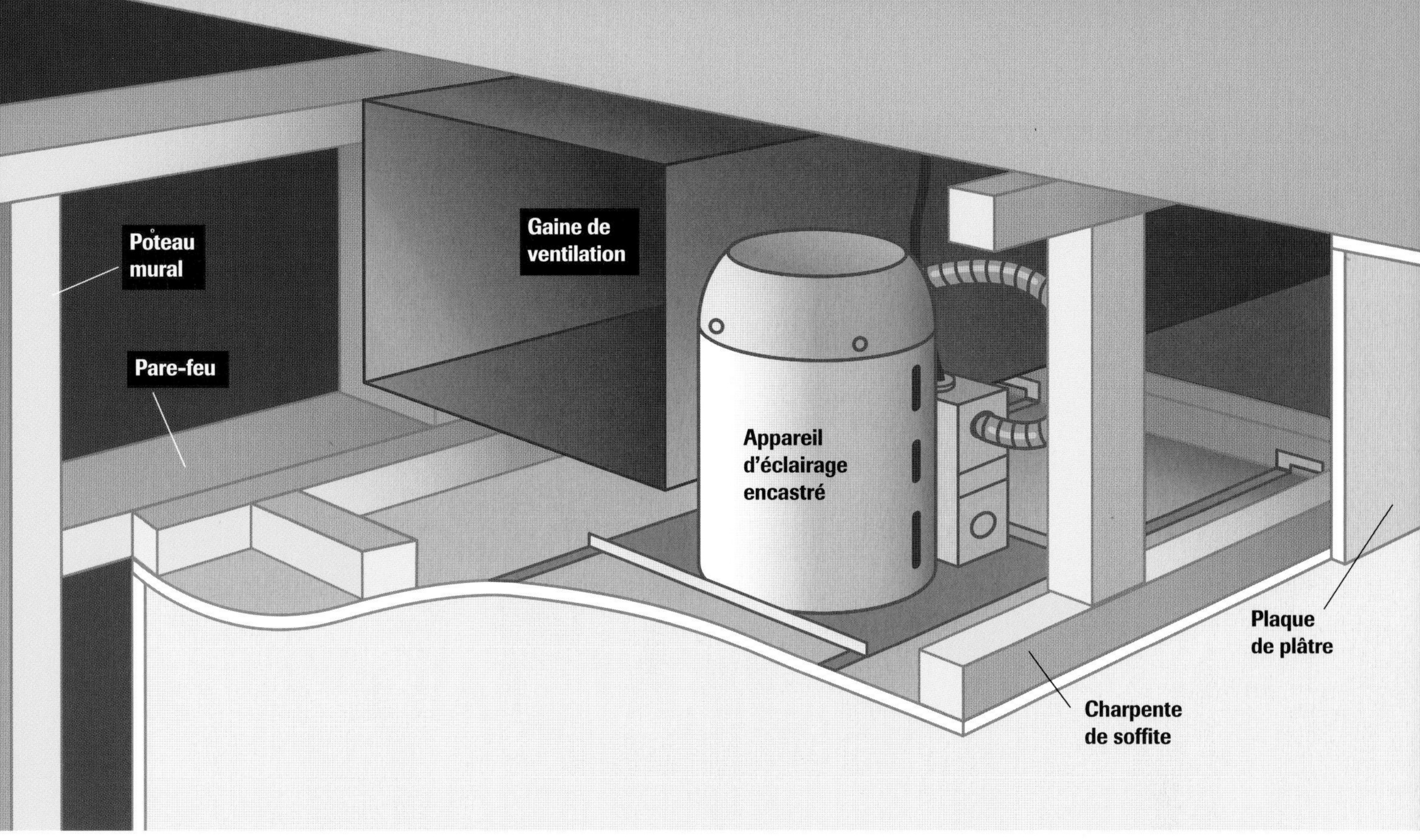

Dissimulez les obstacles permanents dans un soffite construit à l'aide de bois d'œuvre de dimensions courantes et recouvert de plaques de plâtre ou d'un autre matériau de finition. S'il est suffisamment grand, le soffite peut également abriter les appareils d'éclairage encastrés.

Charpentes de soffites et de caissons

Votre soubassement ou votre grenier non finis contiennent certainement des poutres, des tuyaux, des poteaux, des gaines et d'autres éléments indispensables dans la maison, mais qui gênent les travaux de finition. Si vous ne pouvez pas dissimuler ces obstacles dans les murs et que les déplacer coûte trop cher, dissimulez-les dans la charpente d'un soffite ou d'un caisson où vous pouvez également dissimuler d'autres parties de l'installation comme le câblage ou les tuyaux d'arrivée d'eau.

Les soffites et les caissons sont faciles à construire. On construit la plupart des soffites en bois d'œuvre de 2 po x 2 po, qui se travaille facilement et ne coûte pas cher. Vous pouvez également utiliser du bois d'œuvre de 1 po x 3 po pour réduire le volume du soffite, ou de 2 po x 4 po s'il s'agit d'un important soffite qui doit abriter d'autres éléments, tels que les appareils d'éclairage encastrés. Construisez les caissons en bois d'œuvre de 2 po x 4 po.

Dans cette section, nous vous montrons quelques techniques de base utilisées dans la construction des soffites et des caissons, mais c'est à vous de choisir la conception de leur charpente. Par exemple, vous pouvez décider de donner à vos soffites une allure décorative ou construire un caisson assez grand pour contenir des tablettes de livres. Assurez-vous seulement que la charpente est bien conforme aux exigences du code du bâtiment local.

Le code limite parfois les types d'éléments mécaniques qui peuvent être groupés et peut exiger qu'on laisse un espace minimum entre la charpente et ce qui l'entoure. La plupart du temps, le code précise que les soffites, les caissons et les autres structures de charpente doivent comprendre des pare-feu tous les 10 pi et aux intersections des soffites avec les murs avoisinants. N'oubliez pas non plus que les orifices de nettoyage des drains et les vannes d'arrêt doivent demeurer accessibles ; vous devrez donc installer des panneaux d'accès à ces endroits.

Le matériel dont vous avez besoin

Outils : scie circulaire, marteau cloueur à poudre.

Matériel : bois d'œuvre de dimensions courantes (1 po x 3 po, 2 po x 2 po, 2 po x 4 po), bois de 2 po x 4 po traité sous pression, adhésif de construction, plaques de plâtre, fibre de verre isolante sans recouvrement, clous, moulures en bois, vis à plaques de plâtre, vis décoratives.

Suite à la page suivante

Variantes de construction des soffites

Objets à dissimuler perpendiculaires aux solives. À l'aide de bois d'œuvre de 2 po x 2 po standard, construisez deux cadres, ressemblant à des échelles, qui formeront les côtés du soffite. Installez des renforts (ou «échelons») tous les 16 ou 24 po, sur lesquels vous clouerez les plaques de plâtre ou tout autre matériau de finition. Au moyen de clous ou de vis, fixez les côtés de la charpente aux solives, de chaque côté de l'objet à dissimuler. Puis, installez sous cet objet des entretoises joignant ces deux côtés. Couvrez la charpente de plaques de plâtre, de contreplaqué ou d'un autre matériau de finition.

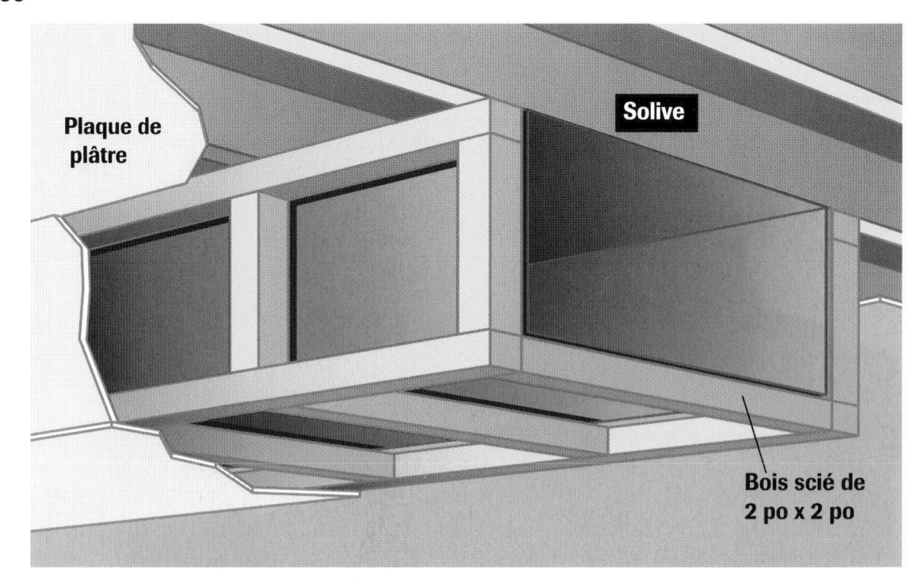

Objets à dissimuler parallèles aux solives. Construisez les côtés du soffite comme indiqué pour les objets à dissimuler perpendiculaires, mais arrangez-vous pour les placer entre les solives. Elles fourniront alors les surfaces de clouage nécessaires à l'installation du soffite et des matériaux de finition. Fixez les côtés aux solives, au moyen de vis, puis installez les entretoises. NOTE : si vous enfermez un tuyau de drainage, enveloppez-le de fibre de verre isolante sans recouvrement qui étouffera le bruit de l'eau courante.

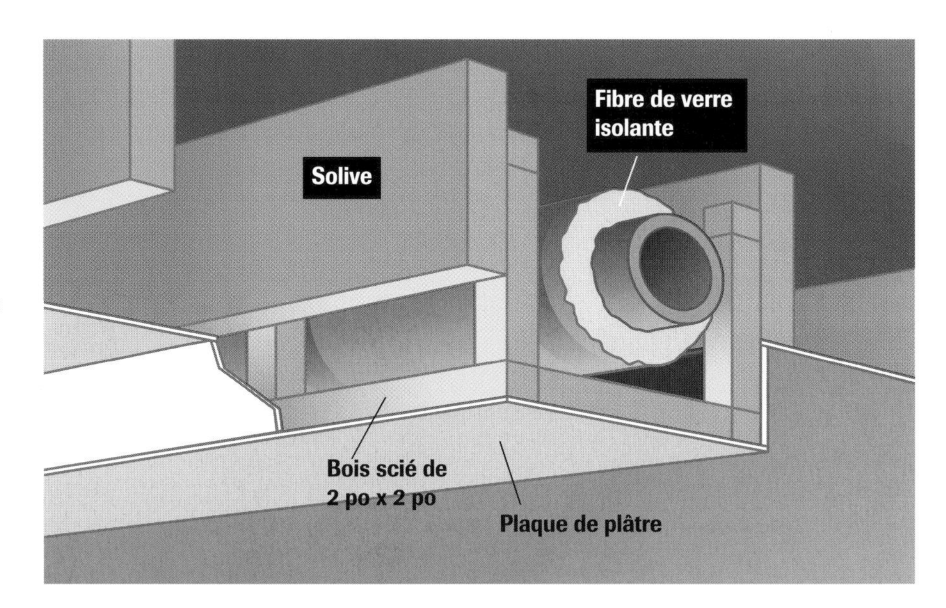

Maximisez l'espace disponible en hauteur. Dans les pièces basses de plafond, si l'objet à dissimuler a moins de 12 po de largeur et que le matériau de finition est la plaque de plâtre ou le contreplaqué, construisez les charpentes latérales (voir ci-dessus) de manière que leur face inférieure soit de 1/8 po plus basse que le point le plus bas de l'objet à dissimuler. La pièce inférieure en plaque de plâtre ou en contreplaqué consolidera la structure des soffites de cette largeur et il ne sera pas nécessaire d'installer des entretoises.

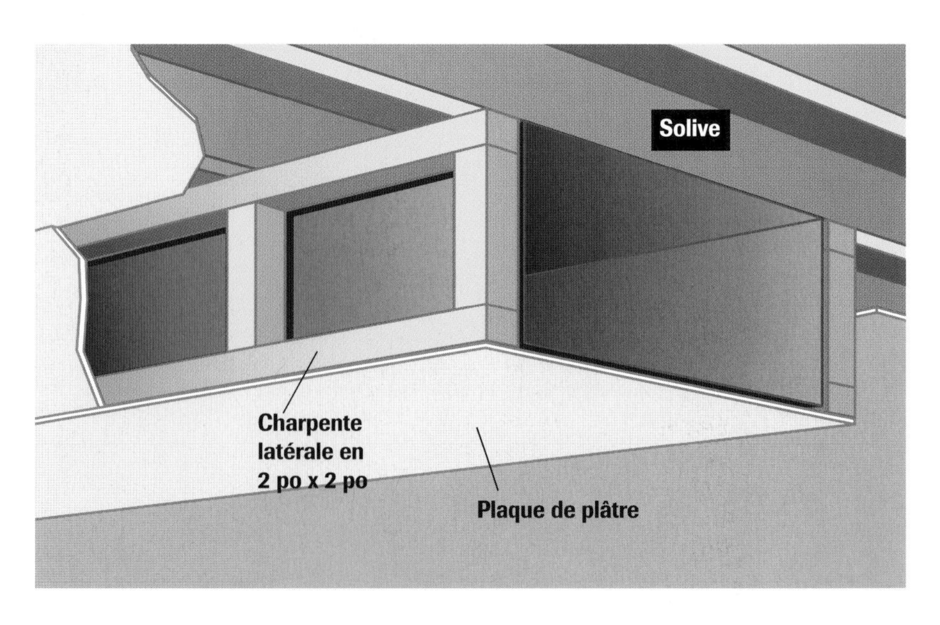

Comment construire un caisson

Construisez les caissons en bois d'œuvre de 2 po x 4 po ; ces éléments sont habituellement plus droits que les morceaux de bois d'œuvre de 2 po x 2 po et plus résistants en cas d'accident domestique. Utilisez du bois traité sous pression pour les semelles en contact avec les planchers de béton et fixez-les au moyen d'adhésif de construction et d'attaches plantées avec un marteau cloueur à poudre (page 124). Coupez les sablières dans du bois d'œuvre standard et clouez-les ou vissez-les en place. Installez les poteaux qui formeront les coins du caisson et les cales qui en assureront la stabilité. Pour diminuer le volume occupé par le caisson, pratiquez des encoches dans les semelles et les sablières, autour des objets à dissimuler, et installez les poteaux en conséquence. Si vous enfermez un tuyau de drainage vertical, prévoyez l'espace nécessaire à l'installation d'isolant acoustique. Les tuyaux en plastique sont particulièrement bruyants.

Comment ménager des ouvertures d'accès

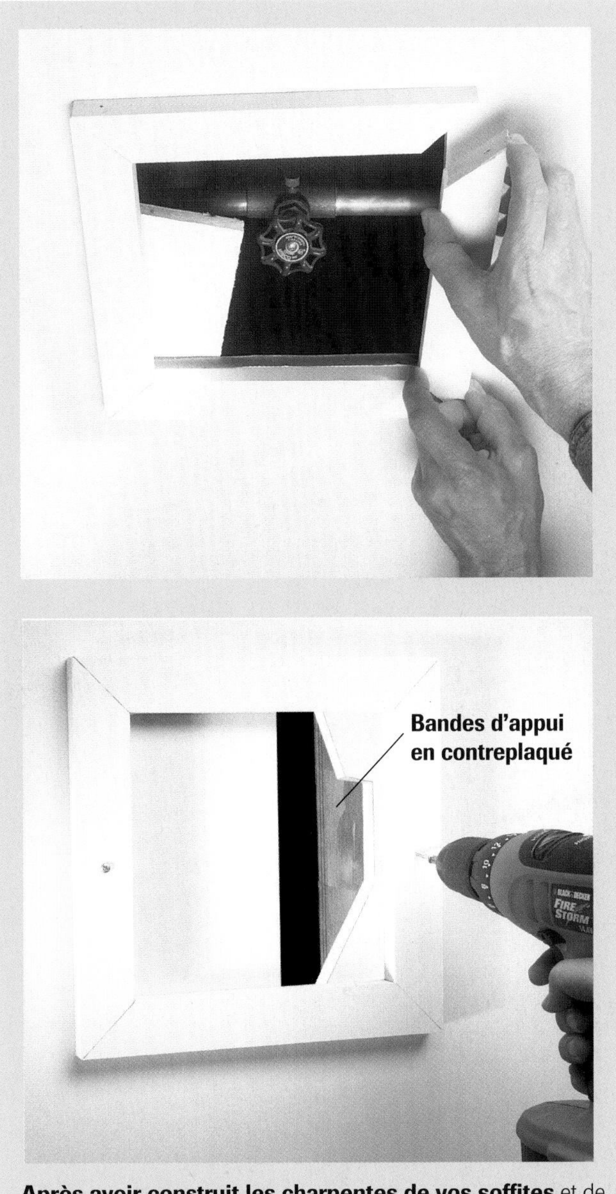

Après avoir construit les charpentes de vos soffites et de vos caissons, notez les endroits des ouvertures d'accès avant d'installer les plaques de plâtre. Ménagez les ouvertures d'accès après avoir installé les plaques de plâtre.

Si la surface est horizontale (photo du haut), découpez un morceau carré de plaque de plâtre à l'endroit de l'ouverture. Enfoncez la pièce coupée dans l'ouverture et glissez-la d'un côté pour qu'elle repose sur l'intérieur du soffite. Collez les côtés biseautés d'un cadre autour de l'ouverture, de manière qu'ils débordent d'environ ½ po à l'intérieur de l'ouverture. Placez le morceau découpé pour qu'il repose sur le cadre : vous pourrez ainsi le déplacer en cas de besoin.

Si la surface est verticale (photo du bas), découpez une ouverture de la même façon et collez les côtés biseautés d'un cadre autour de l'ouverture. Installez des bandes d'appui en contreplaqué derrière la plaque de plâtre, des deux côtés de l'ouverture. Placez dans l'ouverture un morceau de plaque de plâtre découpée en le faisant reposer contre les bandes d'appui. Forez des avant-trous à travers le cadre et fixez la partie découpée aux bandes d'appui au moyen de vis décoratives.

L'installation des plaques de plâtre constitue souvent la première étape de la finition des murs et des plafonds. Vous pouvez fixer certains produits - des plafonds suspendus et des panneaux bouvetés, par exemple - directement aux poteaux et aux solives, mais après avoir vérifié auprès des autorités s'il ne faut pas installer des plaques de plâtre à certains endroits qui nécessitent des matériaux ignifuges.

Finition des murs et des plafonds

Commencez par déterminer les matériaux que vous allez utiliser pour la finition des murs et des plafonds. Cette décision influence l'ordre des opérations de finition.

La plaque de plâtre (pages 132 à 139) est probablement le matériau de finition le plus répandu, car il est économique et il se prête bien à la peinture ou à l'application d'autres revêtements muraux. Si elle est suffisamment épaisse, la plaque de plâtre a des propriétés ignifuges et acoustiques intéressantes.

Lorsque vous entreprenez la finition d'un plafond, en particulier dans un soubassement, tenez compte du fait que vous devrez peut-être avoir accès à la plomberie ou au câblage qui se trouve dans le plafond. Dans ce cas, vous avez intérêt à installer un plafond suspendu (pages 140 à 143) à panneaux amovibles. Si vous devez prévoir l'accès à des éléments mécaniques installés dans un plafond en plaques de plâtre, installez des panneaux d'accès amovibles (page 129).

Dans certains cas, on peut installer des panneaux bouvetés directement sur les éléments de la charpente (pages 144 à 147). On peut également les installer sur des plaques de plâtre, comme dans le cas des lambris bouvetés (pages 162 à 167), ce qui permet de dissimuler les surfaces inégales.

On applique presque toujours une couche de teinture sur les encadrements des portes et des fenêtres (pages 152 à 155), sur les gorges, les plinthes et autres garnitures (pages 156 à 161) avant de les installer. De même, on applique habituellement un apprêt sur les garnitures qui doivent être peintes et on les peint après les avoir installées. Certains préfèrent même leur appliquer une première couche de peinture avant de les installer et appliquer la dernière couche après avoir rempli de pâte de bois les trous laissés par les clous de finition.

Sortes de finitions

Photo : courtoisie de Armstrong Ceilings

Installez des plafonds suspendus si vous voulez avoir accès, le cas échéant, à la plomberie et au câblage. Si un plafond suspendu subit des dommages causés par l'eau ou autre chose, par exemple, il est facile de le remplacer.

Photo : courtoisie de Western Red Cedar Lumber Association

Installez les panneaux bouvetés directement sur la charpente si cela vous convient et que le code du bâtiment local le permet, ou installez-les sur les plaques de plâtre. Avant de les placer, vous devez mesurer et découper les trous des accessoires d'éclairage, des interrupteurs, des prises de courant et des évents.

Il est plus facile d'installer des lambris si les murs sont d'aplomb ; on achève le travail en fixant une plinthe et une cima puis on teint ou on peint le tout.

Installation des plaques de plâtre

La plaque de plâtre est devenue le matériau standard de la finition intérieure des murs parce qu'elle est relativement facile à installer et qu'elle permet d'obtenir des surfaces murales lisses et uniformes. On la trouve normalement en feuilles de 4 pi x 8 pi et de 4 pi x 12 pi dont l'épaisseur varie entre $^3/_8$ po et $^3/_4$ po. La feuille de 4 pi x 8 pi, appelée *feuille complète,* est celle qu'on utilise dans les travaux généraux de construction. Dans certains magasins on trouve aussi des demi-feuilles et des quarts de feuille, c'est-à-dire des feuilles de 4 pi x 4 pi et de 2 pi x 4 pi. Les feuilles de 4 pi x 8 pi de $^1/_2$ po d'épaisseur sont commodes dans la plupart des applications. Si le code du bâtiment exige une protection supplémentaire contre l'incendie ou si vous voulez insonoriser les murs et les plafonds, utilisez des plaques de plâtre de $^5/_8$ po d'épaisseur.

Auparavant, on installait les plaques de plâtre au moyen de clous spéciaux et d'un marteau à plaques de plâtre (voir en haut de la photo à la page suivante). Aujourd'hui, on les installe presque exclusivement au moyen de vis à plaques de plâtre, qui s'ancrent mieux que les clous et sont plus faciles à fixer et à enlever.

Les plaques de plâtre ont les longs bords biseautés, de sorte que deux plaques accolées bord à bord forment un joint légèrement renfoncé qu'il est facile de recouvrir de ruban de papier et de pâte à joints. La finition des panneaux aboutés est difficile à réaliser parfaitement ; il est donc préférable d'éviter, si possible, ce type de joint.

L'installation et la finition des plaques de plâtre sont des travaux salissants. Portez un masque respiratoire lorsque vous découpez ou polissez les plaques de plâtre, vous éviterez ainsi d'aspirer de la poussière.

Le matériel dont vous avez besoin

Outils : règle de précision, marteau, mètre à ruban, équerre à plaques de plâtre, couteau universel, scie à plaques de plâtre, scie sauteuse, compas à découper les disques, tréteaux (page 98), visseuse ou perceuse et embouts, levier à plaques de plâtre (loué), pistolet à calfeutrer, ponceuse à l'eau.

Matériel : plaques de plâtre de 4 pi x 8 pi, vis à plaques de plâtre de 1 $^1/_4$ po, adhésif pour panneaux.

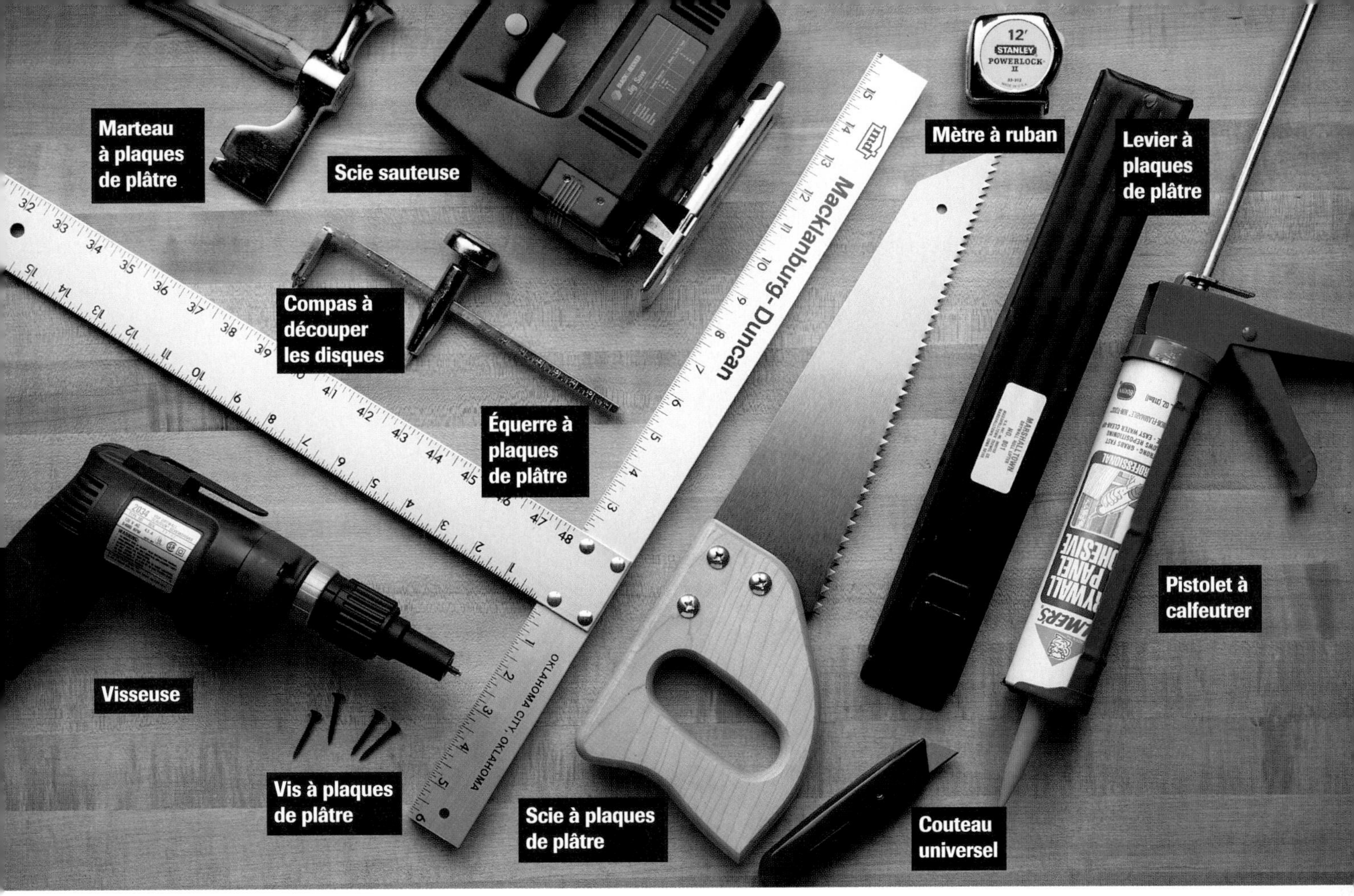

Les outils suivants servent à installer les plaques de plâtre : la scie sauteuse, le mètre à ruban, le levier à plaques de plâtre qui permet de placer les plaques de plâtre à l'endroit voulu, le pistolet à calfeutrer et l'adhésif pour panneaux, le couteau universel, la scie à plaques de plâtre pour effectuer des coupes rectilignes le long des portes et des fenêtres, l'équerre à plaques de plâtre, les vis à plaques de plâtre, la visseuse à embrayage réglable, le compas à découper les cercles des accessoires d'éclairage, le marteau à plaques de plâtre à tête convexe. Les marteaux à plaques de plâtre, autrefois indispensables, ne sont plus que rarement utilisés.

Conseils pour préparer l'installation des plaques de plâtre

Fixez des plaques protectrices aux endroits où des fils ou des tuyaux traversent des éléments de la charpente à moins de 1¼ po du bord. Ces plaques empêcheront les vis à plaques de plâtre d'endommager les fils ou les tuyaux.

Fixez des bandes de clouage à la charpente pour prolonger la surface murale au-delà des obstacles à dissimuler, comme les tuyaux d'eau ou les gaines de chauffage.

Marquez l'emplacement des poteaux sur le plancher, à l'aide d'un crayon de menuisier ou de ruban-cache. Une fois que les plaques de plâtre couvriront les poteaux, ces marques indiqueront l'emplacement des poteaux et faciliteront l'installation.

Comment découper les plaques de plâtre

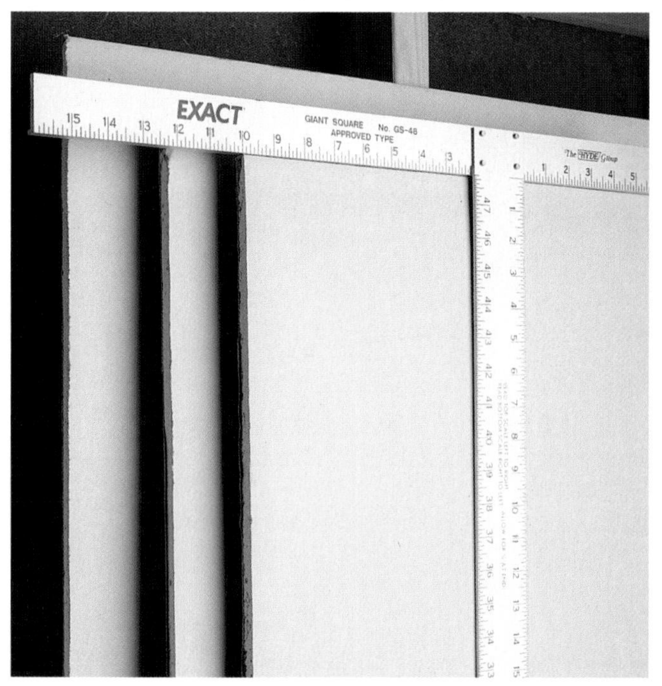

1 Pour couper une plaque de plâtre, placez-la verticalement, de manière que le côté lisse soit visible. Coupez et installez les plaques une à une. Utilisez un mètre à ruban pour déterminer quelle largeur doit avoir la plaque.

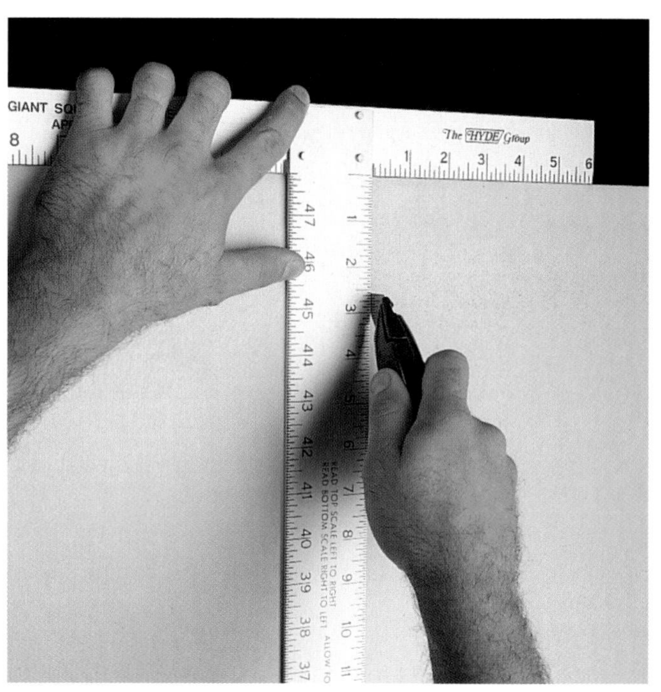

2 Placez le petit côté de l'équerre à plaques de plâtre le long du bord de la plaque de plâtre. À l'aide d'un couteau universel, entamez le papier de la plaque le long du grand côté de l'équerre, à la distance mesurée à l'étape 1.

3 Pliez des deux mains la partie entamée, pour casser l'âme en plâtre de la plaque. Pliez vers l'arrière la partie rejetée et coupez l'épaisseur de papier pour séparer les deux parties.

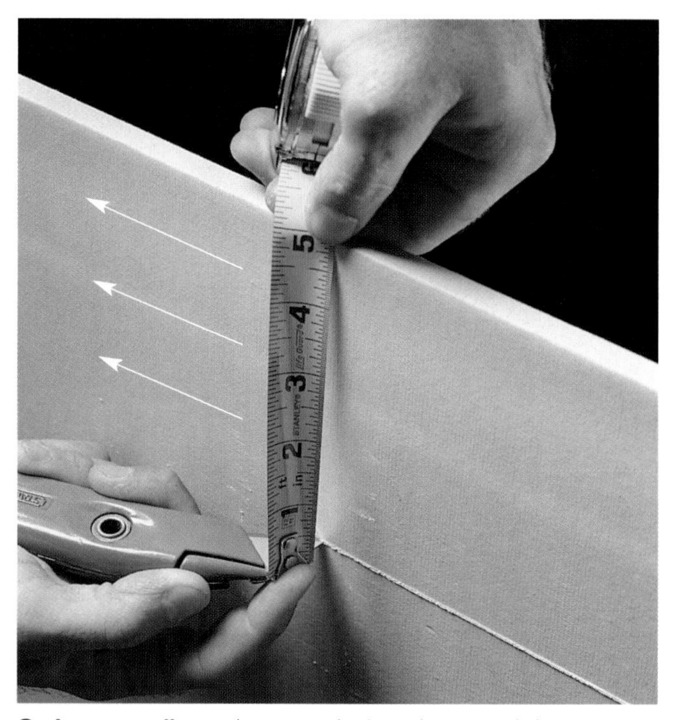

Option : pour effectuer les coupes horizontales, sortez la longueur désirée du mètre à ruban et appuyez la lame du couteau universel contre le rebord métallique, à l'extrémité du mètre à ruban. En tenant fermement le couteau universel d'une main et le mètre à ruban de l'autre, déplacez les deux mains le long du bord de la plaque, pour couper la couche de papier de la plaque ; puis, achevez la coupe comme l'indique l'étape 3.

Comment découper des encoches dans les plaques de plâtre

1 À l'aide d'une scie à plaques de plâtre, découpez les petits côtés de l'encoche. La scie à plaques de plâtre découpe facilement les plaques parce qu'elle a une lame à grosses dents espacées, qui coupe rapidement sans se colmater.

2 Découpez le côté restant de l'encoche avec un couteau universel et cassez l'âme de la plaque comme indiqué. À l'aide du couteau universel, coupez le papier de la face arrière et séparez la partie à rejeter de la plaque.

Découpez les ouvertures des prises électriques, des prises de téléphone et des gaines de chauffage en pratiquant des coupes plongeantes à l'aide d'une scie sauteuse munie d'une lame à grosse denture pour couper le bois.

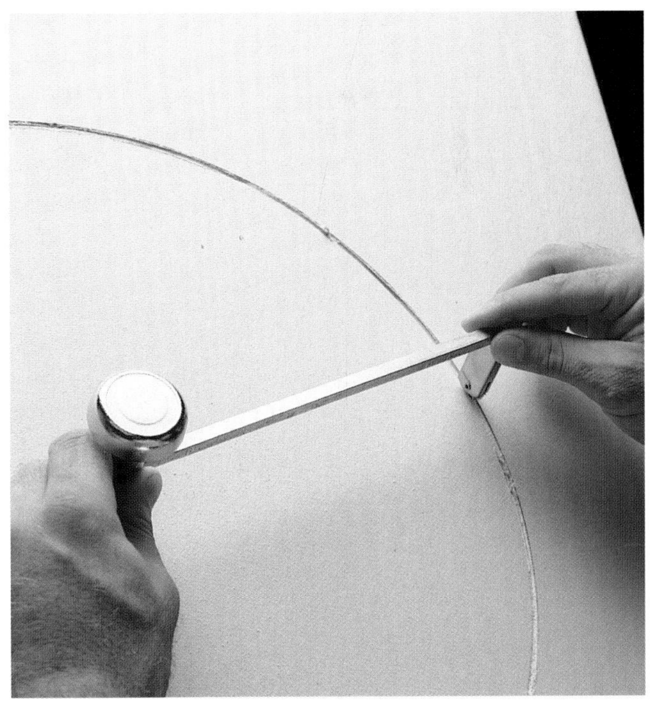

Pratiquez des ouvertures circulaires destinées aux appareils d'éclairage ou aux ventilateurs d'aspiration, en utilisant un compas à découper les cercles. Marquez le centre du cercle et, à l'aide du compas, entamez les deux faces de la plaque de plâtre. En tapant la découpe avec un marteau, vous la séparerez de la plaque qui l'entoure.

Comment installer les plaques de plâtre au plafond

1 Tracez une ligne repère à une distance de $48\frac{1}{8}$ po, de la sablière du mur adjacent. Faites une marque à $48\frac{1}{8}$ po sur les solives (ou les chevrons) les plus écartées et marquez toutes les solives intermédiaires à l'aide d'un cordeau traceur. La ligne du cordeau traceur doit être perpendiculaire aux solives. Utilisez cette ligne repère pour aligner la première rangée de plaques de plâtre et pour mesurer les endroits où pratiquer les découpes.

2 Mesurez la distance qui sépare les solives extrêmes pour vous assurer que le bord de la première plaque sera au centre d'une de ces solives. Si ce n'est pas le cas, coupez une partie de la plaque du côté où elle touche le mur, de manière qu'elle se termine au centre de la solive suivante. Placez la plaque de plâtre sur un lève-plaques loué et levez la plaque jusqu'à ce qu'elle touche les solives.

3 Placez la plaque de manière que son long bord coïncide avec les traits de la ligne repère et que son petit bord coïncide avec l'axe de la solive extrême. Enfoncez une vis à plaques de plâtre de $1\frac{1}{4}$ po tous les 8 po, le long des petits côtés de la plaque et tous les 12 po le long des grands côtés (consultez les codes du bâtiment de votre région sur les exigences de fixation).

4 Après avoir installé la première rangée de plaques de plâtre, installez la deuxième rangée, en commençant par une demi-feuille, ainsi les joints bout à bout des plaques se trouveront décalés d'une rangée à l'autre.

Comment installer les plaques de plâtre des murs

1 Arrangez-vous pour que les joints des plaques de plâtre ne coïncident pas avec les coins des portes ou des fenêtres, car à ces endroits ils ont tendance à céder, créant des bosses qui gênent l'installation des joints biseautés des moulures entourant les portes ou les fenêtres.

2 À moins que les plaques de plâtre ne soient suffisamment grandes pour couvrir la largeur du mur, placez-les verticalement pour éviter la présence de joints aboutés dont la finition pose problème. Mettez la première plaque d'aplomb au moyen d'un fil à plomb, en vous assurant qu'elle se termine au centre d'un poteau. À l'aide d'un levier à plaques de plâtre, soulevez celle-ci jusqu'à ce qu'elle s'appuie fermement contre le plafond et vissez-la ensuite en place.

3 Ancrez les plaques de plâtre au moyen de vis à plaques de plâtre, espacées de 10 po, enfoncées dans les membres de l'ossature. Les têtes des vis doivent se trouver juste sous la surface de la plaque de plâtre, sans déchirer la couche de papier.

4 Ajoutez des appuis en bois d'œuvre de 1 po ou de 2 po aux endroits nécessaires, pour soutenir les bords des plaques de plâtre. NOTE : dans certains travaux de charpente ou de transformation, il est nécessaire d'ajouter des supports pour fixer correctement les plaques de plâtre (page 172).

Comment tirer les joints des plaques de plâtre

1 À l'aide d'un couteau à plaques de plâtre de 4 po ou de 6 po, appliquez une mince couche de pâte à joints sur le joint. Pour charger le couteau, trempez-le dans un plateau contenant de la pâte à joints.

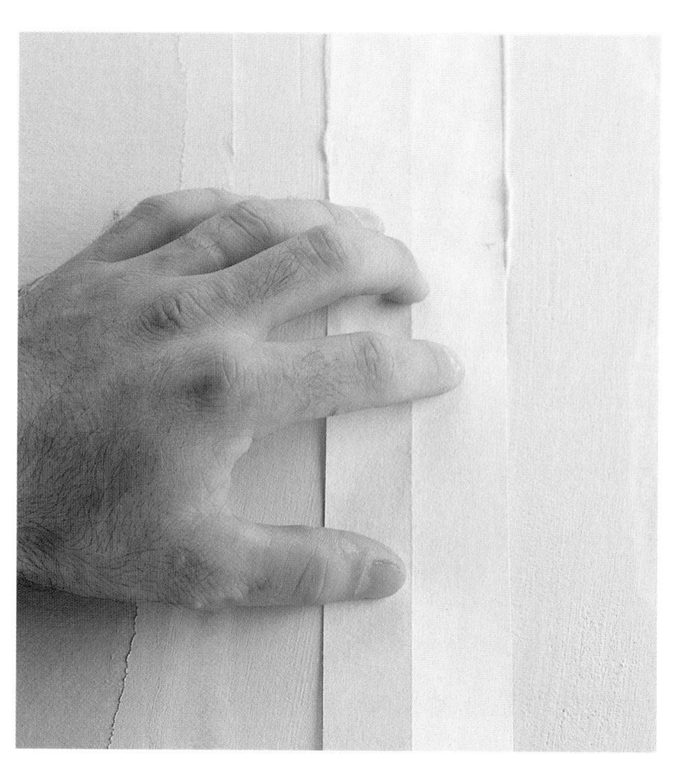

2 Pressez immédiatement le ruban à plaques de plâtre pour qu'il s'enfonce dans la pâte, en centrant le ruban sur le joint. Essuyez l'excédent de pâte et lissez le joint avec un couteau de 6 po. Laissez sécher jusqu'au lendemain.

3 Appliquez une mince couche de pâte à l'aide d'un couteau à plaques de plâtre de 10 po. Laissez cette deuxième couche sécher et se contracter jusqu'au lendemain. Appliquez ensuite une dernière couche et laissez-la durcir un peu avant de la polir avec une ponceuse à eau.

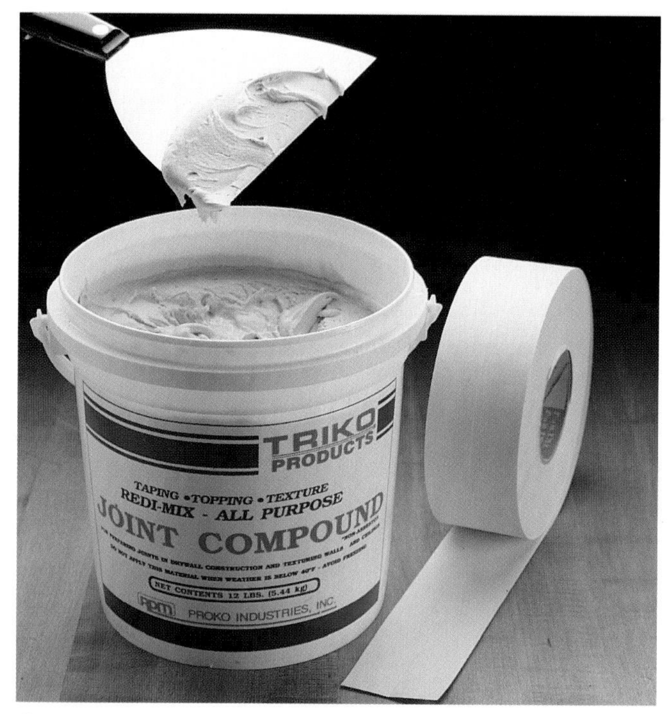

Conseil : évitez d'avoir à mélanger la pâte à joints : pour tirer des joints ou effectuer des travaux de finition, utilisez de la pâte mélangée, prête à l'emploi, et du ruban à plaques de plâtre.

Comment finir les coins intérieurs

1 Pliez une bande de ruban de papier à plaques de plâtre en deux en la pinçant entre le pouce et l'index et en tirant dessus. À l'aide d'un couteau à plaques de plâtre de 4 po, appliquez une mince couche de pâte à plaques de plâtre sur les deux côtés du coin intérieur.

2 Placez l'extrémité du ruban plié au sommet du joint et utilisez le couteau pour appuyer sur le ruban et l'enfoncer dans la pâte humide. Lissez les deux côtés du coin. Terminez l'opération comme à l'étape 3, page 138.

Comment finir les coins extérieurs

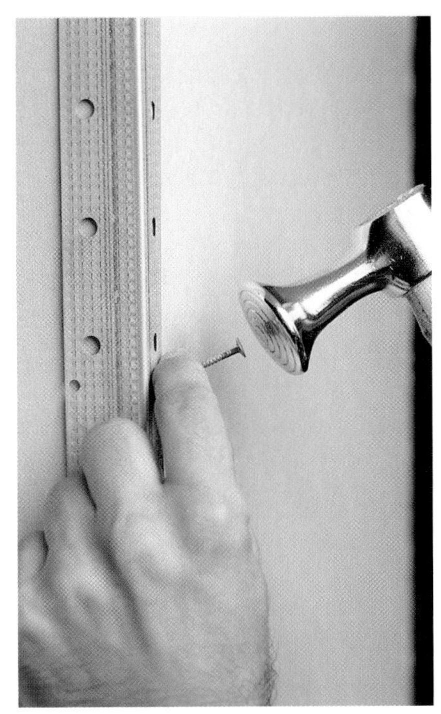

1 Placez une baguette d'angle sur le coin extérieur. Servez-vous d'un niveau pour vérifier si elle est verticale. Fixez-la à l'aide de clous ou de vis de 1 1/4 po, espacés de 8 po. (Certaines baguettes de coin se fixent à l'aide de pâte à plaques de plâtre.)

2 À l'aide d'un couteau à plaques de plâtre de 6 ou 10 po, couvrez successivement la baguette de coin de trois couches de pâte à plaques de plâtre, en laissant chaque couche sécher et se contracter jusqu'au lendemain. Lissez la dernière couche au moyen d'une ponceuse à eau.

Conseil : poncez légèrement les joints lorsque la pâte à plaques de plâtre est sèche. Utilisez une ponceuse à manche pour atteindre les endroits élevés sans avoir à vous servir d'échelle. Portez un masque respiratoire si vous poncez à sec.

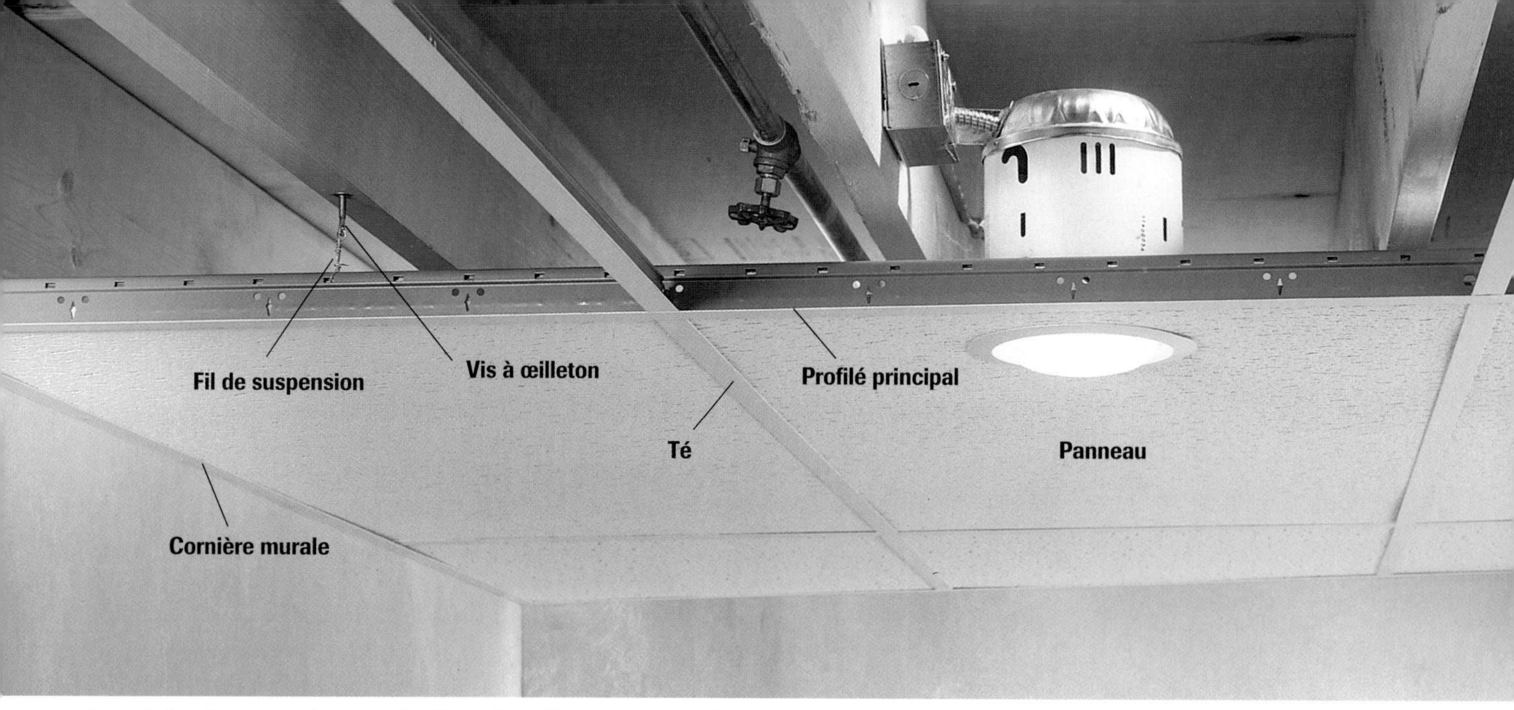

Les plafonds suspendus sont faciles à installer et permettent d'accéder aisément aux installations mécaniques et de résoudre la plupart des problèmes de plafonds. Planifiez votre quadrillage de manière à placer les panneaux partiels aux extrémités opposées de la pièce pour harmoniser l'ensemble.

Installation d'un plafond suspendu

Le plafond suspendu est constitué d'une structure quadrillée de supports légers en métal, pendus à des fils attachés aux solives ou au plafond existants. Le quadrillage est fait de poutrelles principales en T, de profilés transversaux (tés), et de cornières murales. On remplit les ouvertures de la structure à l'aide de panneaux de plafonds qui reposent sur les brides des pièces de la structure. Les panneaux de plafonds sont des sections de 2 pi x 2 pi ou de 2 pi x 4 pi ; il en existe un grand choix dans le commerce (panneaux isolés et carreaux acoustiques).

L'installation d'un plafond suspendu offre une solution économique lorsqu'il faut pouvoir atteindre la plomberie, les installations électriques ou les gaines de ventilation. Elle permet également de dissimuler les solives qui s'affaissent ou qui sont inégales, de cacher les surfaces des plafonds et de transformer une pièce pour lui donner la hauteur standard de 8 pi. Le système léger en métal est plus durable que le système en plastique.

Si vous vous décidez pour la solution d'un plafond suspendu, n'oubliez pas de prévoir un espace libre minimum (4 po environ) au-dessus de la structure du plafond suspendu pour pouvoir insérer et retirer, le cas échéant, les morceaux de panneaux qui reposent sur les supports. Vérifiez également s'il existe des prescriptions particulières dans les codes du bâtiment concernant la hauteur minimale des plafonds, ou informez-vous à ce sujet auprès de votre inspecteur en bâtiments local.

Commencez par déterminer la disposition des panneaux en vous basant sur la largeur et la longueur de la pièce. Vous devrez peut-être recouper certains panneaux pour les adapter aux dimensions de la pièce. Placez les panneaux partiels aux extrémités opposées de la pièce, cela donnera un aspect plus fini à votre ouvrage. Le plafond suspendu doit également être de niveau. À l'aide d'un niveau à bulle ou d'un long niveau de menuisier, tracez une ligne de niveau tout autour de la pièce.

Le travail sera plus facile si quelqu'un vous aide. Vous pouvez aussi vous faciliter la tâche en utilisant un petit échafaudage. Faites contourner par la structure des obstacles comme les poutres qui arrivent plus bas que le plafond (voir « Charpentes de soffites et de caissons », pages 127 à 129). Placez les cornières murales de niveau avec la structure et attachez-les à celle-ci et aux murs. Vous pouvez également placer un appareil d'éclairage encastré ou un ventilateur de plafond dans un plafond suspendu, mais vous devrez normalement renforcer la structure aux endroits prévus pour qu'elle supporte ces accessoires.

Le matériel dont vous avez besoin

Outils : niveau à bulle ou niveau de menuisier de 6 pi, cordeau traceur, perceuse, cisaille de ferblantier, ficelle de maçon, serre-tôle automatique, visseuse à œilletons, pinces à long bec, couteau universel, équerre, mètre à ruban.

Matériel : nécessaire à plafond suspendu (cornières murales, profilés principaux, tés), vis à œilleton, fil de suspension, panneaux de plafonds, bois d'œuvre de dimensions courantes de 1 po, vis à plaques de plâtre ou vis de maçonnerie de $1\frac{1}{2}$ po.

Conseils pour installer un plafond suspendu

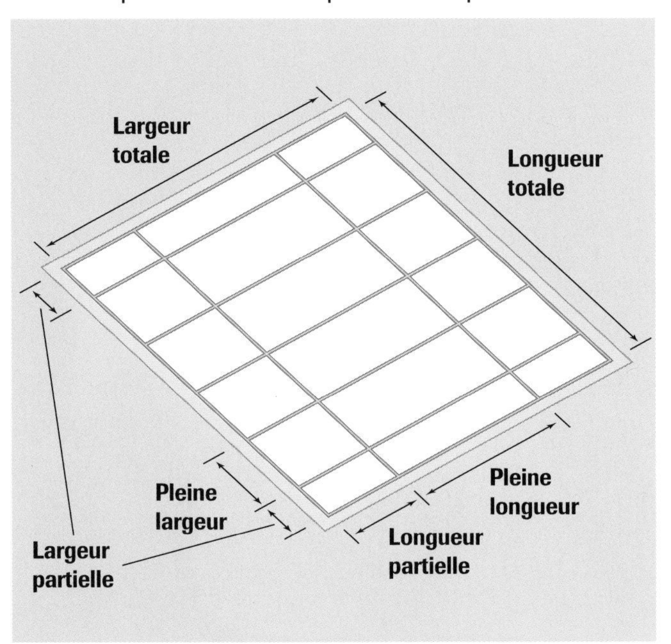

Dessinez la disposition du plafond suspendu sur une feuille de papier, en vous basant sur les dimensions exactes de la pièce. Placez les pièces recoupées aux extrémités opposées de la pièce et veillez à ce qu'elles soient de même longueur et de même largeur (évitez les morceaux dont la largeur est inférieure à ½ panneau). N'oubliez pas de prévoir les accessoires sur votre plan ; leur emplacement doit être adapté au quadrillage du plafond.

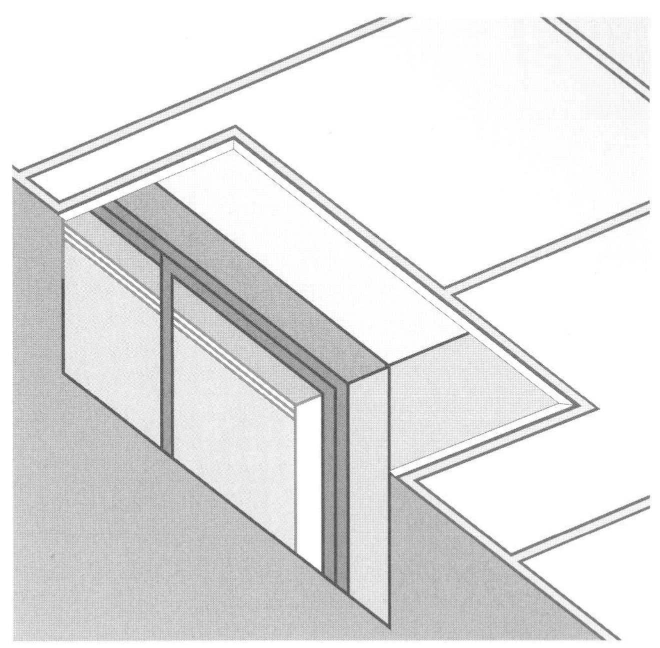

Ménagez un renfoncement permettant d'ouvrir les fenêtre à auvents si le plafond suspendu de votre soubassement est bas. Fixez des morceaux de bois d'œuvre de 1 po, de largeur appropriée, aux solives ou aux étrésillons et biseautez les joints. Installez des morceaux de plaque de plâtre (ou un morceau de panneau de plafond suspendu coupé aux dimensions voulues) aux solives, dans l'encoche.

Comment installer un plafond suspendu

1 Faites une marque sur un mur pour indiquer la hauteur qu'aura le plafond suspendu déduction faite de la hauteur de la cornière murale. À l'aide d'un niveau à bulle, reproduisez cette marque aux extrémités de chaque mur et utilisez un cordeau traceur pour joindre les marques par des lignes horizontales. La ligne continue formée représente le bord de la cornière murale du plafond suspendu.

2 Fixez les cornières murales aux poteaux des murs, en plaçant le bord de la cornière au ras de la ligne tracée à la craie. Utilisez des vis à plaques de plâtre de 1½ po (ou des clous de maçonnerie courts, enfoncés dans les joints de mortier ou les blocs de béton des murs). À l'aide de pinces de ferblantier, biseautez les cornières dans les coins.

Suite à la page suivante

3 Marquez l'emplacement de chaque profilé principal sur les cornières murales, aux extrémités de la pièce. N'oubliez pas que les profilés principaux sont parallèles entre eux et perpendiculaires aux solives de plafond. Utilisez de la fine corde à linge et des serre-tôles automatiques pour guider chaque profilé principal (mortaise). Accrochez les serre-tôles aux brides inférieures des cornières murales opposées et tendez bien les cordes.

4 À l'aide d'une visseuse à œilleton, installez des vis à œilleton pour pendre les profilés principaux. Forez des avant-trous et vissez les œilletons dans les solives, tous les 4 pi, en les plaçant juste au-dessus des cordes guides. Attachez un fil support aux vis à œilleton en passant une extrémité du fil dans l'œilleton et en l'enroulant sur elle-même au moins trois fois. Coupez le morceau de fil qui dépasse et laissez pendre le fil, qui doit arriver au moins 5 po plus bas que la corde guide.

5 Mesurez la distance entre le bas de la bride d'un profilé principal et le trou de suspension situé dans son âme (mortaise). Servez-vous de cette mesure pour plier à l'avance chaque fil de suspension. Mesurez la distance à partir de la corde guide et faites un coude dans le fil au moyen d'une pince.

6 En vous fiant à votre dessin, marquez l'emplacement du premier té sur les cornières murales, à une extrémité de la pièce. Installez, comme précédemment, une corde guide et un serre-tôle automatique. Cette corde doit être perpendiculaire aux cordes guides installées pour les profilés principaux.

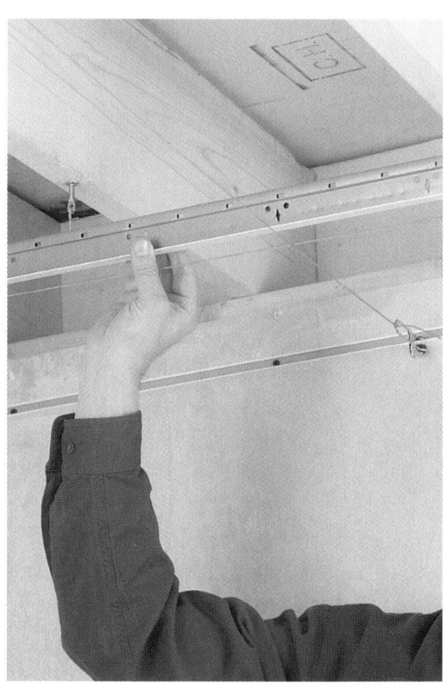

7 Coupez chaque profilé principal à une extrémité, de manière qu'une rainure en T de l'âme du profilé soit alignée sur la corde guide du té et que l'extrémité du profilé principal repose sur toute la largeur de la bride de la cornière murale. Installez le profilé principal pour vérifier l'alignement de la rainure en T sur la corde.

8 Coupez chaque profilé principal à l'autre extrémité, pour qu'il repose sur la cornière murale opposée. Si les profilés sont trop courts, attachez-les par paires (les extrémités doivent être reliées par des attaches mâle-femelle). Vérifiez l'alignement des rainures en T sur les cordes guides.

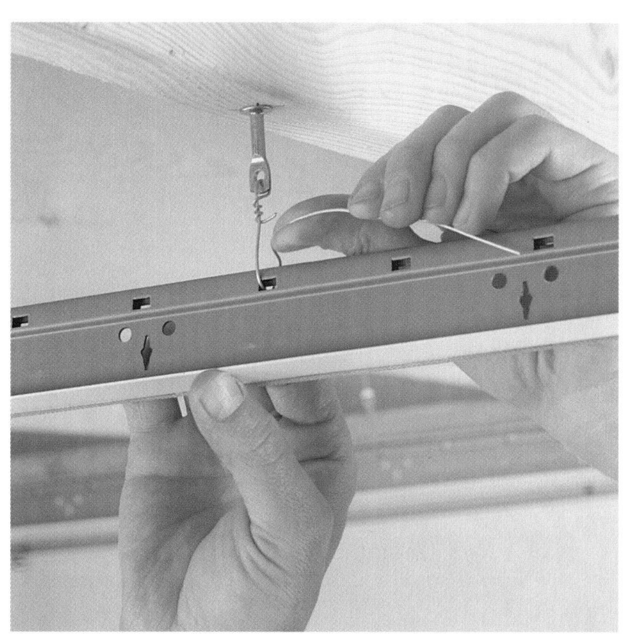

9 Installez les profilés principaux en posant leurs extrémités sur les cornières murales et en passant des fils de suspension dans les trous des âmes. Les fils doivent être aussi verticaux que possible. Enroulez chaque fil trois fois sur lui-même et assurez-vous que les brides des profilés principaux sont au niveau de leurs cordes guides. Installez également un fil de suspension près de chaque attache de deux profilés principaux. Retirez toutes les cordes guides et les serre-tôles automatiques.

10 Attachez les tés aux profilés principaux en glissant les ergots de leurs extrémités dans les encoches des profilés. Alignez la première rangée de tés au moyen de la corde guide ; installez les autres rangées à 4 pi d'intervalle les unes des autres. Dans le cas des panneaux de 2 pi x 2 pi, installez également des tés transversaux de 2 pi entre les milieux des tés de 4 pi. Ensuite, coupez et installez les tés des bords en plaçant leurs extrémités sur les cornières murales.

11 Commencez par placer les panneaux entiers du plafond suspendu dans le quadrillage et installez ensuite les panneaux de bordure. Soulevez chaque panneau en l'inclinant et placez-le pour qu'il repose sur les brides de la structure. En cas de besoin, ajustez les panneaux par les ouvertures adjacentes. Pour couper les panneaux partiels aux dimensions voulues, placez-les face vers le haut et utilisez une équerre et un couteau universel bien aiguisé.

Photo : courtoisie de Western Red Cedar Lumber Association

Le panneautage bouveté s'installe directement sur les chevrons ou les solives, ou sur des plaques de plâtre. Dans les greniers, il est important de commencer par isoler l'endroit et d'ajouter un pare-vapeur si le code du bâtiment local l'exige. Ce code exige parfois aussi qu'on double l'isolant recouvert de papier, installé derrière un mur mansardé, de plaques de plâtre ou d'un autre matériau.

Le matériel dont vous avez besoin

Outils : mètre à ruban, perceuse, marteau, scie sauteuse, scie à table ou scie circulaire avec guide, angloir, cordeau traceur, chasse-clou.

Matériel : panneaux bouvetés, clous de planchers spiralés de 1¾ po, moulures décoratives.

Panneautage d'un plafond de grenier

Le panneautage bouveté remplace avantageusement le plafond en plaques de plâtre, en particulier dans un grenier mansardé. Les panneaux en pin sont les plus répandus, mais n'importe quelle essence de panneaux bouvetés peut convenir. Les panneaux ont normalement une épaisseur de ⅜ po, à ¾ po, et on les fixe directement aux solives et aux chevrons du plafond (par-dessus de l'isolant à recouvrement, si nécessaire). La plupart des codes du bâtiment exigent l'installation d'un pare-feu en plaques de plâtre de ⅜ po en dessous d'un plafond dont l'épaisseur est inférieure à ¼ po.

Compte tenu des déchets, il faut que la quantité de matériaux achetée puisse couvrir 15 % de plus que la surface mesurée du plafond ; et vous devez prévoir encore plus de déchets si le plafond comporte de nombreuses coupes en angle. Comme la languette de la plupart des pièces glisse dans la rainure de la pièce adjacente, la surface doit être basée sur la surface exposée des panneaux lorsqu'ils sont installés. C'est avec une scie à onglets composée que vous effectuerez les coupes les plus nettes. Cet aspect est particulièrement important si le plafond ne comprend que peu d'angles droits.

On attache les panneaux bouvetés aux chevrons à l'aide de clous de plancher enfoncés dans l'épaulement de la languette (méthode appelée « clouage dissimulé » parce que les têtes des clous sont cachées par le panneau suivant). Seules la première et la dernière rangée de panneaux et les joints en biseau doivent être cloués en enfonçant les clous dans la face du panneau.

Pour réussir le panneautage d'une surface, il faut absolument tracer les lignes qui révéleront clairement des défauts tels que les déviations, les murs mal alignés et les erreurs d'installation. Commencez par prendre les mesures, afin de déterminer la quantité de panneaux nécessaire (en ne tenant compte que de la surface finale exposée). Si le dernier panneau doit avoir moins de 2 po de large, réduisez la largeur du premier en le sciant longitudinalement du côté adjacent au mur.

Si l'arête du sommet du plafond n'est pas parallèle à l'arête du mur, vous devez combler la différence en sciant longitudinalement le panneau de départ suivant un angle tel que son bord supérieur et tous les panneaux qui suivent soient parallèles à l'arête, au sommet.

Comment couvrir de panneaux le plafond d'un grenier

1 Pour préparer l'agencement des panneaux, commencez par mesurer la largeur exposée qu'auront les panneaux lorsqu'ils seront installés. Emboîtez deux pièces et mesurez la distance entre le bord de la pièce supérieure et le bord de la pièce inférieure. Calculez le nombre de panneaux nécessaires pour couvrir un côté du plafond en divisant la distance entre l'arête supérieure du mur et l'arête supérieure du plafond par la largeur exposée des panneaux.

2 Utilisez la mesure obtenue à l'étape 1 pour tracer une ligne indiquant le bord supérieur de la première rangée : aux deux extrémités du plafond, mesurez, depuis l'arête supérieure du plafond, une distance égale et tracez les traits qui correspondront au bord supérieur (languette) des panneaux de départ. N'oubliez pas que le bord inférieur de ces panneaux doit être coupé en biais pour que les panneaux s'appliquent exactement contre le mur (voir étape 4). À l'aide du cordeau traceur, tracez la ligne qui joint les deux traits.

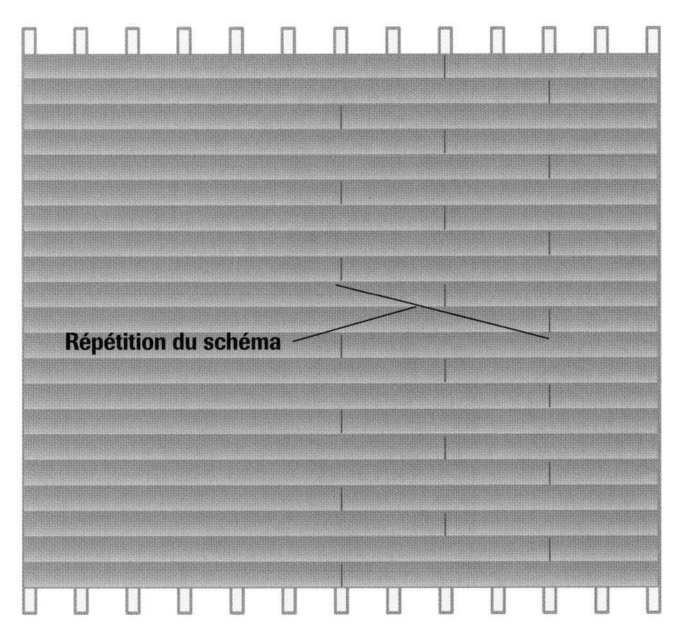

3 Si les panneaux sont plus courts que la surface à couvrir, prévoyez les emplacements des joints. Décalez les joints selon un schéma qui se répète tous les trois panneaux, vous dissimulerez mieux les joints. N'oubliez pas que chaque joint doit tomber au milieu d'un chevron.

4 Sciez longitudinalement le premier panneau à la bonne largeur au moyen d'une scie circulaire, en éliminant le côté inférieur du panneau (côté rainure). Si la première rangée comporte des joints, coupez les panneaux à la longueur voulue suivant des biseaux de 30°, uniquement du côté du joint. Vous formerez ainsi des joints biseautés, qui se remarquent moins que les joints aboutés. Si le panneau est aussi long que le plafond, coupez les deux extrémités à angle droit.

Suite à la page suivante

Comment couvrir de panneaux le plafond d'un grenier (suite)

5 Installez le panneau de départ en plaçant sa rainure contre le mur de côté de manière que sa sa languette soit alignée sur la ligne de contrôle. Laissez un espace de 1/8 po entre le bord à angle droit du panneau et le mur. Fixez le panneau en enfonçant des clous à travers le côté face, dans les chevrons, à environ 1 po du bord rainuré. Enfoncez ensuite des clous dans chaque chevron, à la base de la languette, inclinés à 45° vers l'arrière. À l'aide d'un chasse-clou, enfoncez les têtes des clous sous la surface.

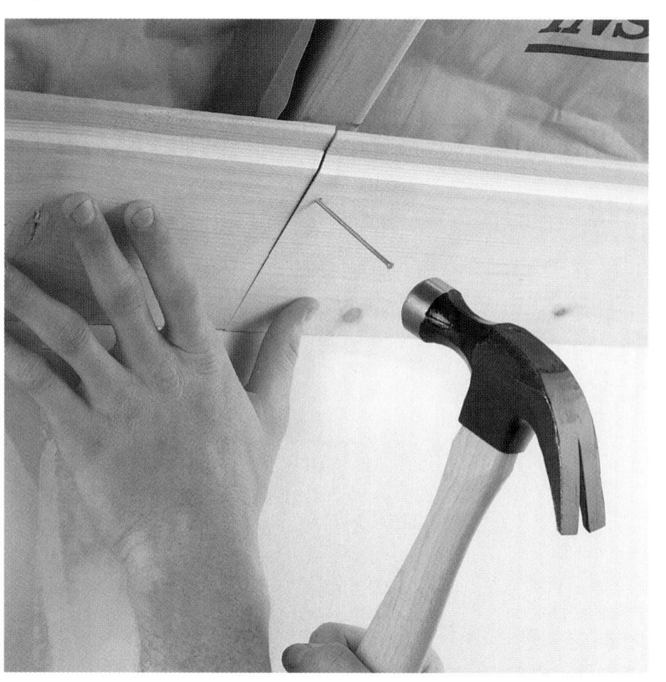

6 Coupez et installez un à un les autres panneaux de la première rangée, en veillant à l'ajustage des joints biseautés. Soignez l'apparence en choisissant des panneaux de couleur et de grain semblables.

7 Coupez le premier panneau de la deuxième rangée et installez-le en glissant sa rainure sur la languette du panneau de la première rangée. Utilisez un marteau et un morceau de panneau inutilisé pour bien enfoncer le panneau en le tapotant sur toute sa longueur. Fixez la deuxième rangée de panneaux par clouage dissimulé seulement.

8 À mesure que vous installez les rangées successives, mesurez les distances entre l'arête supérieure du plafond et le bord des panneaux, pour vous assurer que les panneaux sont parallèles à cette arête. Corrigez tout défaut d'alignement en ajustant légèrement le joint languette-rainure d'une rangée à l'autre. Vous pouvez aussi tracer d'autres lignes de contrôle pour vous faciliter l'alignement des rangées.

9 Coupez longitudinalement les panneaux de la dernière rangée à la largeur voulue et biseautez leur bord supérieur pour qu'ils s'appliquent bien contre la poutre faîtière. Clouez les panneaux en place, perpendiculairement, dans le côté face. Installez les panneaux de l'autre côté du plafond et coupez les panneaux de la dernière rangée pour qu'ils forment un joint serré au sommet (mortaise).

10 Installez les moulures de garniture le long des murs, sur les joints autour des obstacles et le long des coins intérieurs et extérieurs, si nécessaire (les moulures de qualité de 1 po x 2 po font très bien l'affaire le long des murs). Biseautez, à l'arrière, les moulures du bord inférieur des panneaux pour qu'elles épousent la pente du plafond.

Conseils pour le panneautage du plafond d'un grenier

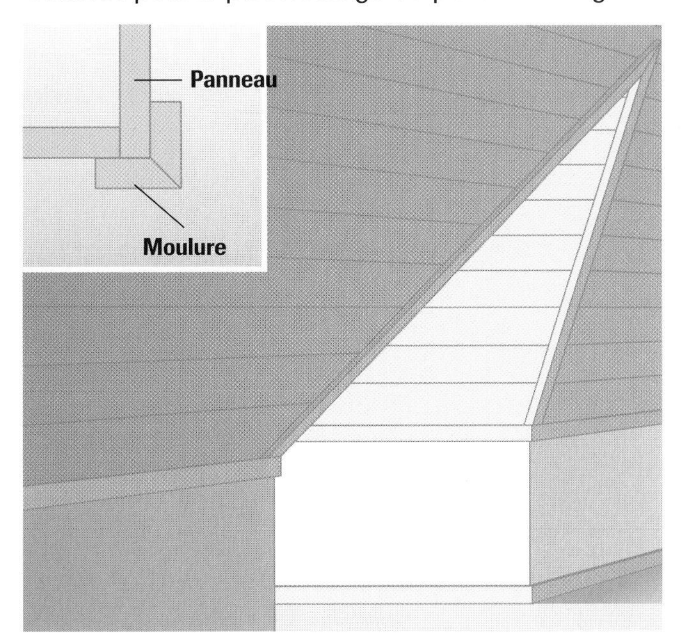

Installez les moulures décoratives qui dissimuleront les joints aux endroits où les panneaux se rencontrent dans des plans différents, comme sur les coins d'une mansarde. Biseautez les moulures et installez-les sur le joint bout à bout des coins, pour le dissimuler. Vous pouvez également couper les moulures dans les panneaux et enjoliver leur bord à l'aide d'une toupie ou d'un autre embout.

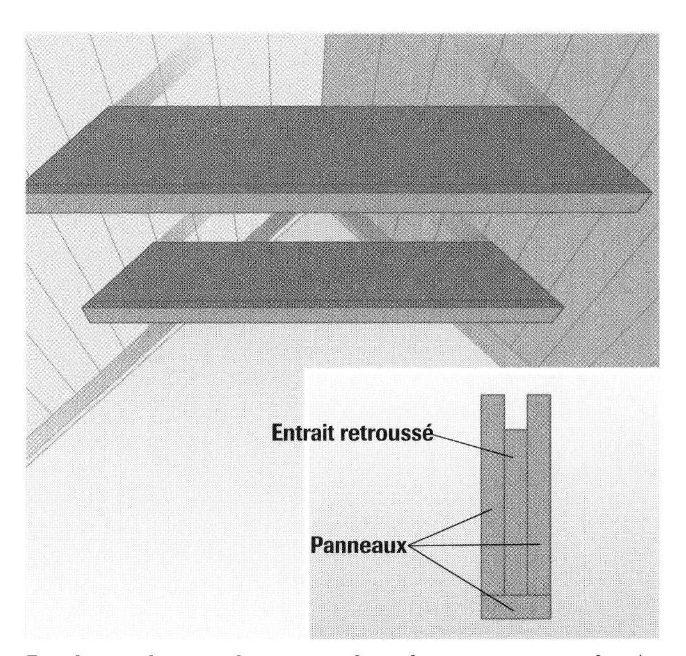

Enveloppez les entraits retroussés ou les poutres exposées de panneaux coupés sur mesure. Utilisez un angloir pour déterminer l'angle du biseau à donner aux extrémités des panneaux, à l'endroit où ceux-ci rencontrent la surface du plafond. Il vaut mieux envelopper un entrait retroussé de panneaux à joint biseautés, mais si les joints des panneaux installés sont aboutés, coupez la pièce inférieure de manière qu'elle soit assez large pour que les pièces latérales viennent buter contre elle.

Installation d'une porte intérieure montée

Installez les portes intérieures montées lorsque la charpente est terminée et que les plaques de plâtre sont installées (voir pages 132 à 139). Si l'embrasure de la porte a été pratiquée très précisément, l'installation de la porte prendra environ une heure.

Les portes montées standard ont des jambages de 4 ½ po d'épaisseur et elles sont fabriquées pour s'adapter à des murs construits en 2 po x 4 po et recouverts de plaques de plâtre de ½ po d'épaisseur. Si vos murs sont construits en 2 po x 6 po ou s'ils sont encore plus épais, vous pouvez commander une porte spécialement fabriquée pour cette épaisseur ou vous pouvez donner plus d'épaisseur aux jambages d'une porte standard (photo ci-dessous).

Le matériel dont vous avez besoin

Outils : niveau, marteau, scie manuelle.

Matériel : porte intérieure tout montée, intercalaires en bois, clous à boiserie 8d.

Conseil : si les poteaux de vos murs sont faits de 2 po x 6 po, vous devrez donner plus d'épaisseur aux jambages en y fixant des bandes en bois de 1 po d'épaisseur après avoir installé la porte. Utilisez pour ce faire de la colle et des clous de boiserie 4d.

Comment installer une porte d'intérieur toute montée

1 Glissez la porte dans son ouverture de manière que les bords des jambages viennent au ras de la surface des murs et que le jambage côté charnières soit d'aplomb.

2 Enfoncez, tous les 12 po, une paire d'intercalaires, un dans chaque sens, dans l'espace entre l'embrasure et le jambage côté charnières. Vérifiez si le jambage côté charnières est toujours vertical et s'il ne s'incurve pas.

3 Fixez le jambage côté charnières en enfonçant des clous de boiserie 8d à travers le jambage et les intercalaires, dans le poteau nain.

4 Enfoncez, tous les 12 po, une paire d'intercalaires dans l'espace entre l'embrasure et l'ensemble du jambage côté serrure et du linteau. La porte étant fermée, réglez les intercalaires pour laisser un espace de ⅛ po entre le bord de la porte et le jambage. Enfoncez des clous de boiserie 8d dans l'embrasure, à travers le jambage et les intercalaires, d'une part, et à travers le linteau et les intercalaires, d'autre part.

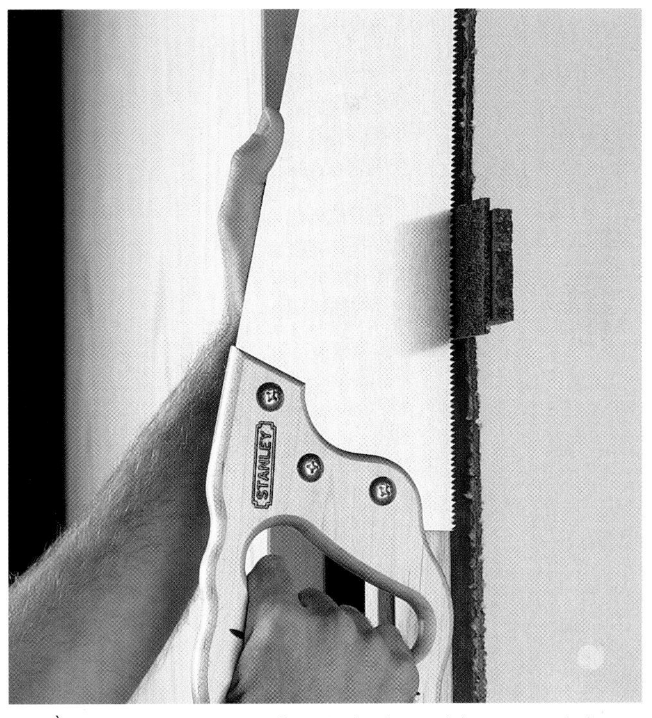

5 À l'aide d'une scie manuelle, sciez les intercalaires au ras de la surface des murs. Tenez la scie verticalement pour éviter d'endommager les jambages ou le mur. Finissez la porte et installez la serrure en suivant les instructions du fabricant. Voir pages 152 à 155 pour l'installation de l'encadrement autour de la porte.

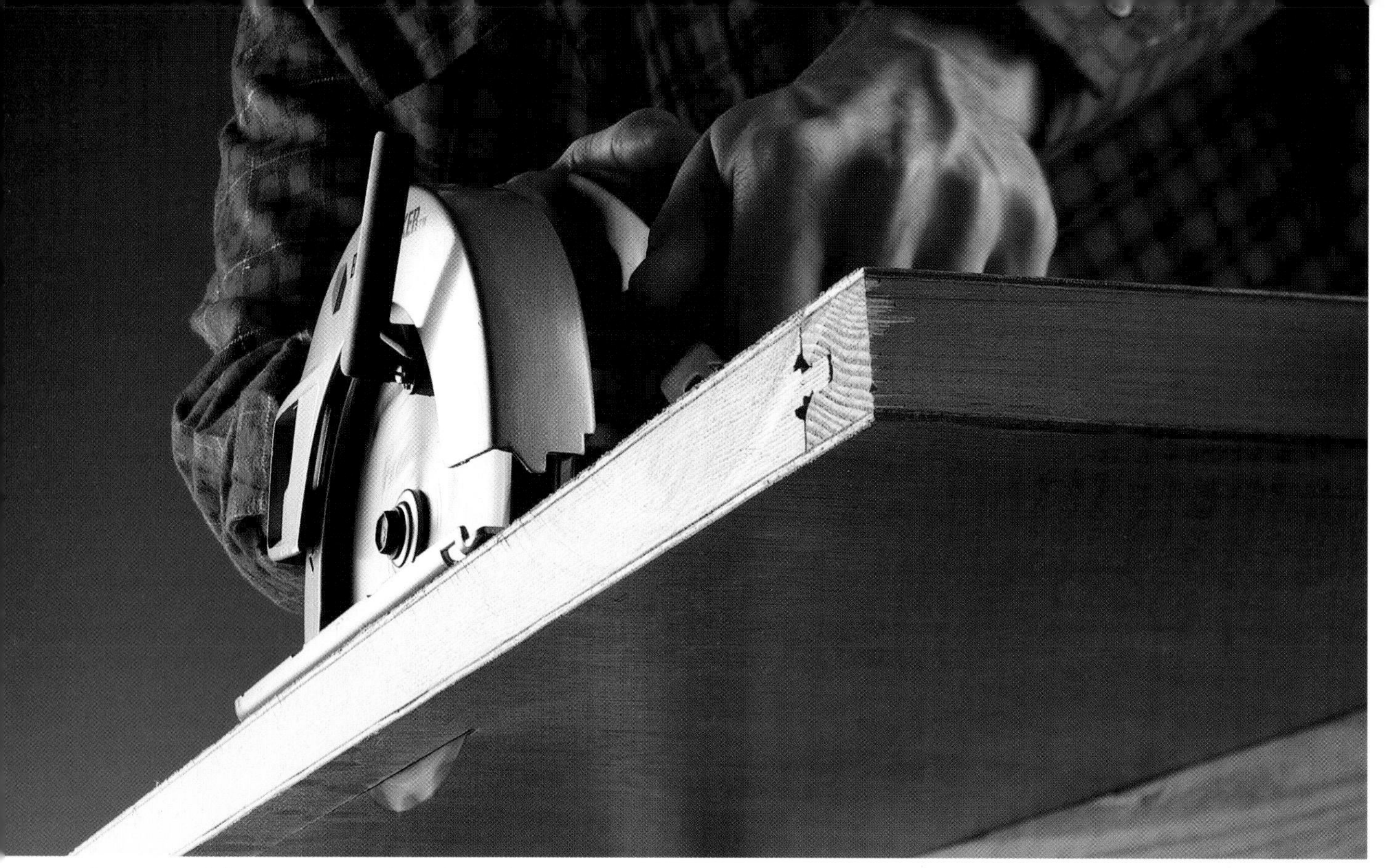

Les portes à âme creuse ont des cadres en bois massif et des âmes creuses. Si on enlève complètement le bord inférieur du cadre de la porte, pour la raccourcir, on peut ensuite replacer ce bord pour refermer le cadre de la porte. Prenez soigneusement les mesures lorsque vous marquez une porte pour la raccourcir.

Raccourcir une porte intérieure

Les portes intérieures toutes montées laissent normalement un espace de 3/4 po entre le bas de la porte et le plancher. Cet espace permet à la porte de pivoter sans accrocher la moquette ou le revêtement de sol. Mais si on installe une moquette plus épaisse ou un seuil plus haut, il arrive que l'on doive raccourcir la porte.

Raccourcir une porte à âme creuse demande quelques opérations supplémentaires parce que ces portes sont constituées de plusieurs pièces. C'est la largeur de la coupe qui déterminera s'il faut couper certaines de ces pièces pour les replacer ensuite.

Si la porte est en bois massif, on peut habituellement la raccourcir en la rabotant à l'aide d'un rabot manuel ou à commande mécanique.

Le matériel dont vous avez besoin

Outils: mètre à ruban, marteau, tournevis, couteau universel, tréteaux, scie circulaire, ciseau, règle rectifiée, serre-joints.

Matériel: colle de menuisier.

Comment raccourcir une porte à âme creuse

1 La porte se trouvant à sa place, mesurez 3/8 po à partir du revêtement de plancher et marquez la porte à cet endroit. Retirez la porte de ses gongs en enlevant les pivots des charnières au moyen d'un tournevis et d'un marteau.

2 Tracez la ligne de coupe. Coupez à travers le parement de la porte à l'aide d'un couteau universel bien aiguisé, pour ne pas produire d'éclats lors du sciage.

3 Posez la porte à plat sur des tréteaux et fixez-y, au moyen de serre-joints, une règle rectifiée qui guidera la lame de la scie.

4 Sciez le bas de la porte, au risque de faire apparaître la partie creuse.

5 Pour réinstaller la partie inférieure du cadre de la porte, enlevez son parement avec un ciseau, des deux côtés.

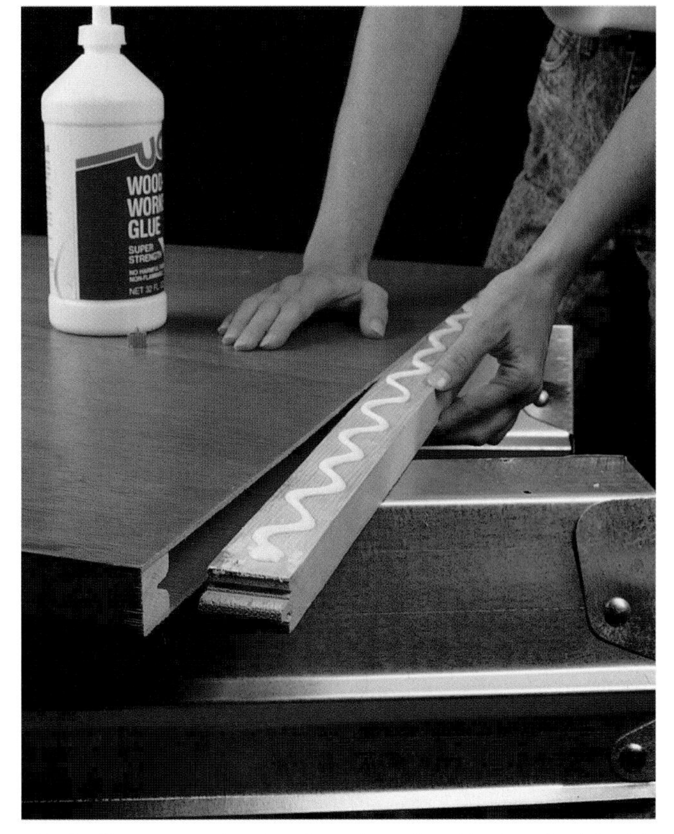

6 Appliquez un cordon de colle sur la partie sciée de cadre, introduisez-la dans l'ouverture de la porte et assujettissez-la avec des serre-joints. Essuyez l'excédent de colle et laissez sécher la porte jusqu'au lendemain.

Photo : courtoisie de Andersen Windows, Inc.

Installation des encadrements des portes et des fenêtres

Les encadrements des portes et des fenêtres servent à dissimuler les espaces existant entre les jambages, les montants, les linteaux, les appuis, et les surfaces des murs avoisinants.

Installez les encadrements des portes et des fenêtres en retrait des bords intérieurs des jambages et en vous assurant que les encadrements sont de niveau et d'aplomb.

Pour que les encadrements soient bien ajustés, les jambages et le revêtement mural doivent se trouver dans le même plan. Si l'un d'entre eux dépasse, l'encadrement ne s'appliquera pas parfaitement à l'embrasure. Pour résoudre ce problème, vous devrez retirer de la matière de la surface qui dépasse.

Utilisez un rabot de coupe pour raboter les jambages qui dépassent et une râpe pour réduire l'épaisseur du bord d'une plaque de plâtre (page 84). Les vis à plaques de plâtre supportent la plaque de plâtre grâce à la résistance de la couche de papier qui recouvre celle-ci. Si le papier qui entoure une vis est endommagé, enfoncez une autre vis à proximité, là où le papier est en bon état.

Le matériel dont vous avez besoin

Outils : mètre à ruban, crayon, équerre combinée, chasse-clou, niveau, règle rectifiée, scie à onglets à commande mécanique, marteau ou marteau cloueur pneumatique.

Matériel : listels d'encadrement, socles de plinthes et blocs d'angles (facultatif), clous de finition 4d et 6d, bois en pâte.

Comment installer des encadrements biseautés aux portes et aux fenêtres

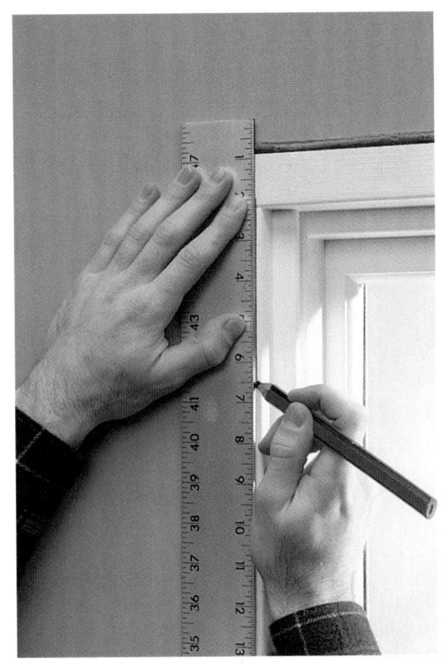

1 Sur chaque jambage, tracez une ligne à ⅛ po du bord intérieur. Vous installerez les encadrements le long de ces lignes. NOTE : on installe généralement les encadrements des fenêtres à double battant au bord des montants ; dans ce cas, les lignes sont inutiles.

2 Placez une moulure d'encadrement le long d'un côté du jambage, pour qu'elle se trouve au ras de la ligne tracée à l'étape 1. Au sommet et à la base de la moulure, marquez les points où les lignes verticales et horizontales se rencontrent. (S'il s'agit de portes, ne les marquez qu'au sommet.)

3 Coupez les extrémités de la moulure à 45° (page 65). Mesurez et coupez l'autre moulure verticale en utilisant la même méthode.

4 Forez des avant-trous, espacés de 12 po, pour éviter que le bois ne se fende et fixez les encadrements verticaux au moyen de clous de finition 4d plantés à travers les encadrements, dans les jambages. Enfoncez des clous de finition 6d dans les membres de l'ossature, près du bord extérieur des encadrements.

5 Mesurez la distance entre les moulures de côté et coupez les moulures supérieure et inférieure pour qu'elles s'ajustent parfaitement à celles-ci, avec des biseaux à 45°. Si la porte ou la fenêtre n'est pas parfaitement rectangulaire, faites des essais avec des rebuts pour trouver les angles des joints. Forez des avant-trous et fixez les moulures à l'aide de clous de finition 4d et 6d.

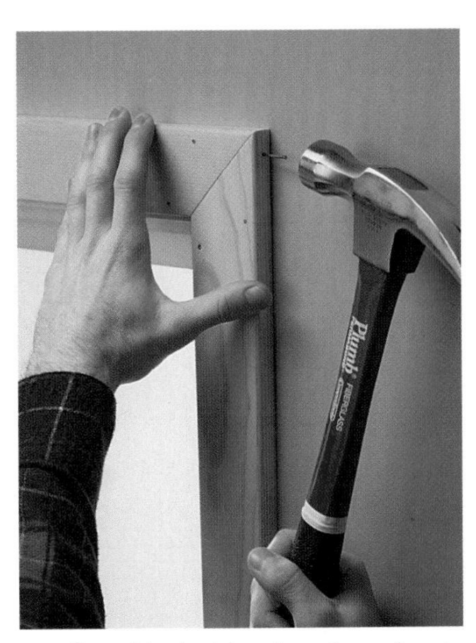

6 Consolidez les joints des coins en forant des avant-trous et en enfonçant des clous 4d dans chaque coin, comme indiqué. À l'aide d'un chasse-clou, enfoncez toutes les têtes de clous sous la surface du bois et remplissez de bois en pâte les trous formés.

Comment installer des encadrements de porte aboutés

1 Tracez une ligne repère sur chaque jambage, à ⅛ po du bord intérieur. Vous devrez installer les encadrements le long de ces lignes.

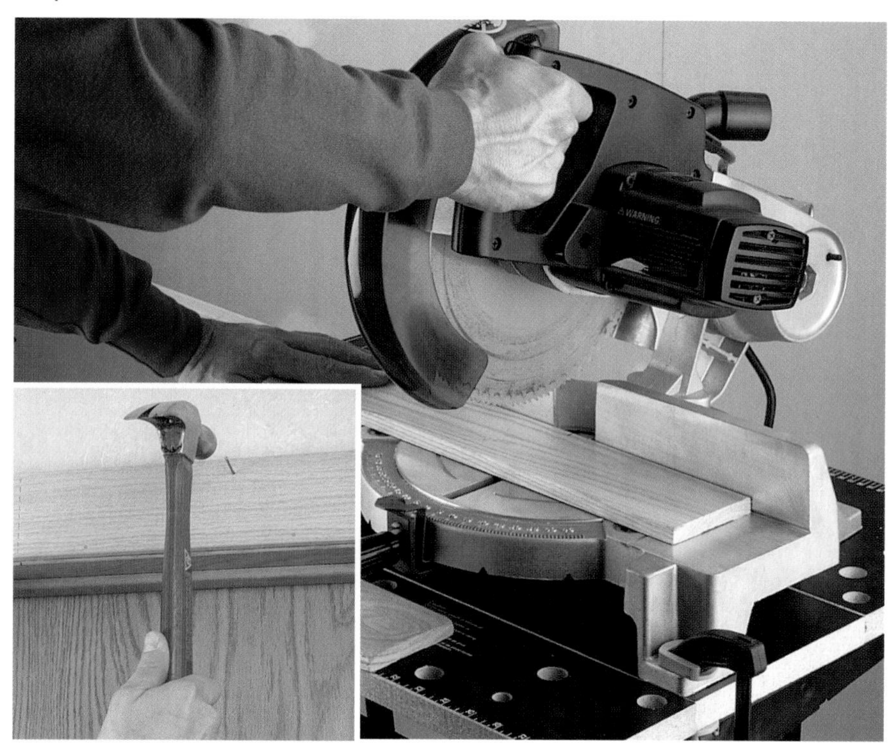

2 Coupez le côté supérieur de l'encadrement à la bonne longueur. Marquez son centre et le centre du linteau. Alignez le côté supérieur de l'encadrement sur la ligne repère et faites coïncider les centres de manière que le linteau dépasse également des deux côtés. Clouez le côté supérieur de l'encadrement au mur – aux emplacements des poteaux – et au linteau.

3 Placez les montants de l'encadrement contre le linteau, marquez-les à la bonne longueur et sciez-les.

4 Alignez chaque montant de l'encadrement sur sa ligne repère et clouez-le au jambage et aux parties de l'embrasure. À l'aide d'un chasse-clou, enfoncez les têtes des clous sous la surface du bois et remplissez les trous de bois en pâte.

Options dans l'installation des encadrements de portes et de fenêtres

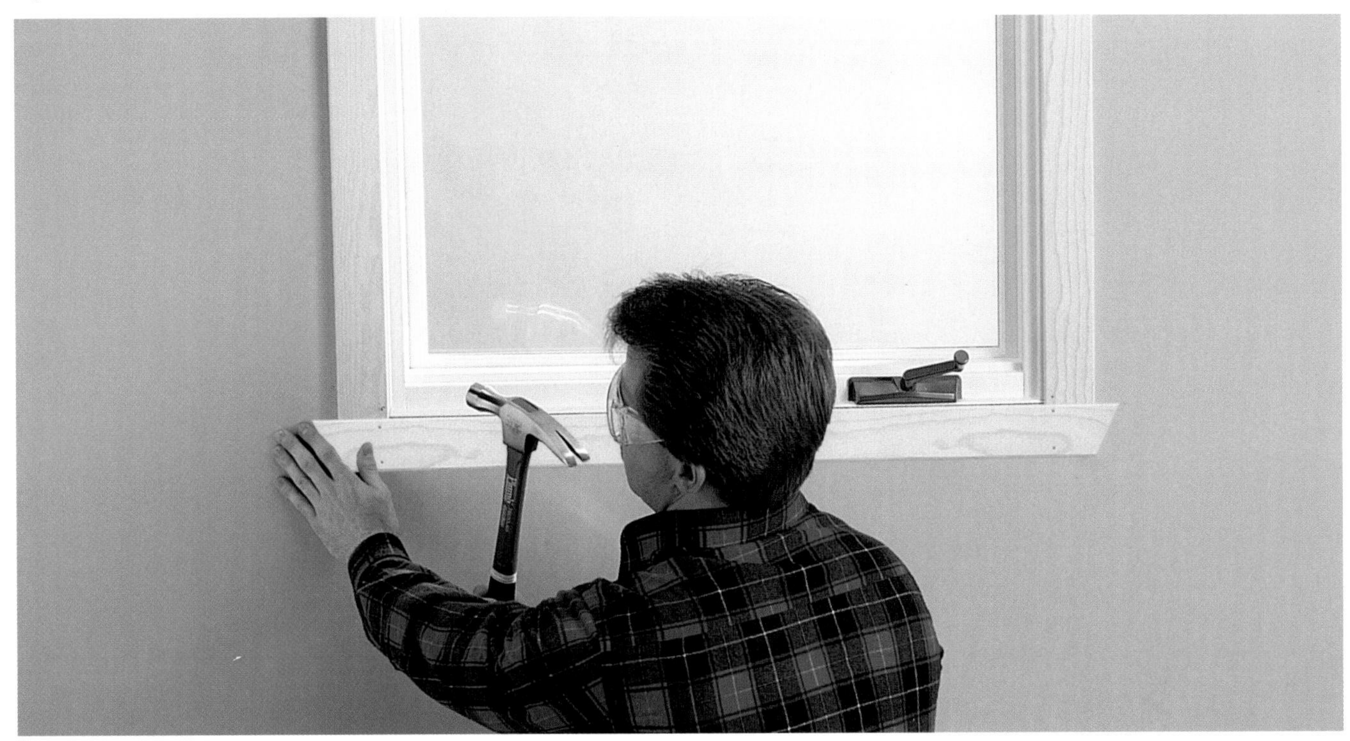

Combinez les encadrements à joints aboutés et à joints biseautés. Faites des joints biseautés au-dessus de la fenêtre et coupez ensuite le bas des montants à angle droit. Coupez la moulure de bas de fenêtre pour qu'elle dépasse les montants de 1 po. Polissez manuellement les extrémités avec du papier de verre 150, pour arrondir les arêtes. Marquez la moulure de bas de fenêtre à 1 po de chaque extrémité et retournez-la ensuite pour que le côté épais soit vers le haut. Fixez-la au mur au moyen de clous de finition, en alignant les marques de crayon sur les bords des montants.

Ornez les encadrements des portes en ajoutant des blocs de plinthe. Coupez les blocs de plinthe dans du bois de 1 po et biseautez un côté. À l'aide de clous de finition 10d de 2 po, clouez les blocs de plinthe aux jambages, en alignant les côtés biseautés sur la ligne repère de l'encadrement. Mesurez les parties de l'encadrement et sciez-les à la bonne longueur.

Ajoutez des blocs de coin, appelés parfois *rosaces*, aux extrémités du linteau. Installez-les dès que les montants sont en place et coupez ensuite le linteau à la bonne longueur. Utilisez un chasse-clou pour noyer les têtes des clous lorsque toutes les pièces sont installées.

Installation des plinthes et des moulures de plafond

Les plinthes et les moulures de plafond décorent une pièce et dissimulent les joints aux intersections des murs avec le plafond et le plancher. Vous devrez vous familiariser avec l'utilisation d'une scie et d'une boîte à onglets (page 46) ou d'une scie à onglets à commande mécanique (pages 62 à 69), car vous serez amené à exécuter de nombreuses coupes d'onglets lors de l'installation des plinthes et des moulures de plafond. Exercez-vous avec des rebuts jusqu'à ce que vous arriviez à faire des joints qui ont belle apparence lorsqu'on les regarde à une distance de 2 ou 3 pi. Lorsque vous vous apprêtez à couper les pièces à fixer aux murs, n'oubliez pas qu'il est rare que les coins des murs soient parfaitement d'équerre. Vous devrez peut-être régler l'angle de certains onglets et calfeutrer certains endroits après l'installation.

Achetez des moulures rectilignes, en bois massif exempt de nœuds. Prenez-les autant que possible assez longues pour couvrir la longueur totale du mur. Si vous devez décorer de longues pièces ou des corridors, assemblez les moulures et les plinthes au moyen de joints biseautés. Évitez les problèmes dus à la contraction du bois après l'installation en l'entreposant pendant plusieurs jours dans la pièce où il sera installé et en lui appliquant ensuite une couche d'apprêt ou de produit de scellement sur les faces avant et arrière, et sur les extrémités. Laissez sécher complètement les moulures avant de commencer les travaux. NOTE : si vous décidez de peindre les moulures avant de les installer, vous devrez ajouter une couche supplémentaire lorsque l'installation sera terminée.

Le matériel dont vous avez besoin

Outils : crayon, niveau, cordeau traceur, scie à onglets à commande mécanique ou boîte à onglets et scie à dosseret, scie à chantourner, perceuse et embouts, détecteur de montants, couteau universel, angloir, marteau ou marteau cloueur pneumatique, chasse-clou.

Matériel : moulures, apprêt, clous de finition 6d ou clous à marteau cloueur pneumatique, bois plastique, pâte à calfeutrer peinturable.

Les plinthes et les moulures de plafond peuvent être constituées d'une ou de plusieurs pièces. Parmi les moulures les plus courantes, on trouve la moulure de parquet – en quart-de-rond – et la cimaise du plafond. Les moulures couronnées compliquées sont parfois constituées de cinq parties différentes ou plus, qui forment une transition décorative entre les murs et les plafonds. On choisit souvent le pin ou le peuplier pour les plinthes qu'il faut peindre. Si vous comptez teindre les moulures, choisissez-les en bois dur comme le chêne.

Planification d'un projet de plinthes ou de moulures de plafond

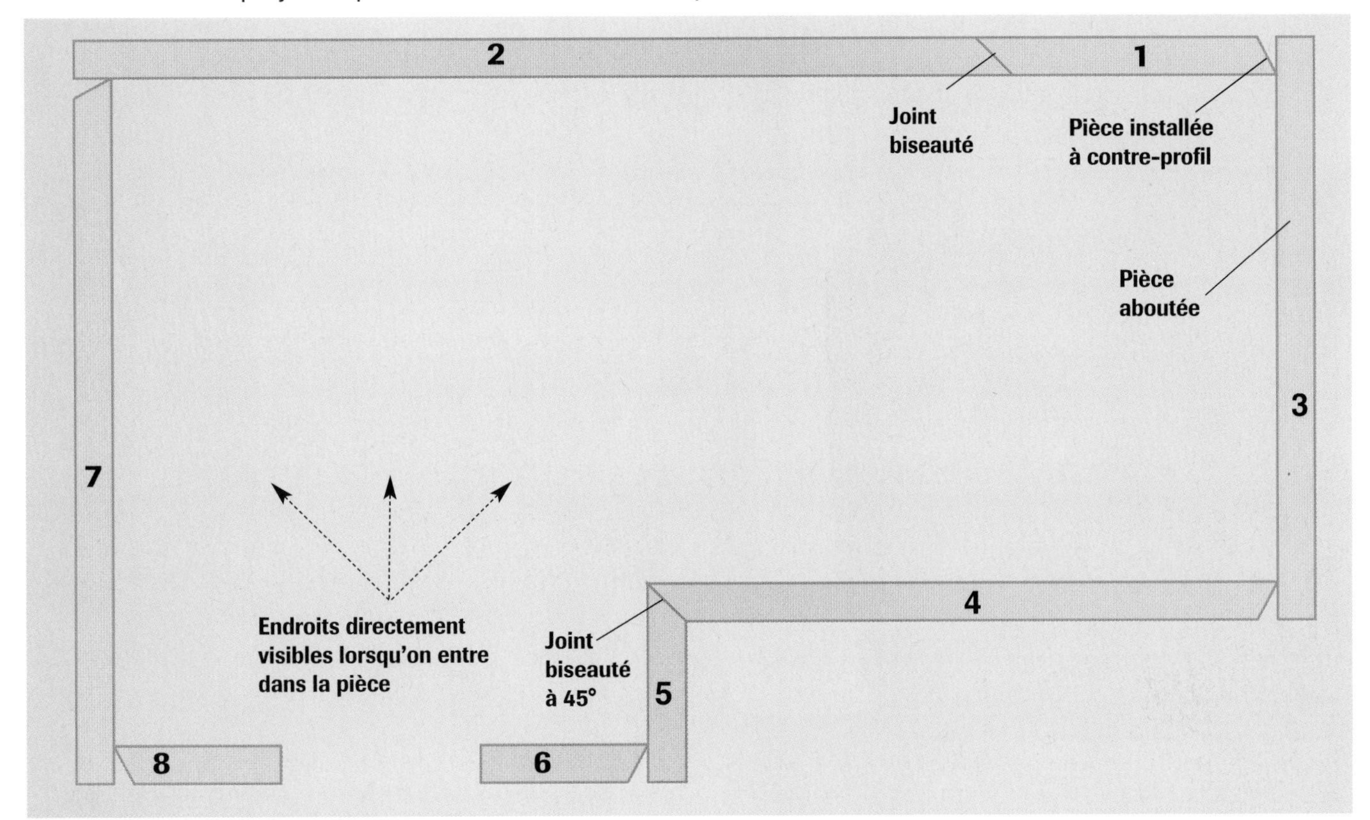

Planifiez l'installation des plinthes ou des moulures de plafond, vous gagnerez du temps et obtiendrez de meilleurs résultats. Commencez par mesurer les murs les plus visibles, c'est-à-dire ceux auxquels on fait face lorsqu'on entre dans la pièce. Coupez et installez d'abord les plinthes ou les moulures sur ces murs, de sorte qu'on ne remarque aucun espace dans les coins lorsqu'on entre dans la pièce. Pour la suite de l'installation, commencez par couper à la bonne longueur les moulures des coins intérieurs, puis tenez ces pièces en place et marquez les extrémités opposées, vous éviterez ainsi de couper des pièces trop courtes.

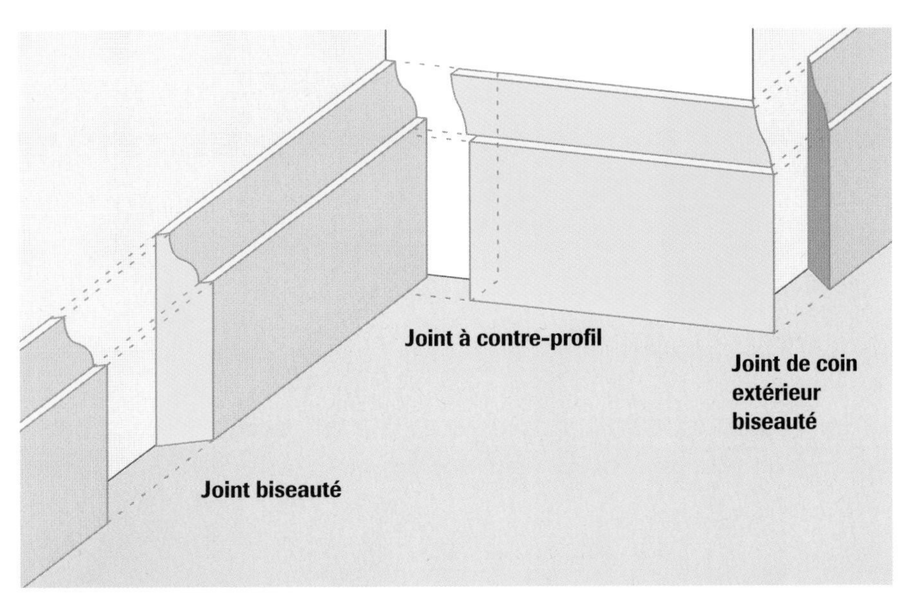

Les joints des plinthes et des moulures de plafond diffèrent en fonction de leur emplacement dans la pièce. Le long d'un mur, faites des joints biseautés. Dans les coins intérieurs, faites des joints à contre-profil plutôt que des joints biseautés, ils produisent un plus bel effet. Aux coins extérieurs, les joints biseautés sont parfaits. CONSEIL : dites-vous qu'aucun coin n'est parfaitement d'équerre. Avant de faire les coupes d'onglets, mesurez les angles des coins avec un angloir.

Le marteau cloueur pneumatique simplifie grandement certaines tâches comme le clouage des moulures, car il libère une main qui peut tenir la moulure à clouer. Il permet d'enfoncer également chaque clou sous la surface du bois, automatiquement, vous épargnant ainsi d'utiliser un chasse-clou.

Planification de l'installation d'une plinthe

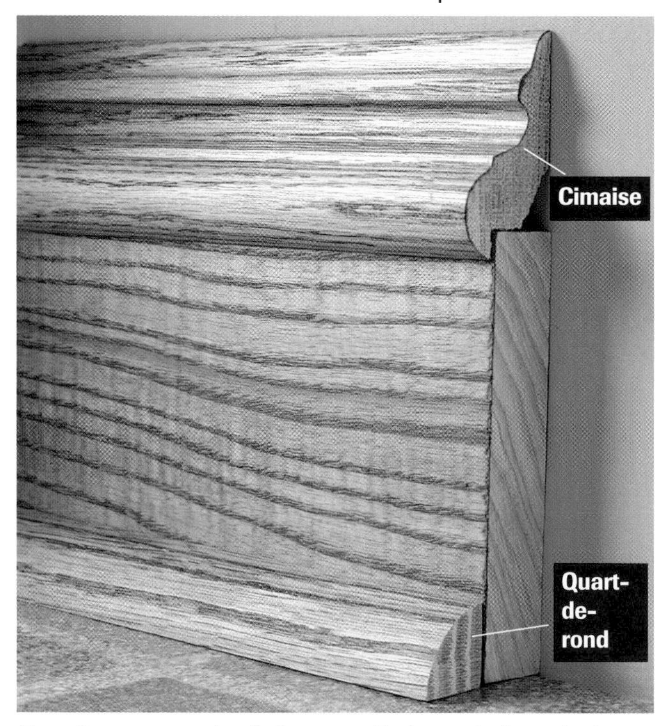

Transformez une simple latte en plinthe ornée d'une cimaise et d'un quart-de-rond. Les moulures des cimaises s'installent en angle, comme les moulures couronnées. Coupez ces moulures, comme vous le feriez pour les moulures de plafond (page 69), en effectuant des coupes d'onglets composées.

Préparez les joints à abouter aux encadrements des portes en coupant la plinthe à angle droit pour qu'elle rencontre l'encadrement. Choisissez autant que possible une moulure qui n'est pas plus épaisse que l'encadrement, afin que l'ensemble soit harmonieux.

Comment installer une plinthe

1 Marquez chaque mur à environ 1 pi du plancher, à l'endroit des poteaux muraux. Utilisez un détecteur de poteaux, si nécessaire.

2 Mesurez chaque mur et marquez la plinthe pour qu'elle corresponde à ces marques, en retenant l'ordre d'installation des pièces et en notant pour chacune d'elles si elle doit être installée contre le mur aux deux extrémités ou si elle forme d'un côté un joint abouté avec une autre pièce.

3 Pour installer un plinthe plate dans un coin intérieur, formez un simple joint abouté en coupant chaque pièce d'équerre et en installant une pièce contre le mur adjacent, l'autre pièce venant buter contre la première et formant ainsi le joint abouté.

4 Aux coins extérieurs, tenez la pièce en place et marquez-la pour la couper à l'endroit où son bord intérieur rencontre le coin extérieur du mur. Réglez une scie à onglets à 45° et effectuez les coupes d'onglets.

5 Forez des avant-trous et attachez les parties de la plinthe. Enfoncez les clous, en les décalant légèrement, à l'emplacement de chaque montant, à 1/2 po du haut et du bas de la plinthe, de sorte que les clous supérieurs pénètrent dans les montants et les clous inférieurs dans la semelle.

6 Consolidez les coins extérieurs en enfonçant un clou légèrement incliné à travers les deux pièces, à 1 po environ du joint. Si vous clouez avec un marteau, utilisez ensuite un chasse-clou pour enfoncer la tête de clou sous la surface du bois et remplissez le trou de bois en pâte.

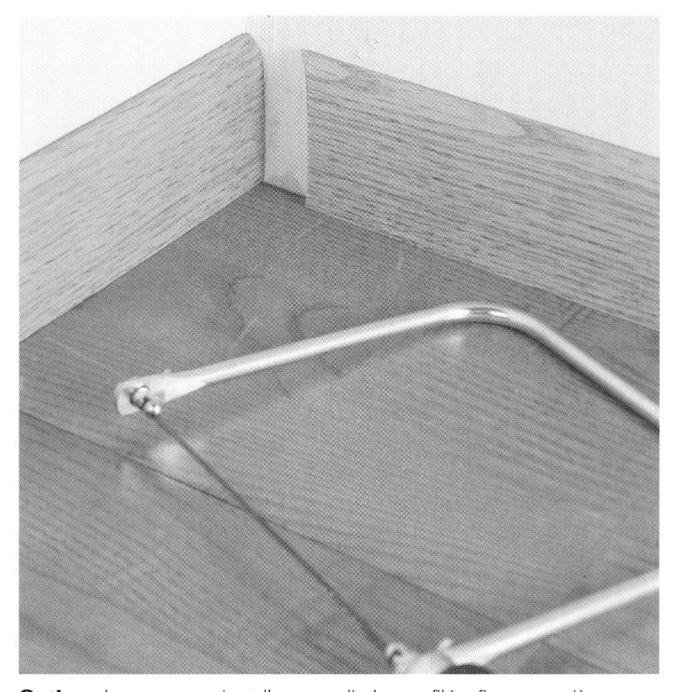

Option : lorsque vous installez une plinthe profilée, fixez une pièce contre le mur adjacent. Ensuite, coupez en biseau, à 45°, la pièce qui vient chevaucher la première et faites-lui épouser le profil de celle-ci en vous servant d'une scie à chantourner.

Comment installer une moulure couronnée

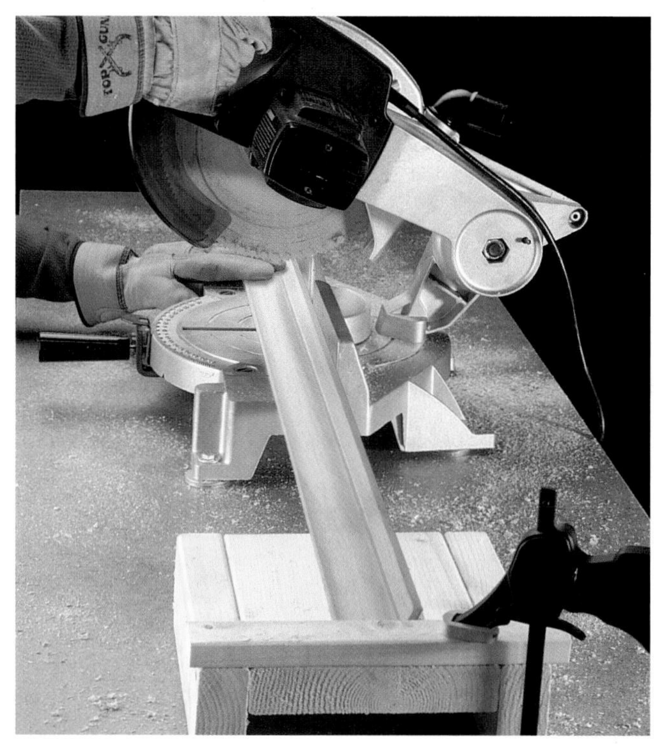

1 Mesurez et marquez une pièce de moulure destinée au premier mur. Dans l'exemple, on commence par installer une moulure sur un mur ayant un coin intérieur et un coin extérieur ; on coupe donc la moulure à la longueur voulue en effectuant une coupe d'équerre à une extrémité et une coupe d'onglet à l'autre.

2 Attachez la première pièce de la moulure en la plaçant sur le mur de manière que ses deux méplats soient respectivement l'un contre le mur et l'autre contre le plafond, forez les avant-trous et enfoncez des clous de finition à travers les méplats, aux emplacements des montants. NOTE : pour éviter que la moulure ne se fende, décalez légèrement les clous plantés dans les solives de plafond par rapport aux clous plantés dans les montants.

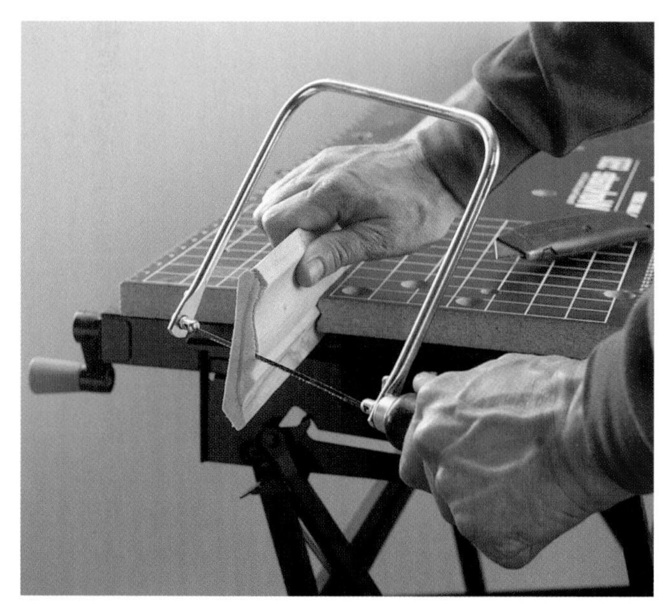

3 Biseautez à 45° l'extrémité de la deuxième pièce de moulure qui viendra en contact avec la pièce précédente. Ajustez le profil de cette extrémité à l'aide d'une scie à chantourner, en la raccourcissant légèrement, et enlevez les bavures à l'aide d'un couteau universel.

4 Coupez l'autre extrémité en biseau pour le coin extérieur. Fixez la pièce au moyen de clous de finition, comme précédemment. Installez les autres pièces, en faisant des joints à contre-profil dans tous les coins intérieurs et des joints biseautés aux coins extérieurs. Enfoncez les clous jusqu'à $^1/_8$ po de la surface et terminez l'opération à l'aide d'un chasse-clou. Remplissez de bois en pâte les trous des têtes de clous.

Conseils sur l'installation de moulures concaves en une seule pièce

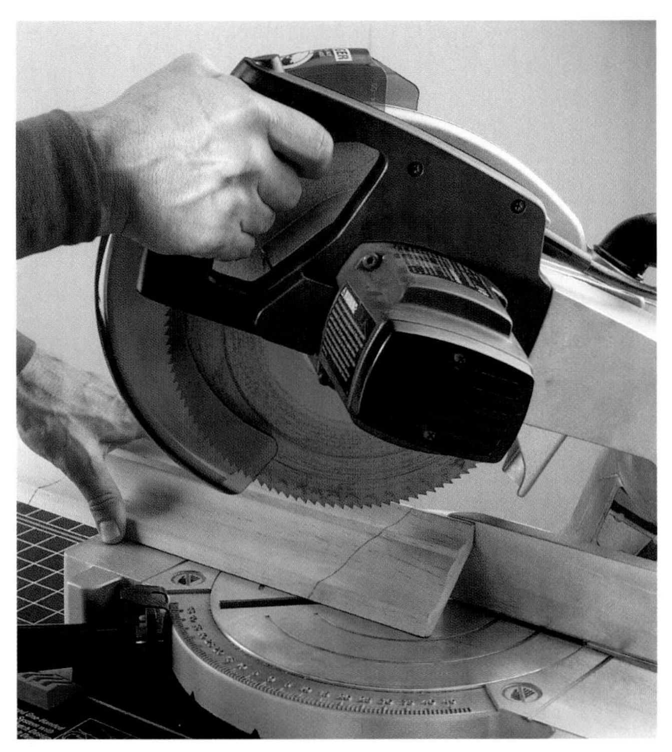

Lorsque vous utilisez une scie à onglets standard, vous devez placer chaque morceau de moulure *suspendue* à l'envers pour la couper (page 69). Si vous utilisez une scie à onglets composée, cette mesure n'est pas nécessaire.

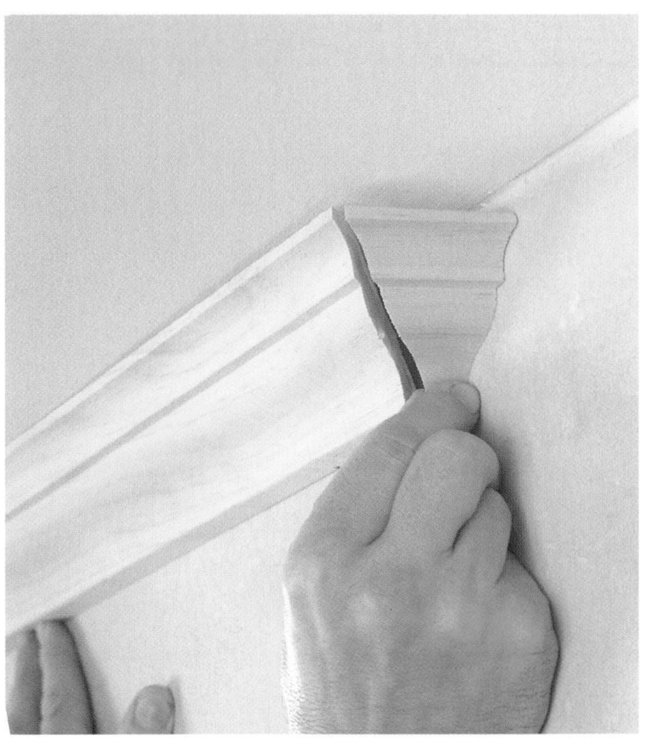

La plupart des moulures de plafond font le tour de la pièce. Toutefois, si vous devez arrêter la moulure à un endroit, biseautez son extrémité et dissimulez le biseau derrière un autre morceau perpendiculaire de moulure biseauté que vous ajusterez et que vous collerez en appliquant un cordon de colle à bois ou de colle chaude sur les deux surfaces biseautées.

Comment installer une cimaise à fauteuil ou une cimaise à tableaux

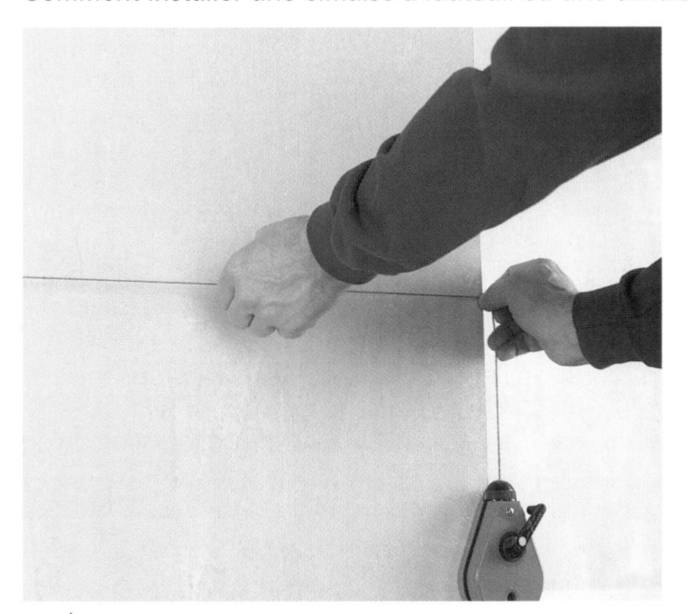

1 À l'aide d'un cordeau traceur, tracez des lignes indiquant le bord de la moulure qui sera le moins visible. Coupez les morceaux de moulures comme s'il s'agissait de plinthes (pages 158 et 159).

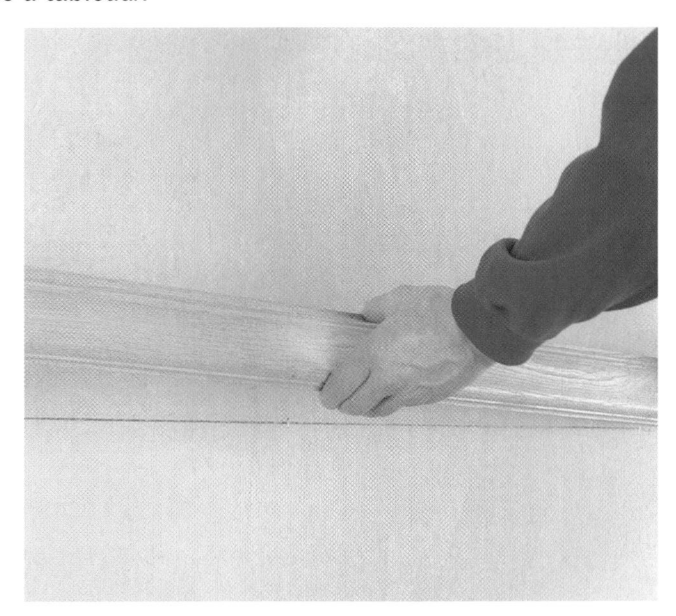

2 Trouvez les emplacements des poteaux muraux et marquez-les. Alignez ensuite le bord de chaque morceau de moulure sur la ligne de craie. À l'aide de clous de finition, clouez les morceaux de moulure sur les poteaux. Utilisez des morceaux biseautés supplémentaires (voir ci-dessus), si nécessaire. Enfoncez les clous au moyen d'un chasse-clou et remplissez de bois en pâte les trous des têtes de clous.

Les panneaux de lambris bouvetés sont fabriqués avec des surfaces lisses ou rugueuses qui donnent plus de relief aux murs. Si vous comptez les teindre, choisissez des essences à fibre apparente. Si vous comptez les peindre, le peuplier constitue un bon choix, car il présente peu de nœuds et une structure de fibre très régulière.

Le matériel dont vous avez besoin

Outils : crayon, niveau, scie circulaire, scie à onglets, marteau, chasse-clou, rabot, vérificateur de circuit, levier, mètre à ruban, pinceau.

Matériel : panneaux bouvetés, clous de finition, bandes de clouage de 1 po x 3 po, clous de finition 10d de 2 po, extensions de boîtes de prises de courant, si nécessaire, peinture ou teinture.

Installation de lambris bouvetés

Le terme lambrissage englobe virtuellement tous les traitements spéciaux réservés aux trois ou quatre pieds inférieurs des murs intérieurs. Le modèle représenté ici, qui utilise des panneaux bouvetés, est devenu populaire au début du vingtième siècle et a réapparu récemment comme moyen de décorer une pièce.

Les panneaux bouvetés sont normalement fabriqués en pin, en sapin ou dans d'autres bois mous, et ils ont ¼ po à ¾ po d'épaisseur. Chaque panneau est muni d'une languette d'un côté et d'une rainure de l'autre, et il est taillé en biseau ou garni d'un rebord de chaque côté. On coupe les panneaux à la longueur voulue et on les attache au moyen de clous qu'on plante généralement dans les languettes des panneaux. Cette technique, appelée clouage dissimulé, permet de camoufler les clous.

Une fois installé, le lambris est coiffé, à une hauteur de 30 po à 36 po, d'une moulure appelée cimaise. La hauteur de la cimaise est une question de goût. Lorsqu'on l'installe à la hauteur des meubles se trouvant dans la pièce, il se dégage une impression de symétrie visuelle. Cela permet aussi à la cimaise de jouer le rôle de cimaise de fauteuils, protégeant la partie inférieure des murs contre les dommages.

Pour installer un lambris sur des plaques de plâtre, il faut fixer au préalable des bandes de clouage sur les poteaux muraux. Vous pouvez sauter cette étape si des étrésillons placés entre les poteaux muraux peuvent servir de bandes de clouage, mais il est difficile de le savoir si rien, dans la conception des murs, ne prévoyait le lambrissage.

On peut peindre ou teindre les lambris. On peut appliquer les teintures à l'huile avant ou après l'installation, puisque la plus grande partie de la teinture sera absorbée par le bois et ne gênera pas les joints bouvetés. Si vous peignez le lambris, choisissez une peinture au latex ; elle résistera à la fissuration lorsque les joints se dilateront et se contracteront au gré des conditions ambiantes.

Comment préparer un projet de lambrissage

Préparez un dessin de chaque mur faisant partie de votre projet. Indiquez-y l'emplacement des accessoires, des prises de courant et des fenêtres. À l'aide d'un fil à plomb, vérifiez si les arêtes des coins sont verticales. Dans le cas contraire, tracez des lignes verticales de référence sur les murs.

Conditionnez les planches en les empilant dans la pièce où elles seront installées. Séparez-les par des intercalaires, pour que l'air puisse circuler entre elles et qu'elle puissent s'adapter aux conditions de température et d'humidité ambiantes. Attendez 72 heures avant d'appliquer un produit de teinture ou de scellement sur les deux côtés et les extrémités de chaque planche.

Retirez les moulures des plinthes et les plaques des prises de courant, les plaques de ventilation et autres accessoires muraux fixés dans la zone que vous comptez lambrisser. Avant d'entamer les travaux, coupez l'électricité alimentant les circuits de cet endroit de la maison.

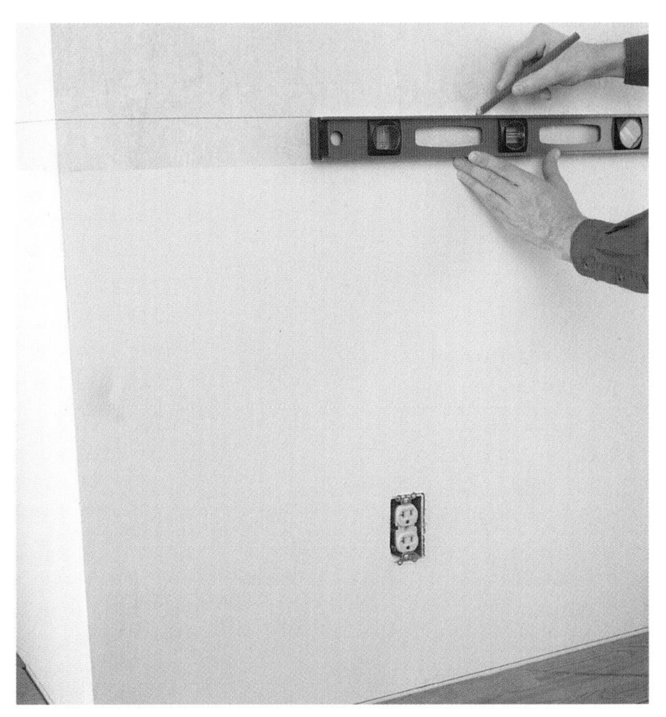

Tracez des lignes de niveau sur les murs pour indiquer la limite supérieure du lambris. Tracez une ligne à 1/4 po du plancher pour laisser l'espace nécessaire à la dilatation du lambris installé.

Suite à la page suivante

Comment préparer un projet de lambrissage (suite)

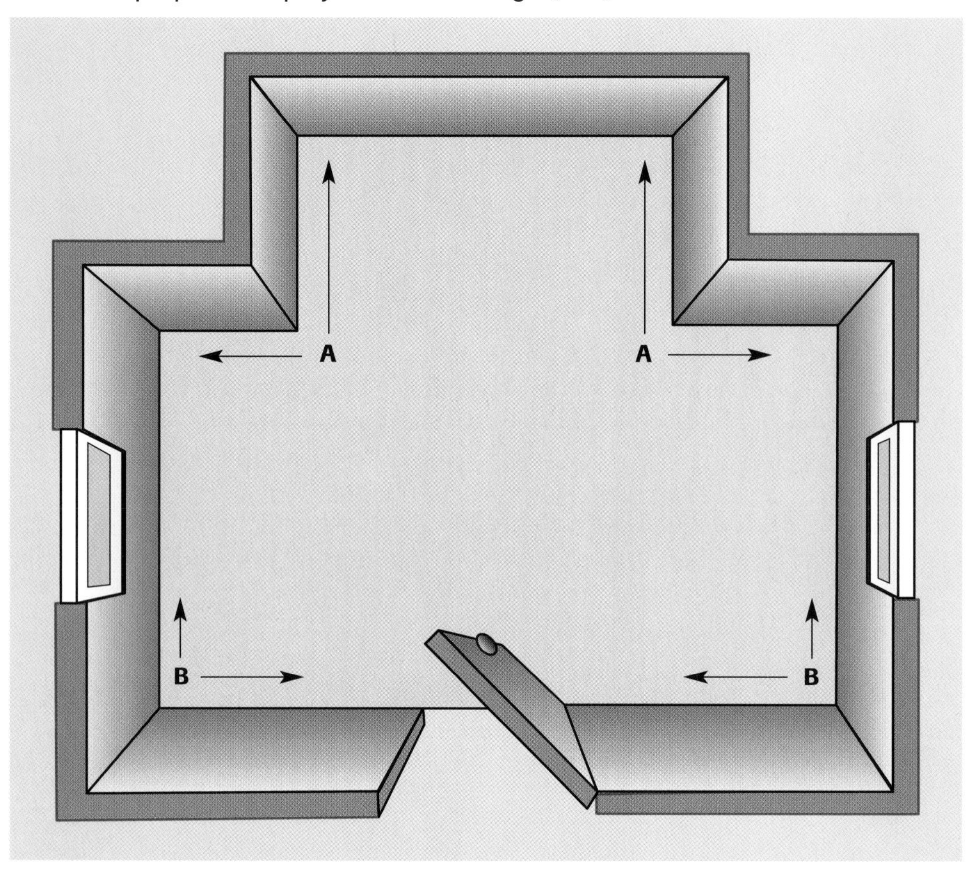

Commencez l'installation dans les coins. Installez d'abord le lambris aux coins extérieurs (A) et progressez vers les coins intérieurs. Si des parties de la pièce ne présentent pas de coins extérieurs, commencez par les coins intérieurs (B) et progressez vers les encadrements des portes et des fenêtres. Calculez le nombre de panneaux requis pour couvrir chaque mur en vous servant des mesures notées précédemment sur le dessin (en divisant la longueur du mur par la largeur d'une planche). Lors de ce calcul, n'oubliez pas qu'on enlève les languettes des panneaux de coin. Si le nombre de panneaux calculé pour un mur comprend un panneau qui doit avoir moins de la moitié de sa largeur, palliez cette situation en réduisant la largeur du premier et du dernier panneau.

Comment lambrisser les coins extérieurs

1 Coupez une paire de panneaux dont les largeurs correspondent au calcul effectué lors du processus de préparation.

2 Placez les panneaux au premier coin, en les aboutant pour qu'ils forment un coin d'aplomb. Clouez les panneaux en place en enfonçant des clous dans leurs faces et consolidez ensuite le joint au moyen de clous de finition 6d. Enfoncez les clous jusqu'à $^1/_8$ po de la surface et achevez le travail à l'aide d'un chasse-clou.

3 Placez un morceau de moulure de coin et clouez-la à l'aide de clous de finition 6d. Installez les autres panneaux (voir page suivante, étapes 5 et 6).

Comment lambrisser les coins intérieurs

1 Appuyez un niveau contre le premier panneau et tenez le panneau le long du coin. Si le coin n'est pas vertical, découpez longitudinalement le panneau de manière à corriger la situation : tenez le panneau d'aplomb, placez la pointe sèche d'un compas dans le coin intérieur et tracez une ligne sur le panneau, en abaissant le compas le long de l'arête du coin intérieur.

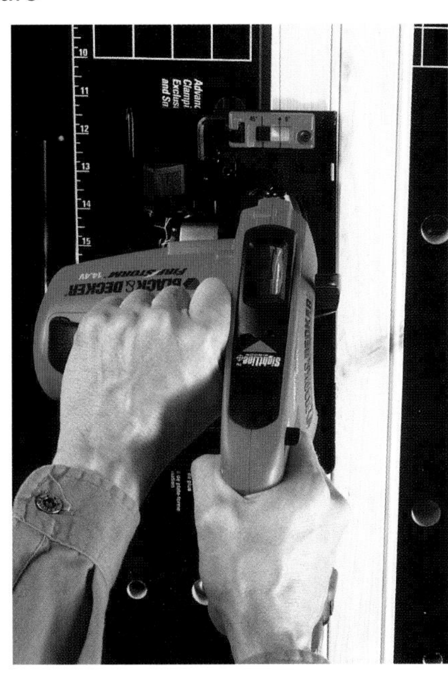

2 À l'aide d'une scie circulaire, coupez le panneau le long de la ligne. Il faudra peut-être raboter légèrement le côté des panneaux suivants pour qu'ils soient d'aplomb.

3 Tenez le premier panneau dans le coin, en laissant un espace de dilatation de $^{1}/_{4}$ po et enfoncez des clous de finition 6d au centre du panneau, à la hauteur de chaque bande de clouage. Enfoncez les clous supérieurs à environ $^{1}/_{2}$ po du bord pour qu'ils soient dissimulés lorsque vous réinstallerez la cimaise.

4 Installez un deuxième panneau dans le coin en le plaçant contre le premier, puis clouez-le au moins à deux endroits, à travers la planche, jusqu'à $^{1}/_{8}$ po de la surface ; terminez le travail à l'aide d'un chasse-clou.

5 Placez les panneaux suivants. Laissez un espace de dilatation de $^{1}/_{16}$ po à chaque joint. Utilisez un niveau pour vérifier l'aplomb tous les trois panneaux. Si le lambris n'est plus vertical, ajustez le quatrième panneau de manière à corriger la situation.

6 Marquez le dernier panneau pour l'ajuster. Si vous avez atteint l'encadrement d'une porte, coupez le panneau pour qu'il arrive au ras de l'encadrement (enlevez au moins la languette). Si vous avez atteint un coin intérieur, vérifiez s'il est d'aplomb. Si ce n'est pas le cas, tracez une ligne comme à l'étape 1 et recoupez le panneau pour qu'il s'ajuste parfaitement.

Comment faire une découpe

1 Vérifiez si le courant qui alimente la prise a bien été coupé (mortaise). Puis, dévissez la prise et retirez-la de sa boîte. Frottez les bords de la boîte avec un bâton de craie de couleur.

2 Pressez directement contre la boîte la face arrière du panneau qui sera installé à l'endroit de la prise, afin d'obtenir l'empreinte du contour de la boîte.

3 Posez le panneau côté face vers le bas et forez un avant-trou de grand diamètre dans un coin du contour. À l'aide d'une scie sauteuse munie d'une lame à petites dents, suivez le contour en veillant à ne pas dévier du tracé.

4 Clouez le panneau du lambris au mur et attachez la prise en plaçant ses pattes de manière que la prise arrive au ras du panneau. Vous aurez peut-être besoin de vis plus longues.

Conseil : si vous installez un panneau épais, vous devrez attacher, à la boîte de la prise, une extension vers l'intérieur et connecter de nouveau la prise pour qu'elle arrive au ras du panneau.

Comment lambrisser le contour d'une fenêtre

Lorsqu'il s'agit d'une fenêtre à battants, installez le lambris pour qu'il arrive jusqu'à l'encadrement, sur les côtés et en bas de la fenêtre. Installez un quart-de-rond ou une autre moulure pour finir les bords.

Lorsqu'il s'agit d'une fenêtre guillotine, enlevez les moulures de la fenêtre et installez le lambris pour qu'il arrive jusqu'aux montants de côté et jusqu'à la traverse inférieure. Coupez le rebord pour qu'il recouvre le lambris et réinstallez l'appui de fenêtre.

Comment parachever le lambrissage

1 Coupez les plinthes (pages 156 à 159) qui recouvriront le lambris et fixez-les à l'aide de clous de finition 6d, aux emplacements des poteaux muraux. Si vous comptez installer une moulure de base, laissez un petit espace entre la plinthe et le plancher.

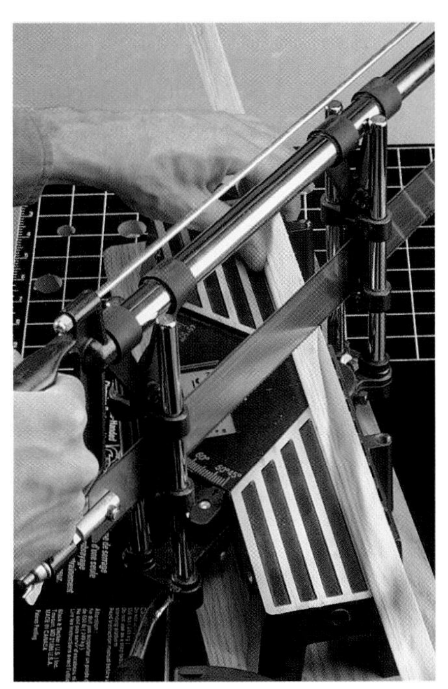

2 Coupez la cimaise comme s'il s'agissait d'une plinthe (page 159). Aux portes et aux fenêtres, installez la cimaise de manière que son extrémité arrive au ras des jambages ou des montants.

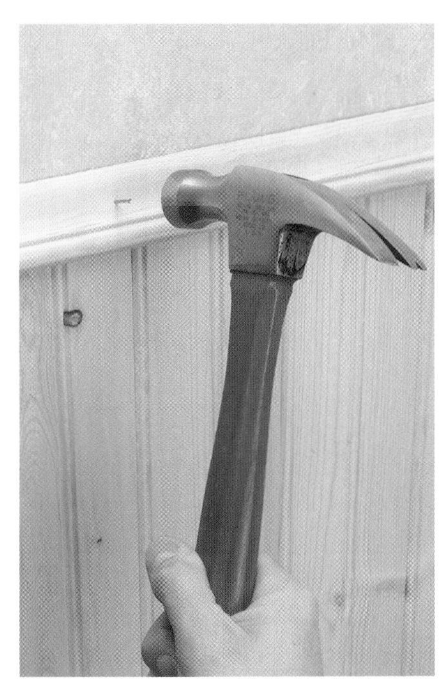

3 Fixez la cimaise en enfonçant des clous de finition 4d à travers les méplats des moulures aux emplacements des poteaux, de sorte que les clous pénètrent dans les poteaux et dans le lambris. Achevez le travail au moyen d'un chasse-clou.

Projets avancés

Élargissement des ouvertures et enlèvement des murs

De nombreux travaux de menuiserie sont souvent précédés par des travaux de démolition. Dans les projets de rénovation, il est souvent nécessaire de pratiquer ou d'élargir des ouvertures pour pouvoir installer de nouvelles portes ou de nouvelles fenêtres ; parfois, il faut même démolir un mur complet. La procédure à suivre dans ce genre de travail est toujours la même, que vous ayez affaire à des portes et des fenêtres de murs extérieurs ou à la modification de murs intérieurs.

Commencez par déterminer le type d'ossature de votre maison (pages 102 et 103). C'est lui qui vous indiquera la manière de procéder pour pratiquer des ouvertures dans les murs ou démolir complètement ceux-ci. Ensuite, inspectez les murs pour découvrir les pièces mécaniques qu'on y a dissimulées (câblage, plomberie, installations de CVC).

Après avoir dévié les conduites de service, vous êtes prêt à enlever les surfaces des murs intérieurs (pages 172 à 175). Si vous devez remplacer d'anciennes portes et fenêtres, c'est le moment de les enlever (pages 180-181). Si vous le jugez nécessaire, vous pouvez aussi enlever les surfaces des murs extérieurs (pages 176 à 179), mais ne retirez aucun élément d'ossature à ce stade-ci du travail.

L'étape suivante dépend de la nature du projet.

Si vous enlevez un mur portant ou si vous pratiquez une nouvelle ouverture ou agrandissez une ouverture existante, dans un tel mur, vous devez installer des supports temporaires qui soutiendront le plafond pendant les travaux (pages 182 à 185). Cette étape est superflue si le mur que vous enlevez n'est pas un mur portant.

Vous pouvez ensuite enlever les éléments d'ossature (pages 186 à 191), en suivant les directives qui s'appliquent aux murs portants ou non portants.

Le travail de démolition étant terminé, vous êtes prêt à commencer le travail de construction, c'est-à-dire installer les nouvelles portes et fenêtres. La description de ces travaux commence à la page 192.

L'enlèvement de la surface des murs intérieurs est décrit aux pages 172-173 (plaques de plâtre), et aux pages 174-175 (plâtre).

L'enlèvement de la surface des murs extérieurs est décrit aux pages 176 à 179.

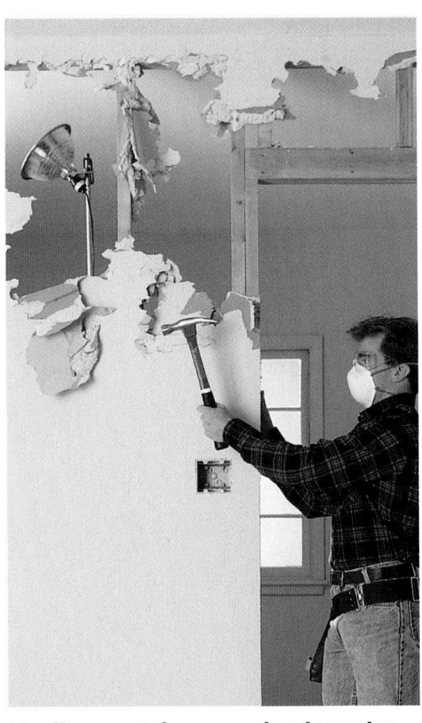

L'enlèvement des murs de séparation intérieurs est décrit aux pages 186 à 188.

L'enlèvement des murs portants intérieurs est décrit aux pages 188 à 191. Installez des supports temporaires (pages 182 à 185) avant d'enlever ou de modifier un mur portant.

Les instructions d'installation des portes et des fenêtres commencent à la page 192.

Enlèvement des plaques de plâtre

Dans la plupart des projets de rénovation, il faut enlever la surface des murs intérieurs avant de travailler à la charpente. Cette surface est le plus souvent constituée de plaques de plâtre. Commencez par couper le courant et inspectez le mur pour découvrir s'il contient des fils électriques ou de la plomberie.

Enlevez une partie suffisante de la surface pour pouvoir installer les nouveaux éléments d'ossature. Si vous devez encadrer une porte ou une fenêtre, enlevez la surface murale du plancher jusqu'au plafond et jusqu'aux premiers poteaux muraux situés de part et d'autre de l'ouverture prévue. Si la plaque de plâtre a été fixée au moyen d'adhésif de construction, nettoyez les éléments d'ossature à l'aide d'une râpe ou d'un vieux ciseau.

NOTE : si vos murs sont recouverts de panneaux de bois, enlevez ceux-ci par feuilles entières si vous avez l'intention de les réutiliser, car vous pourriez éprouver des difficultés à trouver des nouveaux panneaux du même type.

Le matériel dont vous avez besoin

Outils : tournevis, mètre à ruban, crayon, détecteur de poteaux, cordeau traceur, scie circulaire équipée d'une lame de démolition, couteau universel, levier, équipement de protection oculaire, marteau.

Comment enlever les plaques de plâtre

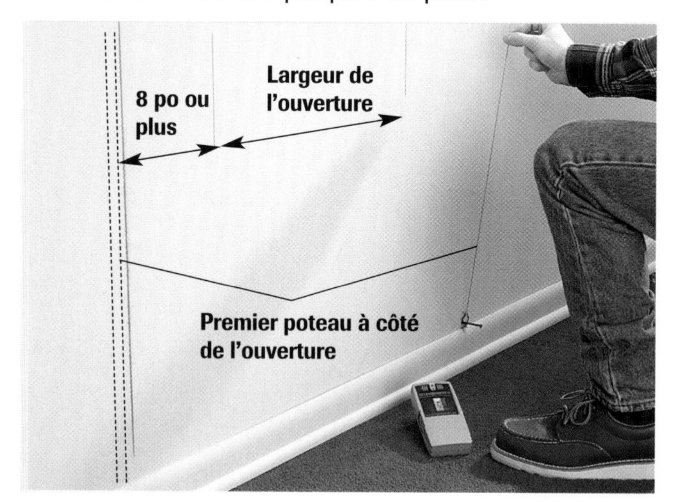

1 Marquez la largeur de l'ouverture sur le mur et trouvez le premier poteau de chaque côté de celle-ci. Si l'ouverture se trouve à plus de 8 po du poteau, tracez une ligne au moyen du cordeau traceur le long du bord intérieur du poteau. Lorsque vous installerez l'encadrement, vous placerez un poteau supplémentaire qui servira de support à la nouvelle plaque de plâtre (page 137).

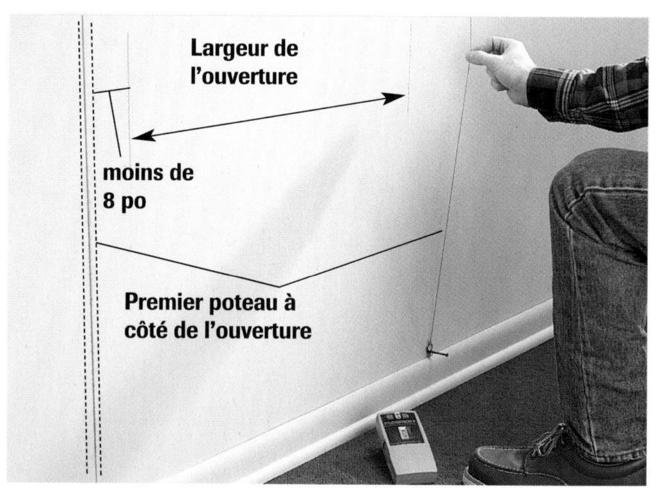

Conseil : Si l'ouverture se trouve à moins de 8 po du plus proche poteau, vous ne devez pas placer de poteau supplémentaire. À l'aide du cordeau traceur, tracez une ligne dans l'axe du poteau. La partie exposée du poteau servira de support à la nouvelle plaque de plâtre lors de la finition de la pièce.

2 Enlevez les plinthes et autres garnitures, et préparez la zone de travail (page 109). À l'aide d'une scie circulaire, pratiquez une entaille de $^{3}/_{4}$ po de profondeur, du plancher au plafond, le long des lignes de coupe. Au moyen d'un couteau universel, finissez les entailles en bas et en haut, et coupez à travers le joint horizontal incliné, à l'endroit où les murs rencontrent le plafond.

3 Introduisez l'extrémité d'un levier dans l'entaille, près d'un coin de l'ouverture. Appuyez sur le levier jusqu'à ce que la plaque de plâtre cède et arrachez la plaque par morceaux. Veillez à ne pas endommager la plaque de plâtre en dehors des limites de l'ouverture.

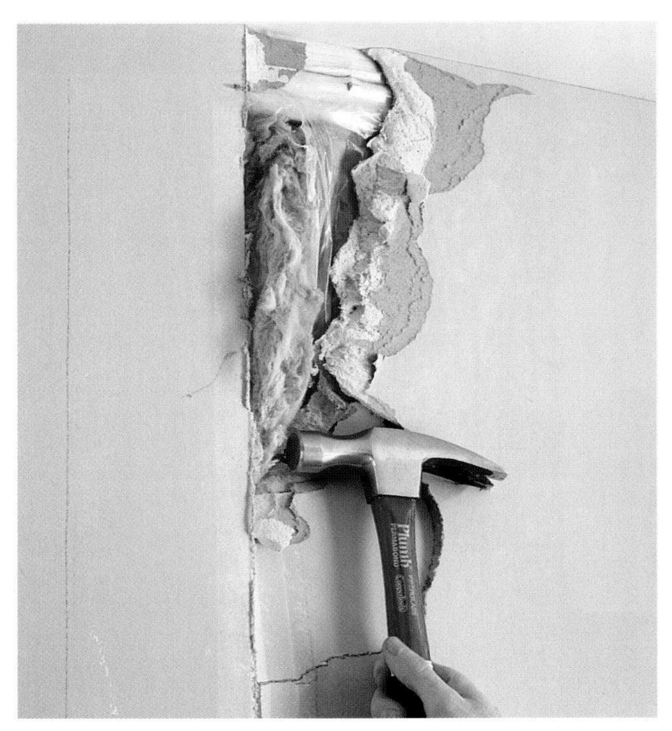

4 Continuez d'enlever la plaque de plâtre en martelant la surface avec le côté d'un marteau, et arrachez la plaque de plâtre du mur à l'aide du levier ou de vos mains.

5 À l'aide d'un levier, détachez les clous, les vis et les restants de plaque de plâtre fixés aux éléments d'ossature. Enlevez également le pare-vapeur et l'isolant.

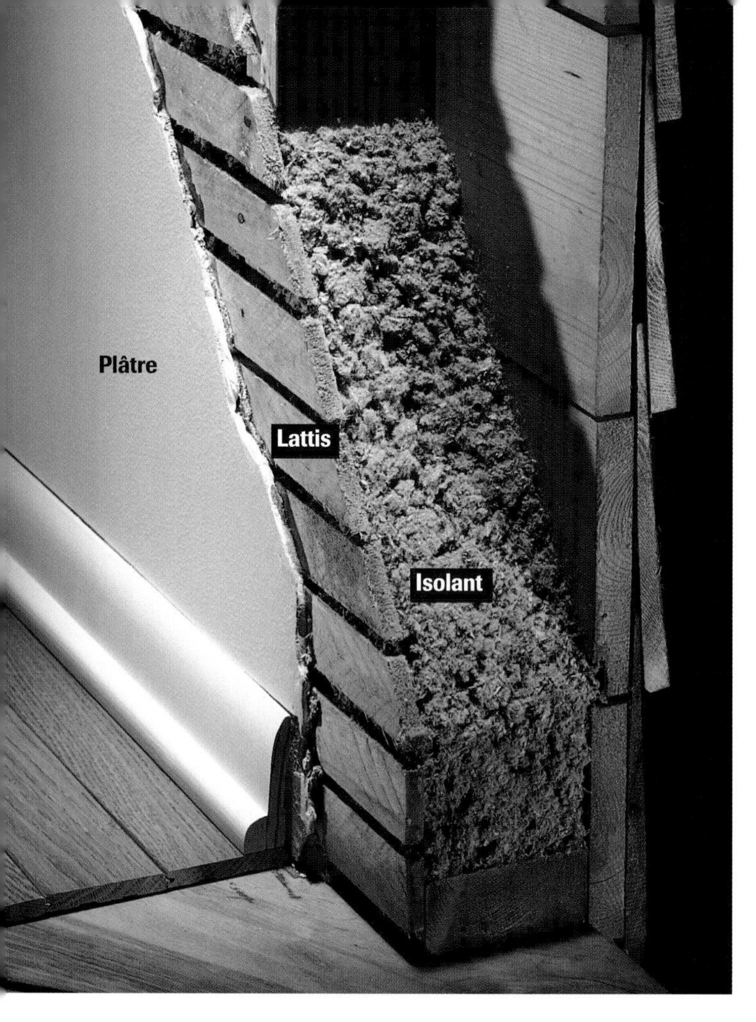

Enlèvement du plâtre

L'enlèvement du plâtre étant un travail qui fait beaucoup de poussière, portez toujours un équipement de protection oculaire et un masque respiratoire pendant la phase de démolition ; utilisez des feuilles de plastique pour recouvrir les meubles et bloquer les ouvertures permanentes des portes. Le plâtre des murs est très fragile, il faut donc éviter de le casser aux endroits inutiles.

Si vous devez enlever le plâtre sur la majeure partie du mur, envisagez d'enlever carrément toute la surface intérieure du mur. Il vous sera plus facile de remplacer un mur complet en plaques de plâtre que d'essayer de refaire la surface autour de la zone de travail, et vous obtiendrez de meilleurs résultats.

Le matériel dont vous avez besoin

Outils : règle rectifiée, crayon, cordeau traceur, couteau universel, masque respiratoire, gants de travail, marteau, levier, scie alternative ou scie sauteuse, cisaille de type aviation, équipement de protection oculaire.

Matériel : ruban-cache, morceau de 2 po x 4 po.

Comment enlever les murs de plâtre

1 Coupez le courant et vérifiez si le mur contient des fils électriques ou de la plomberie. Marquez la partie du mur à enlever en suivant les instructions de la page 172. Appliquez une double couche de ruban cache le long du bord extérieur de chaque ligne de coupe.

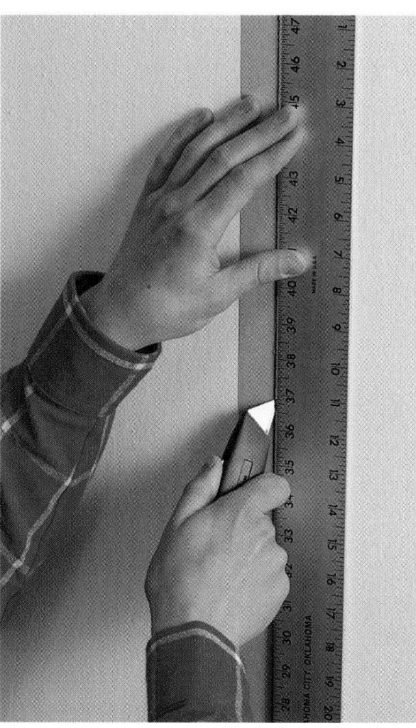

2 À l'aide d'un couteau universel, faites une entaille le long de chaque ligne de coupe, en repassant plusieurs fois avec le couteau et en utilisant une règle rectifiée comme guide. Les entailles doivent avoir une profondeur d'au moins $^1/_8$ po.

3 Commencez au-dessus et au centre de l'ouverture prévue dans le mur et cassez le plâtre en martelant légèrement le mur avec le côté d'un marteau. Enlevez tout le plâtre, du plancher au plafond, jusqu'à 3 po des entailles.

4 Cassez le plâtre le long des bords, en appuyant le petit côté d'un morceau de bois de 2 po x 4 po contre l'intérieur de l'entaille et en frappant dessus avec un marteau. Enlevez le restant de plâtre au moyen d'un levier.

5 À l'aide d'une scie alternative ou d'une scie sauteuse, coupez à travers le lattis, le long des bords du plâtre.

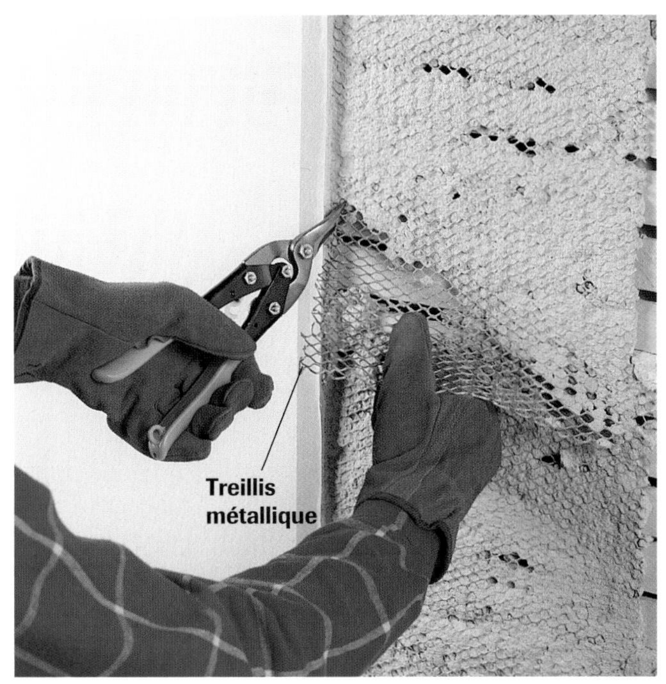

Variante : si le mur comporte un treillis métallique posé sur le lattis, utilisez une cisaille de type aviation pour couper le treillis le long du bord. Pressez les bords irréguliers du treillis à plat contre le poteau. Les bords coupés du treillis sont acérés : portez des gants de travail.

6 Détachez le lattis des poteaux en utilisant un levier. Enlevez les clous, le pare-vapeur et l'isolant qui restent.

Enlèvement des revêtements extérieurs

Pour pratiquer une ouverture en vue d'installer une porte ou une fenêtre, ou pour ajouter une pièce adjacente à un mur extérieur, vous devez enlever le revêtement de la surface extérieure de la maison. S'il s'agit d'un bardage en déclin, il peut être en bois, en vinyle ou en métal. La même méthode de base s'applique dans tous les cas, mais pour couper certains matériaux, vous aurez besoin de lames de scie spéciales, comme une lame de scie à métaux (page 52).

Coupez toujours le courant et déviez les conduites de service, enlevez ensuite les revêtements de surface intérieurs et encadrez la nouvelle ouverture avant d'enlever le revêtement de surface extérieur. Pour protéger les ouvertures murales contre l'humidité, recouvrez la nouvelle ouverture dès que vous avez retiré l'ancien bardage.

Le matériel dont vous avez besoin

Outils : perceuse munie d'une mèche hélicoïdale de 8 po de long et de $^{3}/_{16}$ po de diamètre, marteau, mètre à ruban, cordeau traceur ; scie circulaire équipée d'une lame de rénovation, scie alternative, équipement de protection oculaire.

Matériel : clous 8d à boiserie. Bois droit de 1 po x 4 po.

Comment pratiquer une ouverture dans un bardage en déclin

1 De l'intérieur de la maison, percez le mur dans les coins du cadre de l'ouverture. Enfoncez des clous à boiserie dans les trous pour indiquer leur emplacement. Si les fenêtres ont le dessus arrondi, percez des trous le long du pourtour courbe (voir variante, page 179).

2 Mesurez la distance entre les clous, à l'extérieur de la maison, pour vérifier l'exactitude des dimensions. Marquez les lignes de coupe à la craie en tendant le fil du cordeau traceur entre les clous. Repoussez les clous vers l'intérieur.

3 Clouez un morceau de bois droit de 1 po x 4 po le long du bord, à l'intérieur de la ligne de coupe de droite. Enfoncez les têtes des clous au moyen d'un chasse-clou pour qu'elles n'accrochent pas le pied de la scie. Réglez la scie circulaire à la profondeur de coupe maximale.

4 Posez la scie sur le morceau de bois de 1 po x 4 po et servez-vous du bord du morceau comme guide pour couper le bardage. Arrêtez à 1 po environ des coins, afin de ne pas endommager les éléments d'ossature.

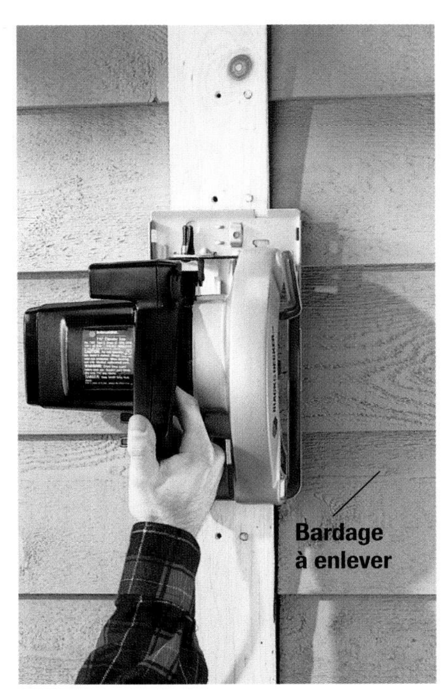

5 Déplacez le morceau de bois de 1 po x 4 po et découpez l'ouverture en suivant les autres lignes droites. Enfoncez les clous à moins de $1\frac{1}{2}$ po du bord intérieur du morceau, car le bardage sera retiré à cet endroit pour faire place à l'encadrement mural de la porte ou de la fenêtre.

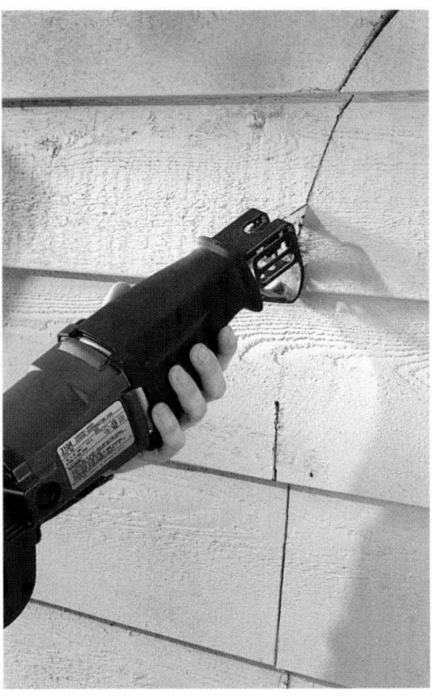

Variante : Lorsque le dessus de la fenêtre est arrondi, utilisez une scie alternative ou une scie sauteuse pour découper le morceau en suivant le contour. Déplacez lentement la scie pour que la coupe soit nette. Utilisez un modèle en carton pour tracer le contour arrondi de la fenêtre (page 213).

6 Achevez de découper le bardage dans les coins au moyen d'une scie alternative ou d'une scie sauteuse.

7 Enlevez la partie sciée du mur. Si celui-ci est en métal, portez des gants de travail. Séparez le bardage du revêtement si vous comptez le réutiliser.

Comment pratiquer une ouverture dans un bardage en stuc

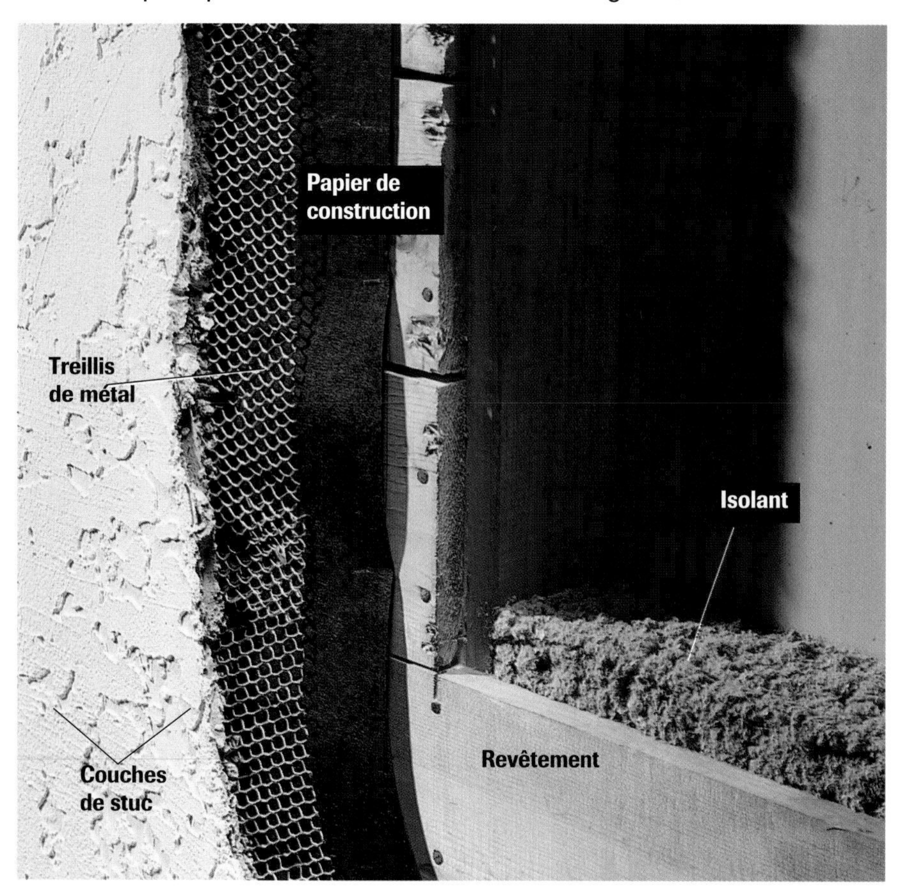

Conseil : le stuc est un produit à base de ciment multicouches que l'on applique sur un treillis de métal. On crée une barrière étanche en plaçant une épaisseur de papier de construction entre le treillis de métal et le revêtement. Comme il est à base de ciment, le stuc est un produit extrêmement durable. Cependant, si vous l'enlevez sans prendre les précautions nécessaires, il se fissurera facilement à l'extérieur du contour de la nouvelle porte ou de la nouvelle fenêtre.

Le matériel dont vous avez besoin

Outils : perceuse équipée de mèches de 8 po de long et de $^{3}/_{16}$ po de diamètre (une mèche hélicoïdale et une mèche de maçonnerie), mètre à ruban, cordeau traceur, compas, marteau de maçon, équipement de protection oculaire et auditif, scie circulaire et lames (de maçonnerie et de rénovation), ciseaux de maçon, levier, cisaille de type aviation.

Matériel: clous à boiserie 8d.

1 De l'intérieur de la maison, percez le mur dans les coins de l'ouverture dessinée. Utilisez une mèche hélicoïdale pour percer le revêtement et une mèche de maçonnerie pour terminer le travail. Enfoncez des clous à boiserie dans les trous pour indiquer leur emplacement.

2 Mesurez la distance entre les clous, à l'extérieur de la maison, pour vérifier l'exactitude des dimensions. Tracez les lignes de coupe à la craie en tendant le fil du cordeau traceur entre les clous.

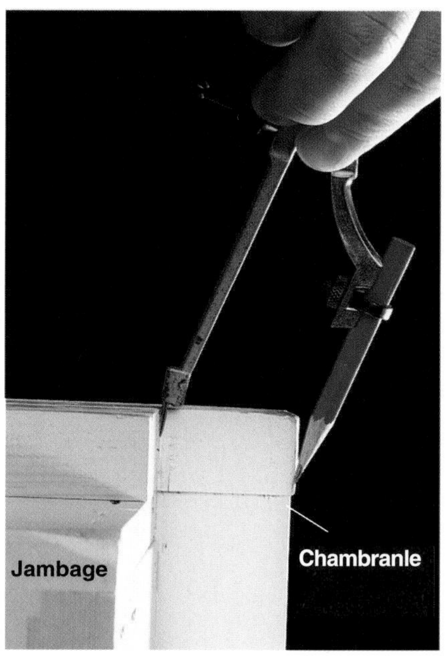

3 Écartez les pointes d'un compas d'une distance égale à la largeur du chambranle qui entoure les montants de la porte ou de la fenêtre.

4 Tracez une ligne de coupe sur le stuc en suivant avec la pointe sèche du compas la ligne marquant le contour de l'ouverture. La découpe suivant ce nouveau contour permettra au chambranle de s'encastrer parfaitement dans l'ouverture, contre le revêtement mural.

5 Entaillez la surface de stuc le long du contour extérieur, en utilisant un ciseau de maçon et un marteau de maçon. L'entaille doit avoir au moins $^1/_8$ po de profondeur pour guider la lame de la scie circulaire.

6 Découpez le morceau, en suivant le contour à l'aide d'une scie circulaire munie d'une lame à couper la maçonnerie. Repassez plusieurs fois avec la scie, en approfondissant progressivement l'entaille jusqu'à ce que la lame atteigne le treillis en métal, provoquant des étincelles. Arrêtez l'entaille près des coins pour ne pas endommager le stuc à l'extérieur du contour ; utilisez un ciseau de maçon pour achever de découper le contour.

Variante : Si le dessus de la fenêtre est arrondi, tracez le contour sur le stuc, en utilisant un modèle en carton (page 213) et, à l'aide d'une perceuse munie d'une mèche de maçonnerie, percez une série de trous le long du contour. Achevez de découper le stuc au moyen d'un ciseau de maçon.

7 À l'aide d'un marteau de maçon ou d'une masse, cassez le stuc, ce qui laisse apparaître le treillis métallique sous-jacent. Servez-vous d'une cisaille de type aviation pour couper le treillis autour de l'ouverture et, à l'aide d'un levier, enlevez le treillis et le stuc qui y est attaché.

8 Au moyen d'une règle rectifiée, tracez le contour de l'ouverture sur le revêtement. Coupez l'ouverture le long du bord intérieur des éléments d'ossature, en utilisant une scie circulaire ou une scie alternative. Enlevez la partie sciée du revêtement.

Enlèvement des portes et des fenêtres

Si vos travaux de rénovation vous obligent à enlever des portes et des fenêtres, ne commencez ce travail qu'après avoir terminé les travaux de préparation et après avoir enlevé les garnitures et revêtements muraux intérieurs. Comme vous devrez fermer dès que possible les ouvertures pratiquées dans les murs, assurez-vous de disposer de tous les outils nécessaires, du bois d'ossature et des nouvelles portes et fenêtres avant d'entreprendre les dernières étapes de la démolition.

On utilise les mêmes principes de base pour enlever les portes que pour enlever les fenêtres. Il est souvent possible de les récupérer pour les revendre ou les utiliser autre part : vous avez donc intérêt à les enlever soigneusement.

Le matériel dont vous avez besoin

Outils : couteau universel, levier plat, tournevis, marteau, scie alternative.

Matériel : contreplaqué en feuilles, ruban-cache.

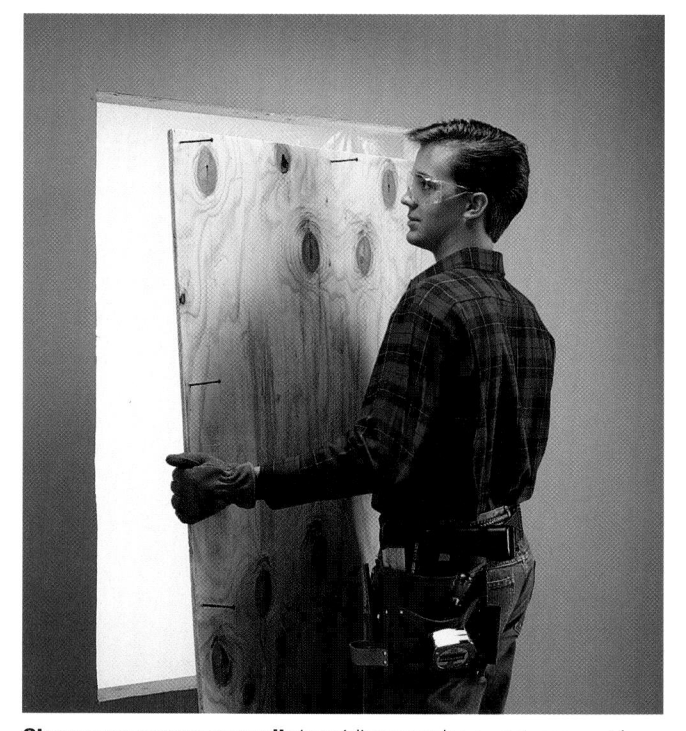

Si vous ne pouvez remplir immédiatement les ouvertures, protégez votre maison en recouvrant les ouvertures à l'aide de panneaux de contreplaqué que vous vissez aux éléments d'ossature. Pour prévenir les dommages dus à l'humidité, agrafez des feuilles de plastique autour des ouvertures.

Comment enlever les portes et les fenêtres

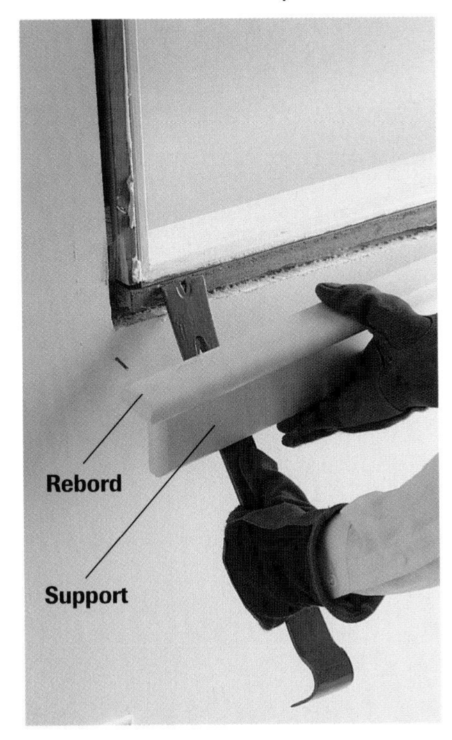

1 À l'aide d'un levier, enlevez la garniture de la fenêtre.

2 S'il s'agit d'une fenêtre à guillotine munie de contrepoids, enlevez les contrepoids en coupant les cordons et en retirant les contrepoids de leur logement.

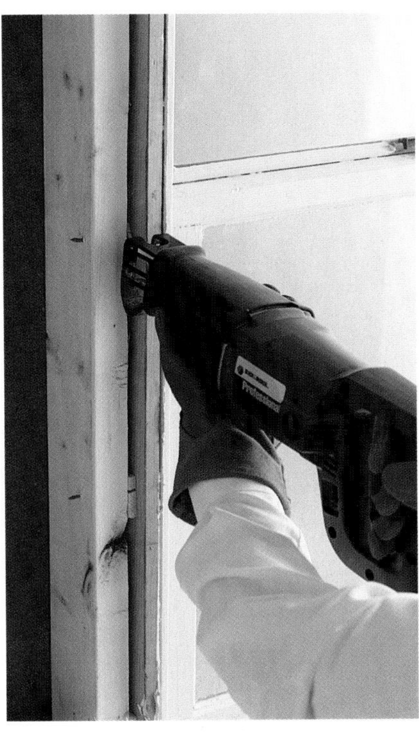

3 À l'aide d'une scie alternative, coupez les clous qui fixent la fenêtre aux éléments d'ossature.

4 À l'aide d'un levier, séparez les chambranles des éléments d'ossature.

5 À l'aide d'un levier, dégagez l'unité de l'ouverture et enlevez-la complètement.

Variante : Si les fenêtres et les portes sont attachées au moyen de bandes de clouage, coupez le bardage ou le chambranle ou écartez-les à l'aide d'un levier, puis enlevez les clous de montage qui fixent l'unité au revêtement.

Les supports temporaires dans une maison à ossature à plateforme doivent supporter les solives de plafond, de manière à soutenir la plateforme du plafond qui supporte la charge des planchers supérieurs. On reconnaît l'ossature à plateforme par la lisse sur laquelle sont fixés les poteaux muraux.

Les supports temporaires dans une maison à ossature à claire-voie supportent les poteaux muraux, qui reçoivent la charge des étages supérieurs. La traverse temporaire de support, appelée *poutre,* est fixée aux poteaux muraux, au-dessus de l'ouverture prévue, et elle est supportée par les poteaux muraux et les supports installés à proximité de l'ouverture. On reconnaît l'ossature à claire-voie aux longs poteaux muraux qui traversent le plancher pour s'appuyer sur une lisse reposant sur la fondation.

Installation des supports temporaires

Si votre projet nécessite l'enlèvement de plus d'un poteau d'un mur portant, vous devez prévoir des supports temporaires pendant que vous faites le charpentage. Il existe différentes techniques pour fabriquer ces supports, selon le type de construction de la maison. Consultez les pages 102 à 107 pour reconnaître facilement le type de murs auquel vous avez affaire et les autres caractéristiques de l'ossature.

L'enlèvement des murs portants intérieurs d'une maison à ossature à claire-voie et de tous les murs portants de plus de 12 pi doit être confié à des professionnels.

Pour enlever des murs portants intérieurs, il faut installer des supports temporaires de chaque côté de l'ouverture.

Pour fabriquer des supports temporaires pour une ossature à plateforme, utilisez des vérins hydrauliques ou un mur de poteaux temporaires (page 184). Le mur de poteaux est tout indiqué s'il faut laisser les supports en place pendant plusieurs jours.

Si les solives de plancher et de plafond sont parallèles au mur auquel vous travaillez, suivez la méthode décrite au bas de la page 184.

Pour fabriquer des supports temporaires pour une ossature à claire-voie, suivez la méthode décrite à la page 185.

Le matériel dont vous avez besoin

Outils : mètre à ruban, niveau, scie circulaire, marteau, clé à rochet, perceuse et foret à trois pointes, vérins hydrauliques.

Matériel : longueurs de bois d'œuvre de 2 po x 4 po, intercalaires, vis tire-fond de 3 et 4 po, vis à plaques de plâtre de 2 po, clous 10d, tissu.

Comment supporter une ossature à plateforme au moyen de vérins hydrauliques (solives perpendiculaires au mur)

1 Mesurez la largeur de l'ouverture prévue et ajoutez 4 pi pour que la longueur du support temporaire dépasse de beaucoup la largeur de l'ouverture. Coupez trois morceaux de 2 po x 4 po à la bonne longueur. Constituez la sablière du support temporaire en clouant ensemble deux de ces morceaux, au moyen de clous 10d ; le morceau de 2 po x 4 po restant servira de lisse. Placez la lisse temporaire sur le plancher, à 3 pi du mur, centrée sur l'ouverture prévue.

2 Placez les vérins hydrauliques sur la lisse temporaire, à 2 pi de ses extrémités (si l'ouverture a plus de 8 pi de large, utilisez trois vérins). Fabriquez un poteau pour chaque vérin, en clouant ensemble deux morceaux de 2 po x 4 po. Ces poteaux doivent avoir une longueur inférieure de 4 po à la distance entre le plafond et le dessus des vérins. Attachez les poteaux à la sablière, à 2 pi des extrémités.

3 Recouvrez le dessus de la sablière d'un épaisse couche de tissu pour protéger le plafond contre les traces et les fissures ; soulevez le support pour le poser sur les vérins.

4 Réglez le support pour que les poteaux soient parfaitement d'aplomb et actionnez les vérins jusqu'à ce que la sablière commence tout juste à soulever le plafond. Ne levez pas trop les vérins : vous risqueriez d'endommager le plancher ou le plafond.

Comment supporter une ossature à plateforme par un mur temporaire de poteaux (solives perpendiculaires au mur)

1 Fabriquez un mur de poteaux en bois de 2 po x 4 po, qui est 4 pi plus large que l'ouverture prévue et 1 3/4 po plus court que la distance entre le plancher et le plafond.

2 Redressez le mur de poteaux et placez-le à 3 pi du mur, centré sur l'ouverture prévue.

3 Glissez une sablière en bois de 2 po x 4 po entre le haut du mur temporaire et le plafond. Assurez-vous que le mur temporaire est d'aplomb et enfoncez des intercalaires sous les sablières, tous les 12 po, jusqu'à ce que le mur temporaire soit fermement assujetti.

Comment supporter une ossature à plateforme (solives parallèles au mur)

1 Suivez les instructions de la page 183, mais fabriquez en plus deux supports transversaux de 4 pi de long, formés chacun de deux morceaux de bois de 2 po x 4 po cloués ensemble. Fixez ces supports transversaux à la double sablière, à 1 pi de ses extrémités, à l'aide de vis tire-fond à tête noyée.

2 Placez une lisse en bois de 2 po x 4 po juste au-dessus d'une solive de plancher et placez ensuite les vérins sur cette lisse. Pour chaque vérin, fabriquez un poteau plus court de 8 po que la distance entre le vérin et le plafond. Clouez les poteaux à la sablière, à 2 pi de ses extrémités. Recouvrez les supports transversaux de tissu et installez la structure de support sur les vérins.

3 Réglez la structure de support pour que les poteaux soient parfaitement d'aplomb et actionnez les vérins jusqu'à ce que les supports transversaux commencent juste à soulever le plafond. Ne levez pas trop les vérins, vous risqueriez d'endommager le plancher ou le plafond.

Comment supporter une ossature à claire-voie

1 Enlevez, du plancher au plafond, la surface murale qui entoure l'ouverture prévue (pages 172 à 175). Fabriquez une poutre temporaire en coupant une planche de 2 po x 8 po assez longue pour qu'elle dépasse d'au moins 20 po de chaque côté de l'ouverture prévue. Centrez la poutre par rapport aux poteaux muraux, contre le plafond. Attachez provisoirement la poutre avec des vis de 2 po.

2 Coupez deux morceaux de bois de 2 po x 4 po assez longs pour qu'ils s'insèrent exactement entre la poutre et le plancher. Insérez-les aux extrémités de la poutre et fixez-les au moyen de plaques de clouage et de clous 10d.

3 Forez deux trous de $^3/_{16}$ po de diamètre à travers la poutre, dans chacun des poteaux qu'elle rencontre. Fixez la poutre au moyen de vis tire-fond de $^3/_8$ po de diamètre et de 4 po de long.

4 Enfoncez des intercalaires sous la base de chaque support de 2 po x 4 po, pour consolider la structure de support.

Avant d'enlever un mur, coupez le courant et déviez tous les fils et conduites de service qui traversent la zone de travail. Ensuite, retirez le revêtement mural pour exposer les éléments d'ossature. Ne coupez aucun poteau mural avant de savoir si vous avez affaire à un mur portant ou non portant (un mur de séparation), (voir page 109). S'il s'agit d'un mur portant, vous devrez installer des supports temporaires (pages 182 à 185) avant de couper les poteaux. Après avoir retiré le revêtement du mur, installez des piliers et une sablière permanents, suffisamment résistants pour soutenir le poids de la structure que le mur supportait auparavant. Les piliers seront dissimulés dans les murs lorsque ceux-ci seront recouverts de plaques de plâtre. La sablière sera visible, mais elle se fondra dans le plafond si vous la recouvrez de plaque de plâtre.

Enlèvement des murs intérieurs

Enlever un mur existant est un moyen pratique de créer plus d'espace utile sans engager des dépenses d'agrandissement de la maison. En enlevant un mur, on peut transformer deux petites pièces en une grande pièce de séjour pour la famille. Par contre, on peut aussi ajouter un mur dans une grande pièce et créer ainsi un espace privé, calme, qui peut servir de bureau ou de chambre à coucher, si la famille s'agrandit.

La technique utilisée pour enlever un mur dépend de l'emplacement et de la fonction du mur (voir pages 102 à 107).

Les murs délimitent les zones de séjour et soutiennent la structure de la maison, mais ils contiennent également les systèmes mécaniques qui traversent la maison. Vous devez tenir compte des effets qu'aura votre projet sur les éléments mécaniques de la maison. Si vous devez modifier ces systèmes et ne possédez pas la compétence nécessaire pour le faire, faites appel à un professionnel.

Le matériel dont vous avez besoin

Outils : mètre à ruban, crayon, perceuse et mèches, scie alternative, levier, marteau.

Matériel (pour installer la sablière) : bois scié de 2 po d'épaisseur, éléments d'ossature en MicroLam, clous 10d.

Matériaux pour construire une sablière

Poutre constituée de planches de 2 po x 12 po et de contreplaqué ; portée maximale recommandée : 8 pi.

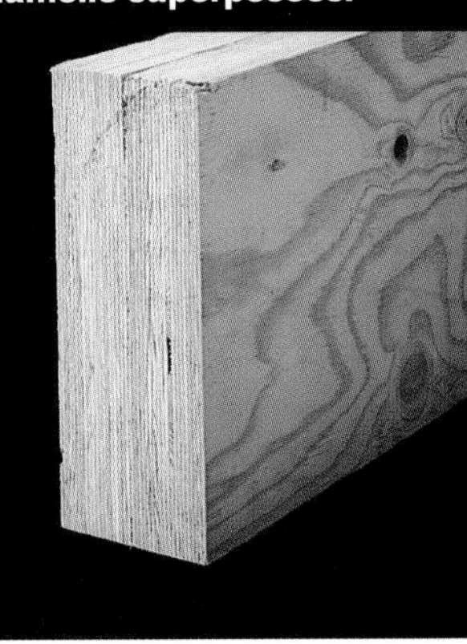

Poutre double de 9½ po en MicroLam® ; portée maximale recommandée : 10 pi. On fabrique les éléments d'ossature en MicroLam en collant l'une sur l'autre de minces couches de bois lamellé superposées.

Poutre double de 11⅞ po en MicroLam® ; portée maximale recommandée : 11 pi.

Poutre de 12 po en « Glue-lam » (lamellé collé) ; portée maximale recommandée : 12 pi. On fabrique les poutres en Glue-lam en collant l'une sur l'autre des couches de bois de dimensions courantes.

Les éléments de support fabriqués sont plus résistants et plus durables que le bois scié de dimensions courantes ; ils conviennent donc particulièrement bien à la construction de sablières destinées à remplacer les murs portants. Consultez toujours votre inspecteur local du bâtiment ou un professionnel de la construction lorsque vous choisissez les matériaux et que vous déterminez les dimensions d'une sablière qui doit remplir cette fonction.

Conseils pour installer une sablière

Lorsque vous enlevez le revêtement mural, exposez le mur jusqu'au premier poteau mural permanent de part et d'autre de l'ouverture pratiquée.

Conservez une petite partie de la lisse exposée, elle servira de base aux poteaux. Si le mur est un mur portant, conservez 3 po de lisse exposée qui servira de base au double poteau en 2 po x 4 po qui supportera la sablière permanente. Si le mur est un mur non portant, conservez 1½ po de lisse exposée comme base pour le poteau mural supplémentaire que vous allez installer. Enlevez la sablière sur toute la largeur de l'ouverture.

Comment enlever l'ossature d'un mur

1 Préparez le lieu de travail et enlevez le revêtement du mur. Enlevez ou déviez les fils électriques, les conduites d'eau et les gaines de ventilation éventuels.

2 Enlevez le revêtement des murs adjacents jusqu'aux premiers poteaux visibles.

3 Déterminez si le mur est un mur portant ou non. S'il est portant, installez des supports temporaires de chaque côté du mur à enlever (pages 182 à 185).

4 Enlevez les poteaux en les sciant à mi-hauteur et en les séparant de la lisse et de la sablière.

5 Enlevez le poteau d'extrémité, de chaque côté du mur. Si le mur à enlever est un mur portant, retirez également les poteaux de clouage ou les étrésillons qui se trouvent dans les murs adjacents, derrière le mur à enlever.

6 À l'aide d'une scie alternative, coupez la sablière à deux endroits, distants d'au moins 3 po. Au moyen d'un levier, retirez la partie sciée.

7 À l'aide d'un levier, enlevez les autres parties de la sablière.

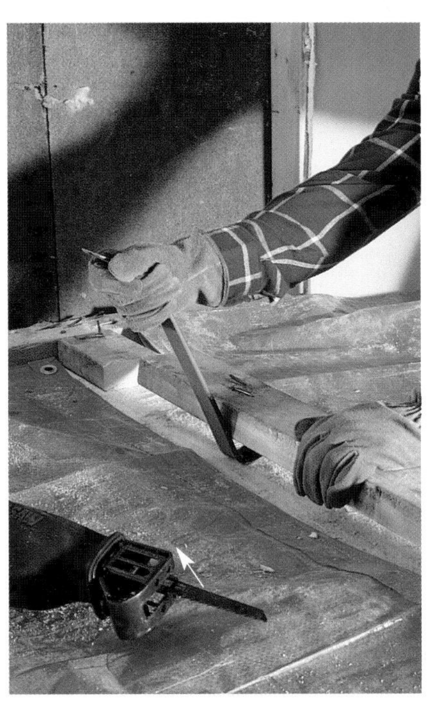

8 À l'aide d'une scie alternative, coupez une section de la lisse, de 3 po de large, et servez-vous d'un levier pour enlever le reste de la lisse. Si le mur enlevé était un mur portant, installez une sablière permanente (voir ci-dessous).

Comment enlever un mur portant d'une ossature à plateforme

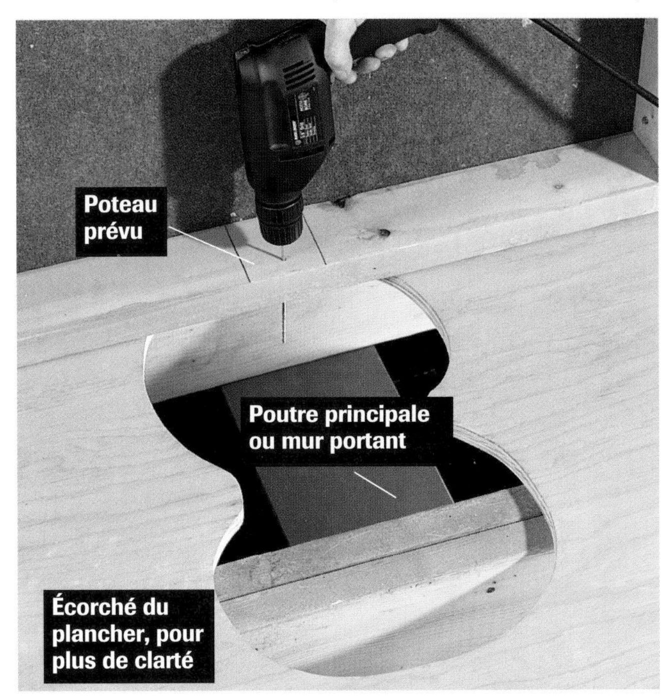

1 Indiquez sur la lisse l'emplacement des supports prévus. Forez à travers la lisse à cet endroit pour vérifier s'il y a bien une solive en dessous. Si ce n'est pas le cas, installez des étrésillons sous cet emplacement (étape 2).

2 Si nécessaire, coupez et installez un double étrésillon de 2 po entre les solives (vous devrez peut-être ouvrir un plafond fini pour atteindre cet endroit). Donnez à l'étrésillon en bois les mêmes dimensions que celles des solives. Attachez l'étrésillon aux solives à l'aide de clous 10d.

Suite à la page suivante

3 Construisez une sablière dont la longueur est égale à celle du mur enlevé plus la largeur des piliers qui la supportent (voir les recommandations sur les sablières à la page 187). Dans le projet concerné, la sablière est constituée de deux longueurs de MicroLam, assemblées au moyen de clous 10d.

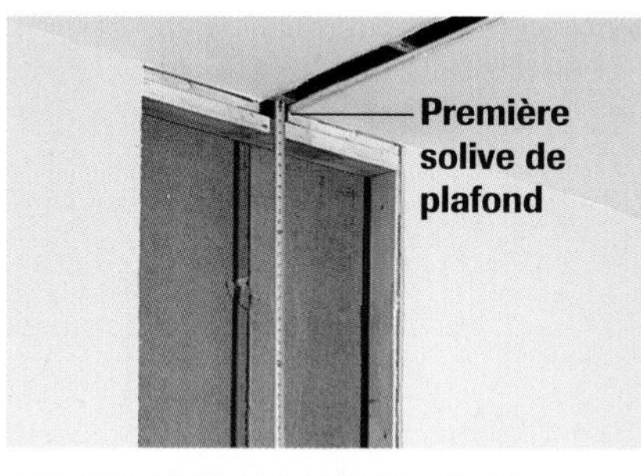

4 Placez les extrémités de la sablière sur les lisses. Déterminez la longueur de chaque pilier en mesurant la distance entre le dessus de la sablière et le bas de la première solive de plafond, logée dans le mur.

5 Fabriquez les piliers en coupant des morceaux de bois de 2 po x 4 po à la longueur voulue et en les assemblant par paires, à l'aide de colle et de clous 10d.

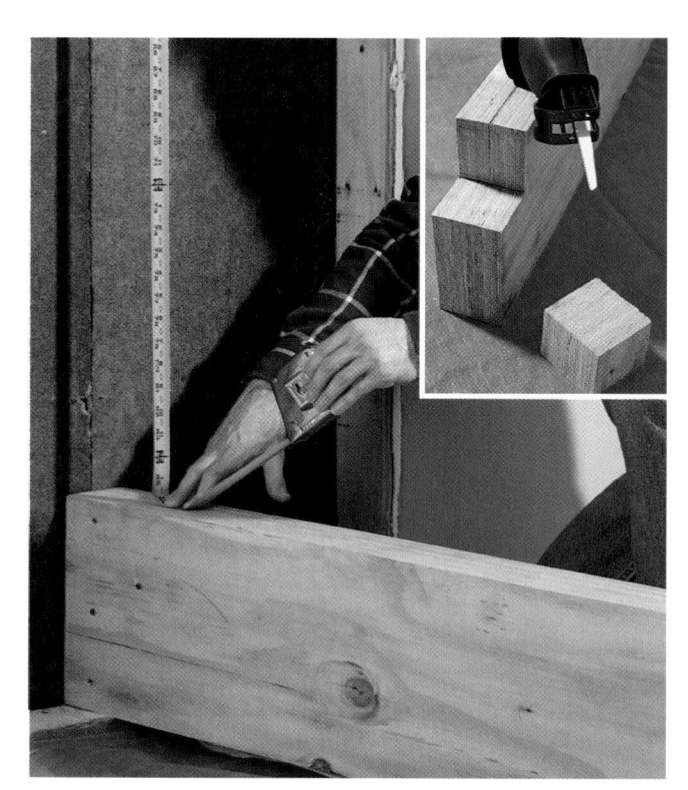

6 Mesurez l'épaisseur et la largeur de la sablière de chaque mur adjacent et, à l'aide d'une scie alternative, faites une découpe dans le coin supérieur de chaque extrémité de la nouvelle sablière pour qu'elle contourne les sablières des murs adjacents.

7 Soulevez la sablière contre les solives du plafond et insérez les piliers sous ses extrémités. Si la sablière ne prend pas sa place à cause d'un affaissement des solives du plafond, soulevez celles-ci en relevant les vérins des supports intermédiaires ou en introduisant des intercalaires sous ces supports.

8 Clouez en biais les piliers à la sablière, à l'aide de clous 10d.

9 Vérifiez à l'aide d'un niveau si chaque pilier est d'aplomb. Si nécessaire, ajustez la position du pilier en le martelant à la base. Une fois que le pilier est d'aplomb, tracez une ligne de référence sur la lisse et clouez en biais chaque pilier à la lisse.

10 Coupez des bandes de clouage en bois de 2 po x 4 po et fixez-les, de part et d'autre de chaque pilier, à l'aide de clous 10d. Elles permettront d'installer les nouvelles plaques de plâtre.

11 Coupez des étrésillons que vous installerez entre les poteaux permanents et les bandes de clouage, en les clouant en biais. Recouvrez le mur et la poutre en suivant les instructions données aux pages 132 à 139.

Conseil : Lorsque vous enlevez une partie d'un mur, clouez en extrémité les poteaux muraux à la sablière, à l'aide de clous 10d (photo supérieure) et fixez les piliers aux poteaux muraux à l'aide de vis tire-fond à tête noyée (photo inférieure).

Encadrement et installation des portes

Si vous comptez installer une nouvelle porte, commencez par déterminer les dimensions et le style qu'elle doit avoir. Les maisonneries ont de nombreux modèles de portes en stock, mais si votre porte doit avoir des dimensions particulières, la maisonnerie devra peut-être la commander spécialement chez le fabricant. Le délai de livraison des commandes spéciales est de trois à quatre semaines environ.

Les portes montées, qui sont déjà installées dans leur jambage, sont les plus faciles à installer. Vous trouverez quantité d'autres portes dans le commerce, mais leur installation est compliquée, et il vaut mieux la confier à un professionnel.

Si vous devez remplacer une porte, choisissez une nouvelle porte qui a les mêmes dimensions, car vous pourrez sans doute vous servir des éléments d'ossature existants.

Dans cette section, on décrit les opérations suivantes :

Dans les pages suivantes, on décrit les techniques d'installation à appliquer aux maisons à ossature en bois et bardage en déclin. Si votre bardage est en stuc, consultez les pages 178 et 179. Si vous devez installer une porte intérieure, consultez les pages 148 et 149.

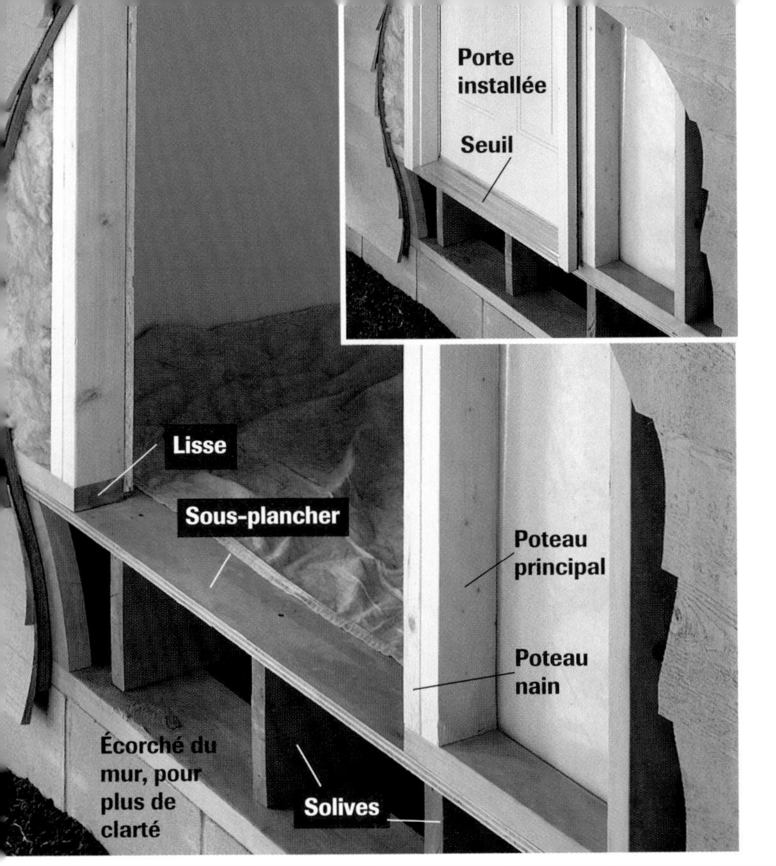

Les poteaux d'une nouvelle ouverture de porte, dans une maison à ossature à plateforme, reposent sur la lisse qui est fixée au sous-plancher. On coupe la lisse entre les poteaux nains de sorte que le seuil puisse reposer directement sur le sous-plancher.

Dans une nouvelle ouverture de porte dans une maison à ossature à claire-voie, les poteaux se prolongent au-delà du sous-plancher, car ils reposent sur la lisse. Les poteaux nains reposent soit sur la lisse, soit sur le dessus des solives. Constituez le seuil de la porte en rallongeant le sous-plancher jusqu'à l'extrémité des solives, au moyen d'une planche en contreplaqué que vous fixerez sur des blocs de clouage.

Encadrement de l'ouverture d'une porte extérieure

Il faut attendre, pour encadrer l'ouverture d'une nouvelle porte extérieure, que la préparation intérieure soit terminée (pages 172 à 175), mais il faut le faire avant d'enlever le revêtement mural extérieur. La méthode à suivre pour encadrer l'ouverture dépend du type de construction de la maison (voir les photos ci-dessus).

L'ouverture doit avoir 1 po de plus en largeur et ½ po de plus en hauteur que la porte que vous comptez installer, jambages compris ; vous disposerez ainsi de l'espace nécessaire pour l'ajuster.

Les murs extérieurs sont toujours portants, c'est pourquoi l'encadrement d'une porte extérieure nécessite des doubles poteaux, de chaque côté de l'ouverture, et un linteau de plus grande dimension que s'il s'agissait d'un mur de séparation intérieur. Ce type de construction atténue les vibrations qui se propagent dans le mur lorsqu'on ouvre et qu'on ferme la porte et il assure un soutien adéquat du linteau.

Le code du bâtiment local précise la dimension minimale que doit avoir le linteau en fonction de l'ouverture, mais vous pouvez en avoir une idée en consultant le tableau de la page 104.

Si, pour installer la porte, vous devez couper ou enlever plus d'un poteau dans un mur portant, construisez toujours des supports temporaires pour soutenir le plafond (pages 182 à 185).

Lorsque l'encadrement est terminé, mesurez la largeur de l'ouverture en haut, au milieu et en bas de la porte pour vérifier si elle est constante. Si vous constatez des différences importantes, réglez les poteaux en conséquence.

Le matériel dont vous avez besoin

Outils : mètre à ruban, crayon, niveau, fil à plomb, scie alternative, scie circulaire, scie à main, marteau, levier, tenaille.

Matériel : bois d'œuvre de 2 po d'épaisseur, contreplaqué de ³⁄₈ po d'épaisseur, clous 10d.

Suite à la page suivante

Comment encadrer l'ouverture d'une porte extérieure (ossature à plateforme)

1 Préparez le lieu de travail et enlevez le revêtement du mur intérieur (pages 172 à 175).

2 Mesurez la largeur de l'ouverture et marquez-la sur la lisse. Indiquez les emplacements où les poteaux principaux et les poteaux nains reposeront sur la lisse (utilisez autant que possible des poteaux principaux existants).

3 Si vous devez ajouter des poteaux principaux, sciez-les à la bonne dimension pour qu'ils s'insèrent entre la lisse et la sablière. Placez-les au bon endroit et clouez-les en biais à la lisse, en utilisant des clous 10d.

4 À l'aide d'un niveau, vérifiez si les poteaux principaux sont d'aplomb et clouez-les en biais à la sablière, en utilisant des clous 10d.

5 Marquez la hauteur de l'ouverture sur un poteau principal, en la mesurant à partir du plancher. Pour la plupart des portes, on recommande que l'ouverture soit de ½ po plus haute que le jambage de la porte. Cette ligne marquera le bas du linteau.

6 Déterminez la dimension que doit avoir le linteau (pages 104-105) et indiquez sur un poteau principal où arrivera le dessus du linteau. À l'aide d'un niveau, reportez cette hauteur sur tous les poteaux intermédiaires, jusqu'à l'autre poteau principal.

7 Sciez deux poteaux nains à la longueur voulue pour qu'ils atteignent les repères tracés sur les poteaux principaux. Clouez les poteaux nains aux poteaux principaux à l'aide de clous 10d, espacés de 12 po. Construisez des supports temporaires (pages 182 à 185) si le mur est un mur portant et si vous enlevez plus d'un poteau mural.

8 Utilisez une scie circulaire réglée à la profondeur de coupe maximale pour entailler les poteaux qu'il faut enlever. Les morceaux de poteaux qui restent serviront d'empannons. NOTE : ne sciez pas de poteaux principaux. Entaillez les poteaux 3 po plus bas que les premières entailles et achevez de les scier avec une scie à main.

9 Enlevez les morceaux de poteaux de 3 po et arrachez le reste des poteaux au moyen d'un levier. À l'aide d'une tenaille, cisaillez les clous qui dépassent.

10 Préparez un linteau que vous installerez entre les poteaux principaux et qui reposera sur les poteaux nains. Fabriquez-le à l'aide de contreplaqué de 3/8 po d'épaisseur enserré par deux morceaux de bois de dimension courante de 2 po d'épaisseur (page 212). À l'aide de clous 10d, fixez le linteau aux poteaux nains, aux poteaux principaux et aux empannons.

11 À l'aide d'une scie alternative, coupez la lisse près de chaque poteau nain et enlevez le morceau de lisse en utilisant un levier. Utilisez une tenaille pour couper les clous ou les attaches qui dépassent.

Comment encadrer une ouverture de porte (ossature à claire-voie)

1 Enlevez le revêtement mural intérieur (pages 172 à 175). Choisissez deux poteaux existants qui vous serviront de poteaux principaux. La distance qui les sépare doit être de 3 po au moins supérieure à la largeur prévue de l'ouverture. Indiquez la hauteur de l'ouverture sur un poteau principal, en la mesurant à partir du plancher.

2 Déterminez la dimension du linteau (pages 104-105) et marquez sur un poteau principal l'endroit où arrivera le dessus du linteau. Utilisez un niveau pour reporter cette hauteur sur l'autre poteau principal.

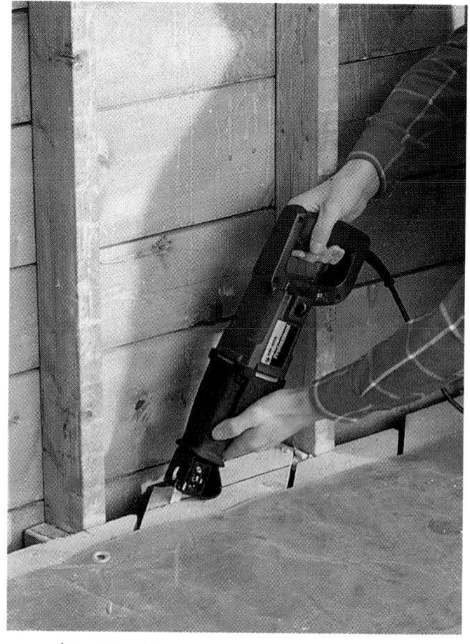

3 À l'aide d'une scie alternative, découpez une ouverture dans le sous-plancher, entre les poteaux, et retirez les pare-feux qui se trouvent dans les cavités entre les poteaux. Vous aurez ainsi accès à la lisse lorsque vous installerez les poteaux nains. Si vous devez enlever plus d'un poteau mural, installez des supports temporaires (page 185).

4 À l'aide d'une scie circulaire, entaillez les poteaux à une hauteur qui corresponde au dessus du linteau. NOTE : ne sciez pas les poteaux principaux. Faites deux entailles supplémentaires sur chaque poteau : la première, 3 po en dessous de la précédente et l'autre, à 6 po du plancher. Achevez de scier les poteaux au moyen d'une scie à main et dégagez les portions de 3 po de long en frappant avec un marteau. Enlevez les poteaux avec un levier (page 195).

5 Sciez deux poteaux nains que vous installerez entre la lisse et la marque de l'ouverture tracée sur les poteaux principaux. Clouez les poteaux nains aux poteaux principaux, en utilisant des clous 10d, espacés de 12 po.

6 Préparez un linteau au moyen d'un morceau de contreplaqué de $^3/_8$ po d'épaisseur enserré par deux morceaux de bois de 2 po d'épaisseur : vous l'installerez entre les poteaux principaux de manière qu'il repose sur les poteaux nains (page 212). À l'aide de clous 10d, fixez le linteau aux poteaux nains, aux poteaux principaux et aux empannons.

7 Mesurez la largeur de l'ouverture et marquez-la sur le linteau. À l'aide d'un fil à plomb, reportez ces repères sur la lisse (mortaise).

8 Sciez et installez les poteaux supplémentaires nécessaires, qui formeront les côtés de l'ouverture. Clouez ces poteaux nains en biais au linteau et à la lisse, en utilisant des clous 10d. NOTE : vous devrez peut-être travailler au sous-sol pour ce faire.

9 À l'aide de clous 10d, installez horizontalement entre les poteaux, de chaque côté de l'ouverture, des étrésillons en bois de 2 po x 4 po, à la hauteur des charnières et de la serrure de la nouvelle porte.

10 Enlevez le revêtement mural extérieur en suivant les instructions des pages 176 à 179.

11 À l'aide d'une scie alternative ou d'une scie à main, sciez les extrémités des poteaux exposés, au ras des solives de plancher.

12 Installez des blocs de clouage en bois de 2 po x 4 po contre les poteaux nains et les solives, au ras des solives de plancher. Remplacez les pare-feux qui ont été retirés précédemment. Recouvrez de contreplaqué la partie du sous-plancher située entre les poteaux nains : cette surface horizontale plane formera le seuil de la porte.

Installation d'une porte d'entrée

Les principes d'installation sont les mêmes pour tous les styles de portes d'entrée montées. Comme ces portes sont très lourdes, n'essayez pas de les installer tout seul, faites-vous aider.

Pour accélérer le travail, enlevez le revêtement mural intérieur (pages 172 à 175) et préparez l'encadrement (pages 193 à 197) à l'avance. Avant d'installer la porte, vérifiez si vous disposez de toute la quincaillerie nécessaire. Protégez la porte contre les intempéries au moyen de peinture ou de teinture et en ajoutant une contre-porte (pages 202-203).

Le matériel dont vous avez besoin

Outils : cisaille à métaux, marteau, niveau, crayon, scie circulaire, ciseau à bois, chasse-clou, pistolet à calfeutrer, agrafeuse, perceuse et mèches, scie à main.

Matériel : papier de construction, rebord, intercalaires en bois, fibre de verre isolante, clous à boiserie 10d galvanisés, pâte à calfeutrer à base de silicone, porte d'entrée montée et accessoires.

Comment installer une porte d'entrée

1 Déballez la porte d'entrée, mais n'enlevez pas les pièces qui la maintiennent fermée. De l'extérieur, enlevez le bardage se trouvant à l'intérieur de l'ouverture prévue pour la porte, en suivant les instructions des pages 176 et 177.

2 Essayez la porte en la centrant dans l'ouverture. Vérifiez si elle est d'aplomb. Apportez les corrections nécessaires en insérant des intercalaires en dessous du jambage, jusqu'à ce que la porte soit d'aplomb et de niveau.

3 Tracez sur le bardage le contour du chambranle. NOTE : si le bardage est en déclin métallique, tracez le contour un peu à l'écart du chambranle pour disposer de l'espace nécessaire pour installer les moulures décoratives requises par ces bardages. Ensuite, enlevez la porte.

4 À l'aide d'une scie circulaire, sciez le bardage le long du contour tracé, jusqu'au revêtement mural. Arrêtez-vous juste avant les coins afin de ne pas abîmer le bardage qui va rester en place.

5 Achevez de couper le bardage dans les coins en utilisant un ciseau à bois bien affûté.

6 Coupez des bandes de papier de construction de 8 po de large et glissez-les entre le bardage et le revêtement, au-dessus et sur les côtés de l'ouverture, afin de protéger les éléments d'ossature de l'humidité. Pliez le papier autour des éléments d'ossature et agrafez-le.

7 Pour ajouter une protection contre l'humidité, coupez un rebord à la largeur de l'ouverture et glissez-le entre le bardage et le papier de construction, au-dessus de l'ouverture. Ne le clouez pas.

8 Appliquez plusieurs cordons épais de pâte à calfeutrer à base de silicone sur la base de l'ouverture. Appliquez-en également sur le papier de construction qui recouvre les bords avant des poteaux nains et du linteau.

Suite à la page suivante

9 Centrez la porte dans l'ouverture et pressez fermement le chambranle contre le bardage. Demandez à un aide de tenir la porte immobile pendant que vous la clouez en place.

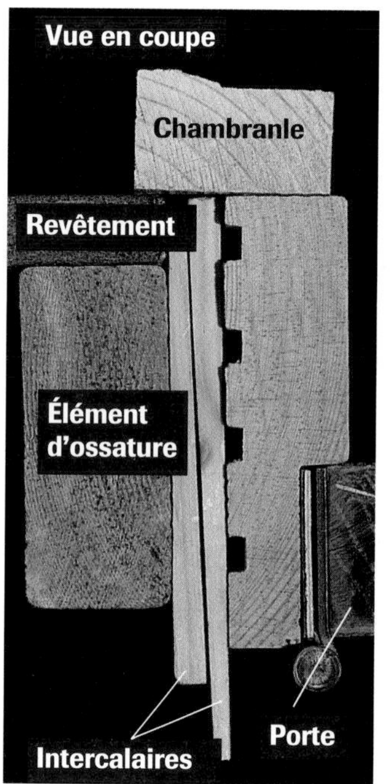

10 De l'intérieur, placez des intercalaires biseautés, réunis par paires, pour former des cales plates (voir photo de gauche) et introduisez-les dans les espaces entre les montants de la porte et les éléments d'ossature. Introduisez-les à l'endroit de la serrure et aux endroits des charnières, ainsi que tous les 12 po.

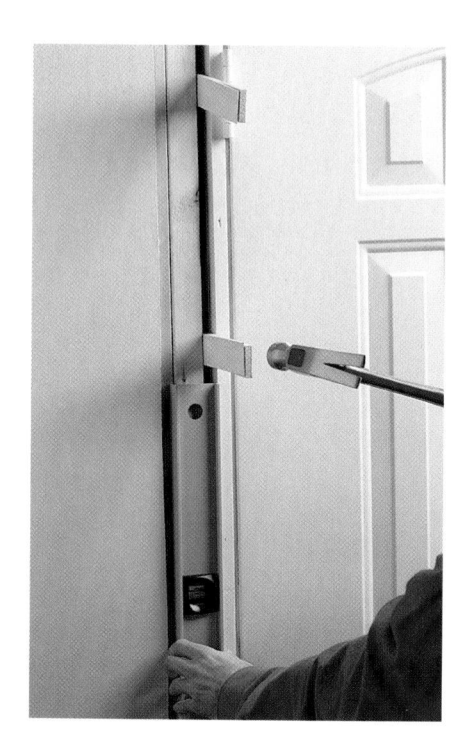

11 Vérifiez si la porte est d'aplomb. Le cas échéant, réglez les intercalaires pour que la porte soit d'aplomb et de niveau. Ensuite, remplissez de fibre de verre isolante les espaces existant entre le jambage et les éléments d'ossature.

12 De l'extérieur, à l'endroit de chaque paire d'intercalaires, enfoncez des clous à boiserie 10d dans les éléments d'ossature, à travers le jambage de la porte. À l'aide d'un chasse-clou, enfoncez les têtes des clous sous la surface du bois.

13 Enlevez les pièces installées par le fabricant pour maintenir la porte fermée et faites pivoter la porte sur ses gonds pour vous assurer qu'elle fonctionne correctement.

14 Enlevez deux des vis qui fixent la charnière supérieure et remplacez-les par de longues vis d'ancrage (habituellement fournies par le fabricant). Ces vis renforceront l'installation en pénétrant dans les éléments d'ossature.

15 Fixez le chambranle aux éléments d'ossature à l'aide de clous 10d galvanisés, enfoncés tous les 12 po. À l'aide d'un chasse-clou, enfoncez les têtes des clous sous la surface du bois.

16 Réglez le seuil de la porte pour qu'il forme un joint étanche, en suivant les instructions du fabricant.

17 À l'aide d'une scie à main, coupez les intercalaires au ras des éléments d'ossature.

18 Appliquez de la pâte à calfeutrer à base de silicone tout autour de la porte. Si vous comptez peindre l'encadrement, remplissez de pâte à calfeutrer au latex les trous des têtes de clous. Finissez la porte et installez la serrure en suivant les instructions du fabricant.

Installation d'une contre-porte

Installez une contre-porte si vous désirez améliorer l'apparence et la résistance aux intempéries d'une vieille porte d'entrée ou si vous voulez protéger une nouvelle porte contre les intempéries. Sous tous les climats, l'installation d'une contre-porte prolonge la durée de vie d'une porte d'entrée.

Achetez une contre-porte ayant une âme massive et une enveloppe extérieure sans joints. Notez soigneusement les dimensions de l'ouverture de la porte, entre les bords intérieurs du chambranle de la porte d'entrée. Choisissez une contre-porte qui s'ouvre du même côté que la porte d'entrée.

Les bas de porte réglables rendent les portes étanches aux intempéries. Après avoir monté la porte, réglez la hauteur du bas de porte de manière que celui-ci frotte légèrement contre le seuil lorsqu'on ferme la porte.

Le matériel dont vous avez besoin

Outils : mètre à ruban, crayon, fil à plomb, scie à métaux, marteau, perceuse et mèches, tournevis.

Matériel : contre-porte, bandes d'espacement en bois, clous à boiserie 4d.

Comment couper le cadre d'une contre-porte pour l'ajuster dans l'ouverture de la porte

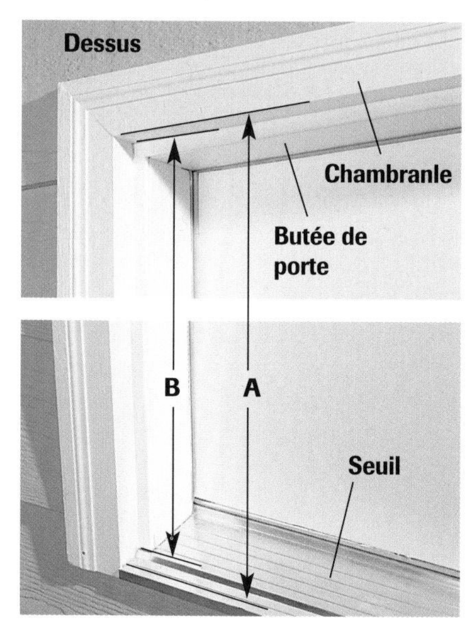

1 Les seuils des portes d'entrée étant inclinés, il faut couper le bas du cadre de la contre-porte suivant le même angle que celui du seuil. Mesurez la distance (A) du seuil à la partie supérieure de l'ouverture de la porte, dans le plan du coin intérieur du chambranle, et ensuite la distance (B) dans le plan de l'arrêt de la porte.

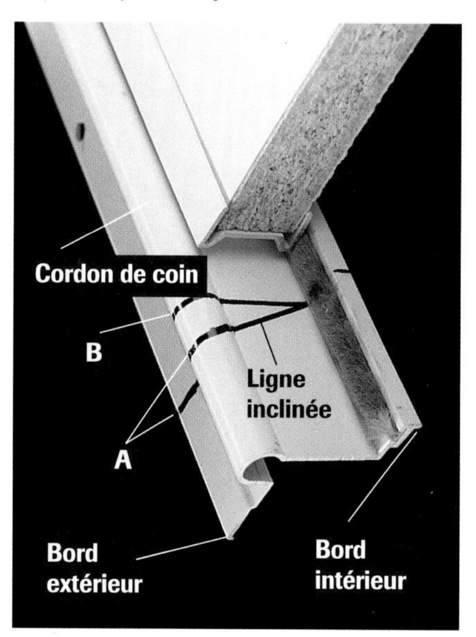

2 Soustrayez 1/8 po des distances A et B pour pouvoir effectuer de petits ajustements après que la porte sera installée. Mesurez, à partir du dessus du cadre de la contre-porte les distances ajustées A et B et marquez ces points sur le cordon de coin du cadre. Tracez une ligne du point A jusqu'au bord extérieur du cadre et une ligne du point B jusqu'au bord intérieur du cadre. Tracez ensuite la ligne inclinée qui joint les deux points ainsi obtenus sur les bords.

3 À l'aide d'une scie à métaux, sciez le bas du cadre de la contre-porte le long de la ligne inclinée. Veillez à tenir la scie inclinée suivant le même angle que celui de la ligne pour que la coupe soit nette et droite.

Comment ajuster et installer une contre-porte

1 Placez la contre-porte dans l'ouverture et poussez le cadre contre le chambranle, du côté des charnières de la contre-porte ; tracez une ligne de référence sur le chambranle en suivant le bord du cadre de la contre-porte.

2 Poussez le cadre de la contre-porte contre le chambranle, du côté de la serrure, et mesurez l'écart entre la ligne de référence et le côté charnières du cadre de la contre-porte. Si cet écart dépasse $^3/_8$ po, vous devez installer des bandes d'espacement pour pouvoir ajuster la contre-porte.

3 Pour installer les bandes d'espacement, enlevez la contre-porte et clouez de minces bandes de bois à l'intérieur du chambranle, à l'endroit des charnières de la contre-porte. Les bandes doivent être de $^1/_8$ po moins épaisses que l'écart mesuré à l'étape 2.

4 Replacez la contre-porte et poussez-la contre le chambranle, du côté des charnières. Forez, tous les 12 po, des avant-trous dans le cadre – du côté des charnières – et le chambranle. Fixez le cadre à l'aide de vis de montage.

5 Enlevez les pièces qui maintiennent le cadre attaché à la contre-porte. La contre-porte étant fermée, forez des avant-trous et fixez le cadre du côté de la serrure, au chambranle. Glissez une pièce de monnaie, entre la contre-porte et son cadre, pour obtenir un écartement constant.

6 Centrez la traverse du cadre de la contre-porte sur les côtés du cadre. Forez des avant-trous et fixez la traverse au chambranle à l'aide de vis. Réglez le bas de porte et installez les charnières et la serrure en suivant les instructions du fabricant.

Installation d'une porte de patio

Achetez une porte de patio dont les panneaux sont déjà enchâssés, dans un cadre assemblé ; elles sont plus faciles à installer. Évitez les portes de patio vendues en kit.

Les portes de patio ont des traverses et des appuis très longs, qui peuvent facilement gauchir ou se courber. Pour éviter que cela n'arrive, installez soigneusement la porte de patio, de manière qu'elle soit d'aplomb et de niveau, et solidement attachée aux éléments d'ossature. Vous éviterez le gauchissement des montants causé par l'humidité si vous renouvelez chaque année la pâte à calfeutrer et si vous faites les retouches de peinture qui s'imposent.

Le matériel dont vous avez besoin

Outils : crayon, marteau, scie circulaire, ciseau à bois, agrafeuse, pistolet à calfeutrer, levier, niveau, tournevis sans cordon, scie à main, perceuse et mèches, chasse-clou.

Matériel : intercalaires, rebord, papier de construction, pâte à calfeutrer à base de silicone et à base de latex, clous à boiserie 10d, vis à bois de 3 po, barre de seuil, porte de patio et accessoires, fibre de verre isolante.

Les moustiquaires : Si elles ne sont pas fournies avec la porte, elles peuvent être commandées chez la plupart des fabricants de portes de patio. Elles sont munies de galets montés sur ressorts qui roulent sur un mince rail situé du côté extérieur du seuil de la porte de patio.

Conseils pour installer les portes de patio coulissantes

Retirez les lourds panneaux vitrés si vous devez installer la porte de patio sans aide ; vous les replacerez après avoir installé le cadre dans l'ouverture et l'avoir cloué aux coins opposés. Pour enlever et remettre les panneaux, retirez le rail d'arrêt qui se trouve le long de la traverse supérieure de la porte.

Réglez les galets inférieurs lorsque l'installation est terminée. Enlevez la cache de la vis de réglage qui se trouve du côté intérieur du rail inférieur. Tournez la vis par petits coups jusqu'à ce que les galets roulent facilement sur le rail lorsque vous ouvrez ou fermez la porte.

Conseils pour installer les portes de patio de style français

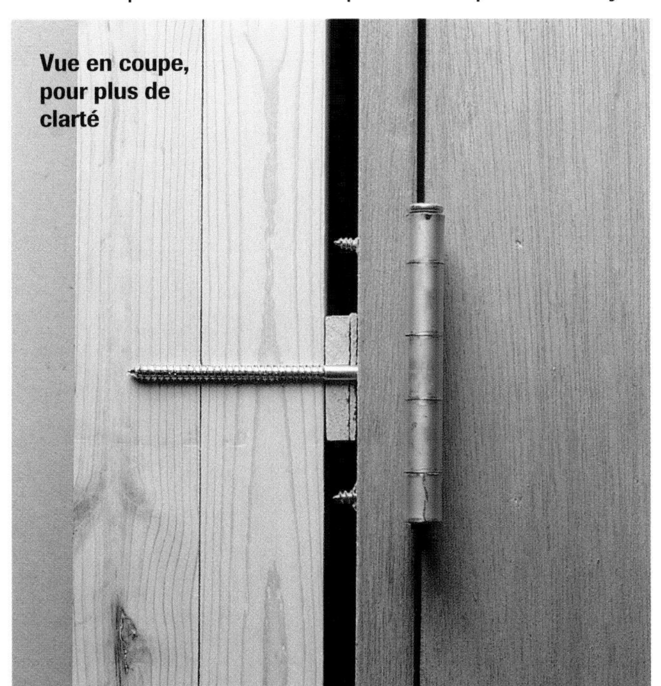

Consolidez les charnières en remplaçant la vis de montage centrale de chaque charnière par une vis à bois de 3 po. Ces longues vis traversent les montants et s'enfoncent profondément dans les éléments d'ossature.

Maintenez un écart constant de 1/8 po entre la porte, les montants et la traverse, pour que la porte glisse facilement, sans caler. Vérifiez fréquemment cet écart pendant que vous installez les intercalaires autour de la porte.

Comment installer une porte de patio

1 Préparez le lieu de travail, enlevez le revêtement mural intérieur (pages 172-173) et encadrez l'ouverture prévue pour la porte de patio (pages 192-193). Enlevez le revêtement mural extérieur se trouvant à l'intérieur de l'ouverture (pages 176-177).

2 Essayez la porte en la centrant dans l'ouverture. Vérifiez si elle est d'aplomb et, si nécessaire, introduisez des intercalaires sous le montant le plus bas, jusqu'à ce que la porte soit d'aplomb et de niveau. Demandez à votre aide de tenir la porte en place pendant que vous l'ajustez.

3 Tracez le contour du chambranle sur le bardage et enlevez la porte. NOTE : si le bardage est en métal ou en vinyle, laissez un espace entre le chambranle et le contour pour pouvoir installer les moulures décoratives requises par ce type de bardages.

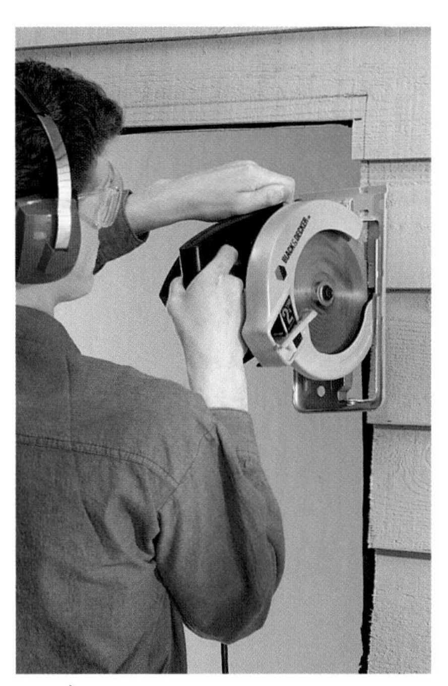

4 À l'aide d'une scie circulaire, sciez le bardage le long du contour, jusqu'au revêtement mural. Arrêtez-vous juste avant les coins pour ne pas endommager le bardage qui doit rester. Achevez de couper le bardage dans les coins en utilisant un ciseau à bois bien affûté.

5 Pour obtenir une barrière supplémentaire contre l'humidité, coupez un morceau de rebord, de la largeur de l'ouverture, et glissez-le entre le bardage et le papier de construction existant, au-dessus de l'ouverture. Ne le clouez pas.

6 Coupez des bandes de papier de construction de 8 po de large et glissez-les entre le bardage et le revêtement. Pliez le papier autour des éléments d'ossature et agrafez-le en place.

7 Appliquez plusieurs épais cordons de pâte à calfeutrer à base de silicone sur le sous-plancher, au bas de l'ouverture de la porte.

8 Appliquez de la pâte à base de silicone sur le bord avant des éléments d'ossature, là où le bardage rencontre le papier de construction.

9 Centrez la porte de patio dans l'ouverture de manière que le chambranle s'appuie fermement contre le revêtement mural. Demandez à votre aide de tenir la porte de l'extérieur pendant que vous placez les intercalaires et clouez la porte en place.

10 Vérifiez si le seuil de la porte est de niveau et, le cas échéant, insérez des intercalaires sous le montant le plus bas pour l'ajuster.

Suite à la page suivante

Comment installer une porte de patio (suite)

11 Si des espaces subsistent entre le seuil et le sous-plancher, introduisez-y des intercalaires enduits de pâte à calfeutrer, tous les 6 po. Les intercalaires doivent serrer en place, mais pas au point de courber le seuil. Essuyez immédiatement la pâte excédentaire.

12 Insérez des paires d'intercalaires biseautés formant des intercalaires à faces parallèles tous les 12 po, dans les espaces entre les montants et les poteaux nains. Pour les portes coulissantes, placez des intercalaires derrière la gâche de la serrure.

13 Insérez des intercalaires tous les 12 po, dans les espaces entre la traverse supérieure et le linteau.

14 De l'extérieur, enfoncez des clous à boiserie 10d, tous les 12 po, à travers le chambranle dans les éléments d'ossature. À l'aide d'un chasse-clou, enfoncez les têtes des clous sous la surface du bois.

15 De l'intérieur, enfoncez des clous à boiserie 10d à travers les montants de la porte, dans les éléments d'ossature, à l'emplacement de chaque intercalaire. À l'aide d'un chasse-clou, enfoncez les têtes des clous sous la surface du bois.

16 Enlevez une des vis et sciez les intercalaires au ras du bloc d'arrêt qui se trouve au centre du seuil. Remplacez la vis par une vis à bois de 3 po, enfoncée dans le sous-plancher, pour consolider l'installation.

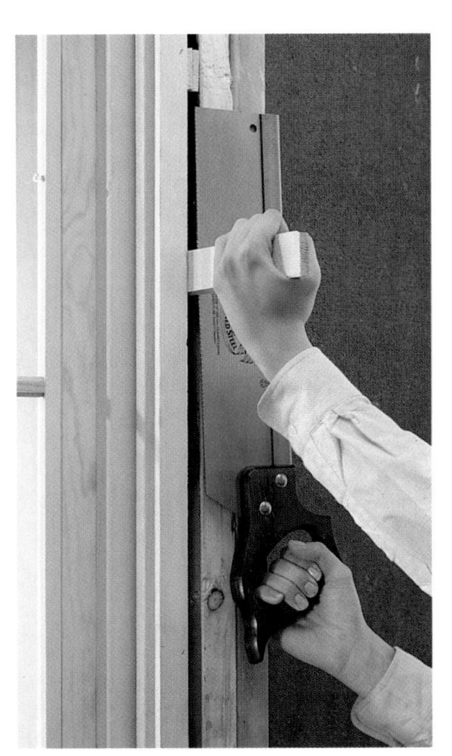

17 À l'aide d'une scie à main, sciez les intercalaires au ras des éléments d'ossature. Remplissez de fibre de verre isolante les espaces existant autour des montants de la porte et en dessous du seuil.

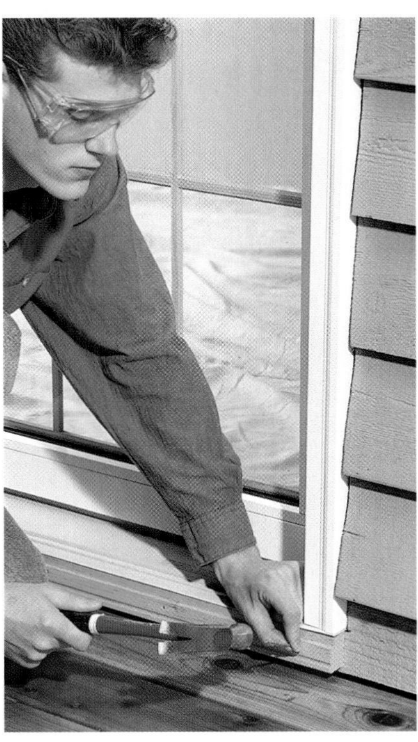

18 Renforcez et scellez le bord du seuil en installant sous celui-ci une barre de seuil, contre le mur. Forez des avant-trous et fixez la barre de seuil à l'aide de clous à boiserie 10d.

19 Assurez-vous que le rebord s'appuie contre le chambranle avant d'appliquer de la pâte à calfeutrer à base de silicone le long de la partie supérieure du rebord et le long du bord extérieur du chambranle. Remplissez de pâte à calfeutrer à base de silicone tous les trous laissés par les têtes des clous, mais utilisez de la pâte à calfeutrer à base de latex si l'endroit doit être peint.

20 Calfeutrez complètement le pourtour de la barre de seuil, en enfonçant avec le doigt la pâte à calfeutrer dans les fissures. Peignez la barre de seuil dès que la pâte à calfeutrer est sèche. Finissez la porte et installez la serrure en suivant les instructions du fabricant. Suivez les instructions des pages 132 à 139 et 152 à 155 pour la finition des murs et de l'intérieur de la porte.

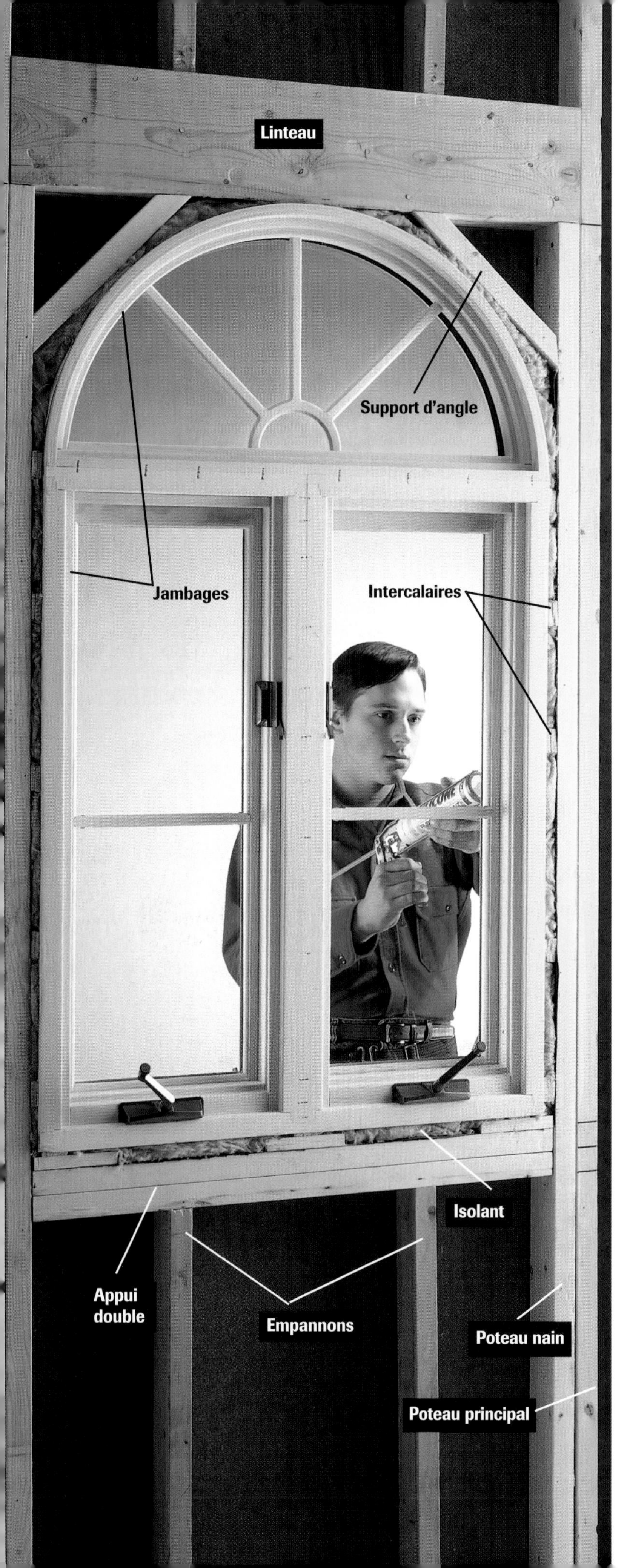

Encadrement et installation des fenêtres

Il faut souvent commander les fenêtres plusieurs semaines à l'avance. Vous gagnerez du temps en préparant l'encadrement intérieur en attendant que la fenêtre vous soit livrée. Mais pour enlever le revêtement mural extérieur, attendez d'avoir reçu la fenêtre et ses accessoires.

Suivez les instructions du fabricant en ce qui concerne la dimension de l'ouverture, lorsque vous préparez l'encadrement d'une fenêtre. Habituellement, on préconise que l'ouverture ait 1 po de plus en largeur et 1/2 po de plus en hauteur que les dimensions de la fenêtre. Dans les pages suivantes, on décrit les techniques utilisées dans les maisons à ossature en bois de type à plateforme, dont le bardage est en déclin. Dans cette section, on montre ce qui suit:

- Comment encadrer l'ouverture d'une fenêtre (pages 211 à 213);
- Comment installer une fenêtre (pages 214 à 217).

Si l'extérieur de votre maison est en stuc, consultez les pages 178-179.

Si votre maison a une ossature à claire-voie (pages 102-103), utilisez la méthode expliquée à la page 196 (étapes 1 à 6) pour installer le linteau. Si vous devez installer une fenêtre à l'étage d'une maison à ossature à claire-voie, consultez un professionnel.

Si les murs de votre maison sont en maçonnerie, ou si les fenêtres que vous installez sont couvertes de peinture à base de polymères, vous avez intérêt à fixer vos fenêtres au moyen d'attaches de maçonnerie (page 217) plutôt que d'utiliser des clous.

Le matériel dont vous avez besoin

Outils: mètre à ruban, crayon, équerre combinée, marteau, niveau, scie circulaire, scie à main, levier, cisaille, perceuse, scie alternative, agrafeuse, chasse-clou, pistolet à calfeutrer.

Matériel: clous ordinaires 10d, intercalaires, bois scié de 2 po d'épaisseur, contreplaqué de 3/8 po, papier de construction, rebord, clous à boiserie (10d, 8d), fibre de verre isolante, pâte à calfeutrer à base de silicone.

Comment encadrer l'ouverture d'une fenêtre

1 Préparez le lieu de travail et enlevez le revêtement mural intérieur (pages 172-173). Mesurez la largeur de l'ouverture et marquez-la sur la lisse. Marquez l'emplacement des poteaux principaux et des poteaux nains sur la lisse. Utilisez si possible les poteaux existants comme poteaux principaux.

2 Si vous ne pouvez le faire, calculez les mesures des poteaux principaux et sciez-les pour qu'ils s'insèrent entre la lisse et la sablière. Installez-les, puis clouez-les en biais à la lisse, en utilisant des clous 10d.

3 À l'aide d'un niveau, vérifiez si les poteaux principaux sont d'aplomb et clouez-les à la sablière, en utilisant des clous 10d.

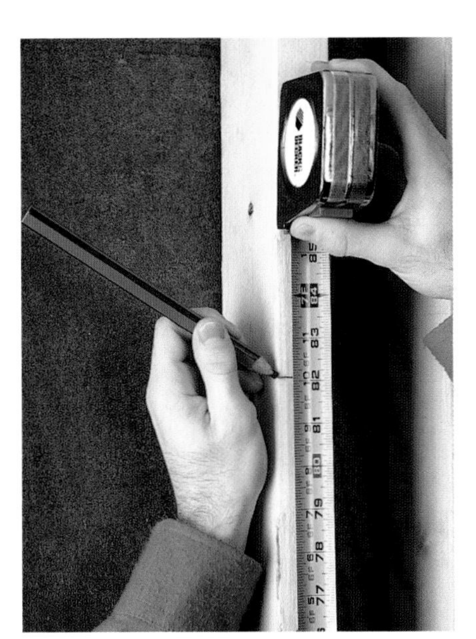

4 En la mesurant à partir du plancher, marquez la hauteur inférieure de l'ouverture sur un des poteaux principaux. Pour la plupart des fenêtres, on recommande que l'ouverture ait une hauteur de $^1/_2$ po supérieure à la hauteur de l'encadrement de la fenêtre.

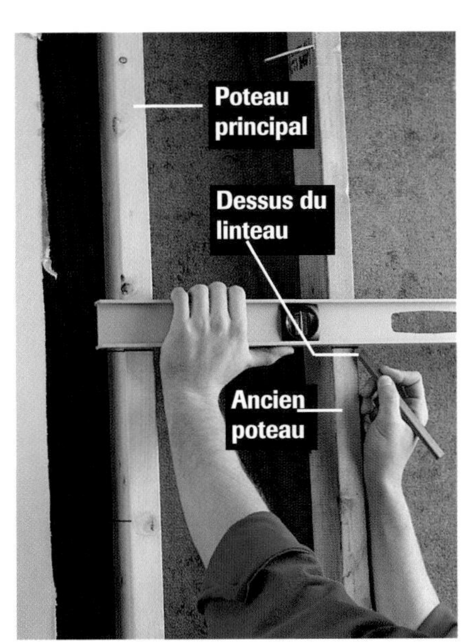

5 Mesurez à quelle hauteur arrivera le dessus du linteau s'appuyant contre le poteau principal et marquez-la sur le poteau. La dimension du linteau dépend de la distance entre les poteaux principaux (pages 104-105). À l'aide d'un niveau de menuisier, reportez les lignes sur les anciens poteaux, jusqu'à l'autre poteau principal.

6 À partir de la ligne du linteau, mesurez vers le bas les hauteurs des éléments de l'appui double et tracez les lignes correspondantes sur un poteau principal. À l'aide d'un niveau de menuisier, reportez ces lignes sur les anciens poteaux, jusqu'à l'autre poteau principal. Si vous enlevez plus d'un poteau, installez des supports temporaires (pages 182 à 185).

Suite à la page suivante

7 Réglez une scie circulaire à sa profondeur de coupe maximale et entaillez les anciens poteaux à l'endroit des lignes indiquant la hauteur du bas de la traverse inférieure et celle du dessus du linteau. Ne sciez pas les poteaux principaux. Sur chaque poteau, faites une entaille supplémentaire, 3 po au-dessus de la première. Finissez les coupes au moyen d'une scie à main.

8 Frappez sur les morceaux de poteaux de 3 po de long pour les enlever et, à l'aide d'un levier, retirez les parties des anciens poteaux se trouvant à l'intérieur de l'ouverture. À l'aide d'une cisaille, coupez toutes les parties de clous qui dépassent. Les parties des anciens poteaux qui restent serviront d'empannons à la nouvelle fenêtre.

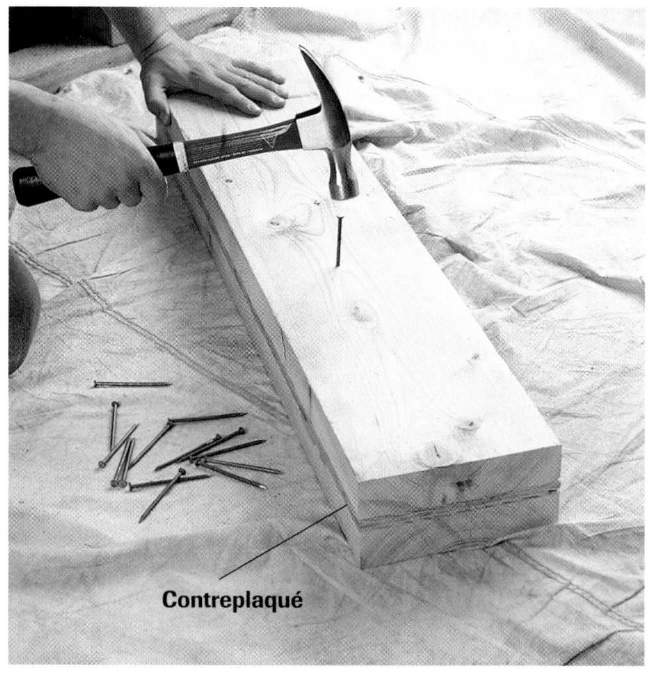

9 Fabriquez le linteau que vous devez installer entre les poteaux principaux et qui reposera sur les poteaux nains; utilisez pour cela deux planches de bois scié de 2 po d'épaisseur enserrant du contreplaqué de $^3/_8$ po.

10 Sciez deux poteaux nains qui aient une longueur égale à la distance entre le dessus de la lisse et la marque du bas du linteau sur les poteaux principaux. Clouez les poteaux nains aux poteaux principaux, en plantant des clous 10d tous les 12 po. NOTE: dans une maison à ossature à claire-voie, les poteaux nains descendront jusqu'à la lisse, sous le plancher.

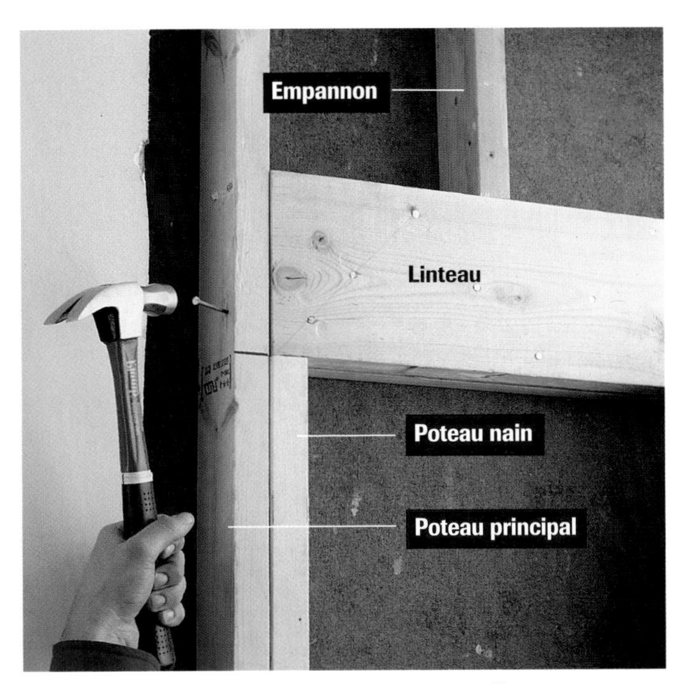

11 Placez le linteau sur les poteaux nains, en utilisant un marteau si nécessaire. À l'aide de clous 10d, fixez le linteau aux poteaux principaux, aux poteaux nains et aux empannons.

12 Clouez ensemble deux morceaux de bois d'œuvre de 2 po x 4 po, sciés à la bonne longueur, qui formeront la traverse inférieure reposant sur les empannons, entre les poteaux nains. Clouez la traverse aux poteaux nains et aux empannons en utilisant des clous 10d.

Variante pour les fenêtres arrondies

Créez un modèle qui vous aidera à dessiner l'ouverture sur le revêtement mural. Tracez le contour du cadre arrondi sur du carton, en y ajoutant ½ po, ce qui permettra d'effectuer les ajustements nécessaires du cadre dans l'ouverture. Une rondelle métallique de ¼ po x 1¼ po est tout indiquée pour tracer ce contour. Coupez le modèle en suivant la ligne que vous avez tracée.

Collez le modèle au revêtement mural, en accolant le sommet du modèle au linteau. En vous basant sur le modèle, installez des éléments d'ossature inclinés dans les coins de l'ouverture. Ces éléments doivent juste toucher le bord du modèle. Tracez le contour du modèle sur le revêtement, il vous guidera lorsque vous découperez l'ouverture (pages 176 à 179).

Comment installer une fenêtre

1 Enlevez le revêtement mural extérieur en suivant les instructions données aux pages 176 à 179, puis essayez la fenêtre, en la centrant dans l'ouverture. Soutenez-la au moyen de blocs de bois et d'intercalaires placés sous la traverse de base. Vérifiez si la fenêtre est d'aplomb et de niveau et faites les ajustements nécessaires, le cas échéant.

2 Tracez le contour du chambranle sur le bardage. NOTE : si le bardage est en métal ou en vinyle, agrandissez le contour pour disposer de l'espace nécessaire à l'installation de la moulure en J supplémentaire qu'exigent ces bardages. Enlevez la fenêtre après en avoir tracé le contour.

3 Sciez le bardage jusqu'au revêtement, en suivant le contour. S'il s'agit d'une fenêtre arrondie, utilisez une scie alternative et inclinez-la à peine. Dans le cas de coupes droites, utilisez une scie circulaire, réglée de manière que la profondeur de coupe égale l'épaisseur du bardage, et achevez de couper celui-ci dans les coins à l'aide d'un ciseau bien affûté (page 199).

4 Coupez des bandes de papier de construction de 8 po de large et glissez-les entre le bardage et le revêtement, tout autour de l'ouverture de la fenêtre. Pliez le papier autour des éléments d'ossature et agrafez-le.

5 Coupez une longueur de rebord que vous installerez autour de la partie supérieure de la fenêtre en le glissant entre le bardage et le papier de construction. Si la fenêtre est arrondie, utilisez un rebord flexible en vinyle ; dans le cas des fenêtres rectangulaires, utilisez un rebord en métal rigide (mortaise).

6 Introduisez la fenêtre dans l'ouverture et pressez fermement le chambranle contre le revêtement.

7 Vérifiez si la fenêtre est de niveau.

8 Si la fenêtre est parfaitement de niveau, clouez les coins inférieurs du chambranle, en utilisant des clous 10d. Dans le cas contraire, ne clouez que le coin le plus haut.

9 Si vous le jugez nécessaire, demandez à un aide d'enfoncer un intercalaire sous le coin le plus bas de la fenêtre, à l'intérieur de la maison, jusqu'à ce que la fenêtre soit de niveau.

10 De l'extérieur, enfoncez des clous 10d dans le chambranle et les éléments d'ossature, près des autres coins de la fenêtre.

Suite à la page suivante

11 Réunissez par paires des intercalaires biseautés de manière à former des intercalaires à faces parallèles. De l'intérieur, introduisez les intercalaires dans les espaces existant entre les jambages et les éléments d'ossature, en les espaçant de 12 po. Si la fenêtre est arrondie, placez également des intercalaires entre les supports d'angle et le jambage courbe.

12 Ajustez les intercalaires pour qu'ils serrent, sans déformer les jambages. Sur les fenêtres multiples, assurez-vous de placer des intercalaires sous les montants intérieurs.

13 À l'aide d'une règle rectifiée, vérifiez si les jambages ne sont pas courbés et, dans l'affirmative, apportez les corrections nécessaires en ajustant les intercalaires. Ouvrez et fermez la fenêtre pour vous assurer qu'elle fonctionne correctement.

14 À l'endroit de chaque paire d'intercalaires, forez un avant-trou et plantez-y un clou 8d qui traverse le jambage et les intercalaires. Prenez garde de ne pas endommager la fenêtre. À l'aide d'un chasse-clou, enfoncez la tête de clou sous la surface du bois.

15 Remplissez de fibre de verre isolante les espaces existant entre les jambages et les éléments d'ossature. Portez des gants lorsque vous manipulez cet isolant.

16 Sciez les intercalaires au ras des éléments d'ossature, avec une scie à main.

17 De l'extérieur, enfoncez, tous les 12 po, des clous à boiserie 10d galvanisés, à travers le chambranle et les éléments d'ossature. À l'aide d'un chasse-clou, enfoncez toutes les têtes des clous sous la surface du bois.

18 Appliquez de la pâte à base de silicone tout autour de la fenêtre. Remplissez de pâte les trous des têtes des clous. Finissez les murs (pages 130 à 139) et les moulures intérieures de la fenêtre (pages 152 à 155).

Variante d'installation : les attaches de maçonnerie

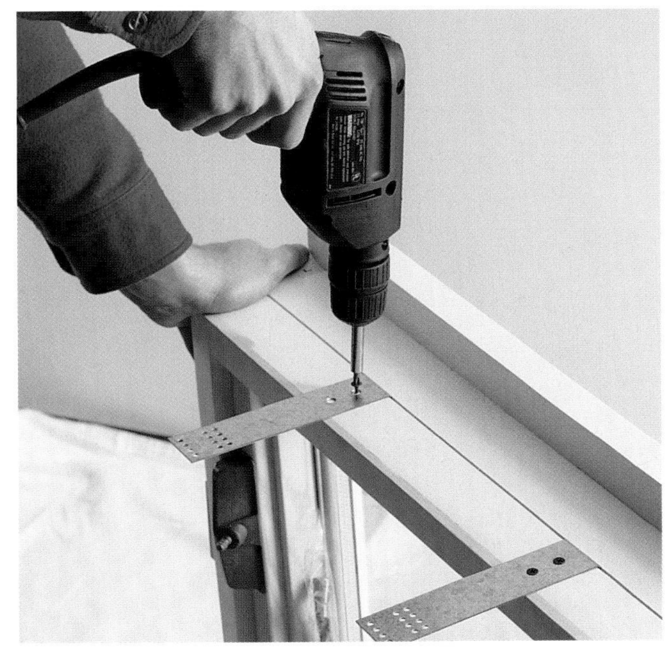

Conseil : Utilisez des attaches de maçonnerie lorsque vous ne pouvez pas clouer le chambranle d'une fenêtre parce qu'il s'appuie sur des briques ou de la maçonnerie. Les attaches de maçonnerie entrent dans des rainures prévues à la surface des chambranles de fenêtres (ci-dessus, à gauche), et on les fixe à l'aide de vis appropriées. Après avoir placé la fenêtre dans l'ouverture, on plie les attaches de maçonnerie autour des éléments d'ossature et on les fixe à l'aide de vis appropriées (ci-dessus, à droite). NOTE : on peut également utiliser les attaches de maçonnerie dans le cas de bardage en déclin si l'on veut éviter de clouer dans la surface du chambranle. Par exemple, on peut installer, avec des attaches de maçonnerie, les fenêtres peintes à l'avance avec de la peinture à base de polymères ; on évite ainsi de pratiquer des trous dans le chambranle.

Photo utilisée avec l'autorisation de Kraftmaid Cabinetry, Inc.

Étagères, armoires et dessus de comptoirs

Addition d'étagères

Lorsque vous décidez de fabriquer des étagères allant du plancher au plafond (page 222) ou des étagères utilitaires (page 228), choisissez des matériaux adaptés aux charges qu'ils devront supporter. Les étagères en verre mince ou en panneaux de particules peuvent supporter des charges légères, comme la verrerie décorative, mais seules les étagères les plus robustes peuvent supporter sans plier ni casser le poids d'un poste de télévision ou de lourds livres de référence.

La résistance d'une étagère dépend de sa *portée*, c'est-à-dire de la distance entre les deux panneaux verticaux latéraux qu'elle relie. En général, on admet que cette distance ne doit pas dépasser 36 po.

Vous ferez un bon choix si vous fabriquez vos propres étagères en contreplaqué bordé de bandes de bois dur. Les étagères en contreplaqué bordé sont résistantes, attrayantes et bien meilleur marché que les étagères en bois dur massif.

Le matériel dont vous avez besoin

Outils : guide de perceuse, perceuse et mèches, trusquin, toupie, marteau, chasse-clou.

Matériel : matériel d'étagères, panneau perforé usagé, chevilles de support pour tablettes, baguettes de support métalliques pour tablettes, supports métalliques de tablettes, clous de finition.

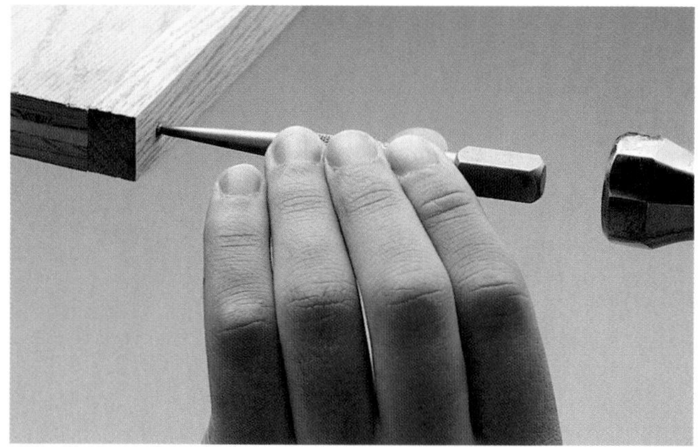

Attachez des bords ou des moulures en bois dur à l'avant des tablettes en contreplaqué, en utilisant de la colle à bois et des clous de finition. Placez le bord de manière que son arête supérieure soit légèrement plus haute que la surface de contreplaqué, forez des avant-trous et plantez-y des clous de finition. À l'aide d'un chasse-clou, noyez les têtes des clous. Avant de finir la tablette, passez l'arête supérieure du bord au papier de verre pour qu'il se fonde dans la surface en contreplaqué (pages 244 à 247). Pour obtenir une plus grande résistance, bordez le contreplaqué de bandes de bois dur de 1 po x 2 po ou de 1 po x 3 po (photo, à gauche).

Comment installer des supports d'étagères réglables du type à chevilles

1 Pour fabriquer des supports réglables à chevilles, destinés aux tablettes d'une étagère allant du plancher au plafond (page 225), montez une perceuse munie d'une mèche de $\frac{1}{4}$ po sur un guide, en réglant la profondeur de forage à $\frac{3}{8}$ po. Alignez sur le bord de la face intérieure de chaque montant de l'étagère un panneau perforé usagé. Forer deux rangées de trous dans chaque montant, à environ 1 $\frac{1}{2}$ po des bords, en vous guidant sur les trous du panneau perforé.

2 Fabriquez des tablettes plus courtes de $\frac{1}{8}$ po que la distance entre les montants. Pour installer une tablette, introduisez deux chevilles de $\frac{1}{4}$ po dans chaque montant.

Comment installer des baguettes de support métalliques destinées aux tablettes réglables

1 Pour installer des baguettes de support métalliques destinées aux tablettes réglables (page 225), tracez, à l'aide d'un trusquin, deux lignes parallèles qui serviront à creuser des rainures dans chacun des montants.

2 À l'aide d'une toupie et d'une cale-guide (page 73), faites des rainures de profondeur et de largeur suffisantes pour recevoir les baguettes de support. Essayez les baguettes, puis retirez-les.

3 Après avoir terminé l'étagère, coupez les baguettes à la bonne longueur et fixez-les au moyen de vis ou de clous fournis par le fabricant. Assurez-vous que les fentes des baguettes sont parfaitement alignées, afin que les tablettes soient de niveau.

4 Fabriquez des tablettes plus courtes de $\frac{1}{8}$ po que la distance entre les montants et insérez des supports métalliques dans les fentes des baguettes métalliques ; posez-y les tablettes.

Construction d'étagères allant du plancher au plafond

Les étagères allant du plancher au plafond sont plus robustes et offrent un meilleur espace de rangement que les étagères montées. Une fois finies et décorées en harmonie avec la pièce dans laquelle elles se trouvent, elles transforment une pièce ordinaire en une bibliothèque ou un coin repos accueillants.

Dans ce projet, on utilise du contreplaqué de finition en chêne et un cadre frontal en chêne massif pour donner l'impression qu'il s'agit d'une étagère en chêne massif, beaucoup plus chère. Les panneaux de contreplaqué sont supportés et renforcés par une structure dissimulée de poteaux en bois scié de 2 po x 4 po.

Lorsqu'on installe une étagère allant du plancher au plafond dans un coin, comme c'est le cas pour l'étagère de la photo, il faut ajouter des planchettes d'espacement en contreplaqué de $^{1}/_{2}$ po qui supporteront les poteaux qui se trouvent contre le mur. Ces planchettes permettent d'installer plus sûrement des montants de même largeur aux extrémités de l'étagère (voir le croquis à la page suivante).

Le matériel dont vous avez besoin

Outils : mètre à ruban, crayon, niveau, équerre de menuisier, fil à plomb, perceuse et mèches, marteau, scie circulaire, toupie, mèche de $^{3}/_{4}$ po.

Matériel : voir la liste de la page suivante ; plus clous de finition (1 $^{1}/_{2}$ po, 2 po), vis ordinaires (1 $^{3}/_{4}$ po, 2 po, 3 po), intercalaires, baguettes de support métalliques et supports, matériaux de finition, déchets de contreplaqué de $^{1}/_{2}$ po, colle de menuisier.

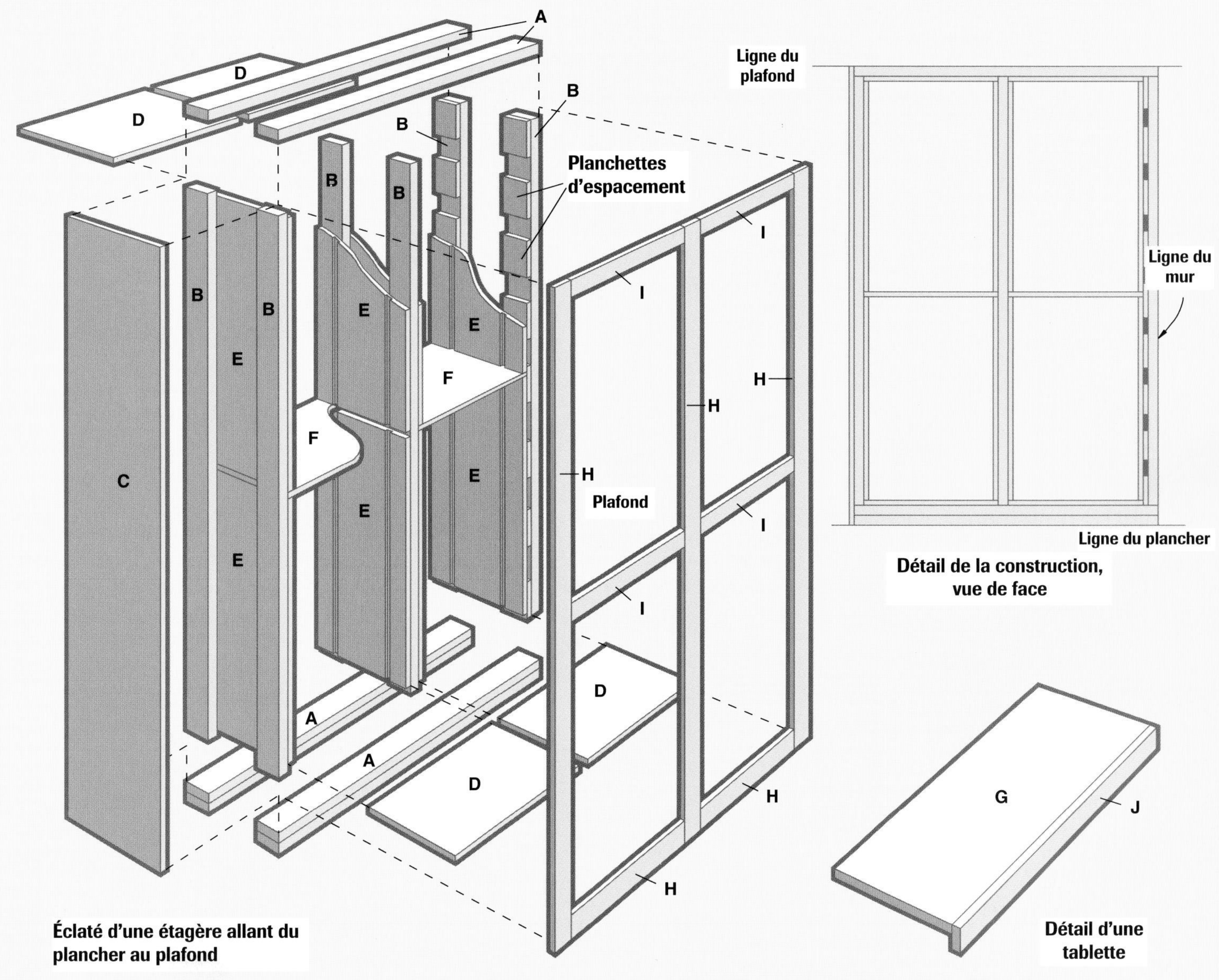

Éclaté d'une étagère allant du plancher au plafond

Détail de la construction, vue de face

Détail d'une tablette

Liste des pièces : étagères allant du plancher au plafond

Projet montré				
Repères	**Pièces**	**Matériaux**	**Nombre**	**Dimensions**
A	Longerons inférieurs et supérieurs	2 po x 4 po	6	59 1/2 po
B	Poteaux de support	2 po x 4 po	6	91 1/2 po
C	Panneaux d'extrémité	Contreplaqué de 1/2 po en chêne	1	95 3/4 x 13 po
D	Panneaux horizontaux, supérieurs et inférieurs	Contreplaqué de 1/2 po en chêne	4	27 1/4 x 13 po
E	Panneaux verticaux	Contreplaqué de 1/2 po en chêne	8	44 7/8 x 13 po
F	Tablettes fixes	Contreplaqué de 3/4 po en chêne	2	27 1/4 x 13 po
G	Tablettes réglables	Contreplaqué de 3/4 po en chêne	8	26 1/8 x 11 7/8 po
H	Montants et traverse inférieure	Chêne de 1 po x 4 po	Longueur de 28 pi	
I	Traverse supérieure et traverse du milieu	Chêne de 1 po x 3 po	Longueur de 10 pi	
J	Bord de tablette	Chêne de 1 po x 2 po	Longueur de 18 pi	

Votre projet	
Nombre	**Dimensions**

Comment construire des étagères allant du plancher au plafond

1 Marquez sur le plafond l'emplacement des deux longerons supérieurs parallèles, formés chacun de deux morceaux de bois scié de 2 po x 4 po. Le bord avant du longeron frontal doit se trouver à 13 po du mur arrière et l'autre longeron doit se trouver contre le mur arrière. Marquez l'emplacement des solives de plafond ; si nécessaire, installez des étrésillons entre les solives (page 112) pour pouvoir fixer les longerons supérieurs.

2 Mesurez et sciez les longerons supérieurs en bois scié de 2 po x 4 po. Placez chacun d'eux à sa place, vérifiez s'ils sont de niveau et installez des intercalaires si nécessaire. Fixez-les au plafond à l'aide de vis de 3 po enfoncées dans les solives ou les étrésillons.

3 Sciez des morceaux de bois de 2 po x 4 po à la longueur voulue et assemblez-les en les vissant deux par deux pour former les deux longerons inférieurs. Servez-vous d'un fil à plomb suspendu aux coins extérieurs des longerons supérieurs pour aligner les longerons inférieurs. Si nécessaire, utilisez des intercalaires pour mettre les longerons inférieurs de niveau. Fixez-les en enfonçant des vis de 3 po, en biais, dans le plancher.

4 Installez des poteaux de support entre les extrémités des longerons supérieurs et inférieurs. Fixez-les à l'aide de vis de 3 po enfoncées de biais dans les longerons inférieurs et supérieurs.

5 Installez les poteaux de support centraux, à mi-chemin entre les poteaux de support d'extrémité. Fixez-les d'abord aux longerons inférieurs, à l'aide de vis de 3 po enfoncées en biais. Utilisez un niveau pour vous assurer qu'ils sont d'aplomb et attachez-les ensuite aux longerons supérieurs, à l'aide de vis de 3 po également.

6 Si l'étagère se loge dans un coin, fixez, à l'aide de vis de 2 po, des planchettes d'espacement en contreplaqué de $^1/_2$ po d'épaisseur, sur la face intérieure des poteaux de support, en les espaçant de 4 po. Veillez à ce que ces planchettes ne dépassent pas à l'avant des poteaux.

7 Pour le côté exposé de l'étagère, mesurez et sciez le panneau d'extrémité en contreplaqué de $^1/_2$ po, allant du plancher au plafond. Fixez-le aux poteaux de support – de manière que les bords avant soient dans le même plan – en utilisant des vis de 1 $^3/_4$ po enfoncées à travers les poteaux de support, dans le panneau d'extrémité.

8 Mesurez et sciez les panneaux supérieurs et inférieurs en contreplaqué de $^1/_2$ po et installez-les entre les poteaux de support. Fixez-les aux longerons inférieurs et supérieurs à l'aide de clous de finition de 1 $^1/_2$ po.

9 Mesurez et sciez les montants inférieurs en contreplaqué de $^1/_2$ po et creusez les rainures destinées aux baguettes de support métalliques, en vous aidant d'une cale-guide (page 73).

10 Installez les panneaux verticaux inférieurs de chaque côté des poteaux de support de 2 po x 4 po, de manière que leur bord avant soit dans le même plan que le bord des poteaux. Fixez-les à l'aide de clous de finition de 1 $^1/_2$ po enfoncés dans les poteaux de support. Pour les montants verticaux situés contre le mur, enfoncez les clous aux emplacements des planchettes d'espacement.

11 Mesurez et sciez les tablettes fixes dans du contreplaqué de $^3/_4$ po et installez-les entre les poteaux de support, juste au-dessus des panneaux verticaux inférieurs. Posez-les sur les panneaux verticaux inférieurs et fixez-les au moyen de clous de finition de 1 $^1/_2$ po, plantés verticalement dans les panneaux verticaux inférieurs.

Suite à la page suivante

12 Mesurez et sciez les panneaux verticaux supérieurs que vous installerez entre les tablettes fixes et les panneaux horizontaux supérieurs. Creusez les rainures destinées à recevoir les baguettes de support métalliques et fixez les panneaux verticaux supérieurs aux poteaux de support, à l'aide de clous de finition de 1 1/2 po.

13 Mesurez et sciez les montants de 1 po x 3 po qui seront fixés du plancher au plafond, sur la surface frontale des poteaux de support. Forez des avant-trous et, à l'aide de colle et de clous de finition de 1 1/2 po enfoncés tous les 8 po, fixez les montants aux poteaux de support, de manière qu'ils viennent latéralement au ras des panneaux verticaux.

14 Mesurez et sciez les traverses supérieures de 1 po x 3 po que vous installerez entre les montants. Forez des avant-trous et fixez les traverses au longeron supérieur et aux panneaux horizontaux supérieurs, en utilisant de la colle de menuisier et des clous de finition de 1 1/2 po.

15 Mesurez et sciez les traverses inférieures de 1 po x 4 po et installez-les entre les montants. Forez des avant-trous et fixez les traverses au longeron inférieur et aux panneaux horizontaux inférieurs, en utilisant de la colle de menuisier et des clous de finition de 1 1/2 po. Le bord supérieur des traverses doit venir au ras de la surface supérieure des panneaux de contreplaqué.

16 Remplissez les trous des têtes des clous ; puis, poncez et finissez les surfaces en bois (pages 244 à 247).

17 Mesurez, coupez et installez dans les rainures les baguettes de support métalliques, en utilisant les vis ou les clous fournis par le fabricant.

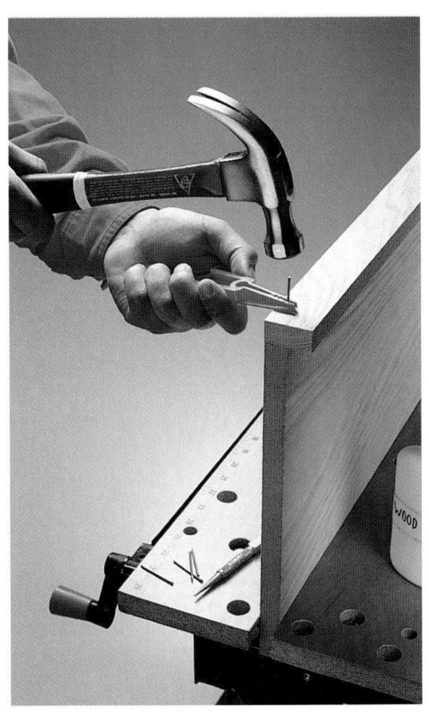

18 Mesurez et sciez les tablettes réglables pour qu'elles soient plus courtes de 1/8 po que la distance entre les baguettes de support. Sciez les bords de tablettes et fixez-les aux tablettes à l'aide de colle et de clous de finition de 1 1/2 po. Poncez et finissez les tablettes.

19 Placez les supports métalliques dans les fentes des baguettes de support et installez chaque tablette réglable à la hauteur de votre choix.

20 Recouvrez les espaces existant entre l'étagère et le plancher au moyen d'une moulure dont la finition est assortie à l'étagère.

Construction d'étagères utilitaires

Il vous suffit d'un après-midi pour construire une étagère utilitaire à l'aide de bois scié de 2 po x 4 po et de contreplaqué de $^{3}/_{4}$ po d'épaisseur. Les étagères utilitaires sont parfaites pour les garages ou le sous-sol, mais on peut facilement les modifier en ajoutant des panneaux latéraux et un cadre frontal et ainsi les rendre suffisamment attrayantes pour être installées dans une pièce de séjour ou une salle de jeu.

Le projet décrit dans les pages suivantes est facile à réaliser et comprend deux colonnes de tablettes ayant une largeur totale de 68 po. On peut agrandir cette étagère en ajoutant d'autres montants de 2 po x 4 po et d'autres tablettes en contreplaqué (mais ne faites pas de tablettes de plus de 36 po de large). Les traverses de base de l'étagère sont perpendiculaires au mur pour faciliter l'accès à l'espace se trouvant sous les tablettes inférieures.

Le matériel dont vous avez besoin

Outils : crayon, mètre à ruban, niveau, équerre de menuisier, tournevis à commande mécanique, fil à plomb, marteau cloueur à poudre, serre-joints, toupie munie d'une fraise à denture droite de $^{3}/_{4}$ po, scie circulaire, escabeau.

Matériel : matériaux figurant sur la liste de la page suivante, colle à bois, intercalaires, vis ordinaires (2 $^{1}/_{2}$ po, 3 po), produits de finition.

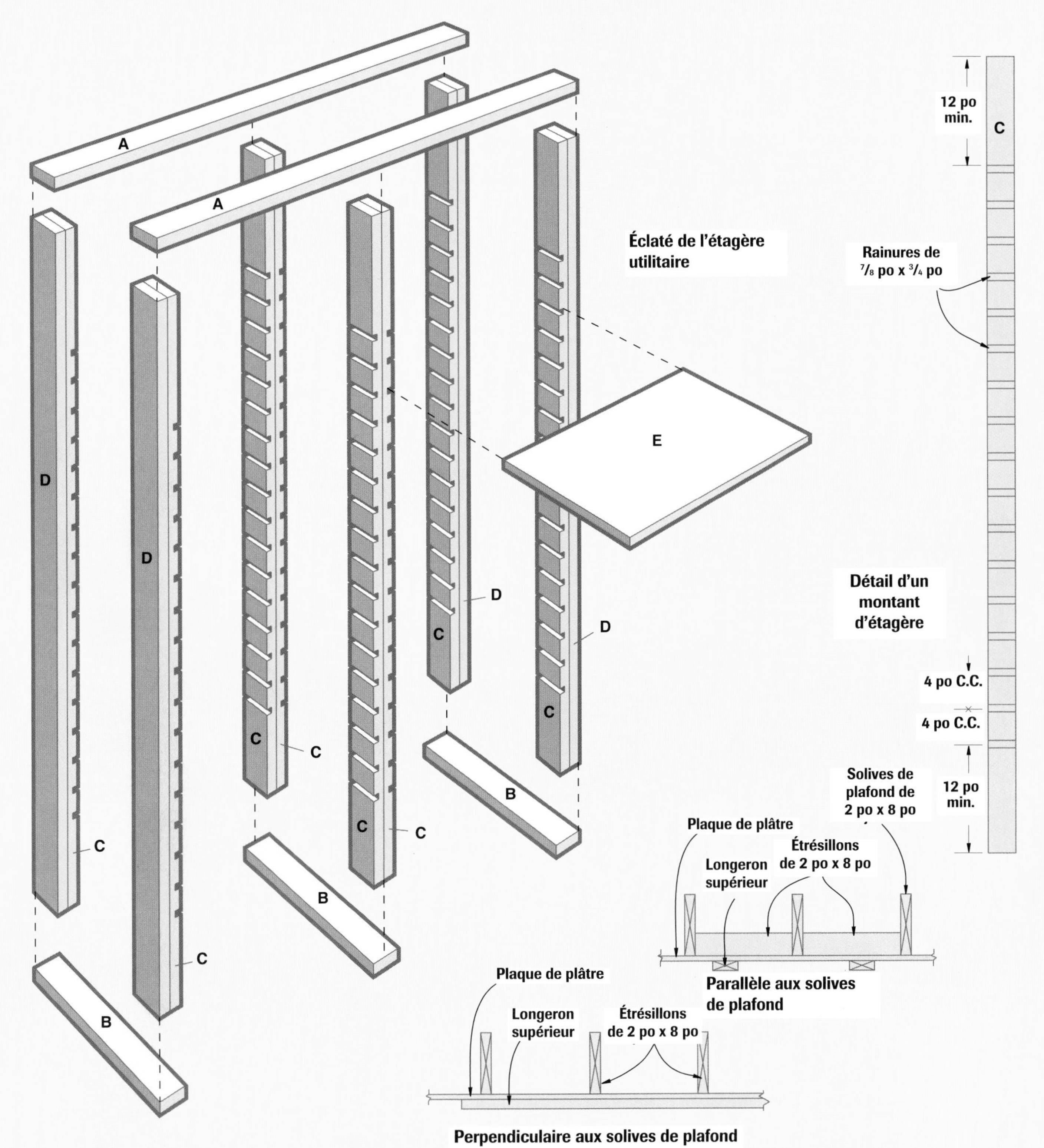

Liste des pièces : étagère utilitaire

Projet montré				
Repères	**Pièces**	**Matériaux**	**Nombre**	**Dimensions**
A	Longerons supérieurs	2 po x 4 po	2	68 po
B	Longerons inférieurs	2 po x 4 po	3	24 po
C	Montants d'étagères	2 po x 4 po	8	93 po
D	Montants d'extrémité	2 po x 4 po	4	93 po
E	Tablettes	Contreplaqué de 3/4 po	12	30 3/4 x 24 po

Votre projet	
Nombre	**Dimensions**

Comment construire des étagères utilitaires

1 Marquez sur le plafond l'emplacement de chaque longeron supérieur. Un des deux longerons doit se trouver contre le mur et l'autre doit lui être parallèle, la face avant à 24 po du mur. Coupez les deux longerons en bois de 2 po x 4 po à la largeur totale de l'étagère et fixez-les aux solives de plafond ou aux étrésillons (page 112) en utilisant des vis de 3 po.

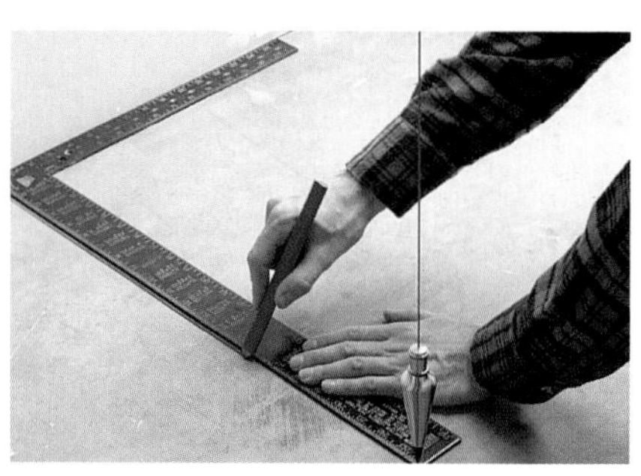

2 Marquez sur le plancher les points se trouvant directement sous les coins extérieurs des longerons supérieurs, en vous servant d'un fil à plomb (photo supérieure). Marquez l'emplacement de chaque traverse inférieure en traçant des lignes perpendiculaires au mur, à partir de chaque point marqué sur le plancher (photo inférieure).

3 Sciez les traverses inférieures extérieures de 2 po x 4 po et placez-les perpendiculairement au mur, juste à l'intérieur des lignes. Si c'est nécessaire, mettez-les de niveau au moyen d'intercalaires. Fixez-les ensuite au plancher au moyen d'un marteau cloueur à poudre ou de vis de 3 po. Fixez de la même manière une traverse inférieure au centre des traverses extérieures.

4 Préparez les montants des étagères en creusant des rainures de 7/8 po de large et de 3/4 po de profondeur au moyen d'une toupie. Rainez horizontalement le côté intérieur de chaque montant de 2 po x 4 po, tous les 4 po, en vous arrêtant à environ 12 po des extrémités des montants. **Conseil :** Rainez les montants assemblés en les plaçant à plat, en les serrant ensemble et en utilisant ensuite une cale-guide (page 73) pour aligner les rainures. Faites chaque rainure en plusieurs passes de toupie, approfondissant chaque fois la rainure jusqu'à ce qu'elle ait 3/4 po de profondeur.

5 Égalisez la longueur des montants avant de les desserrer. Utilisez pour ce faire une scie circulaire et une règle rectifiée.

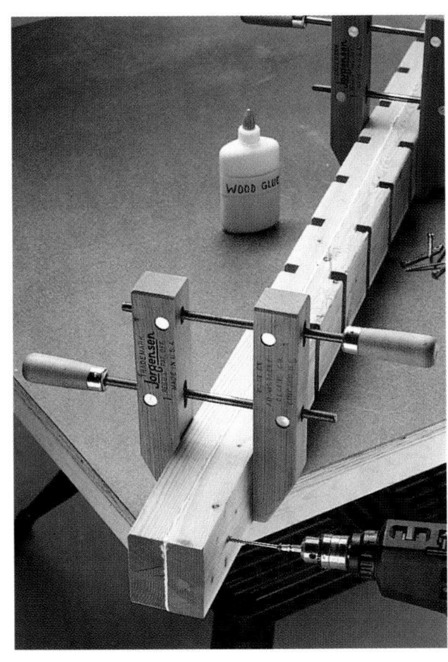

6 Construisez les deux doubles supports de tablettes centraux, en plaçant chaque fois dos à dos deux montants et en les assemblant au moyen de colle à bois et de vis de 2½ po.

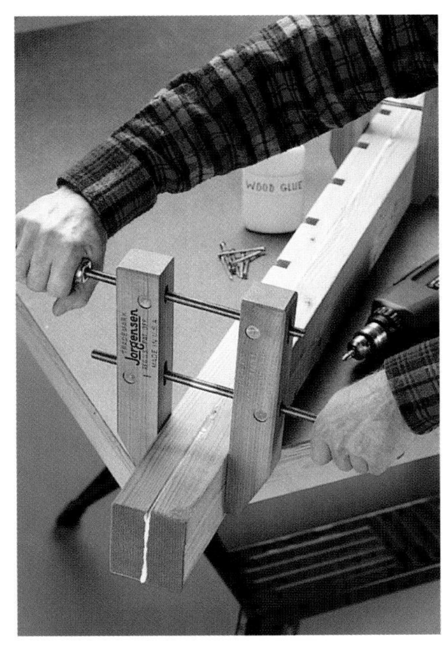

7 Construisez les quatre supports de tablettes de coin en accolant le dos d'un montant rainuré à un morceau de 2 po x 4 po de même longueur, et en les assemblant au moyen de colle à bois et de vis de 2½ po.

8 Placez un support d'extrémité à chaque coin de l'étagère, entre les traverses inférieures et les longerons supérieurs. Fixez ces supports au moyen de vis de 3 po, enfoncées en biais dans les traverses inférieures et les longerons supérieurs.

9 Placez deux supports de tablettes centraux (aux deux côtés rainurés), un à chaque extrémité de la traverse inférieure centrale et fixez-les à cette traverse au moyen de vis de 3 po, enfoncées en biais. À l'aide d'une équerre de menuisier, placez les supports de tablettes centraux perpendiculairement aux longerons supérieurs et fixez-les à ces longerons.

10 Mesurez la distance entre les rainures qui se font face et soustrayez ¼ po. Sciez des tablettes en contreplaqué qui auront cette largeur et glissez-les dans les rainures.

Construction d'un centre de travail sous l'escalier

On peut laisser libre cours à son imagination créative et encastrer, dans le renfoncement de forme particulière qui se trouve sous l'escalier, différents types de centres de travail. Il est difficile de trouver, dans le commerce, des meubles qui s'encastrent dans ce renfoncement dont les dimensions et les angles varient sensiblement d'une maison à l'autre. Cependant, le modèle décrit ici peut être adapté à la plupart des endroits.

Le centre de travail sous l'escalier, dans sa forme la plus simple, consiste en une paire d'armoires principales qui supportent un dessus de comptoir. On construira des armoires dont les dimensions standard dépendront de leur utilisation. Vous pouvez adapter les dimensions de votre centre de travail en raccourcissant ou en allongeant le dessus de comptoir et la tablette de liaison. Une petite armoire et des tablettes supérieures rempliront l'espace restant. Vous pouvez également adapter la profondeur du dessus de comptoir à la largeur de votre escalier.

Dans les plupart des projets de centres de travail encastrés sous les escaliers, il faut prévoir de nombreuses coupes en onglet, mais dans le projet décrit ici le nombre de ces coupes est limité. On peut effectuer ces coupes à l'aide d'une scie à onglet à commande mécanique, d'une scie circulaire ou d'une scie à table.

Le matériel dont vous avez besoin

Outils : crayon, mètre à ruban, niveau, fausse équerre, scie circulaire ou scie à table, tournevis sans cordon, perceuse et mèches, marteau, toupie avec fraise à denture droite de $\frac{3}{4}$ po et mèche à feuillurer de $\frac{3}{8}$ po, serre-joints à barres, scie à onglets à commande mécanique.

Matériel : intercalaires, clous de finition (1 po, $1\frac{1}{4}$ po, 2 po), vis ordinaires (1 po, $1\frac{1}{4}$ po, $2\frac{1}{2}$ po), clous en fil d'acier de 1 po, moulures décoratives, produits de finition, quincaillerie de portes et de tiroirs, pièces de la liste de la page suivante.

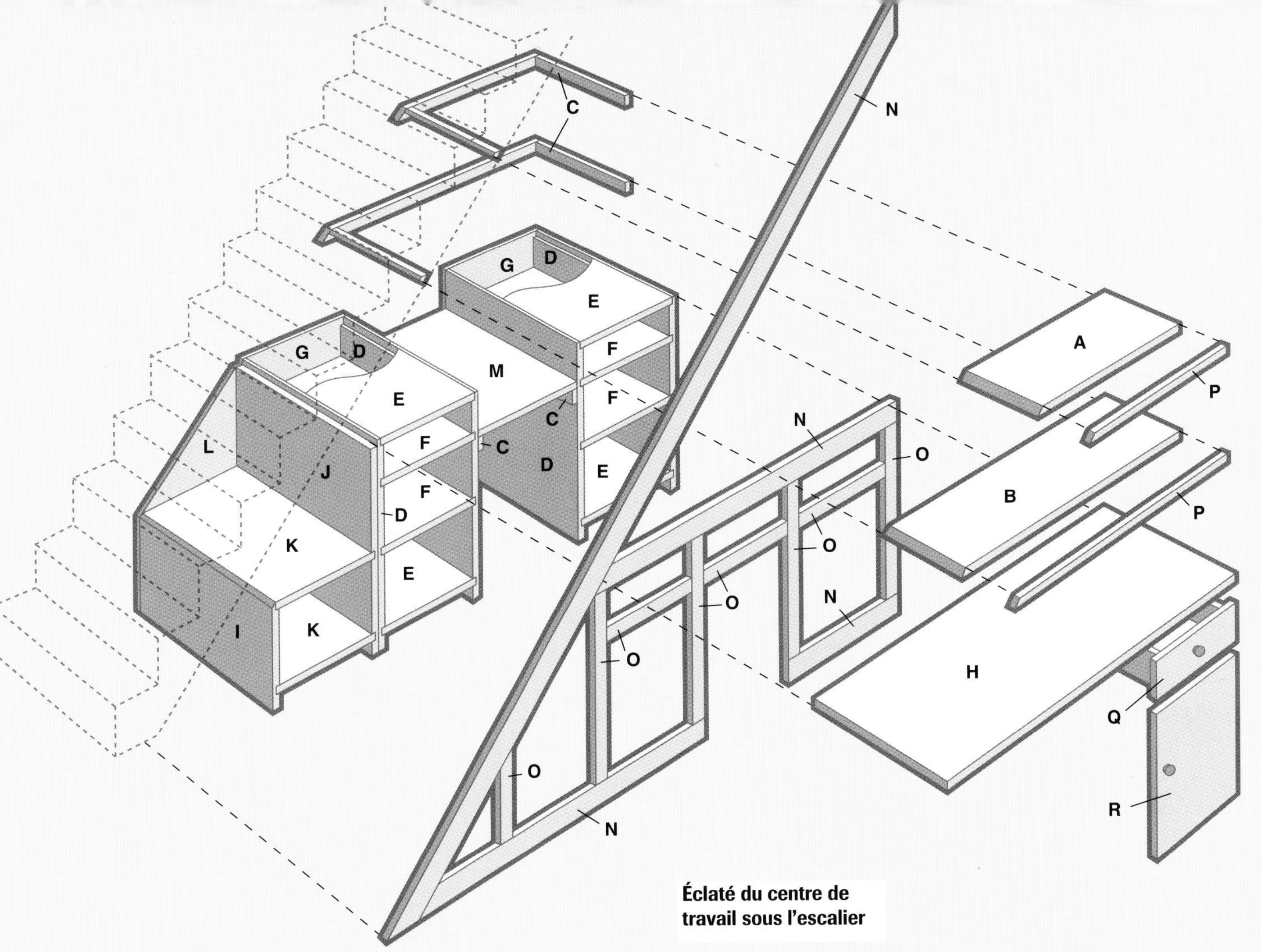

Éclaté du centre de travail sous l'escalier

Listes des pièces : centre de travail sous l'escalier

Projet montré				
Repères	**Pièces**	**Matériaux**	**Nombre**	**Dimensions**
A	Tablette supérieure	Contreplaqué de 3/4 po	1	28 po x 18 po
B	Tablette inférieure	Contreplaqué de 3/4 po	1	42 po x 18 po
C	Tasseaux	1 po x 2 po	Longueur de 12 pi	
D	Côtés d'armoires	Contreplaqué de 3/4 po	4	35 1/2 po x 24 po
E	Bas et hauts d'armoires	Contreplaqué de 3/4 po	4	24 po x 19 1/4 po
F	Tablettes	Contreplaqué de 3/4 po	4	24 po x 19 1/4 po
G	Fonds d'armoires	Contreplaqué de 1/4 po	2	20 po x 35 po
H	Comptoir	Contreplaqué de 3/4 po	1	32 po x 64 po
I	Côté de petite armoire	Contreplaqué de 3/4 po	1	18 po x 24 po
J	Côté de petite armoire	Contreplaqué de 3/4 po	1	34 1/2 po x 24 po
K	Bas et haut de petite armoire	Contreplaqué de 3/4 po	2	19 1/4 po x 24 po
L	Fond de petite armoire	Contreplaqué de 1/4 po	1	20 po x 34 po
M	Tablette de liaison	Contreplaqué de 3/4 po	1	27 7/8 po x 24 po
N	Pièces du cadre frontal	Chêne de 1 po x 3 po	Longueur de 26 pi	
O	Pièces du cadre frontal	Chêne de 1 po x 2 po	Longueur de 25 pi	
P	Bords de tablettes	Contreplaqué de 3/4 po	Longueur de 4 pi	
Q	Tiroirs		Voir pages 240 à 243	
R	Portes d'armoires		Achetées sur mesure	

Votre projet	
Nombre	**Dimensions**

Détails du projet

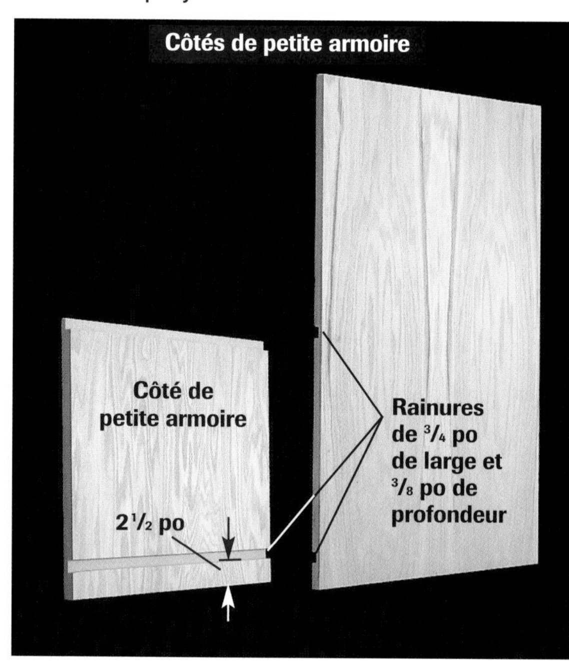

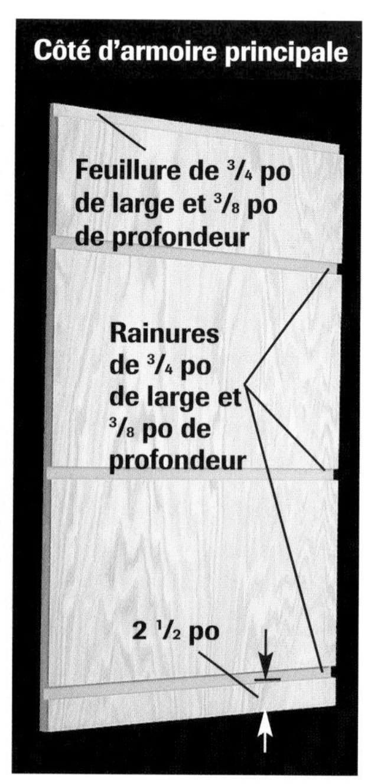

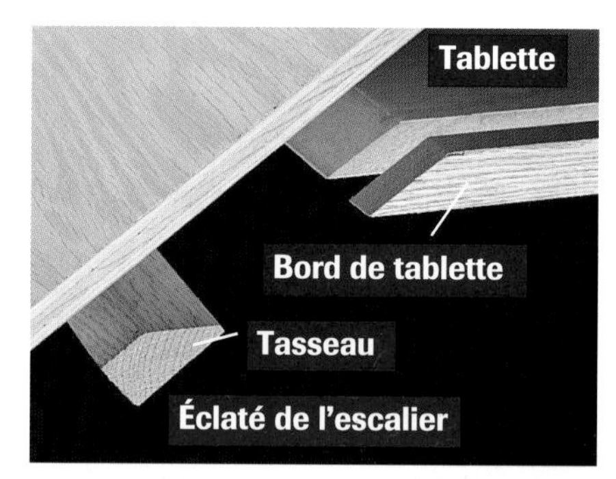

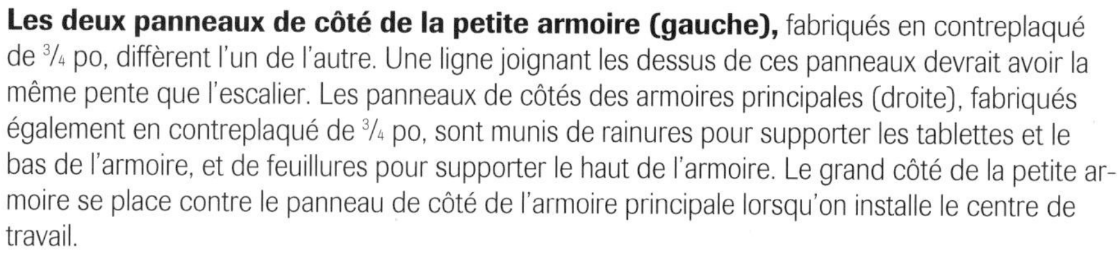

Les deux panneaux de côté de la petite armoire (gauche), fabriqués en contreplaqué de $^{3}/_{4}$ po, diffèrent l'un de l'autre. Une ligne joignant les dessus de ces panneaux devrait avoir la même pente que l'escalier. Les panneaux de côtés des armoires principales (droite), fabriqués également en contreplaqué de $^{3}/_{4}$ po, sont munis de rainures pour supporter les tablettes et le bas de l'armoire, et de feuillures pour supporter le haut de l'armoire. Le grand côté de la petite armoire se place contre le panneau de côté de l'armoire principale lorsqu'on installe le centre de travail.

Il faut biseauter les tablettes et les tasseaux, fabriqués en contreplaqué et au moyen de bandes de 1 po x 2 po, afin de pouvoir les installer contre le revêtement inférieur de l'escalier. Vous scierez les bords des tablettes dans des bandes de chêne de 1 po x 2 po et vous les biseauterez suivant le même angle que les tablettes.

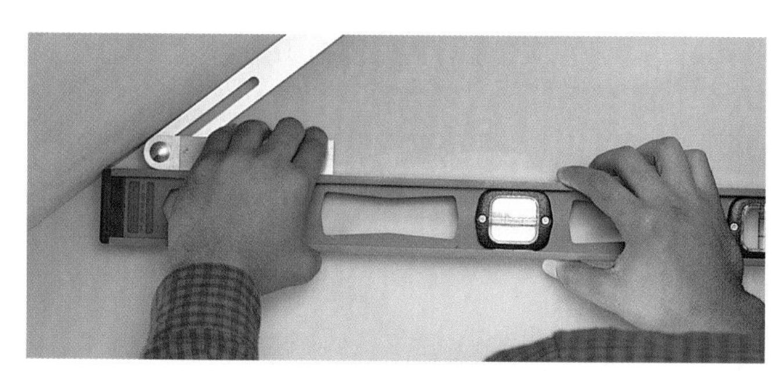

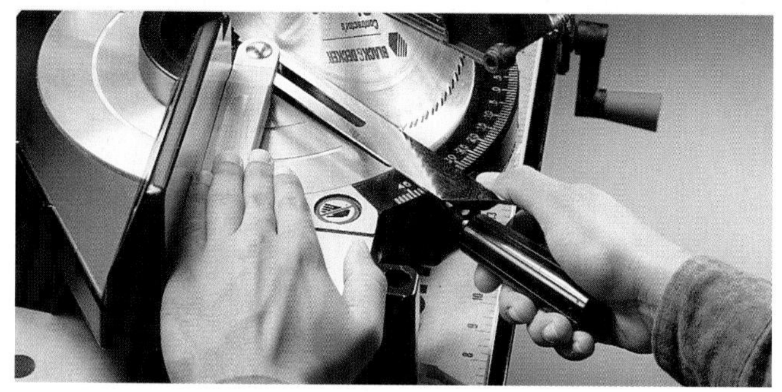

Reproduisez la pente de l'escalier à l'aide d'une fausse équerre. Appliquez un bras de la fausse équerre contre le mur du fond, de niveau, et alignez l'autre bras sur l'escalier (photo supérieure). Reportez cet angle sur la scie à onglets que vous utilisez pour réaliser les biseaux (photo inférieure).

Recouvrez le dessous de l'escalier avant d'installer le centre de travail. Pour ce faire, fixez des panneaux en contreplaqué de $1\,^{1}/_{2}$ po aux limons de l'escalier et utilisez-les pour fixer les tasseaux des tablettes. Si vous prévoyez d'ajouter des prises électriques ou de la plomberie, faites ces travaux (ou louez les services d'un professionnel si vous n'êtes pas suffisamment expérimenté pour le faire) avant d'installer les éléments encastrés.

Comment construire un centre de travail sous l'escalier

1 Marquez l'emplacement des tasseaux sur les murs et le revêtement du dessous de l'escalier, en utilisant un niveau comme guide. Prévoyez d'installer les tasseaux de 12 po contre le mur du fond et laissez au moins 12 po de dégagement entre le revêtement du comptoir et la tablette inférieure.

2 Mesurez et sciez aux bonnes dimensions des tasseaux en bois de 1 po x 2 po que vous installerez le long des lignes de référence tracées sur les murs et le revêtement de l'escalier (voir Détails du projet, à la page précédente). Biseautez les tasseaux que vous allez installer sur le revêtement, en respectant l'angle de pente de l'escalier. Fixez les tasseaux au moyen de vis de 2 ½ po.

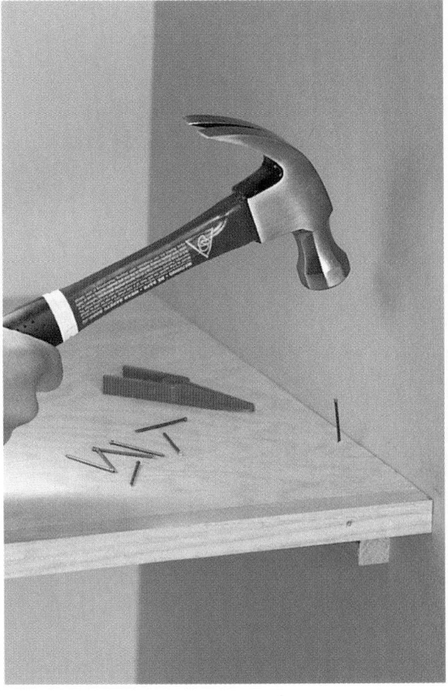

3 Mesurez et sciez aux bonnes dimensions les tablettes en contreplaqué de ¾ po et fixez-y un bord en bois dur de ¾ po (voir à la page précédente) à l'aide de colle et de clous de finition. Posez les tablettes sur les tasseaux et fixez-les au moyen de clous de finition de 1 ½ po enfoncés dans des avant-trous.

4 Mesurez et sciez les panneaux de côté en contreplaqué de ¾ po, destinés aux armoires principales et, à l'aide d'une toupie et d'une cale-guide (page 73), creusez des feuillures pour les panneaux supérieurs et des rainures pour les panneaux inférieurs et les tablettes (voir Détails du projet, à la page précédente).

5 Assemblez les côtés des armoires, les panneaux supérieurs et inférieurs et les tablettes, pour former des joints de feuillures et de rainures collés, et serrez-les au moyen de serre-joints à barres. NOTE : si vous prévoyez installer des tiroirs à glissières au centre, installez les glissières avant d'assembler l'armoire.

6 Renforcez les joints des armoires au moyen de clous de finition de 2 po plantés tous les 4 po.

Suite à la page suivante

Comment construire un centre de travail sous l'escalier (suite)

7 Sciez un panneau de fond, en contreplaqué de ¼ po, pour chaque armoire principale. Placez le fond sur le corps de l'armoire et clouez-le en place à l'aide de clous en fil d'acier de 1 po, plantés dans les côtés, le bas et le haut de l'armoire.

8 Placez une armoire contre le revêtement de l'escalier, l'avant arrivant au ras de la paroi latérale de celui-ci. Insérez des intercalaires si nécessaire et clouez ensuite l'armoire au plancher, en utilisant des clous de finition de 2 po plantés en biais. Si le plancher est en maçonnerie, remplacez les clous par de l'adhésif de construction.

9 Placez l'autre armoire principale à ¾ po du mur de côté, l'avant se trouvant dans le même plan que celui de la première armoire. Vérifiez si l'armoire est de niveau et utilisez des intercalaires pour corriger la situation, le cas échéant. Placez des planchettes d'espacement de ¾ po entre l'armoire et le mur de côté et fixez l'armoire au moyen de vis de 1 ½ po, enfoncées dans les éléments d'ossature.

10 Sciez des tasseaux de 1 po x 2 po qui soutiendront la tablette de liaison entre les deux armoires principales. Marquez des lignes de niveau sur les côtés des armoires et fixez-y les tasseaux au moyen de vis de 1 ¼ po, enfoncées dans des avant-trous chambrés.

11 Mesurez et sciez la tablette en contreplaqué de ¾ po qui reliera les deux armoires et fixez-la aux tasseaux au moyen de clous de finition de 1 ¼ po. (Si vous prévoyez installer un tiroir muni d'une glissière centrale, vissez la glissière à la tablette, avant de fixer celle-ci aux tasseaux.)

12 Mesurez et sciez aux bonnes dimensions un panneau de dessus de comptoir en contreplaqué, qui va jusqu'au mur du fond et dont un côté vient s'appuyer contre le revêtement de l'escalier. Fixez le dessus de comptoir aux panneaux supérieurs des armoires, à l'aide de clous de finition.

13 Appliquez ou posez un matériau de finition sur le dessus de comptoir, comme des carreaux de céramique ou du plastique stratifié. Si vous n'avez jamais installé ces matériaux auparavant, procurez-vous les instructions d'installation et suivez-les rigoureusement.

14 Construisez une petite armoire ayant la même largeur et la même profondeur que les armoires principales (étapes 4 à 7). Ajustez la hauteur des panneaux de côté pour qu'ils épousent la pente de l'escalier (voir Détails du projet, page 234). Sciez un panneau de fond en contreplaqué de $^1/_4$ po, dont l'inclinaison de l'arête supérieure suit la pente donnée par les dessus des panneaux de côté. Fixez le panneau de fond à l'armoire, au moyen de clous en fil d'acier de 1 po.

15 Placez la petite armoire de manière que le plus haut panneau de côté se trouve contre l'armoire principale. Alignez l'avant de la petite armoire sur l'avant de l'armoire principale, vérifiez si la petite armoire est de niveau et, si nécessaire, corrigez la situation au moyen d'intercalaires. Reliez les armoires en forant des avant-trous et en enfonçant des vis de 1 $^1/_4$ po dans les panneaux de côté.

Suite à la page suivante

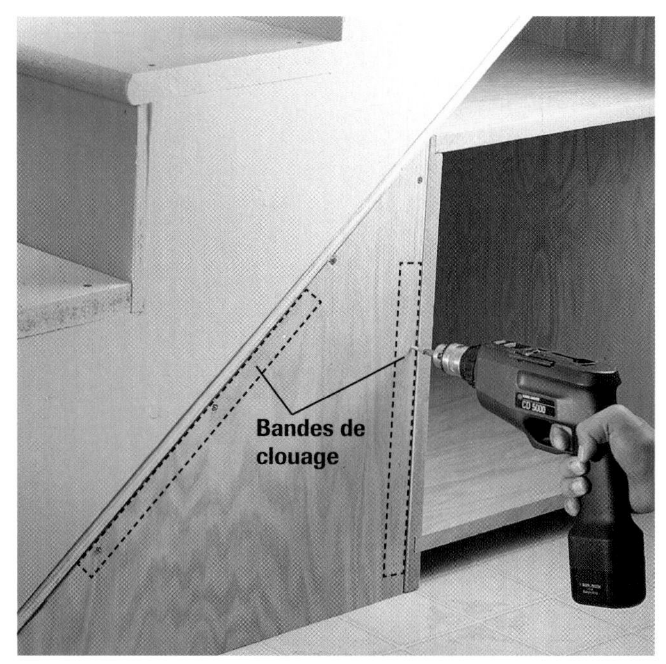

Si le coin est ouvert au bas de l'escalier, attachez des bandes de clouage au revêtement de l'escalier et aux côtés de l'armoire et découpez ensuite un panneau en contreplaqué de 1 $^{1}/_{2}$ po qui remplira le vide ; fixez-le aux bandes de clouage à l'aide de vis de 1 po.

16 Mesurez et sciez des longerons inférieurs de 1 po x 3 po pour les armoires. Sciez également un long longeron que vous installerez le long du bord inférieur du revêtement inférieur de l'escalier. Biseautez ses extrémités pour pouvoir l'installer contre le plancher et contre le mur de côté. Biseautez également le plus long des longerons inférieurs pour qu'il forme un joint biseauté avec le longeron de l'escalier. Essayez les longerons et fixez-les au moyen de colle et de clous de finition de 2 po, enfoncés dans des avant-trous.

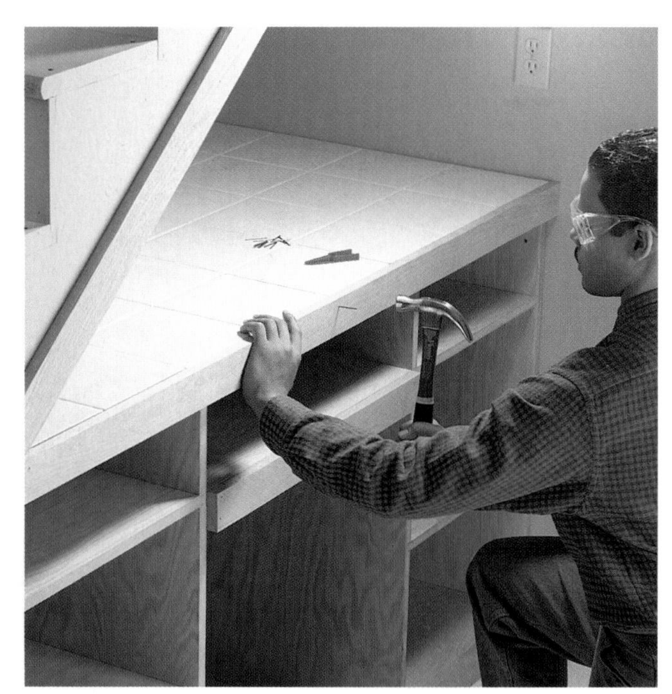

17 Mesurez et sciez des longerons de 1 po x 3 po pour recouvrir le bord de la tablette de liaison et du dessus de comptoir. Biseautez l'extrémité du longeron du dessus de comptoir à l'endroit où il rencontre le long longeron de l'escalier. Attachez les longerons du dessus de comptoir et de la tablette au ras de ces surfaces, au moyen de colle et de clous de finition de 2 po, enfoncés dans des avant-trous.

18 Mesurez et sciez des montants de 1 po x 2 po que vous installerez à l'avant des armoires. Fixez-les au ras des bords des côtés des armoires, en utilisant de la colle et des clous de finition de 2 po, enfoncés dans des avant-trous.

19 Mesurez et coupez des traverses de 1 po x 2 po que vous installerez entre les montants, de manière qu'elles recouvrent les bords des tablettes et arrivent au ras de leur surface supérieure. Fixez ces traverses en utilisant de la colle et des clous de finition de 2 po, enfoncés dans des avant-trous.

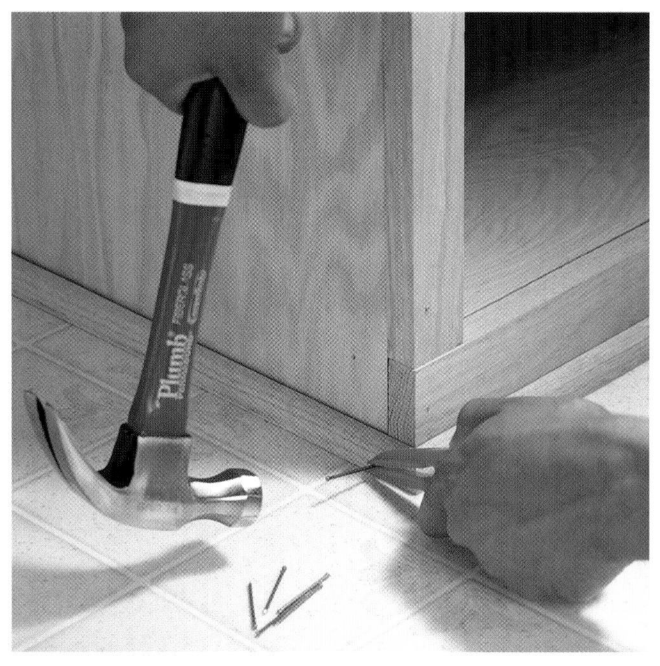

20 Sciez des morceaux de quarts-de-rond pour masquer les espaces existant le long du mur et du plancher, en les biseautant dans les coins. Fixez la moulure au moyen de clous de finition de 1 po. Remplissez les trous des têtes des clous, poncez et finissez le centre de travail (pages 244 à 247).

21 Attachez les glissières pour extension de tiroir à montage latéral, en suivant les instructions du fabricant.

22 Construisez, finissez et installez les tiroirs (pages 240 à 243) et leur quincaillerie. Achetez ou fabriquez et finissez les portes des armoires ; installez-les en utilisant des charnières de 3/8 po semi-dissimulées.

Déterminez le style de votre projet en faisant votre choix parmi les poignées et les boutons disponibles dans le commerce. Si votre projet comprend également des portes d'armoires munies de poignées ou de boutons, achetez toute cette quincaillerie en même temps pour qu'elle s'harmonise. Installez des poignées ou des boutons sur tous les tiroirs de plus de 24 po de large.

Construction de tiroirs

Le tiroir le plus simple consiste en une boîte en bois qui glisse sur une tablette fixe. En ajoutant des glissières, un devant de tiroir en bois dur et des poignées esthétiques, vous pouvez améliorer nettement l'aspect et le fonctionnement de vos tiroirs.

On peut construire des tiroirs de tout genre, mais celui que nous montrons ici est simple à construire et fonctionne très bien dans le centre de travail installé sous l'escalier qui est présenté dans les pages précédentes. Il s'agit d'un tiroir dépassant de 1/2 po le devant de l'armoire.

Des compagnies spécialisées dans la modernisation des armoires vendent des devants de tiroirs en bois dur, prêts à l'emploi, mais vous pouvez également les fabriquer vous-même en sciant des planches de bois dur aux dimensions voulues et en décorant les bords de ces devants de tiroirs au moyen d'une toupie.

Le matériel dont vous avez besoin

Outils : équerre combinée, trusquin, tournevis sans cordon, mètre à ruban, marteau, crayon, toupie avec fraise à denture droite de 1/4 po et mèche pour bords décoratifs, chasse-clou, serre-joints à barres.

Matériel : contreplaqué de finition de 1/4 po et de 1/2 po, bois dur de 3/4 po, vis à bois de 1 po, clous en fil d'acier, clous de finition de 2 po, glissières de tiroirs à montage central.

Conseils pour fabriquer des tiroirs

Choisissez de préférence des glissières de tiroirs à montage central munies de roulements à billes en acier. Elles sont plus faciles à installer que les glissières à montage latéral, et celles qui sont munies de roulements à billes en acier durent beaucoup plus longtemps que celles munies de rouleaux en plastique. Indiquez au vendeur la profondeur de vos tiroirs lorsque vous achetez des glissières.

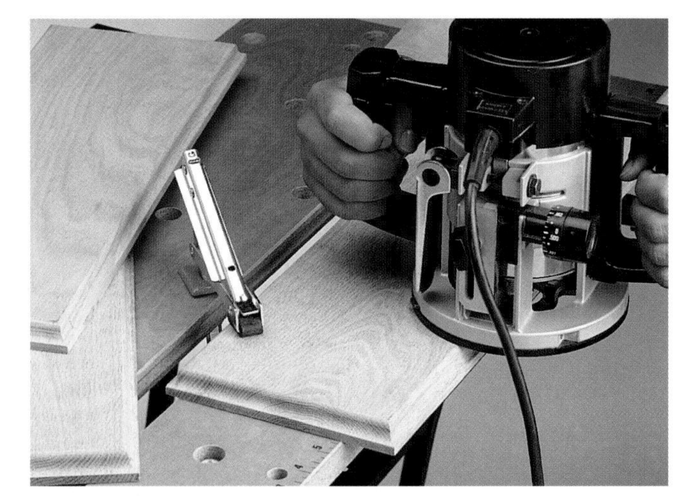

Fabriquez vos propres devants de tiroirs en sciant aux bonnes dimensions des panneaux de bois dur et en façonnant leurs bords à l'aide d'une toupie à mèche décorative, comme la mèche à doucine. Rendez les bords lisses en effectuant plusieurs passes ; commencez par régler la toupie pour qu'elle atteigne une petite profondeur et sortez graduellement la mèche jusqu'à ce que vous obteniez l'effet désiré.

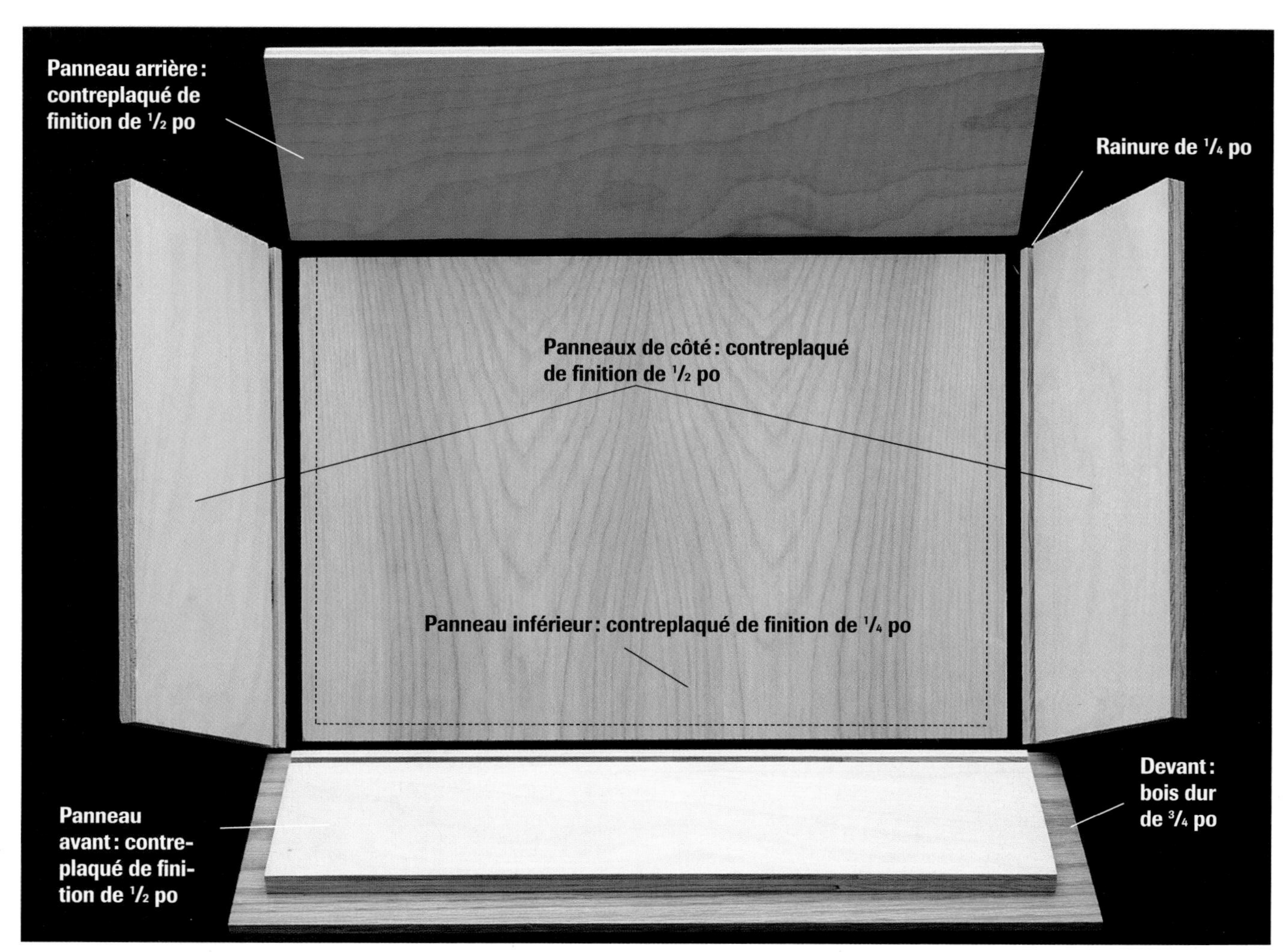

Anatomie d'un tiroir dépassant : la boîte du tiroir est faite en contreplaqué de ½ po, pour les panneaux avant, arrière et de côté, et de ¼ po pour le panneau inférieur. Le panneau inférieur pénètre dans des rainures de ¼ po pratiquées près du bord inférieur des panneaux avant et de côté, et il est cloué au bord inférieur du panneau arrière. Le devant en bois dur est vissé au panneau avant du tiroir, de l'intérieur, et ses dimensions sont telles qu'il dépasse de ½ po le cadre avant du tiroir. NOTE : ce tiroir est conçu pour être installé avec une glissière à montage central fixée au fond du tiroir (page précédente). Si vous utilisez une quincaillerie différente, comme les glissières à montage latéral, vous devrez modifier la conception du tiroir conformément aux instructions du fabricant des glissières.

Comment prendre les mesures pour fabriquer un tiroir dépassant

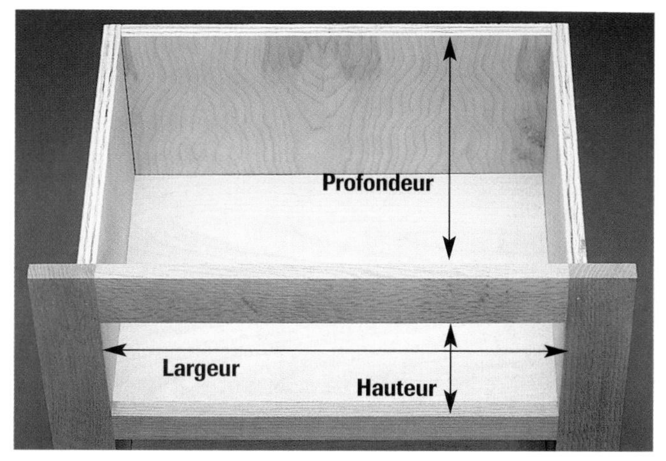

1 Mesurez la largeur et la hauteur de l'ouverture du cadre avant et la profondeur du tiroir entre le cadre avant et le panneau arrière.

Pièces		Mesures
Côtés	Longueur Hauteur	Profondeur de l'ouverture, moins 3 po Hauteur de l'ouverture, moins ½ po
Avant	Longueur Hauteur	Largeur de l'ouverture, moins 1 ½ po Hauteur de l'ouverture, moins ½ po
Arrière	Longueur Hauteur	Largeur de l'ouverture, moins 1 ½ po Hauteur de l'ouverture, moins 1 po
Fond	Longueur Profondeur	Largeur de l'ouverture, moins 1 po Profondeur de l'ouverture, moins 2 ¾ po
Devant	Longueur Hauteur	Largeur de l'ouverture, plus 1 po Hauteur de l'ouverture, plus 1 po

2 Calculez les dimensions de chaque pièce du tiroir en utilisant le tableau ci-dessus. Sciez et assemblez les pièces en suivant les indications données dans les pages suivantes.

Comment construire et installer un tiroir dépassant

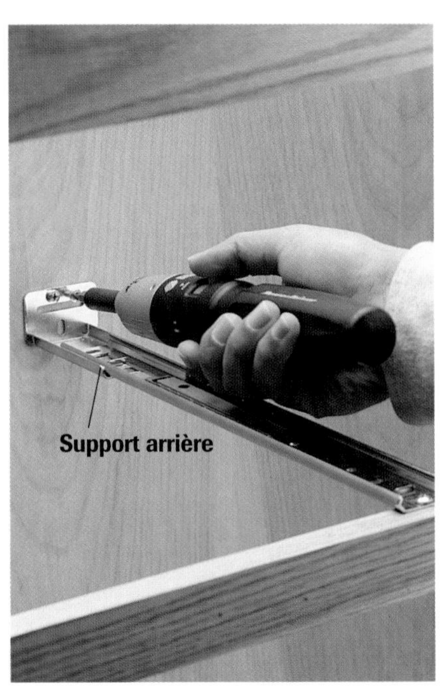

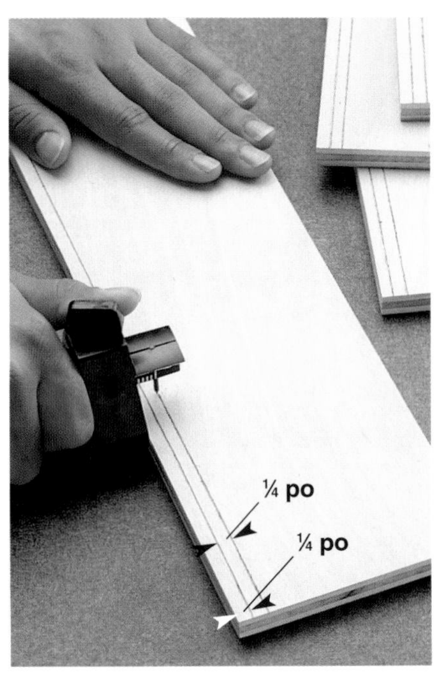

1 Installez la coulisse de la glissière à montage central en suivant les instructions du fabricant. Si la coulisse repose sur une tablette fixe (gauche), il est plus facile de l'installer sur la tablette, avant d'assembler le tiroir. Si elle est supportée par le cadre avant et le panneau arrière (droite), montez-la en utilisant le support arrière fourni.

2 Mesurez l'ouverture du tiroir et sciez les pièces du tiroir aux dimensions voulues (page 223). À l'aide d'un trusquin, tracez des lignes de référence pour creuser les rainures de ¼ po sur les faces intérieures des panneaux de côté et du panneau avant, à ¼ po des bords inférieurs.

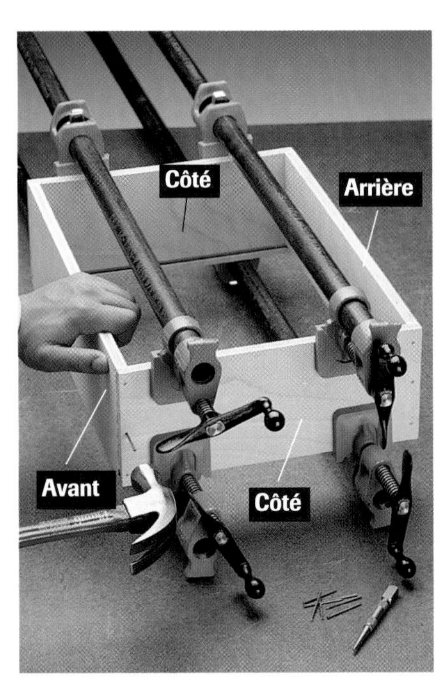

3 À l'aide d'une toupie munie d'une fraise à denture droite de ¼ po, creusez, à l'aide d'une cale-guide, des rainures de ¼ po de profondeur en suivant les lignes tracées.

4 Assemblez les panneaux de côté, avant et arrière, de manière que les panneaux avant et arrière se trouvent entre les panneaux de côté et que les bords supérieurs de tous les panneaux soient alignés ; collez-les et comprimez-les au moyen de serre-joints. Renforcez chaque coin à l'aide de clous de finition de 2 po plantés dans les joints.

5 Laissez sécher la colle et enlevez les serre-joints. Glissez le panneau inférieur dans les rainures, en l'introduisant par l'arrière de la boîte. N'appliquez pas de colle dans les rainures ou sur le panneau inférieur.

6 À l'aide de clous en fil d'acier, espacés de 4 po, attachez le bord arrière du panneau inférieur au panneau arrière.

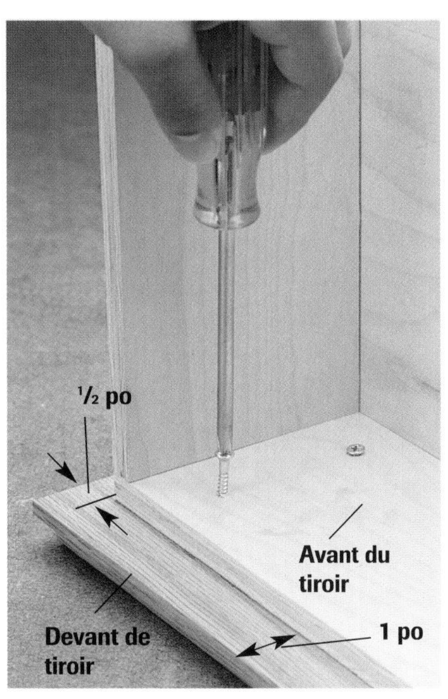

7 Placez verticalement la boîte du tiroir sur l'intérieur du devant du tiroir, de sorte que celui-ci dépasse de ½ po des côtés et du fond du tiroir, et de 1 po du dessus. Fixez le devant du tiroir à l'aide de vis de 1 po, enfoncées de l'intérieur.

8 Retournez le tiroir, mesurez la largeur du panneau inférieur pour pouvoir tracer une ligne centrale, qui le divise en deux, de l'avant à l'arrière.

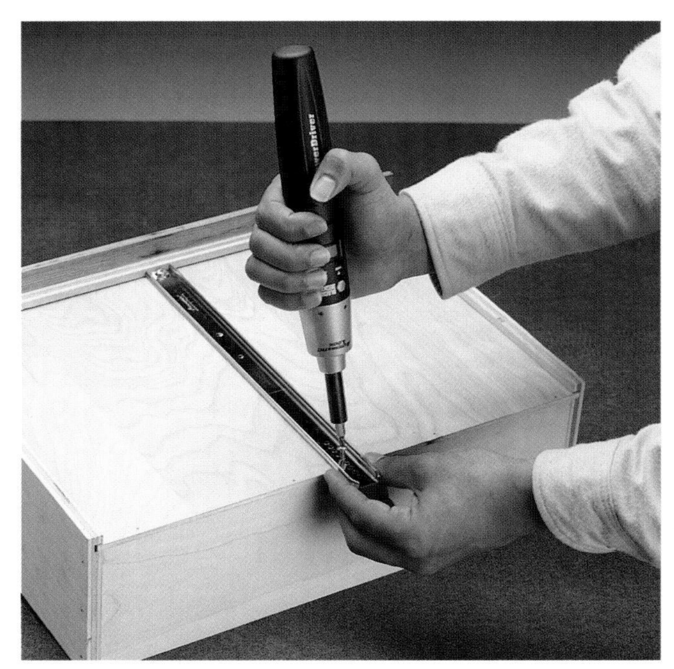

9 Centrez la glissière du tiroir sur la ligne et fixez-la au moyen d'une vis de 1 po, enfoncée à travers le panneau inférieur dans la base du panneau arrière, et d'une autre vis enfoncée en biais dans la base du panneau avant du tiroir.

10 Installez le tiroir en alignant la glissière sur la coulisse et en enfonçant ensuite lentement le tiroir jusqu'à ce que la glissière et la coulisse soient verrouillées. Fixez les poignées ou les boutons du tiroir, le cas échéant.

Projets de finition

La bonne exécution du travail de finition est aussi importante que celle du travail de construction, car la finition améliore l'apparence des objets, protège le bois et dissimule les petites erreurs et imperfections.

La finition comporte trois étapes : le remplissage des espaces vides et des trous des clous ; le ponçage et le nettoyage ; l'application d'une couche de finition d'huile teinte ou de teinture. Tous les produits en bois doivent être poncés ou nettoyés avant de recevoir la couche de finition.

Il est généralement plus commode d'appliquer la couche de finition ou la peinture après l'assemblage, mais lorsque le projet comporte des tablettes profondes et des endroits d'accès difficile, il vaut souvent mieux poncer et finir séparément les pièces avant de les assembler.

La finition du bois comporte normalement une succession de couches d'apprêt de ponçage, de teinture et de vernis ou de vernis à la gomme laque ; mais il existe maintenant de nouveaux produits de finition en une étape qui donnent d'excellents résultats et dont l'application est aisée. Pour les surfaces à usage intensif, comme les comptoirs à dîner, recouvrez la couche de finition d'une couche de polyuréthane transparent.

Les produits de finition en une étape comprennent (de gauche à droite) : l'huile de polissage – une combinaison d'huile teintée pénétrante et d'huile d'abrasin semi-brillante ; l'huile d'abrasin pure – une huile de finition transparente, semi-brillante qu'on utilise souvent pour protéger le bois nu ; et l'huile danoise - une huile de finition pénétrante, mate, qui existe en plusieurs teintes. Lorsque vous décidez d'utiliser un produit de finition en une étape, teinté, choisissez une couleur qui s'harmonise avec celle des autres meubles de votre maison et faites toujours un essai sur un bout de bois inutilisé avant de commencer le travail.

Les outils et le matériel spéciaux destinés aux travaux de finition comprennent : la courroie de ponçage n° 120 (A), le tampon de teinture (B), le bouche-pores non teinté (C), le polyuréthane transparent (D), le chiffon collant (E), la pince à clous de finition (F), les bâtons de bouche-pores teinté (G, H), le pinceau à poils mélangés (I), le couteau à mastiquer (J) et les feuilles de papier de verre n° 80, 120 et 220 (K).

En ce qui concerne les peintures de finition, on commence par mettre une couche d'apprêt à poncer qui forme une sous-couche lisse, sur laquelle on applique une ou deux couches d'émail au latex ou d'émail à base d'huile. L'émail au latex est facile à appliquer et à nettoyer, mais l'émail à base d'huile, de bonne qualité, donne une surface finie plus lisse.

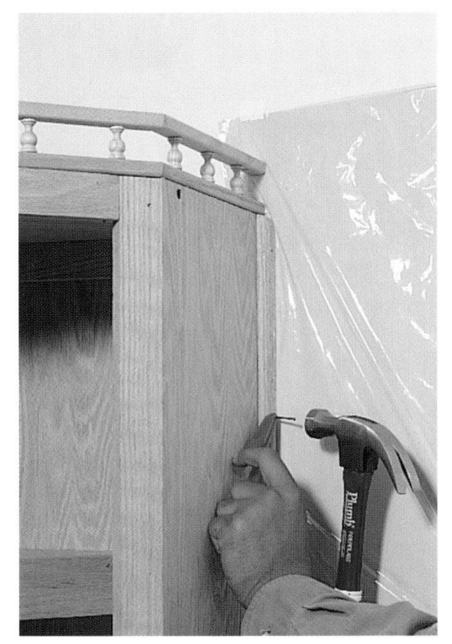

Protégez les murs contre les taches en glissant une feuille de papier de cire ou de plastique entre les moulures décoratives et le mur, avant d'appliquer l'huile ou la peinture de finition.

Grattez la colle séchée avant d'appliquer la peinture ou le produit de finition, en utilisant un vieux ciseau dont les coins sont arrondis. Les huiles et les peintures de finition ne pénètrent pas dans la colle ; il faut donc enlever complètement tout trace de colle excédentaire avant d'appliquer ces produits.

Utilisez une brosse à dents pour appliquer les produits de finition dans les endroits d'accès difficile, comme certaines moulures et autres motifs décoratifs.

Protégez les surfaces que vous allez coller si vous finissez des pièces avant de les assembler. La colle n'adhère pas au bois s'il est recouvert d'huile ou de teinture ; il faut donc recouvrir ces endroits avec du ruban-cache avant d'y appliquer des produits de finition.

Utilisez un bâton de bouche-pores teinté pour remplir les trous des clous dans le bois fini. On trouve des bâtons de bouche-pores de différentes couleurs, mais si aucune ne correspond à vos besoins, vous pouvez toujours mélanger la pâte provenant de plusieurs bâtons pour créer la nuance que vous recherchez.

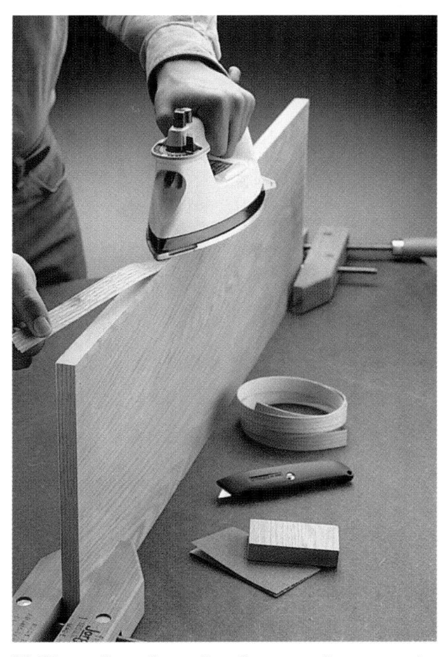

Utilisez du ruban de placage thermocollant pour recouvrir les bords non finis des panneaux de contreplaqué ou des panneaux de particules des tablettes non munies de bords. Collez le ruban de placage en passant un fer à repasser et en frottant le ruban avec un bloc de bois dur. À l'aide d'un couteau universel, coupez les parties de ruban qui dépassent et poncez légèrement les arêtes pour les rendre lisses.

Conseils de préparation

Remplissez les trous des clous et les espaces vides des surfaces en bois à l'aide de bouche-pores non teinté, pour le bois. Laissez sécher complètement le bouche-pores avant de poncer les surfaces. Sur les surfaces en contreplaqué que vous devez peindre, remplissez les parties vides le long des arêtes exposées.

Poncez les cadres exposés en bois dur pour lisser les joints et enlever les défauts de surface. Commencez le travail avec une ponceuse à courroie n° 80 (à gauche), en appliquant une pression légère pour ne pas entamer le bois. Ensuite, poncez la surface à l'aide d'une ponceuse vibrante et de papier de verre n° 120 (à droite). Passez du papier de verre n° 220 pour le ponçage final. Déplacez toujours la ponceuse dans le sens de la fibre, et remplacez les feuilles de papier de verre lorsqu'elles commencent à s'user.

Poncez soigneusement les bords des tablettes en contreplaqué. Pour ne pas traverser le placage, faites des marques légères au crayon sur le contreplaqué, contre le bord en bois dur, et poncez le dessus du bord jusqu'à ce que les marques de crayon aient disparu.

Utilisez un bloc de ponçage à main et du papier de verre n° 220 pour poncer les coins et autres endroits inaccessibles avec la ponceuse vibrante.

Nettoyez toutes les surfaces poncées, à l'aide d'une brosse et d'un aspirateur; frottez-les ensuite avec un chiffon collant.

Comment appliquer les produits de finition en une étape

Huile danoise: secouez vigoureusement le bidon et, à l'aide d'un tissu non pelucheux, appliquez ensuite une épaisse couche d'huile sur toutes les surfaces en bois. Attendez 30 minutes avant d'appliquer une nouvelle couche d'huile. Attendez 15 minutes et, à l'aide de chiffons propres, essuyez le bois jusqu'à ce qu'il soit sec.

Huile d'abrasin: appliquez, à l'aide d'un tissu plié et propre, une mince couche d'huile d'abrasin sur la surface en bois, en frottant dans le sens de la fibre. Attendez 5 minutes et frottez la surface avec un chiffon non pelucheux, propre. Laissez le produit durcir pendant 24 heures et appliquez-en une deuxième couche.

Huile de polissage: secouez vigoureusement le bidon, puis, à l'aide d'un tampon à teinture, appliquez une épaisse couche d'huile sur toutes les surfaces. Attendez 5 minutes avant d'essuyer l'excédent d'huile à l'aide d'un chiffon propre. Laissez durcir le produit de finition pendant 2 heures et appliquez-en une deuxième couche. Si vous désirez un fini plus foncé, appliquez des couches supplémentaires, à 2 heures d'intervalle.

Comment appliquer la peinture-émail

1 Après avoir poncé et nettoyé les surfaces en bois, appliquez une épaisse couche d'apprêt à poncer sur toutes les surfaces que vous allez peindre. Laissez sécher pendant 3 heures.

2 Poncez les surfaces avec du papier de verre n° 220 et essuyez toute la poussière à l'aide d'un chiffon collant. Appliquez des couches supplémentaires d'apprêt à poncer, en ponçant les surfaces entre les applications, jusqu'à ce que la surface soit parfaitement lisse au toucher. Les bois à fibres ouvertes, comme le pin, requièrent plusieurs couches d'apprêt à poncer.

3 Débarrassez les surfaces de toute trace de poussière et appliquez ensuite la peinture-émail dans le sens des fibres du bois. Laissez sécher, conformément aux instructions du fabricant, puis poncez légèrement la surface à l'aide de papier de verre n° 220, avant d'appliquer une deuxième couche de peinture.

Addition d'armoires

La cuisine est la pièce de la maison la plus susceptible de recevoir de nouvelles armoires, mais on peut également en installer dans la buanderie, la salle de bains et le sous-sol. Dans les pages qui suivent, on décrit l'installation d'armoires dans une cuisine, mais les mêmes techniques s'appliquent dans n'importe quelle autre pièce.

Il est plus facile d'installer de nouvelles armoires dans une pièce lorsque celle-ci est complètement vide. Détachez la plomberie, coupez le courant électrique, et enlevez tous les meubles et appareils électroménagers.

Vous trouverez des informations sur l'enlèvement des anciennes armoires aux pages 250-251. Si vous devez apporter des changements à l'installation électrique ou à la plomberie, c'est le moment de le faire. Si vous devez remplacer le plancher, faites-le avant d'installer les armoires.

Il faut installer les armoires d'aplomb et de niveau. À l'aide d'un niveau, tracez une ligne de référence sur le mur pour indiquer l'emplacement des armoires. Si le plancher est inégal, trouvez le point le plus haut de la partie qui sera recouverte par les armoires et mesurez la hauteur à partir de ce point jusqu'à la ligne de référence.

Emplacement
des poteaux
Latte de
1 po x 3 po
Ligne de
référence

Enlèvement des garnitures et des anciennes armoires

Les anciennes armoires et leurs moulures sont presque toujours réutilisables ; il faut donc les démonter avec précaution. Les anciennes armoires peuvent servir à entreposer des objets dans le sous-sol, le garage, la buanderie ou l'atelier.

Gardez également les moulures pour les réutiliser, surtout celles dont le profil est inhabituel, qui n'existent peut-être plus dans le commerce. Si vous utilisez des moulures semblables dans d'autres pièces, les moulures récupérées vous serviront à remplacer facilement les parties endommagées.

Le matériel dont vous avez besoin

Outils : levier ou couteau à mastiquer, perceuse et mèches, scie alternative.

Matériel : bois inutilisé.

Enlevez les moulures entourant les armoires, en utilisant un levier plat ou un couteau à mastiquer.

Conseils pour enlever les moulures

Enlevez les moulures inférieures en vinyle. Introduisez un levier ou un couteau à mastiquer sous le vinyle et arrachez la moulure.

Enlevez les plinthes et les quarts-de-rond à l'aide d'un levier, en protégeant les murs avec un morceau de bois inutilisé.

Enlevez les moulures supérieures. Certaines sont vissées aux armoires ou aux soffites, d'autres sont clouées et ne s'enlèvent qu'avec un levier.

Comment enlever les armoires

1 Enlevez les portes et les tiroirs des armoires pour faciliter l'accès à l'intérieur. Vous devrez peut-être gratter l'ancienne peinture pour exposer les vis des charnières.

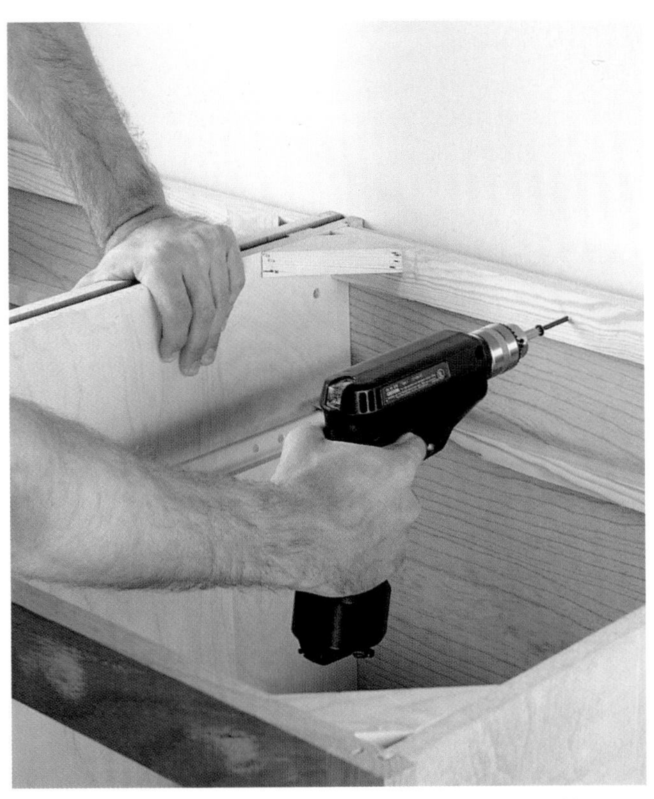

2 Enlevez les vis qui retiennent les armoires contre le mur. Vous pouvez enlever un groupe d'armoires ou les enlever individuellement.

3 Détachez les armoires l'une de l'autre en enlevant les vis qui assemblent les cadres, à l'avant.

CONSEIL : À l'aide d'une scie alternative, coupez les armoires encastrées en éléments que vous pourrez enlever facilement et réinstaller ailleurs.

Préparation des nouvelles armoires

La préparation des murs en vue de l'installation des nouvelles armoires constitue l'une des étapes les plus importantes du travail. Les murs qui ne sont ni plats ni verticaux rendront l'installation difficile et l'ensemble moins attrayant, lorsque le travail sera achevé.

Consacrez le temps nécessaire au repérage des parties bombées et des parties creuses des murs et installez une latte de référence qui soit parfaitement de niveau.

Le matériel dont vous avez besoin

Outils: détecteur de poteaux, mètre à ruban, niveau de menuisier, crayon, perceuse et mèches, truelle, papier de verre.

Matériel: bois scié de 1 po x 3 po, morceau bois scié de 2 po x 4 po droit, pâte à plaques de plâtre, vis à plaques de plâtre de 2 ½ po.

Comment préparer les murs

1 À l'aide d'un long morceau droit de bois scié de 2 po x 4 po, repérez les endroits bombés et les endroits creusés sur les murs. Poncez les murs pour les aplanir aux endroits des bosses.

2 À l'aide d'une truelle et de pâte à plaques de plâtre, remplissez les parties creusées des murs et poncez l'endroit lorsque la pâte est sèche.

3 À l'aide d'un détecteur électronique de poteaux, trouvez les poteaux et marquez leur emplacement sur les murs. Les armoires pendront à des vis enfoncées dans les poteaux, à travers le fond des armoires.

4 Vérifiez si le plancher est de niveau en déplaçant un niveau posé sur un long morceau droit de bois scié de 2 po x 4 po. Si le plancher est inégal, marquez son point le plus haut.

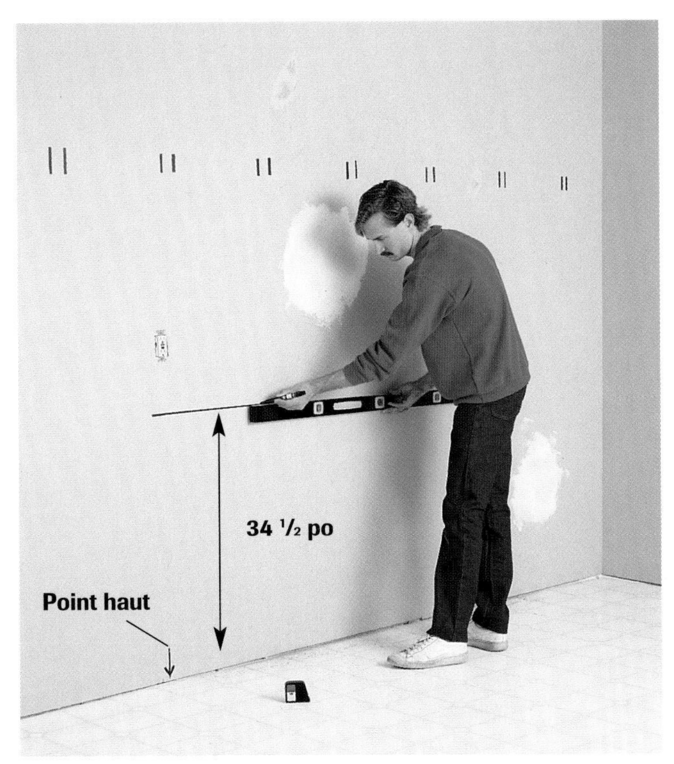

5 Mesurez 34 ½ po à partir du point haut. À l'aide d'un niveau, tracez une ligne de référence sur les murs. Les armoires sur plancher seront installées de manière que leur bord supérieur arrive au ras de cette ligne.

6 Mesurez 84 po à partir du point haut et tracez une deuxième ligne de référence. Lorsqu'elles seront installées, les armoires murales devront avoir leur bord supérieur au ras de cette ligne.

8 À partir de la ligne de référence des armoires murales, mesurez 30 po vers le bas et tracez une troisième ligne de référence qui indiquera la hauteur des bords inférieurs des armoires murales. Installez des lattes temporaires à cette hauteur.

9 Installez les lattes temporaires en bois scié de 1 po x 3 po, de manière que leur bord supérieur arrive au ras de la ligne de référence. Fixez les lattes à l'aide de vis à plaques de plâtre de 2 ½ po, enfoncées dans un poteau sur deux. Marquez l'emplacement des poteaux sur les lattes. Les armoires reposeront sur les lattes pendant l'installation.

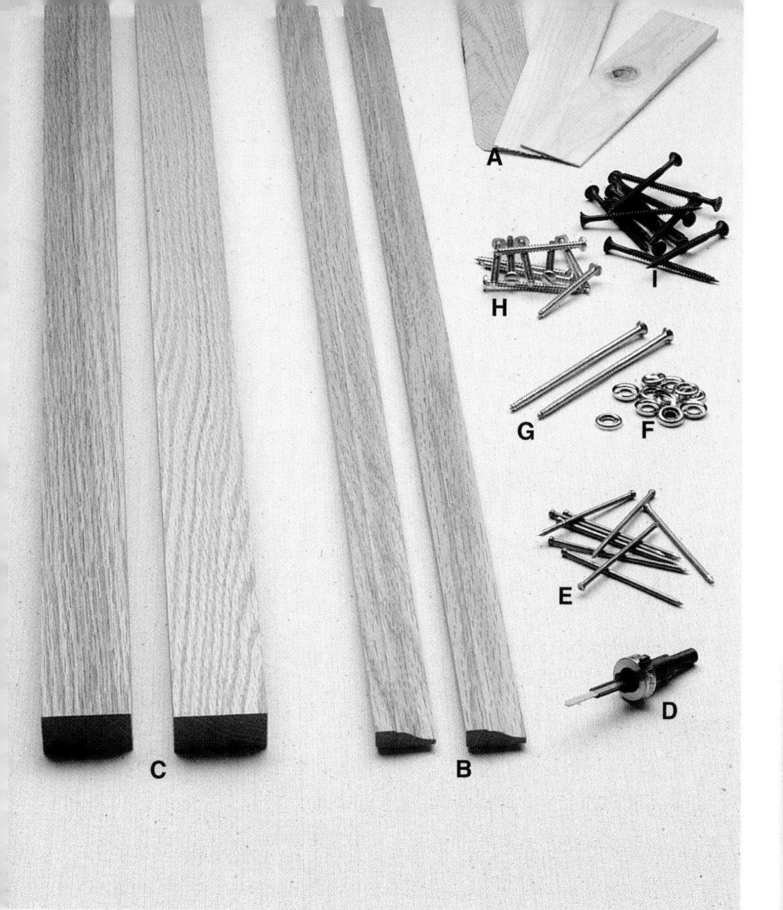

Les outils et accessoires spéciaux comprennent des intercalaires en bois (A), des moulures décoratives (B), des bandes d'espacement (C), une mèche de chambrage n° 9 (D), des clous de finition 6d, des rondelles de finition (F), des vis à bois de 4 po n° 10 (G), des vis à métaux de 2 ½ po n° 8 (H), des vis à plaques de plâtre de 3 po (I).

Installation des armoires

Les armoires doivent être solidement accrochées aux poteaux muraux et elles doivent être d'aplomb et de niveau pour que les portes et les tiroirs fonctionnent aisément. Numérotez les armoires et indiquez leur position sur le mur. Démontez les portes et les tiroirs, et numérotez-les pour pouvoir les replacer facilement, le moment venu.

Commencez par les armoires de coin, en vous assurant de les installer d'aplomb et de niveau. Il est facile d'installer les armoires adjacentes si les armoires de coin ont été bien installées.

Le matériel dont vous avez besoin

Outil : mètre à ruban, crayon, détecteur de poteaux, serre-joints, niveau, marteau, couteau universel, chasse-clou, escabeau, perceuse avec mèche hélicoïdale de $^{3}/_{16}$ po et mèche de chambrage de $^{3}/_{16}$ po, tournevis sans cordon, scie sauteuse munie d'une lame à couper le bois.

Matériel : armoires, moulure de bas d'armoire, moulure décorative, bois plastique, tasseaux, accessoires spéciaux (photo de gauche).

Avant d'installer les armoires, essayez l'armoire de coin et l'armoire contiguë pour vérifier si les poignées ne gênent pas le mouvement des portes. Si nécessaire, augmentez le jeu en écartant l'armoire de coin du mur de côté, de 4 po maximum (C). Pour conserver un espacement égal entre les bords des portes et le coin des armoires (A, B), coupez une bande d'espacement et fixez-la à l'armoire contiguë. Mesurez la distance (C) qui servira de référence lorsque vous installerez l'armoire de coin.

Comment installer les armoires murales

1 Placez l'armoire de coin sur la latte. Forez des avant-trous de $^{3}/_{16}$ po dans les poteaux, à travers les bandes de fixation se trouvant à l'arrière de l'armoire. Fixez l'armoire au mur à l'aide de vis à métaux de 2 $^{1}/_{2}$ po. Ne serrez pas complètement les vis tant que toutes les armoires ne sont pas installées.

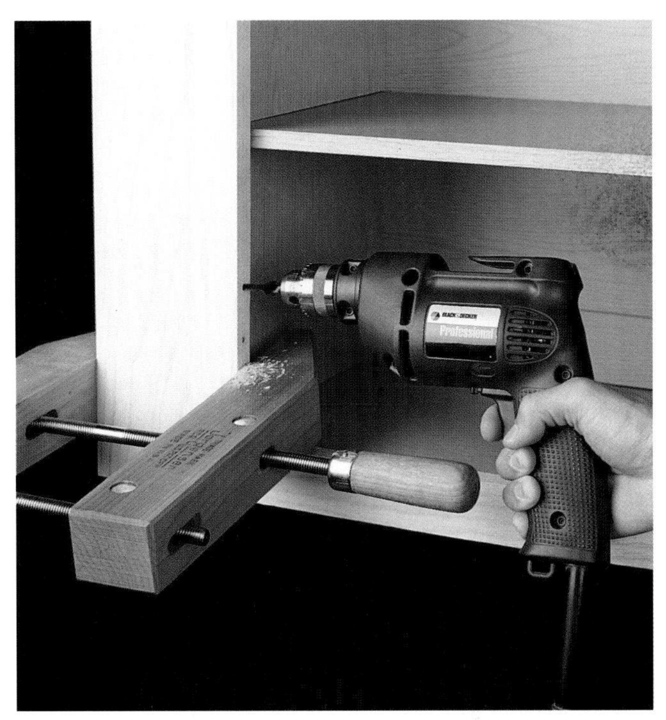

2 Attachez la bande d'espacement à l'armoire contiguë, le cas échéant (voir page précédente). À l'aide d'un serre-joints, immobilisez la bande d'espacement et forez des avant-trous à travers le cadre avant de l'armoire, près des charnières, au moyen d'une mèche de chambrage. Fixez la bande d'espacement à l'armoire en utilisant des vis à métaux de 2 $^{1}/_{2}$ po.

3 Placez l'armoire contiguë sur la latte, contre l'armoire de coin. Vérifiez si le cadre avant de l'armoire est d'aplomb. Forez des avant-trous de $^{3}/_{16}$ po dans les poteaux muraux, à travers les bandes de fixation se trouvant à l'arrière de l'armoire. Fixez l'armoire au moyen de vis à métaux de 2 $^{1}/_{2}$ po. Ne serrez pas complètement les vis tant que toutes les armoires ne sont pas installées.

4 À l'aide de serre-joints installés en bas et en haut des armoires, pressez l'une contre l'autre l'armoire de coin et l'armoire contiguë. Les serre-joints n'endommageront pas les cadres avant des armoires.

Suite à la page suivante

5 De l'intérieur de l'armoire de coin, attachez celle-ci à l'armoire contiguë. Forez des avant-trous à travers les cadres avant, et assemblez les armoires à l'aide de vis à métaux.

6 Installez et fixez les autres armoires. À l'aide de serre-joints, immobilisez les cadres avant, pressés l'un contre l'autre, et forez des avant-trous à travers les côtés des cadres. Assemblez les armoires au moyen de vis à métaux. Forez des avant-trous dans les bandes de fixation et fixez les armoires aux poteaux muraux.

Assemblez les armoires sans cadre avant, à l'aide de vis à bois de 1 1/4 po n° 8 et de rondelles de finition. Chaque paire d'armoires doit être assemblée à l'aide de quatre vis au moins.

7 Remplissez les espaces existant entre une armoire et un mur à l'aide d'une bande d'espacement. Coupez la bande aux dimensions voulues et immobilisez-la en place au moyen d'intercalaires en bois. Forez des avant-trous dans le côté du cadre avant de l'armoire et fixez la bande au moyen de vis à métaux.

8 Enlevez la latte temporaire. Vérifiez si la rangée d'armoires est d'aplomb et réglez-la si nécessaire en introduisant des intercalaires en bois derrière l'armoire, près de l'emplacement du poteau. Serrez complètement les vis murales. À l'aide d'un couteau universel, coupez les intercalaires qui dépassent.

9 Utilisez des moulures pour remplir les espaces existant entre les armoires et les murs. Peignez-les ou teintez-les pour qu'elles soient assorties à la couleur des armoires.

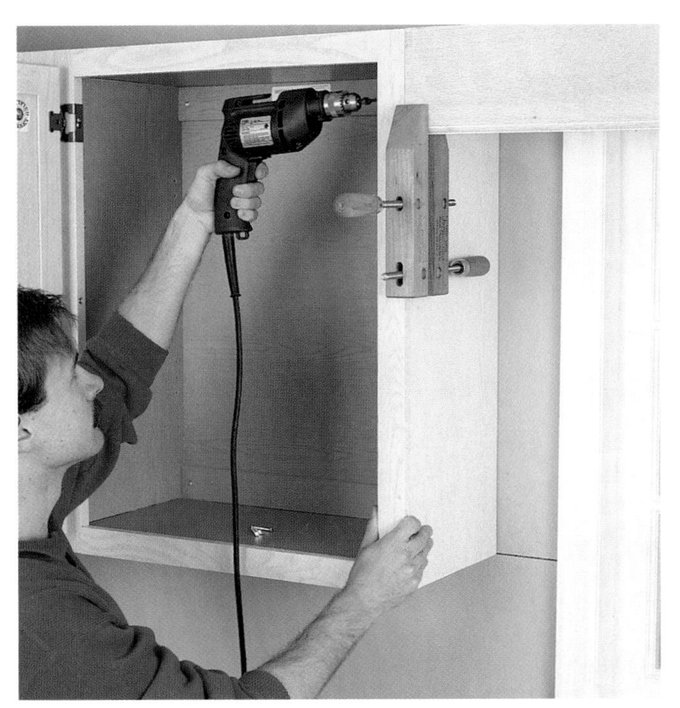

10 Fixez une moulure décorative au-dessus de l'évier. À l'aide d'un serre-joints, immobilisez-la contre le bord du cadre avant de l'armoire et forez des avant-trous chambrés à travers le cadre de l'armoire, dans l'extrémité de la moulure. Fixez la moulure au moyen de vis à métaux.

11 Installez les portes des armoires et réglez les charnières pour que les portes soient droites et d'aplomb.

Comment installer les armoires sur plancher

1 Commencez par installer l'armoire de coin de manière que son bord supérieur suive la ligne de référence. Assurez-vous que l'armoire est d'aplomb et de niveau. Si nécessaire, corrigez sa position au moyen d'intercalaires de bois placés sous l'armoire.
Prenez soin de ne pas endommager le revêtement de sol. Forez des avant-trous de $^{3}/_{16}$ po dans les bandes de fixation et les poteaux muraux et attachez l'armoire au mur à l'aide de vis à métaux, sans les serrer à fond.

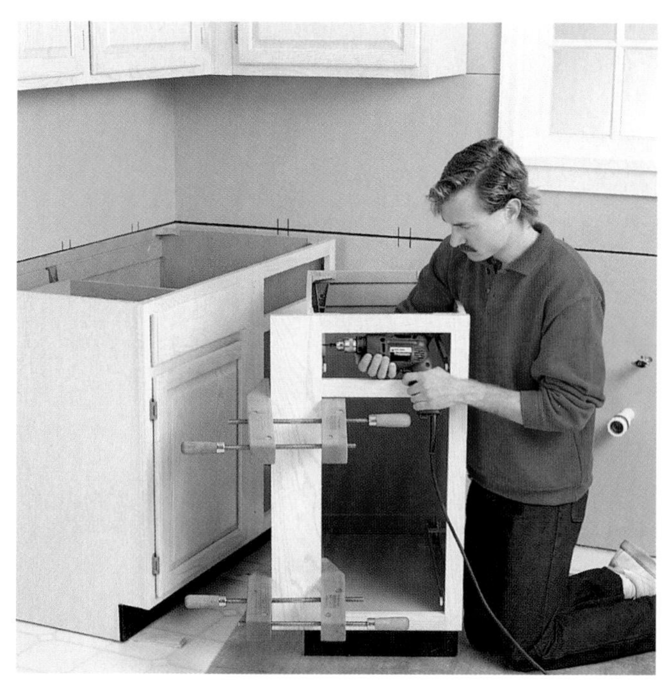

2 Fixez une bande d'espacement à l'armoire contiguë, si nécessaire (page 254). Maintenez en place la bande au moyen de serre-joints, et forez des avant-trous chambrés à travers les côtés du cadre avant. Fixez la bande d'espacement à l'aide de vis à métaux.

3 Placez l'armoire contiguë contre l'armoire de coin et immobilisez-la au moyen de serre-joints. Vérifiez si l'armoire est d'aplomb et forez des avant-trous à travers le cadre avant de l'armoire de coin, dans la bande d'espacement (page 256, étape 5). Assemblez les armoires à l'aide de vis à métaux. Forez des avant-trous de $^{3}/_{16}$ po à travers les bandes de fixation, dans les poteaux muraux. Fixez les armoires à l'aide de vis à métaux que vous ne serrez pas complètement.

4 Utilisez une scie sauteuse pour pratiquer, dans les armoires, les ouvertures nécessaires au passage de la plomberie, des fils électriques et des gaines de chauffage.

5 Placez successivement les autres armoires et assemblez-les, en vous assurant que leurs cadres sont alignés. Pour ce faire, maintenez-les ensemble avec des serre-joints et forez des avant-trous à travers les côtés des cadres avant. Assemblez les armoires avec cadre avant au moyen de vis à métaux et les armoires sans cadre avant, au moyen de vis à bois de 1 ¼ po n° 8 et de rondelles de finition (page 256).

6 Vérifiez si toutes les armoires sont de niveau. Si c'est nécessaire, corrigez leur position en introduisant des intercalaires sous les armoires. Là où vous trouvez un vide, placez des intercalaires en bois derrière les armoires, près des poteaux muraux. Serrez les vis murales et, à l'aide d'un couteau universel, coupez les intercalaires au ras des armoires.

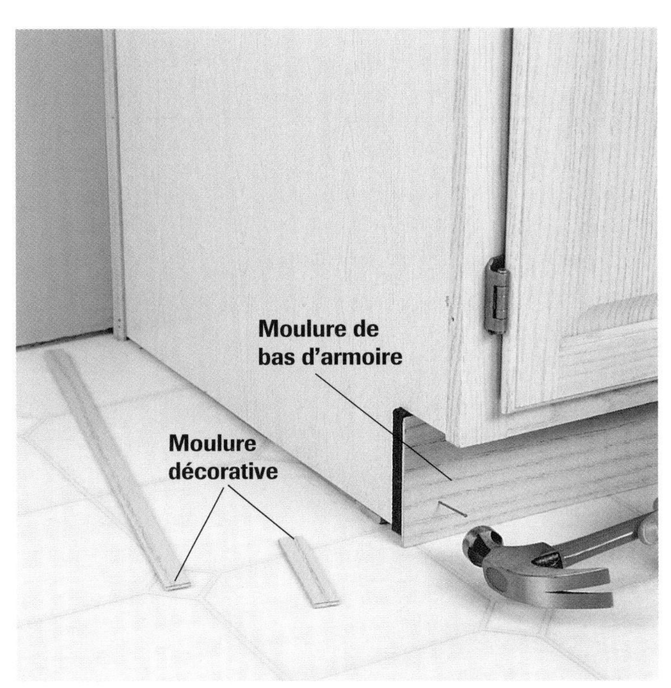

7 Utilisez des moulures décoratives pour dissimuler les vides entre les armoires et les murs ou le plancher. On recouvre souvent le bas des armoires d'une bande de vinyle ou de bois dur assortis aux armoires.

8 Si un coin présente un vide non recouvert par des armoires, vissez des tasseaux de bois de 1 po x 3 po sur les murs arrière, au ras de la ligne de référence. Ils supporteront le dessus de comptoir à cet endroit.

Comment installer des armoires pendues au plafond

1 Découpez un modèle de carton aux dimensions de la surface supérieure de l'armoire. Utilisez ce modèle pour marquer le contour de l'armoire sur le plafond. Indiquez également l'emplacement du cadre avant de l'armoire sur le contour.

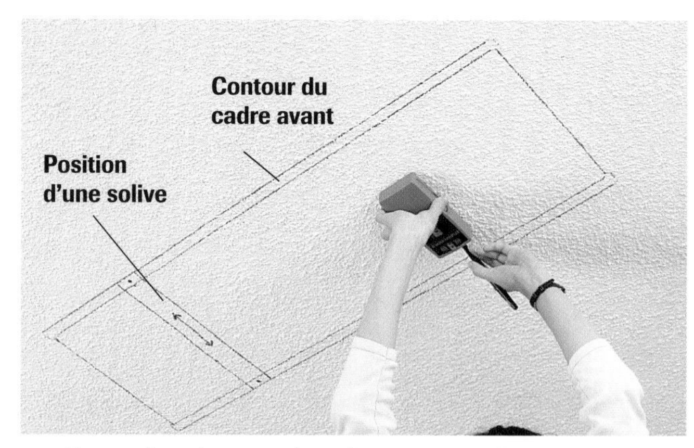

2 Trouvez l'emplacement des solives au moyen d'un détecteur de poteaux. Si elles sont parallèles à l'armoire, installez des étrésillons entre les solives, auxquels vous pendrez l'armoire (voir plus bas). Déterminez la position des solives et marquez sur le cadre de l'armoire les endroits où enfoncer les vis.

3 Demandez à un ou plusieurs aides de tenir l'armoire à sa place contre le plafond. Forez des avant-trous de $^{3}/_{16}$ po à travers les traverses supérieures, dans les solives de plafond. Fixez l'armoire à l'aide de vis à bois de 4 po et de rondelles de finition (à droite).

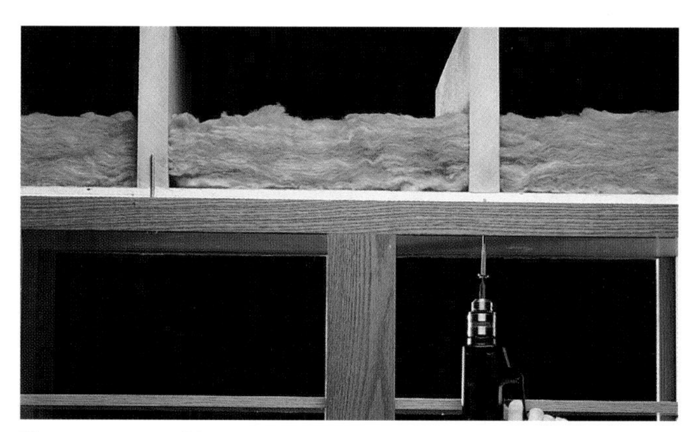

Vue en coupe : L'armoire est attachée aux solives au moyen de vis à bois et de rondelles de finition.

Comment attacher, à des étrésillons, une armoire pendue au plafond (les solives doivent être accessibles)

1 Forez des trous de référence à travers le plafond, dans chaque coin du contour de l'armoire. Installez, au-dessus du plafond et entre les solives, des étrésillons en bois scié de 2 po x 4 po. Vous pouvez les clouer en extrémité ou en biais.

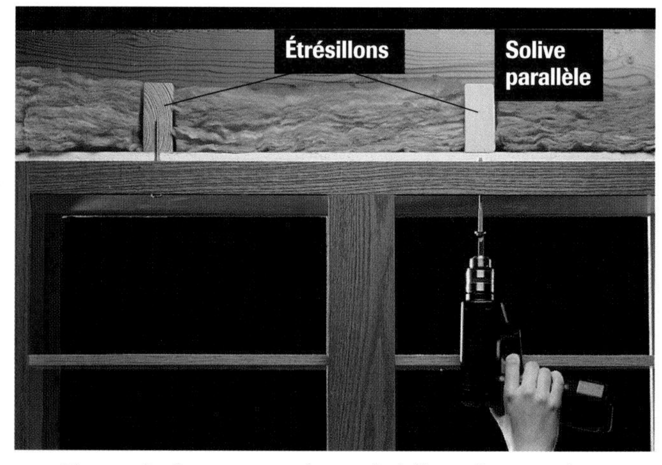

2 Mesurez la distance entre chaque étrésillon et les trous de référence et marquez sur le cadre de l'armoire les endroits où enfoncer les vis de fixation. Forez des avant-trous et fixez l'armoire aux étrésillons, à l'aide de vis à bois de 4 po et de rondelles de finition, comme le montre la vue en coupe (ci-dessus).

Comment installer un îlot d'armoires sur plancher

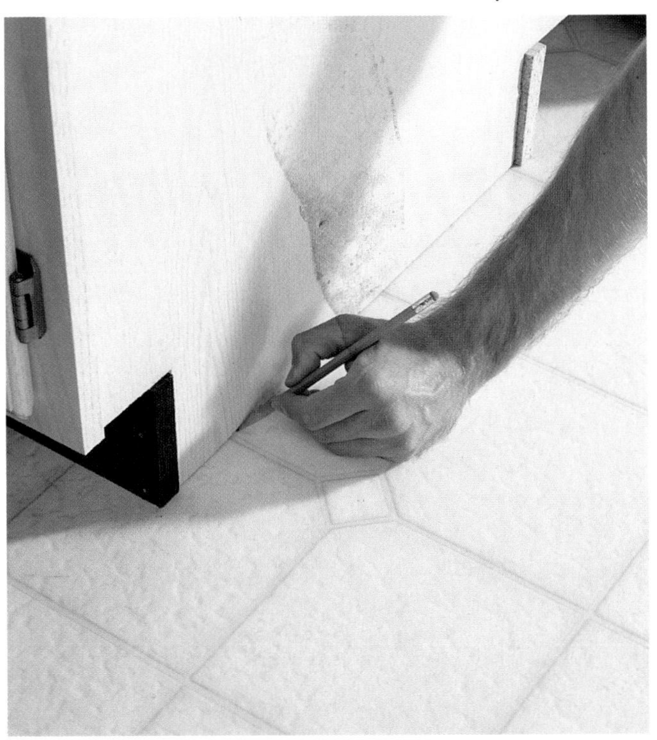

1 Placez l'armoire sur plancher, à l'emplacement prévu, et tracez légèrement le contour de l'armoire sur le plancher. Enlevez l'armoire.

2 Fixez sur le plancher, dans deux coins opposés du contour, une cale en L, fabriquée en bois scié de 2 po x 4 po. Installez ces cales $^3/_4$ po à l'intérieur du contour, pour tenir compte de l'épaisseur des parois de l'armoire. Fixez les cales au plancher au moyen de vis à plaques de plâtre de 3 po.

3 Déposez l'armoire à sa place ; vérifiez si elle est de niveau et placez des intercalaires si nécessaire.

4 Fixez l'armoire aux cales au moyen de clous de finition 6d. Forez des avant-trous et noyez les têtes des clous à l'aide d'un chasse-clou. Remplissez de pâte de bois d'une couleur assortie aux armoires les trous des têtes des clous.

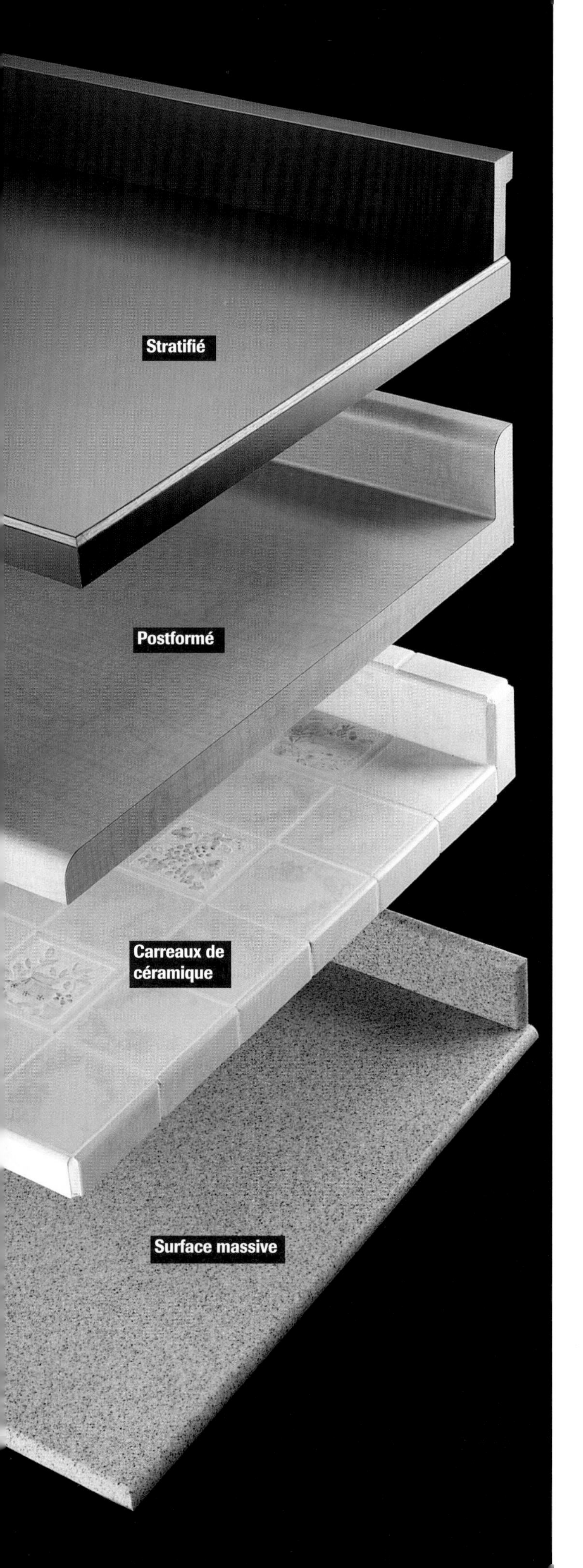

Choix de dessus de comptoirs

Les dessus de comptoirs constituent les principales surfaces de travail, dans plusieurs pièces, et ils doivent donc être durables et faciles à entretenir. Ils ajoutent de la couleur à une pièce et leurs motifs, leur texture et leur forme donnant à la pièce un cachet particulier ; il est donc important de choisir des dessus de comptoirs en harmonie avec les autres éléments du décor.

Les dessus de comptoirs en stratifié sont constitués de feuilles de stratifié collées à des panneaux de particules. Ils existent dans des centaines de couleurs et de motifs différents, ce qui permet de les assortir à n'importe quel décor. On peut traiter leurs bords de différentes façons en vue de leur donner un cachet particulier (pages 268 à 275).

Les dessus de comptoirs postformés sont constitués de feuilles de stratifié collées à des panneaux de particules et sont fournis, prêts à être installés. Ils sont munis de dosserets et de devants attachés à l'avance. On en fabrique de toutes les couleurs et de tous les styles.

Les dessus de comptoirs en carreaux de céramique sont durables et créent une belle surface qui résiste aux déversements et aux taches. Ils existent dans une grande variété de motifs et de prix, et concevoir un dessus de comptoir en carreaux de céramique peut être un projet de bricolage exigeant de la créativité.

Les dessus de comptoirs massifs gagnent en popularité. Ils sont fabriqués dans une variété de styles et de couleurs, à partir de résines acryliques ou de résines de polyester, mélangées à des additifs et laminées. Ils coûtent cher, sont durables, et leur installation doit être confiée à des professionnels.

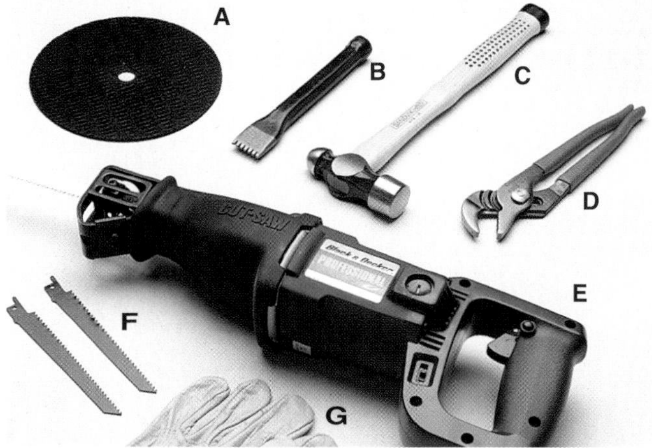

Les outils et les accessoires spéciaux utilisés pour enlever les dessus de comptoirs comprennent la lame de scie circulaire de maçonnerie (A), le ciseau de maçon (B), le marteau à panne ronde (C), la pince multiprise (D), la scie alternative (E) et la lame à grosses dents pour scier le bois (F), les gants de travail (G).

Comment enlever un dessus de comptoir

1 Débranchez les tuyaux de la plomberie. Enlevez les vis et les accessoires de montage du dessus de comptoir. Dévissez les boulons de tension en dessous des joints en biseau.

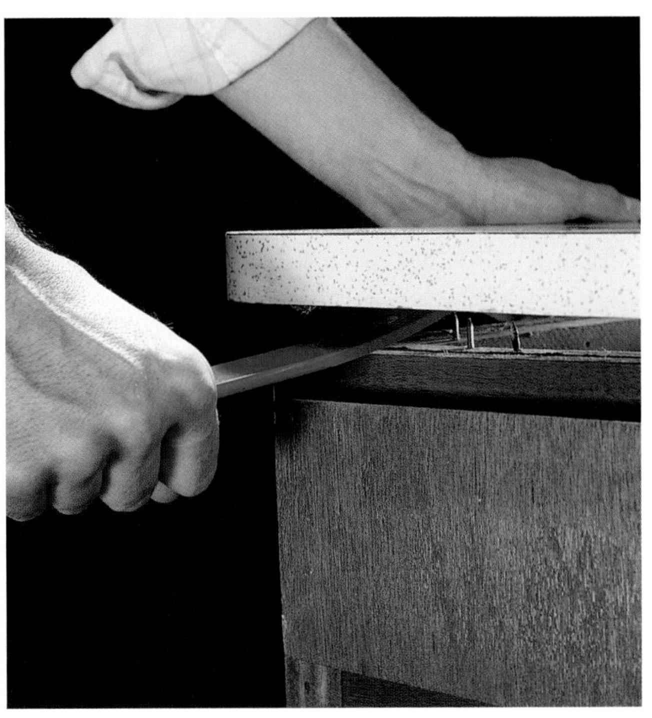

2 Utilisez un couteau universel pour couper les cordons de calfeutrage, le long du dosseret et du bord du dessus de comptoir. Enlevez les moulures décoratives. À l'aide d'un levier, soulevez le dessus de comptoir pour l'écarter des armoires sur plancher.

3 Si vous ne parvenez pas à enlever le comptoir en une pièce, découpez-le à l'aide d'une scie alternative ou d'une scie sauteuse munie d'une lame à grosses dents pour couper le bois. Prenez garde de ne pas entamer les armoires.

CONSEIL : Pour enlever un dessus de comptoir en carreaux de céramique, enlevez les carreaux au moyen d'un ciseau de maçon et d'un marteau. Portez des lunettes de sécurité. Si le dessus de comptoir repose sur un lit de mortier, vous pouvez le découper en morceaux au moyen d'une scie circulaire munie d'une lame de maçonnerie.

Installation d'un dessus de comptoir postformé

Les dessus de comptoirs postformés, qui sont stockés en longueurs standard, peuvent être coupés à la longueur qui vous convient. Il existe des sections en biseau, qu'on installe dans les coins, pour les dessus de comptoirs en deux ou trois parties. Si le dessus de comptoir a une extrémité visible, vous devez prévoir un ensemble de garniture de bout, qui comprend un couvre-joint en bois et une bande préformée en stratifié assorti.

Le matériel dont vous avez besoin

Outils : mètre à ruban, équerre de menuisier, crayon, règle rectifiée, serre-joints, marteau, niveau, pistolet à calfeutrer, scie sauteuse, ponceuse à courroie, perceuse et mèches à trois pointes, tournevis sans cordon.

Outils et accessoires spéciaux : voir photo à la page suivante.

Matériel : sections de dessus de comptoirs postformées.

Comment installer un dessus de comptoir postformé

1 Mesurez la longueur des armoires sur plancher, du coin au bord extrême de la dernière armoire. Ajoutez 1 po pour le dépassant si l'extrémité est visible. Soustrayez $^{1}/_{16}$ po là où il borde un appareil électroménager.

Les outils et accessoires spéciaux comprennent des intercalaires de bois (A), des boulons de tension (B), des vis à plaques de plâtre (C), des clous à tête perdue (D), un fer à repasser (E), des garnitures de bout en stratifié (F), des couvre-joints de bout (G), de la pâte à calfeutrer à base de silicone (H), une lime (I), une clé anglaise (J), de la colle de menuisier (K), des blocs de bois (L), un compas (M).

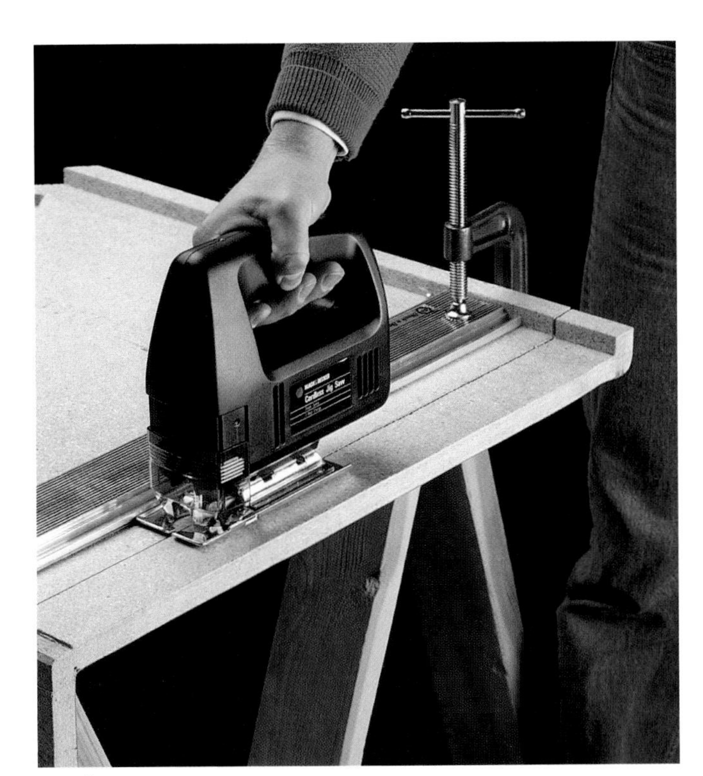

2 À l'aide d'une équerre de menuisier, tracez une ligne de coupe sur l'envers du dessus de comptoir. Utilisez une scie sauteuse pour couper le dessus de comptoir, en la guidant au moyen d'une règle rectifiée attachée à l'aide de serre-joints au dessus de comptoir. NOTE : il existe des lames spéciales pour couper les dessus de comptoirs en stratifié sans abîmer la surface. Si vous utilisez ce type de lame, sciez le dessus de comptoir placé à l'endroit.

3 À l'aide de colle de menuisier et de petits clous à tête perdue, collez et clouez en place le couvre-joint contenu dans la trousse de la garniture de bout. Poncez les irrégularités de surface avec une ponceuse à courroie.

Suite à la page suivante

4 Tenez la garniture de bout en stratifié autocollant contre l'extrémité, en la laissant légèrement dépasser des arêtes du dessus de comptoir. Pressez la garniture en place à l'aide d'un fer à repasser moyennement chaud qui ramollira l'adhésif. Refroidissez-la ensuite à l'aide d'un chiffon mouillé et limez les bords à ras des arêtes du dessus de comptoir.

5 Installez le dessus de comptoir sur les armoires, en vous assurant que le bord avant est parallèle aux faces avant des armoires. Vérifiez si le dessus de comptoir est de niveau. Assurez-vous que les tiroirs et les portes s'ouvrent et se ferment aisément. Si nécessaire, utilisez des intercalaires en bois pour redresser le dessus de comptoir.

6 Étant donné que les surfaces des murs sont souvent irrégulières, utilisez un compas pour reproduire le profil du mur sur le bord à chantourner du dosseret. Réglez les branches du compas sur la distance maximale entre le dosseret et le mur. Puis, tracez le contour du mur sur le bord à chantourner.

7 Enlevez le dessus de comptoir. Utilisez une ponceuse à courroie pour poncer le dosseret jusqu'à la ligne tracée sur le bord à chantourner.

8 Pour tracer la découpe d'un évier de comptoir à bord intégré, placez l'évier à l'envers sur le dessus de comptoir et tracez-en le contour au crayon. Enlevez l'évier et tracez une ligne de coupe à $^{5}/_{8}$ po à l'intérieur du contour.

9 Marquez la découpe d'une surface de cuisson au moyen de son cadre. Placez le cadre métallique sur le dessus de comptoir et tracez le contour en suivant le bord de la bride verticale. Enlevez le cadre.

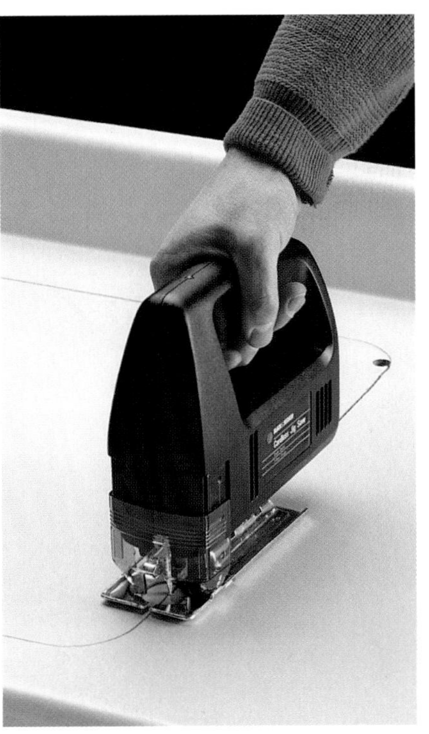

10 Forez un trou d'amorçage juste à l'intérieur de la ligne de coupe et découpez l'ouverture avec une scie sauteuse. Soutenez la découpe pour qu'elle n'abîme pas l'armoire en tombant.

11 Appliquez de la pâte à calfeutrer à base de silicone sur les surfaces du joint biseauté. Pressez les surfaces l'une contre l'autre.

12 De l'intérieur de l'armoire, installez les boulons de tension et serrez-les. Placez le dessus de comptoir tout contre le mur et attachez-le aux armoires, en serrant les vis à plaques de plâtre qui traversent les supports de montage pour s'enfoncer dans le corps du dessus de comptoir. Assurez-vous que les vis sont assez longues pour bien ancrer le dessus de comptoir mais pas trop pour ne pas percer la surface en stratifié.

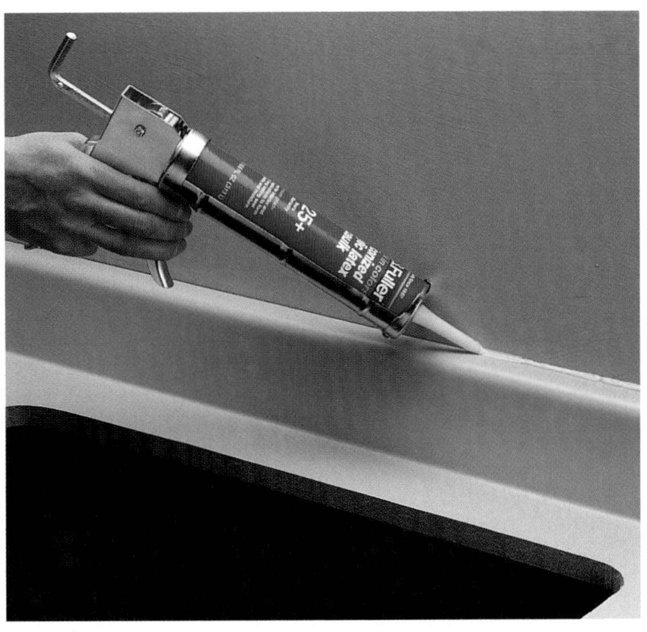

13 Déposez un cordon de pâte à calfeutrer à base de silicone entre le dosseret et le mur. Passez un doigt humecté sur la surface du cordon pour l'égaliser. Essuyez l'excédent de pâte.

Construction d'un dessus de comptoir en stratifié

Construisez vous-même votre beau dessus de comptoir durable au moyen de feuilles de stratifié, dont il existe des centaines de couleurs, de styles et de textures. On peut adapter les dessus de comptoir en stratifié à n'importe quel endroit.

On trouve dans le commerce des feuilles de stratifié de 6, 8, 10 et 12 pi de long, qui ont une épaisseur approximative de $^{1}/_{20}$ po. Leur largeur varie entre 30 et 48 po. On fabrique la plupart d'entre elles en faisant adhérer une mince couche superficielle de plastique coloré à une âme en résines durcies. Dans certaines feuilles de stratifié, toute l'épaisseur présente la même couleur. Les dessus de comptoirs fabriqués dans cette qualité de stratifié ont l'avantage de ne pas présenter de lignes foncées sur les bords qui ont été coupés ; mais ces feuilles s'écaillent plus facilement que les feuilles traditionnelles, et il faut les manipuler avec précaution.

Lorsque vous fabriquez un dessus de comptoir, choisissez un adhésif de contact ininflammable et ventilez amplement le lieu de travail.

Le matériel dont vous avez besoin

Outils : mètre à ruban, équerre de menuisier, crayon, règle rectifiée, serre-joints, pistolet à calfeutrer, scie circulaire à lame combinée, tournevis sans cordon, ponceuse à courroie, toupie.

Outils et accessoires spéciaux : voir photo à la page suivante.

Matériel : panneaux de particules de $^{3}/_{4}$ po, stratifié en feuilles.

Dessus de comptoir en stratifié : Le corps du dessus de comptoir est constitué d'un panneau de particules de $^{3}/_{4}$ po. Le périmètre est constitué de bandes rapportées de panneau de particules, vissées à la partie inférieure de l'âme. Les bords peuvent être décorés de bandes de bois dur, attachées à l'âme. Les feuilles de stratifié sont collées sur le dessus à l'aide d'adhésif de contact. Les bords sont coupés et façonnés à l'aide d'une toupie.

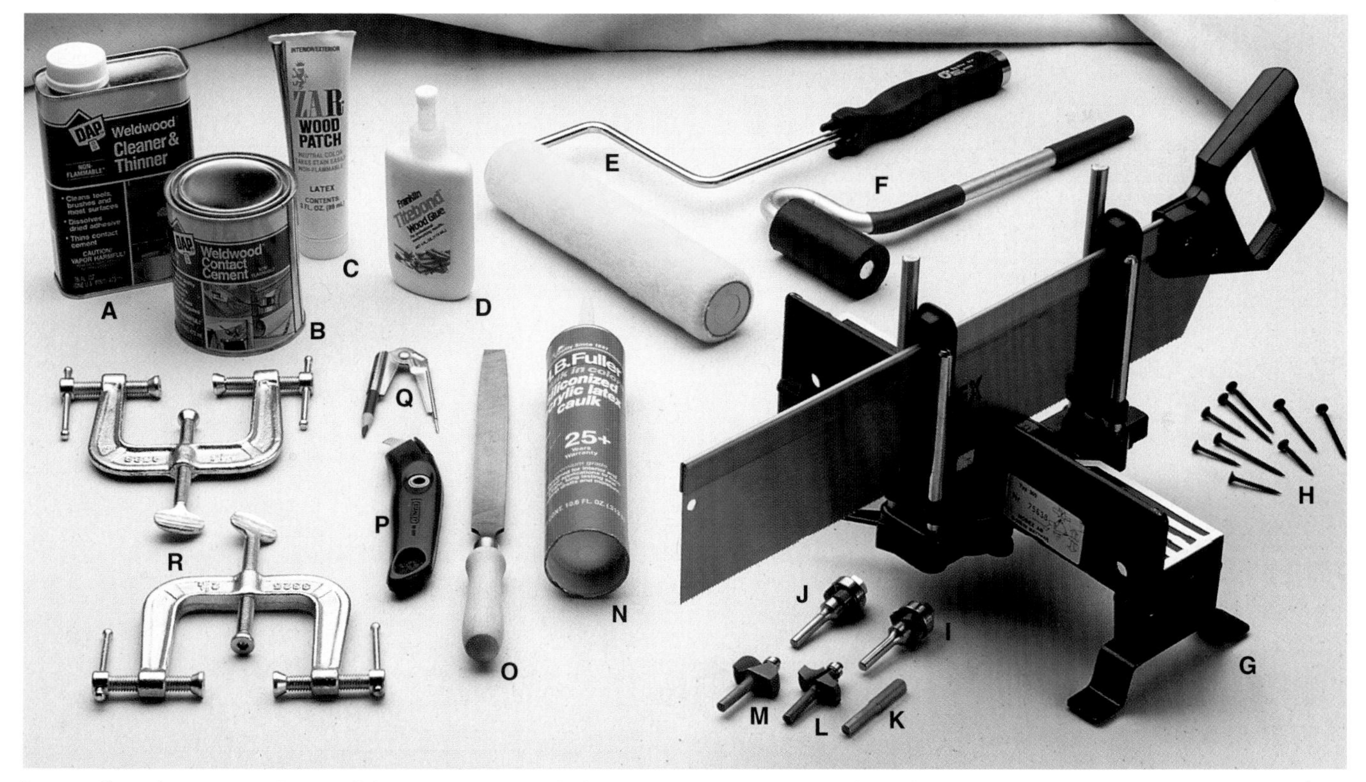

Les outils et les accessoires spéciaux comprennent : le diluant à adhésif de contact (A), l'adhésif de contact (B), la pâte de bois au latex (C), la colle de menuisier (D), le rouleau de peintre (E), le rouleau en J (F), la boîte à onglets (G), les vis à plaques de plâtre (H), la fraise de toupie à coupe droite (I), la fraise de toupie à coupe en biseau à 15° (J), la fraise de toupie droite (K), la fraise de toupie à arrondir les coins (L), la mèche à cavet (M), la pâte à calfeutrer à base de silicone (N), la lime (O), l'outil à entailler (P), le compas (Q), les serre-joints triples (R).

Comment construire un dessus de comptoir en stratifié

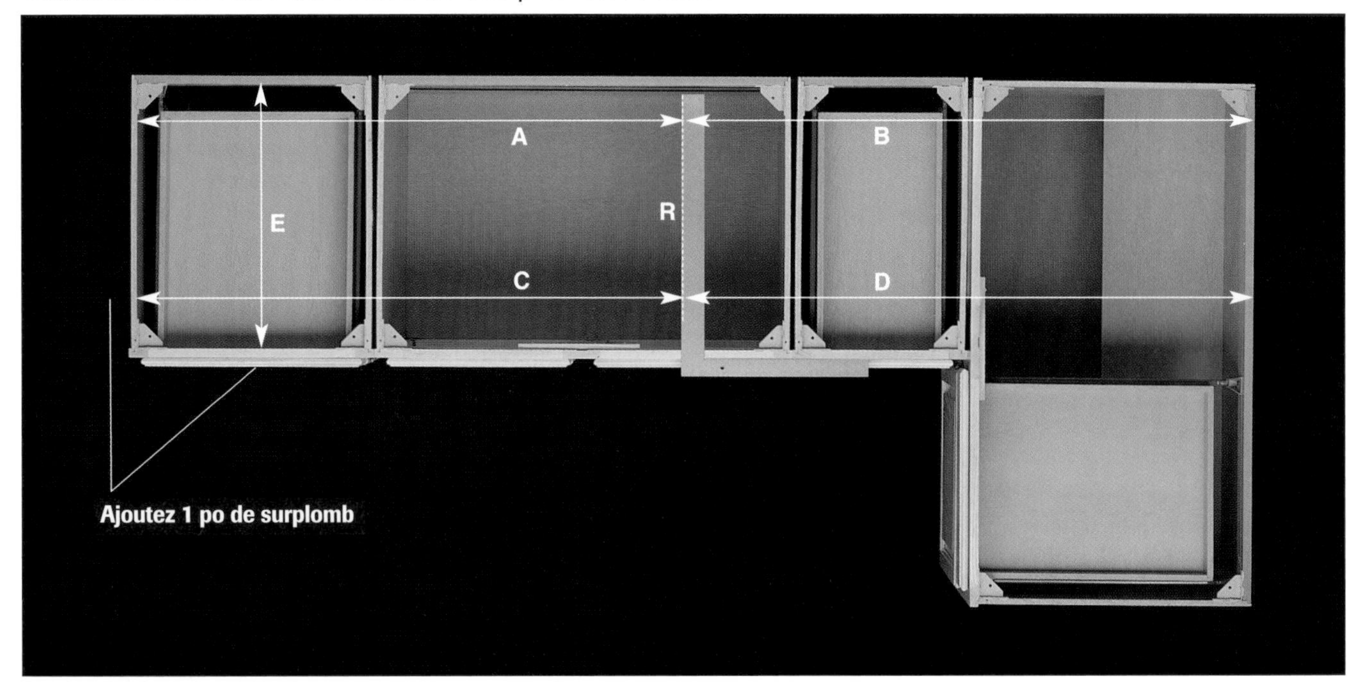

1 Déterminez les dimensions du dessus de comptoir en prenant les mesures le long du dessus des armoires sur plancher. Si les coins ne sont pas d'équerre, utilisez une équerre de menuisier pour tracer une ligne de référence (R) près du milieu des armoires, perpendiculairement au devant de celles-ci. Prenez quatre mesures (A, B, C, D), de la ligne de référence vers les bords des armoires. Ajoutez 1 po de surplomb à la longueur de chaque bord visible et 1 po à la largeur (E). Si une extrémité borde un appareil électroménager, soustrayez $^1/_{16}$ po de la longueur pour éviter de griffer l'appareil.

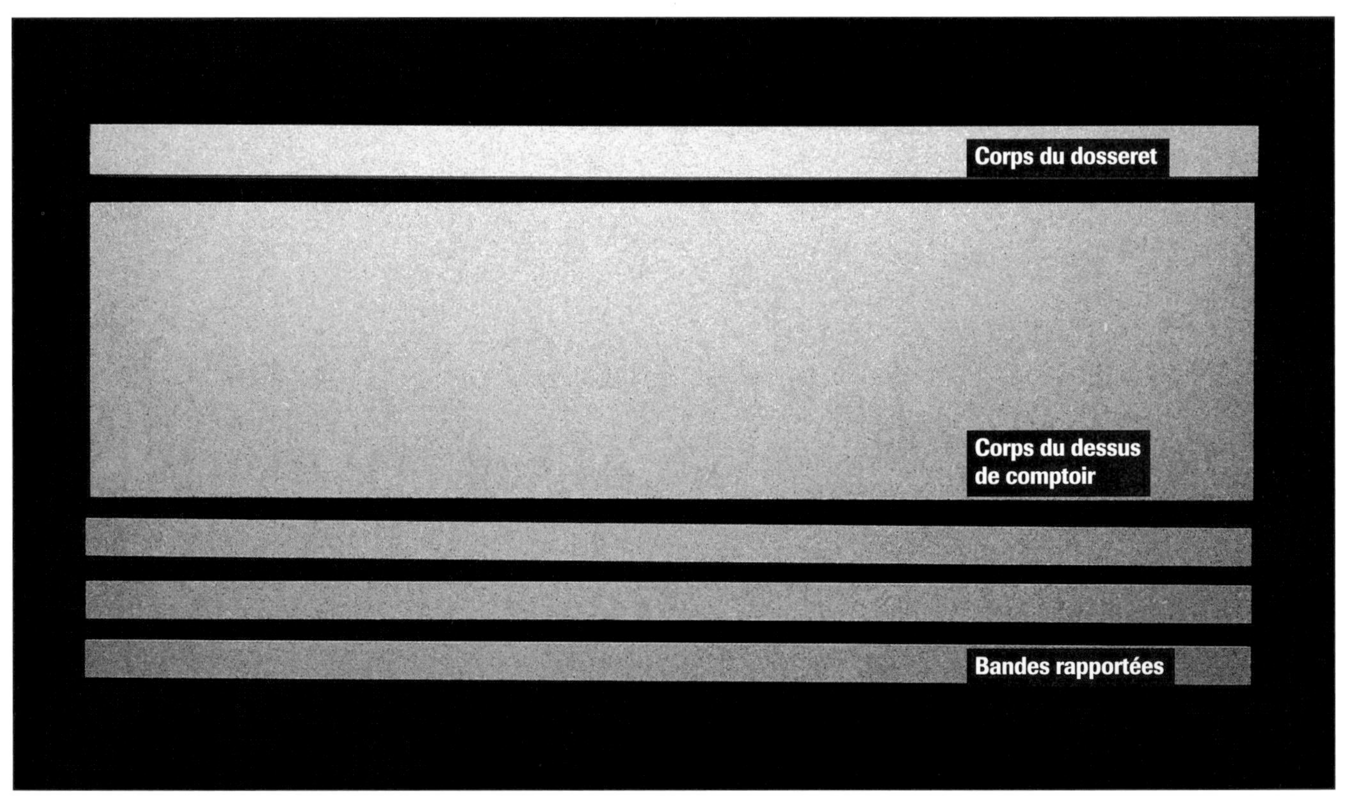

2 Avec une équerre de menuisier, reportez les mesures prises à l'étape 1, pour établir une ligne de référence. À l'aide d'une scie circulaire et d'une règle rectifiée attachées au moyen de serre-joints, sciez le corps aux dimensions voulues. Sciez des bandes de 4 po de panneau de particules qui formeront le dosseret et les couvre-joints des sections du dessus de comptoir aux endroits où elles se rencontrent. Sciez des bandes de 3 po qui serviront de bandes rapportées.

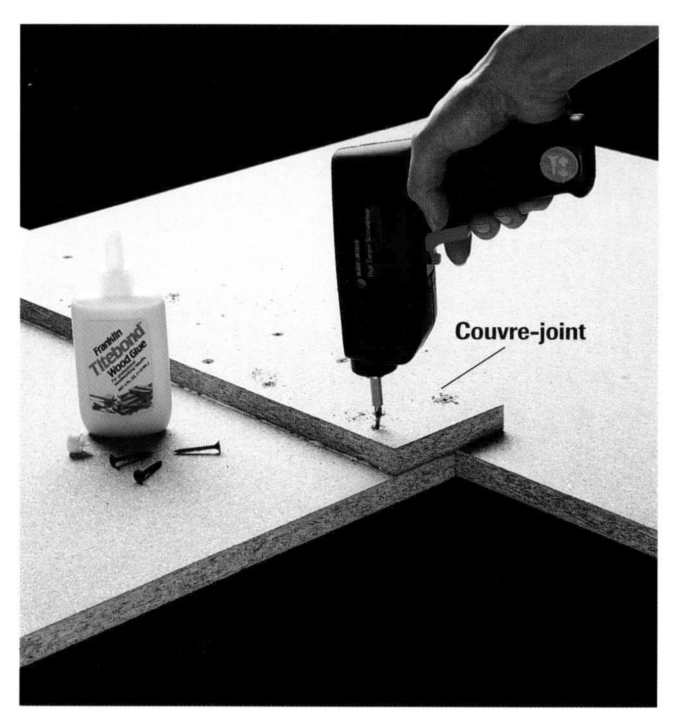

3 Retournez les parties du corps du dessus de comptoir, assemblez-les et fixez un couvre-joint en panneau de particules de 4 po, à l'endroit du joint, à l'aide de colle de menuisier et de vis à plaques de plâtre de 1 $^1/_4$ po.

4 À l'aide de vis à plaques de plâtre de 1 $^1/_4$ po, fixez, sur l'envers du dessus de comptoir, des bandes rapportées de 3 po le long des bords. Remplissez de pâte de bois au latex les espaces existant sur les bords extérieurs, et poncez-les ensuite au moyen d'une ponceuse à courroie.

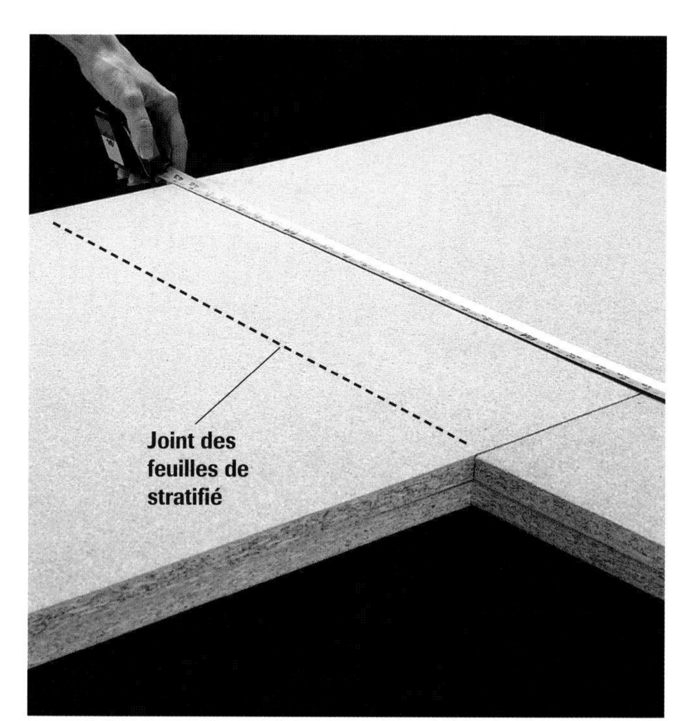

5 Prenez les mesures du corps du dessus de comptoir en vue de déterminer les dimensions du dessus en stratifié. Placez le joint des feuilles de stratifié perpendiculairement au joint de coin des sections du corps. Ajoutez à la longueur et à la largeur de chaque partie une marge de $^1/_2$ po, que vous rognerez. Mesurez la surface de stratifié nécessaire pour fabriquer le devant et les bords du dosseret ainsi que les bords visibles du corps du dessus de comptoir. Ajoutez $^1/_2$ po à chaque mesure.

6 Coupez le stratifié en l'entaillant et en le cassant. Tracez une ligne de coupe et entaillez ensuite la surface à l'aide d'un outil à entailler, en utilisant une règle rectifiée comme guide. Après deux passes de l'outil, vous devriez pouvoir casser nettement la feuille de stratifié.

Suite à la page suivante

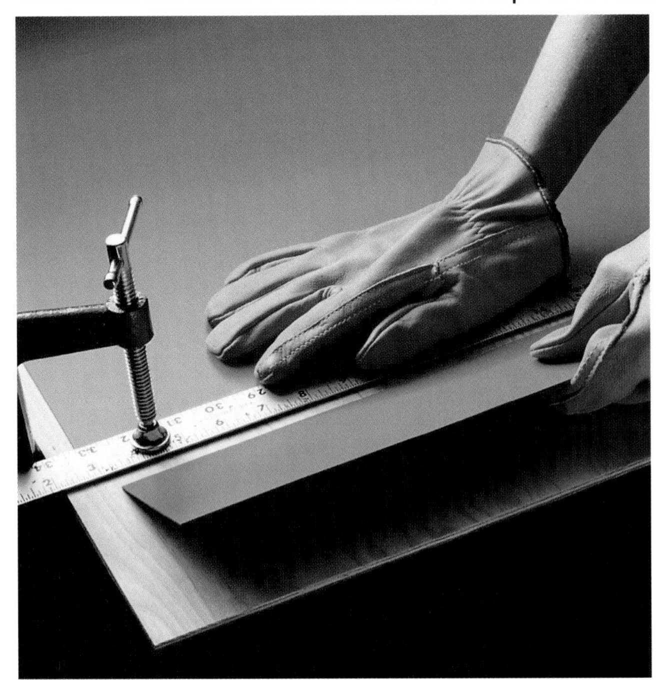

7 Pliez le stratifié vers l'entaille, jusqu'à ce qu'il casse. Pour casser plus facilement les pièces étroites, fixez, à l'aide de serre-joints, une règle rectifiée le long de la ligne de l'entaille, avant de plier le stratifié. Portez des gants de travail pour éviter les coupures occasionnées par les arêtes tranchantes.

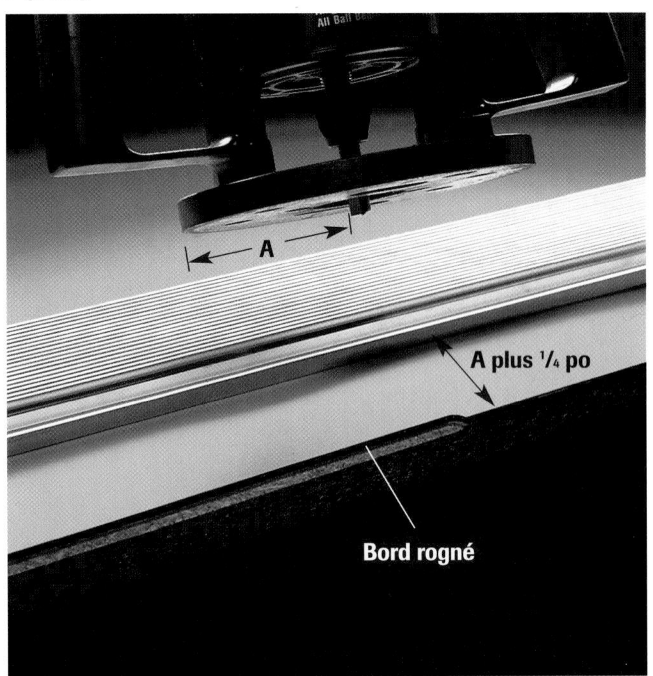

8 Pour créer des joints serrés en stratifié, utilisez une toupie munie d'une fraise droite pour rogner les bords que vous assemblez. Mesurez la distance (A) entre l'arête coupante de la fraise et le bord de la plaque de base de la toupie. Placez le stratifié sur une planche de bois non utilisée et alignez les bords. Pour guider la toupie, fixez une règle rectifiée sur le stratifié, au moyen de serre-joints, à une distance de A plus ¼ po du bord du stratifié et rognez celui-ci.

9 Appliquez des bandes de stratifié en commençant par les côtés du dessus de comptoir. À l'aide d'un rouleau à peinture, appliquez deux couches d'adhésif de contact sur le côté du dessus de comptoir et une couche au dos de la bande de stratifié. Laissez sécher l'adhésif conformément aux instructions du fabricant. Placez la bande à sa place, avec précaution et appuyez-la ensuite contre le côté du dessus de comptoir. Pressez-la au moyen d'un rouleau en J.

10 Utilisez une toupie munie d'une fraise à coupe droite pour rogner les bords supérieur et inférieur de la bande de stratifié, au ras des surfaces du dessus de comptoir. Dans les endroits que la toupie ne peut atteindre, rognez l'excédent de stratifié au moyen d'une lime. Appliquez des bandes de stratifié sur les autres bords et rognez-les avec la toupie.

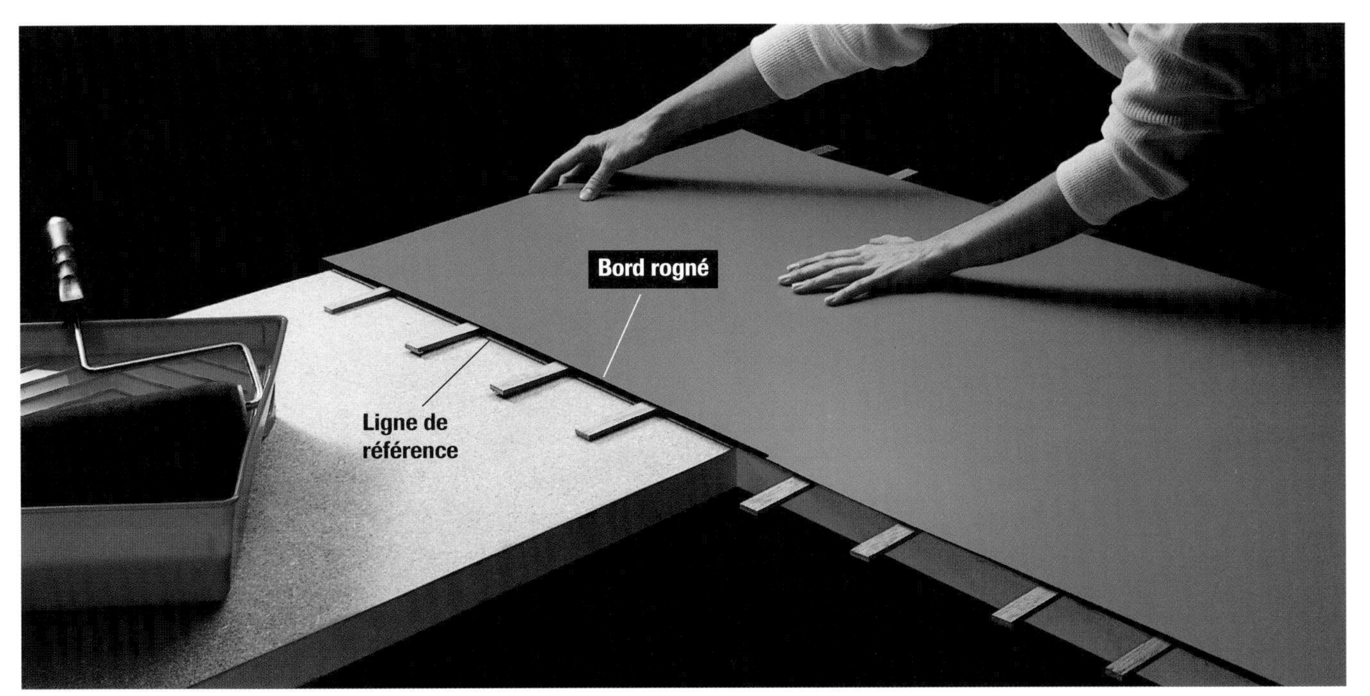

11 Essayez le dessus en stratifié sur le corps du dessus de comptoir. Vérifiez si le stratifié surplombe tous les bords. Aux endroits des joints du stratifié, tracez une ligne de référence sur le corps. Enlevez le stratifié. Assurez-vous que toutes les surfaces sont exemptes de poussière et appliquez une couche d'adhésif de contact au dos du stratifié et deux couches sur le corps du dessus de comptoir. Placez des lattes d'espacement en bois de $1/4$ po d'épaisseur, tous les 6 po, qui traversent le dessus du comptoir. Comme les surfaces revêtues d'adhésif de contact collent instantanément, il faut utiliser ces lattes d'espacement pour placer précisément la feuille de stratifié au-dessus du corps avant de la coller au corps. Alignez le stratifié sur la ligne de référence. En commençant à une extrémité, enlevez les lattes d'espacement les unes après les autres et pressez le stratifié contre le corps du dessus de comptoir.

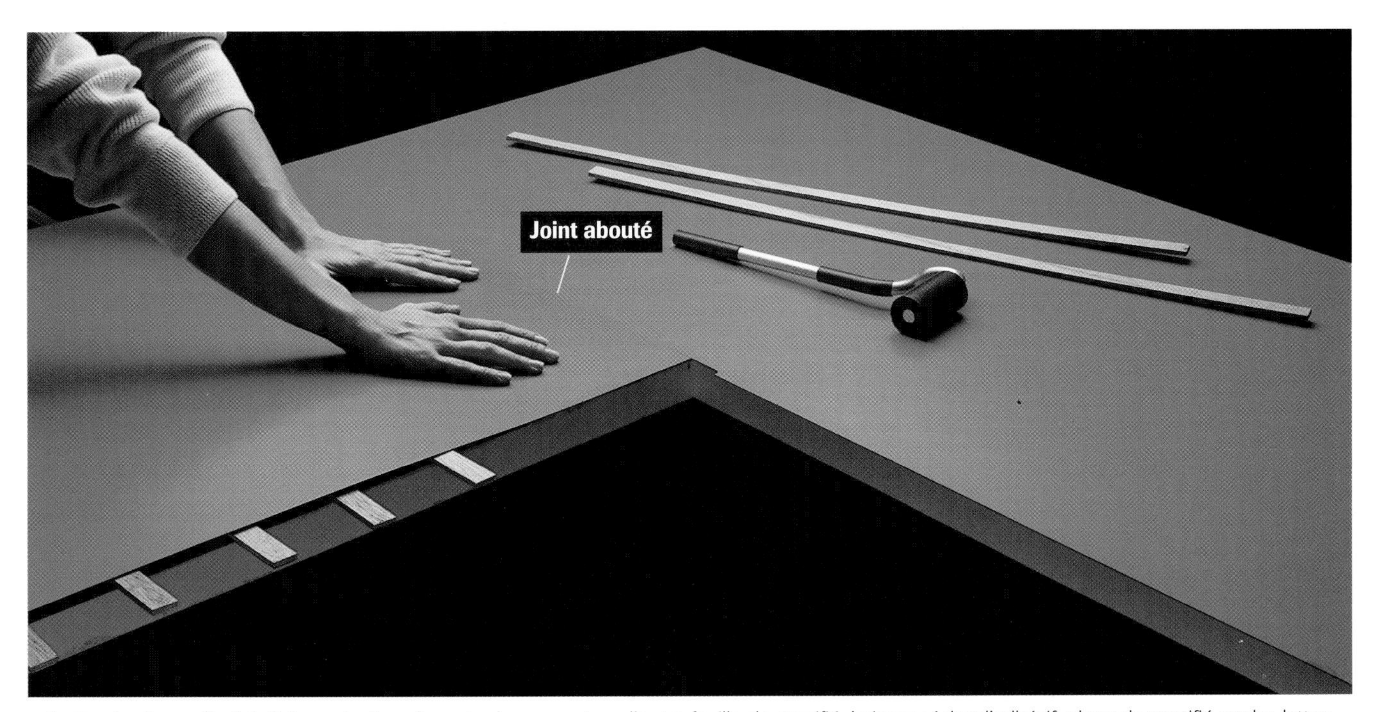

12 Appliquez l'adhésif de contact sur le reste du corps et sur l'autre feuille de stratifié. Laissez sécher l'adhésif, placez le stratifié sur les lattes d'espacement et alignez soigneusement le stratifié sur le joint. En commençant à l'endroit du joint, enlevez successivement les lattes d'espacement et pressez le stratifié contre le corps du dessus de comptoir.

Suite à la page suivante

Comment construire un dessus de comptoir en stratifié (suite)

13 À l'aide d'un rouleau en J, appuyez sur toute la surface pour lier le stratifié au corps. Essuyez l'excédent d'adhésif de contact au moyen d'un chiffon doux imbibé de diluant à adhésif de contact.

14 Enlevez l'excédent de stratifié au moyen d'une toupie munie d'une fraise à coupe droite. Dans les endroits que la toupie ne peut atteindre, utilisez une lime pour rogner l'excédent de stratifié. Le dessus de comptoir est alors prêt pour le rognage final en biseau.

15 Effectuez le rognage de finition des bords à l'aide d'une toupie munie d'une fraise à biseau de 15°. Réglez la profondeur de coupe de manière à ne biseauter que la couche supérieure de stratifié. La fraise ne doit pas entailler la surface verticale de stratifié.

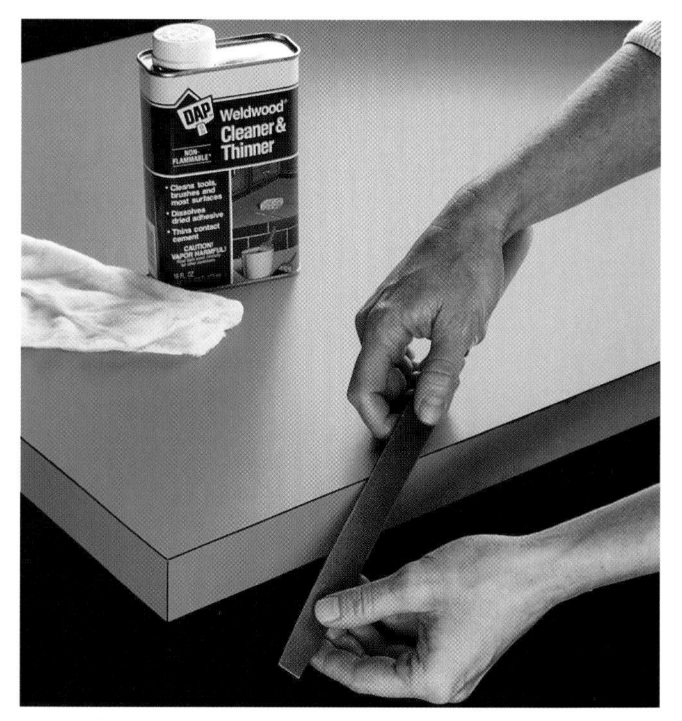

16 Limez tous les bords pour qu'ils soient parfaitement lisses. Donnez des coups de lime vers le bas, pour ne pas faire éclater le stratifié.

17 Coupez des bandes de 1 ¼ po de large en contreplaqué de ¼ po, qui serviront à fabriquer le bord à chantourner du dosseret. À l'aide de colle et de vis à plaques de plâtre, fixez le dessus et les côtés au corps du dosseret. Coupez des bandes de stratifié et collez-les sur les côtés visibles, le dessus et le devant du dosseret. Rognez chaque bande.

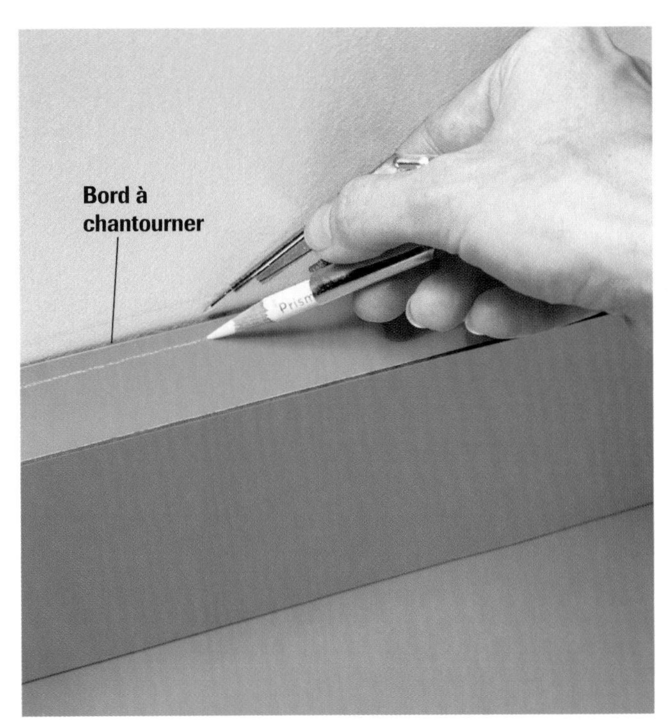

18 Essayez le dessus de comptoir et le dosseret. Comme la surface des murs est souvent irrégulière, utilisez un compas pour tracer le contour du mur sur le bord à chantourner du dosseret. À l'aide d'une ponceuse à courroie, poncez le dosseret jusqu'à la ligne du bord à chantourner (page 266).

19 Déposez un cordon de pâte à calfeutrer à base de silicone sur le bord inférieur du dosseret.

20 Placez le dosseret sur le dessus de comptoir et immobilisez-le à sa place en le pressant au moyen de serre-joints à barre. Essuyez l'excédent de pâte à calfeutrer et laissez sécher complètement.

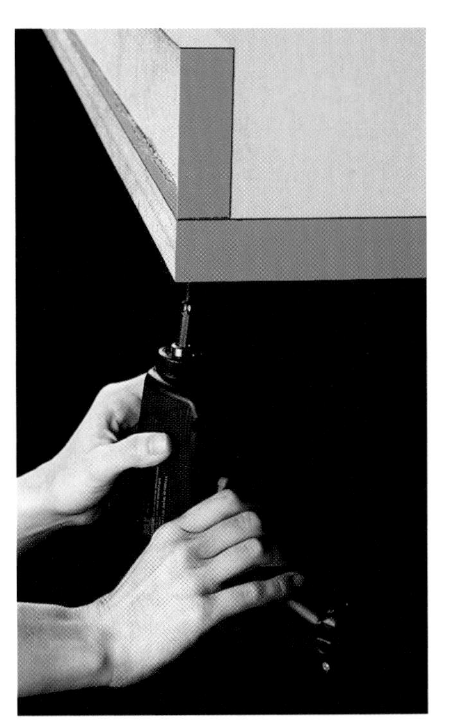

21 Enfoncez des vis à plaques de plâtre de 2 po dans le corps du dosseret, à travers le dessus de comptoir. Assurez-vous que les têtes des vis sont entièrement noyées pour que le dessus de comptoir adhère bien à l'armoire sur plancher.

Bords de dessus de comptoirs en bois

Pour donner à votre dessus de comptoir un cachet particulier, ajoutez des bords en bois dur et façonnez-les au moyen d'une toupie. Façonnez les bords avant de fixer le dosseret au dessus de comptoir.

Le matériel dont vous avez besoin

Outils : serre-joints triple, ponceuse à courroie, toupie avec fraise à arrondir et mèche à cavet, rouleau en J, boîte à onglets.

Matériel : bandes de bois dur de 1 po x 2 po, colle à bois, panneau de particules de ¾ po, stratifié en feuilles, clous de finition 4d.

Comment construire des bords en bois dur massif

Recouvrez de stratifié le dessus du comptoir avant de fixer les bandes de bordure. Attachez la bande au ras de la surface de stratifié, au moyen de colle de menuisier et de clous de finition (page suivante).

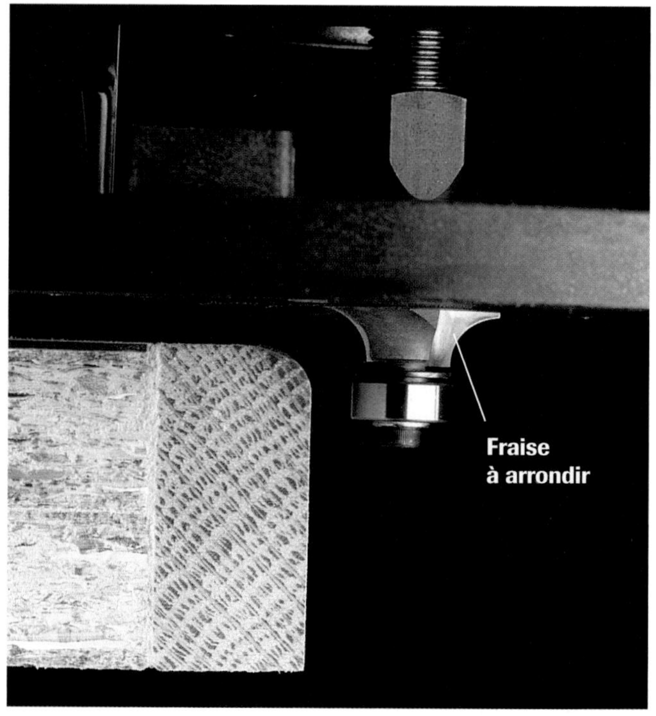

Façonnez le dessus et le dessous des bandes de bordure à l'aide d'une toupie munie d'une fraise à arrondir, si vous le désirez. Teintez et finissez selon vos goûts le bois visible.

Comment construire des bordures convexes en bois dur

1 Coupez des bandes de bois dur de 1 po x 2 po aux dimensions du dessus de comptoir. Poncez-les pour qu'elles soient lisses. Biseautez les bandes des coins extérieurs et intérieurs.

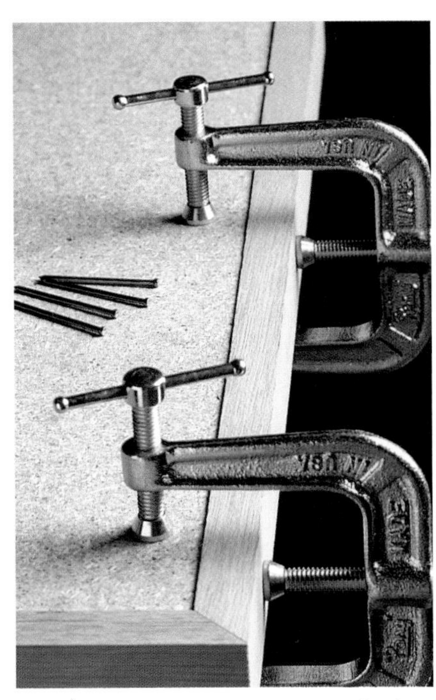

2 À l'aide de colle de menuisier, collez les bandes de bordure au dessus de comptoir et immobilisez-les au moyen de serre-joints triples. Forez des avant-trous et fixez les bandes à l'aide de clous de finition. Noyez les têtes des clous à l'aide d'un chasse-clou.

3 À l'aide d'une ponceuse à courroie et de papier de verre n° 12, poncez les bandes au ras de la surface du dessus de comptoir.

4 Appliquez le stratifié sur le dessus de comptoir et la bordure en bois dur après avoir poncé la bordure en bois dur au ras du dessus de comptoir.

5 Faites une rainure concave dans la bordure au moyen d'une toupie munie d'une mèche à cavet guidée par un pivot monté sur roulement à billes. Poncez la rainure concave à l'aide de papier de verre n° 220. Teintez et finissez selon vos goûts le bois visible.

Glossaire

Affleurant : se dit de deux ou plusieurs articles placés de manière que les surfaces se trouvent dans le même plan.

Assemblage à contre-profil : joint entre deux pièces d'une moulure dont l'une est coupée de manière à épouser le profil de l'autre.

Bandes de clouage : bandes de bois, habituellement du bois scié de 2 po x 2 po ou de 1 po x 2 po, utilisées pour uniformiser un mur ou pour supporter les plaques de plâtre.

Bois traité : bois imprégné de produits chimiques qui le rendent résistant aux parasites et à la pourriture.

C.C. : (de centre en centre), distance entre le centre d'un élément d'ossature et le centre de l'élément d'ossature suivant.

Chambranle : moulure utilisée entre le bardage d'une maison et l'encadrement d'une fenêtre ou d'une porte.

Charpente à claire-voie : type d'ossature dans laquelle les poteaux d'une seule pièce vont de la lisse de la fondation à la ligne du toit. Utilisée couramment dans les maisons construites avant 1930.

Clou à boiserie : clou ressemblant à un clou de finition, mais dont la tête champignonnée, plus grande, améliore l'accrochage.

Clou d'emballage : clou ordinaire, mais dont la tige est plus mince. Utilisé dans les travaux de construction légers et avec des matériaux qui se fendent facilement.

Clou de finition : clou muni d'une petite tête en champignon, utilisé pour assembler les boiseries et autres petites pièces.

Clou ordinaire : clou à tige robuste, utilisé principalement en menuiserie, dans les travaux d'ossature et les coffrages, dont la taille varie du clou 2d au clou 60d.

Clouage de consolidation : renforcement d'un joint à onglets dans l'encadrement d'une porte ou d'une fenêtre au moyen de clous enfoncés latéralement, du bord de l'encadrement au milieu du joint. Cette technique est également utilisée pour renforcer les encadrements des toiles de peintre.

Clouage de face : action d'assembler deux panneaux parallèles en enfonçant des clous à travers les faces des deux panneaux.

Clouage dissimulé : technique de clouage utilisée dans l'assemblage des panneaux bouvetés ou à rainure et languette, suivant laquelle les têtes des clous d'un panneau sont dissimulées par la rainure du panneau suivant.

Clouer en biais : assembler deux panneaux à angle droit en enfonçant les clous suivant un angle de 45°, à travers le côté d'un panneau, dans l'autre panneau.

Clouage en extrémité : action d'assembler deux panneaux perpendiculaires en enfonçant les clous à travers la face de l'un, dans l'extrémité de l'autre.

Codes du bâtiment : ensemble de règlements et d'ordonnances régissant la construction d'une maison ou les modifications qu'on y apporte. La plupart des codes sont contrôlés par les municipalités locales.

Cordeau traceur : utilisé pour tracer de longues lignes droites, ou comme fil à plomb.

Coupe d'onglet : coupe en biseau, à 45°, pratiquée à l'extrémité d'un morceau de moulure ou d'un élément d'ossature.

Coupe en biais : coupe en angle à travers la largeur ou l'épaisseur d'une planche ou de toute autre pièce de bois.

D'aplomb : qui est parfaitement vertical. Un fil à plomb est exactement perpendiculaire à une surface qui est de niveau.

Défonçage : méthode de coupe qui consiste à entamer le bois au cœur d'un panneau ou d'une pièce de contreplaqué, par l'action de la rotation d'une lame.

De niveau : ligne ou plan parallèles à la surface d'une eau tranquille.

Empannon : poteau court qui se trouve normalement juste au-dessus ou en dessous d'une porte ou d'une fenêtre.

Encadrement : moulure entourant une fenêtre, une porte ou toute autre ouverture.

Étrésillon : pièce de bois scié de dimensions courantes placée entre les éléments d'ossature pour les renforcer, et utilisée comme bande de clouage dans l'installation de matériaux de finition.

Fendre : couper une pièce de bois parallèlement aux fibres.

Fer : autre nom pour la lame d'un rabot.

Feuille entière, demi-feuille et quart de feuille : se dit en parlant d'un article en feuilles, par rapport à une feuille de 4 pi x 8 pi. Une demi-feuille mesure 4 pi x 4 pi et un quart de feuille, 2 pi x 4 pi.

Fil à plomb : instrument formé d'une masse munie d'une pointe, suspendue à un fil et qui est utilisé pour déterminer si une surface est parfaitement verticale ou pour reporter des marques en restant dans un plan vertical.

Intercalaire : mince coin en bois, utilisé pour effectuer de petits ajustements aux portes et aux fenêtres lors de leur installation.

Jambage : montants verticaux faisant partie de l'encadrement d'une porte ou d'une fenêtre.

Joint en biseau : joint obtenu en taillant obliquement les extrémités de deux pièces de bois ou de moulure et en les assemblant au moyen de clous pour que le joint ne soit pas visible.

Lambrisser (ou lambris, installer des) : planches ou panneaux assortis qui couvrent la partie inférieure d'un mur.

Lamellé-collé : matériau constitué de couches de bois collées les unes sur les autres pour former un tout massif, fabriqué spécialement pour les rives et les poutres.

Latte : pièce en bois de dimensions courantes utilisée pour le montage des armoires ou d'autres éléments muraux.

Linteau : pièce de bois d'œuvre horizontale, utilisée comme poutre au-dessus d'une porte ou d'une fenêtre.

Linteau (poutre) : poutre de support temporaire, utilisée dans la transformation d'une ossature à claire-voie.

Lisse : morceau de bois de construction de dimensions courantes (2 po x 4 po, normalement) qui supporte les poteaux d'un mur.

Mandrin à pince : mandrin de toupie qui tient la tige d'une fraise lorsqu'on le serre.

Marteau cloueur à poudre : marteau utilisé pour enfoncer, à l'aide de poudre noire, des clous dans le béton ou l'acier.

(Mètre à ruban) facile à lire : mètre à ruban portant la graduation des fractions le long de l'échelle graduée, ce qui facilite la lecture des mesures.

MicroLam®: matériau de construction constitué de minces couches de bois collées l'une sur l'autre ; utilisé pour fabriquer des solives ou des poutres.

Moulure couronnée : moulure concave utilisée pour dissimuler le joint existant entre le mur et le plafond ; appelée parfois *moulure concave*.

Moulure en quart-de-rond : moulure clouée au bas d'une plinthe, contre le plancher, pour dissimuler les espaces vides et mettre une touche décorative.

Mur de séparation : mur intérieur, non portant.

Mur portant : mur (intérieur ou extérieur) qui supporte une partie du poids de la structure d'une maison. Tous les murs extérieurs sont des murs portants.

Ossature à plateforme : type d'ossature dans laquelle les poteaux se dressent verticalement sur la hauteur d'un seul étage, chaque plancher agissant comme plateforme de construction pour l'étage suivant. Méthode de construction la plus courante des maisons modernes.

Ouverture (brute) : ouverture de l'encadrement d'une fenêtre ou d'une porte.

Panneau bouveté : type de planches présentant une languette d'un côté et une rainure de l'autre, de manière que, lorsqu'on les pousse l'une contre l'autre, la rainure d'une planche serre bien la languette de l'autre planche.

Penny weight : mesure utilisée pour indiquer le diamètre et la longueur d'un clou, communément indiqué par la lettre en bas de casse « d ».

Pied-de-biche : type de levier utilisé dans la démolition et qui sert également à arracher les clous.

Pieu : pièce de bois verticale, utilisée pour supporter des éléments d'ossature, tels qu'un chevron ou un linteau.

Plaque de plâtre : appelée aussi « gyproc » ; panneaux plats de différentes dimensions, faits de gypse recouvert de papier résistant. Utilisé pour finir la surface de la plupart des murs et des plafonds.

Porte montée : porte vendue montée dans ses jambages, ce qui facilite son installation.

Poteau : pièce de charpente verticale d'une maison ou d'un bâtiment.

Poteau nain : élément d'ossature murale supportant le linteau, dans l'ouverture d'une porte ou d'une fenêtre.

Poteaux principaux : les premiers poteaux se trouvant de part et d'autre d'une ouverture encadrée et qui se dressent de la lisse à la sablière.

Poutre : terme qui s'applique à n'importe quelle pièce de bois horizontale telle qu'une solive ou une rive.

Rebord : pièce profilée placée au-dessus d'une ouverture extérieure de manière que l'eau s'écoule à l'écart de l'ouverture.

Réceptacle à disjoncteur de fuite à la terre : boîte de prise de courant munie d'un disjoncteur différentiel. Utilisé aussi avec certaines rallonges pour réduire le risque de choc électrique lorsqu'on se sert d'un appareil électroménager ou d'un outil à commande mécanique.

Sablière : pièce horizontale en bois de construction, de dimensions courantes (2 po x 4 po, normalement), qui repose sur les poteaux d'un mur et supporte les extrémités des chevrons.

Saillie : distance à laquelle on peut dérouler un mètre à ruban avant que celui-ci ne plie sous l'effet de son propre poids.

Scie à chantourner : scie à main, à lame flexible et à petites dents, qui permet de scier du bois suivant des courbes et des tracés compliqués.

Scie alternative : type de scie à commande mécanique qui coupe le bois, le métal ou le plastique suivant un mouvement de va-et-vient.

Soffites et caissons : boîtes en bois de construction, de dimensions courantes et en contreplaqué ou en plaques de plâtre destinées à dissimuler des installations mécaniques ou d'autres éléments de construction.

Solive : pièce en bois de dimensions courantes à laquelle on fixe un plafond ou un plancher.

Solive sœur : morceau de bois de dimensions courantes, fixé le long d'une solive existante pour la renforcer.

STC : (*sound transmission class*, ou indice de transmission acoustique STC), système de classification indiquant le niveau de propagation du son en fonction de la qualité d'une construction donnée. Les murs normaux ont un indice STC de 32.

Tige : pointe de l'outil de forage fixée au centre d'une scie à trous, utilisée pour découper l'ouverture du bouton d'une porte.

Trait de scie : entaille faite à la scie dans du bois. L'avoyage des dents – l'écartement latéral des dents – détermine la largeur du trait de scie.

Tronçonner : couper un morceau de bois perpendiculairement au sens de la fibre.

« VSR » : (*variable speed reversing*, c'est-à-dire réversible à vitesse variable), option proposée sur la plupart des perceuses actuelles, qui permet de contrôler le sens et la vitesse de rotation de l'outil.

Équivalents métriques

Pouces (po)	1/64	1/32	1/25	1/16	1/8	1/4	3/8	2/5	1/2	5/8	3/4	7/8	1	2	3	4	5	6	7	8	9	10	11	12	36	39.4
Pieds (pi)																								1	3	3 1/12
Verges																									1	1 1/12
Millimètres (mm)	0,40	0,79	1	1,59	3,18	6,35	9,53	10	12,7	15,9	19,1	22,2	25,4	50,8	76,2	101,6	127	152	178	203	229	254	279	305	914	1000
Centimètres (cm)							0,95	1	1,27	1,59	1,91	2,22	2,54	5,08	7,62	10,16	12,7	15,2	17,8	20,3	22,9	25,4	27,9	30,5	91,4	100
Mètres (m)																								0,30	0,91	1,00

Conversion des unités de mesure

POUR CONVERTIR:	EN:	MULTIPLIER PAR:
Pouces	Millimètres	25,4
Pouces	Centimètres	2,54
Pieds	Mètres	0,305
Verges	Mètres	0,914
Milles	Kilomètres	1,609
Pouces carrés	Centimètres carrés	6,45
Pieds carrés	Mètres carrés	0,093
Verges carrées	Mètres carrés	0,836
Pouces cubes	Centimètres cubes	16,4
Pieds cubes	Mètres cubes	0,0283
Verges cubes	Mètres cubes	0,765
Chopines (US)	Litres	0,473 (Imp. 0,568)
Pintes (US)	Litres	0,946 (Imp. 1,136)
Gallons (US)	Litres	3,785 (Imp. 4,546)
Onces	Grammes	28,4
Livres	Kilogrammes	0,454
Tonnes courtes	Tonnes métriques	0,907

POUR CONVERTIR:	EN:	MULTIPLIER PAR
Millimètres	Pouces	0,039
Centimètres	Pouces	0,394
Mètres	Pieds	3,28
Mètres	Verges	1,09
Kilomètres	Milles	0,621
Centimètres carrés	Pouces carrés	0,155
Mètres carrés	Pieds carrés	10,8
Mètres carrés	Verges carrées	1,2
Centimètres cubes	Pouces cubes	0,061
Mètres cubes	Pieds cubes	35,3
Mètres cubes	Verges cubes	1,31
Litres	Chopines (US)	2,114 (Imp. 1,76)
Litres	Pintes (US)	1,057 (Imp. 0,88)
Litres	Gallons (US)	0,264 (Imp. 0,22)
Grammes	Onces	0,035
Kilogrammes	Livres	2,2
Tonnes métriques	Tonnes courtes	1,1

Dimensions du bois de sciage

NOMINALES - US	RÉELLES - US	MÉTRIQUES
1 × 2	3/4 po × 1 1/2 po	19 × 38 mm
1 × 3	3/4 po × 2 1/2 po	19 × 64 mm
1 × 4	3/4 po × 3 1/2 po	19 × 89 mm
1 × 5	3/4 po × 4 1/2 po	19 × 114 mm
1 × 6	3/4 po × 5 1/2 po	19 × 140 mm
1 × 7	3/4 po × 6 1/4 po	19 × 159 mm
1 × 8	3/4 po × 7 1/4 po	19 × 184 mm
1 × 10	3/4 po × 9 1/4 po	19 × 235 mm
1 × 12	3/4 po × 11 1/4 po	19 × 286 mm
1 1/4 × 4	1 po × 3 1/2 po	25 × 89 mm
1 1/4 × 6	1 po × 5 1/2 po	25 × 140 mm
1 1/4 × 8	1 po × 7 1/4 po	25 × 184 mm
1 1/4 × 10	1 po × 9 1/4 po	25 × 235 mm
1 1/4 × 12	1 po × 11 1/4 po	25 × 286 mm
1 1/2 × 4	1 1/4 po × 3 1/2 po	32 × 89 mm
1 1/2 × 6	1 1/4 po × 5 1/2 po	32 × 140 mm
1 1/2 × 8	1 1/4 po × 7 1/4 po	32 × 184 mm
1 1/2 × 10	1 1/4 po × 9 1/4 po	32 × 235 mm
1 1/2 × 12	1 1/4 po × 11 1/4 po	32 × 286 mm
2 × 4	1 1/2 po × 3 1/2 po	38 × 89 mm
2 × 6	1 1/2 po × 5 1/2 po	38 × 140 mm
2 × 8	1 1/2 po × 7 1/4 po	38 × 184 mm
2 × 10	1 1/2 po × 9 1/4 po	38 × 235 mm
2 × 12	1 1/2 po × 11 1/4 po	38 × 286 mm
3 × 6	2 1/2 po × 5 1/2 po	64 × 140 mm
4 × 4	3 1/2 po × 3 1/2 po	89 × 89 mm
4 × 6	3 1/2 po × 5 1/2 po	89 × 140 mm

Conversion des températures

Pour convertir des degrés Fahrenheit (F) en degrés Celsius (C), appliquez la formule simple suivante: soustrayez 32 de la température en degrés Fahrenheit; multipliez le nombre obtenu par 5/9. Par exemple: 77 °F – 32 = 45; 45 x 5/9 = 25 °C.

Pour convertir des degrés Celsius en degrés Fahrenheit, multipliez la température en degrés Celsius par 9/5 et ajoutez 32 au nombre obtenu. Par exemple: 25 °C x 9/5 = 45; 45 + 32 = 77 °F.

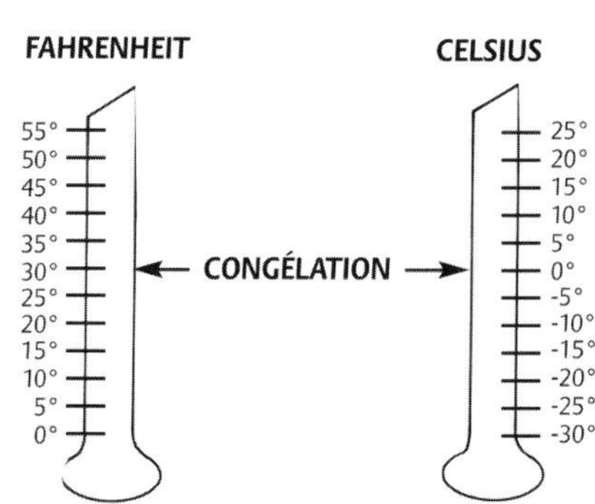

Forets

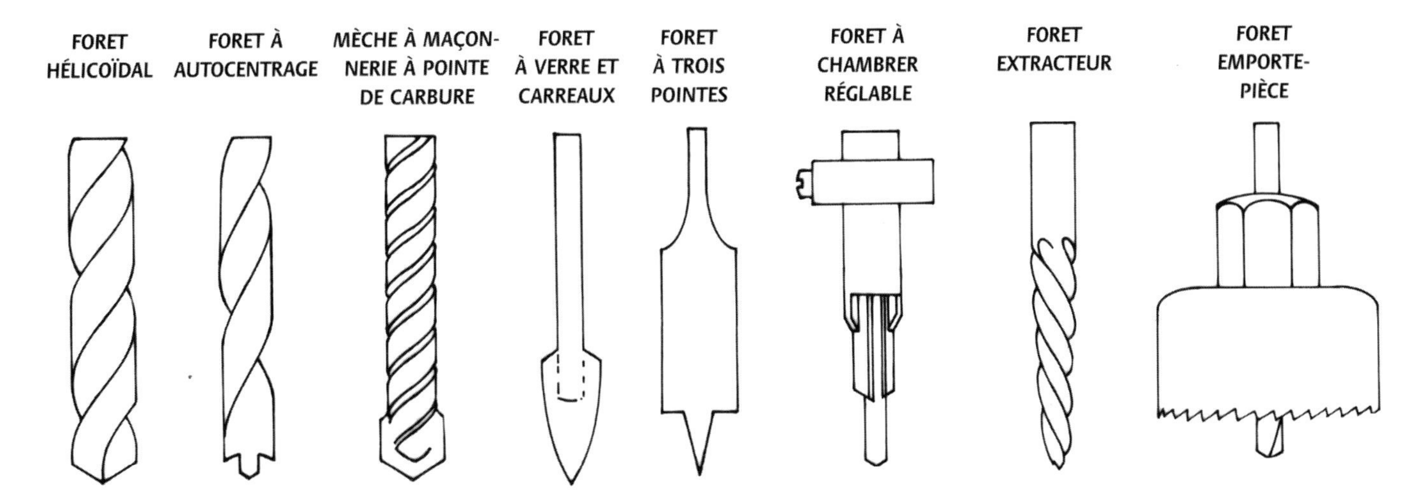

Diamètre du logement de tête, du trou de dégagement et de l'avant-trou

FORMAT DE LA VIS	DIAMÈTRE DU LOGEMENT DE LA TÊTE DE VIS NOYÉE	TROU DE DÉGAGEMENT DE LA TIGE DE VIS	DIAMÈTRE DE L'AVANT-TROU	
			BOIS DUR	BOIS TENDRE
n° 1	0,146 (9/64)	5/64	3/64	1/32
n° 2	1/4	3/32	3/64	1/32
n° 3	1/4	7/64	1/16	3/64
n° 4	1/4	1/8	1/16	3/64
n° 5	1/4	1/8	5/64	1/16
n° 6	5/16	9/64	3/32	5/64
n° 7	5/16	5/32	3/32	5/64
n° 8	3/8	11/64	1/8	3/32
n° 9	3/8	11/64	1/8	3/32
n° 10	3/8	3/16	1/8	7/64
n° 11	1/2	3/16	5/32	9/64
n° 12	1/2	7/32	9/64	1/8

Lames de scie

Lame au carbure

Lame à tronçonner

Lame à planer et à onglet

Lame à maçonnerie

Lame à métaux

Adhésifs

TYPE	CARACTÉRISTIQUES	UTILISATIONS
COLLE BLANCHE	**Solidité:** *modérée, liaison rigide* **Temps de séchage:** *plusieurs heures* **Résistance à la chaleur:** *médiocre* **Résistance à l'humidité:** *médiocre* **Dangers:** *aucun* **Nettoyage/solvant:** *eau et savon*	***Surfaces poreuses:*** *Bois (intérieur)* *Papier* *Tissu*
COLLE ALIPHATIQUE	**Solidité:** *de moyenne à bonne, liaison rigide* **Temps de séchage:** *plusieurs heures; plus court que celui de la colle blanche* **Résistance à la chaleur:** *moyenne* **Résistance à l'humidité:** *moyenne* **Dangers:** *aucun* **Nettoyage/solvant:** *eau et savon*	***Surfaces poreuses:*** *Bois (intérieur)* *Papier* *Tissu*
COLLE ÉPOXYDE À DEUX CONSTITUANTS	**Solidité:** *excellente; le plus solide des adhésifs* **Temps de séchage:** *varie selon le fabricant* **Résistance à la chaleur:** *excellente* **Résistance à l'humidité:** *excellente* **Dangers:** *vapeurs toxiques et inflammables* **Nettoyage/solvant:** *l'acétone dissout certains types*	***Surfaces poreuses ou lisses:*** *Bois (intérieur et extérieur)* *Métal* *Maçonnerie* *Verre* *Fibre de verre*
COLLE À CHAUD	**Solidité:** *varie selon le type* **Temps de séchage:** *moins d'une minute* **Résistance à la chaleur:** *passable* **Résistance à l'humidité:** *bonne* **Dangers:** *colle chaude: risque de brûlure* **Nettoyage/solvant:** *la chaleur affaiblit la liaison*	***Surfaces poreuses ou lisses:*** *Verre* *Plastique* *Bois*
COLLE CYANO-ACRYLATE	**Solidité:** *excellente, mais liaison peu flexible* **Temps de séchage:** *quelques secondes* **Résistance à la chaleur:** *excellente* **Résistance à l'humidité:** *excellente* **Dangers:** *peut coller instantanément à la peau; toxique, inflammable* **Nettoyage/solvant:** *acétone*	***Surfaces lisses:*** *Verre* *Céramique* *Plastique* *Métal*
COLLE MASTIC	**Solidité:** *bonne à excellente; très durable* **Temps de séchage:** *24 heures* **Résistance à la chaleur:** *bonne* **Résistance à l'humidité:** *excellente* **Dangers:** *peut irriter la peau et les yeux* **Nettoyage/solvant:** *eau et savon (avant le séchage de la colle)*	***Surfaces poreuses:*** *Éléments de charpente* *Contreplaqué et lambris* *Carton-plâtre* *Panneaux de mousse* *Maçonnerie*
ADHÉSIF DE CONTACT À BASE D'EAU	**Solidité:** *bonne* **Temps de séchage:** *liaison instantanée; séchage complet en 30 minutes* **Résistance à la chaleur:** *excellente* **Résistance à l'humidité:** *bonne* **Dangers:** *peut irriter la peau et les yeux* **Nettoyage/solvant:** *eau et savon (avant le séchage de l'adhésif)*	***Surfaces poreuses:*** *Laminés de plastique* *Contreplaqué* *Revêtements de sol* *Tissu*
ADHÉSIF/SCELLANT À LA SILICONE	**Solidité:** *passable à bonne; liaison très souple* **Temps de séchage:** *24 heures* **Résistance à la chaleur:** *bonne* **Résistance à l'humidité:** *excellente* **Dangers:** *peut irriter la peau et les yeux* **Nettoyage/solvant:** *acétone*	***Surfaces poreuses ou lisses:*** *Bois* *Céramique* *Fibre de verre* *Plastique* *Verre*

Index

PLUS DE

2000

PHOTOS COULEURS

Le *Guide complet du bricolage et de la rénovation* propose plus de 300 projets de bricolage – de la réparation des fissures dans le béton du sous-sol jusqu'au remplacement du toit de la maison. Les étapes de chaque projet sont illustrées par de nombreuses photos et expliquées en détail de manière que rien ne soit laissé au hasard.

Des douzaines de spécialistes des corps de métiers – maîtres menuisiers, plombiers, électriciens et entrepreneurs – ont contribué à la préparation de cet ouvrage inégalé.

Vous trouverez dans cet ouvrage :

- la liste complète des outils et du matériel nécessaires à la réalisation de chaque projet ;
- des conseils utiles qui vous feront gagner du temps et économiser de l'argent, en plus de vous éviter bien des frustrations ;
- des tableaux de dépannage qui vous permettront de trouver la cause exacte des défectuosités et vous fourniront la solution ;
- des listes de contrôle pour les inspections et réparations saisonnières et annuelles.

RÉPARATIONS INTÉRIEURES

Sous-sols
Murs et plafonds
Peinture
Planchers
Escaliers
Portes
Fenêtres
Isolation et intempérisation
Armoires
Dessus de comptoirs

RÉPARATIONS EXTÉRIEURES

Toitures
Bordures et soffites
Gouttières
Cheminées
Murs et parements
Peinture extérieure
Béton et asphalte

RÉPARATIONS DES INSTALLATIONS

Plomberie
Électricité
Chauffage, ventilation et climatisation

Achevé d'imprimer au Canada
sur papier Jenson 160 M
sur les presses de l'imprimerie Interglobe Inc.